FRANCESCO ZINGONI

De belofte
van de zee

Uitgegeven door Xander Uitgevers BV
Hamerstraat 3, 1021 JT Amsterdam

www.xanderuitgevers.nl

Oorspronkelijke titel: *Forte come l'onda è il mio amore*
Oorspronkelijke uitgever: Fazi editore
Vertaling: Jan Steemers
Omslagontwerp: MECOB
Omslagbeeld: Getty Images/Arcangel Images
Auteursfoto: Nadia Moro
Zetwerk: Michiel Niesen/ZetProducties

Voor de vertaling van de gedichten van Dylan Thomas is gebruik gemaakt
van de editie Dylan Thomas, *Collected Poems 1934-1953*.

Eerste druk 2014
Tweede druk 2014

ISBN 978 94 0160 253 2 / NUR 302

Ter herinnering aan het feit dat deze reis
vier jaar geleden onder een andere titel begon:
Demian Sideheart

Voor Chiara

Ik heb de dertien zeeën bevaren,
tot aan de poorten van Llandbyyrd
Ik ben maar een kind,
maar uit mijn open borst
wellen immense stranden van licht,
uit mijn middenvoorhoofdsoog
klippen en duinen, minaretbekroonde steden, zonnen en manen
Uitgestrekt op het gloeiende zand
volg ik met gesloten ogen een arend,
vraag God waarom Hij me aanspoort
naast de Zijne andere werelden te scheppen

Er was eens een geheim strand. Dolgraag was ik dit verhaal zo begonnen, geloof me. Maar helaas, het navolgende heeft niets van een sprookje. Ik kan je niet eens beloven dat het goed afloopt. Natuurlijk staat het je vrij deze of gene wending als pure fantasie te beschouwen. Toch gaat het om een waargebeurd verhaal. Beter gezegd, om het mijne. Nee, een sprookje is het niet.

Het geheime strand. Die naam hadden we verzonnen. Zoals alle verliefden gaven we de dingen nieuwe namen. In werkelijkheid was het slechts een nietig eilandje dat op geen enkele zeekaart voorkwam. Je moest er al varend in deze uitgestrekte wateren toevallig op stuiten.

Wij wisten alleen dat de Pacificische volken het *Poy'Atewa*, 'Roze Parel', noemden. Dat het voor hen een soort heilige plek was. Misschien, zo dachten wij, had het ontbreken op kaarten dus iets met een primitieve religieuze schroom te maken. Of met het feit dat het, zoals werd gezegd, om amper meer dan een ring van roze zand ergens in de oceaan ging. Niemand kwam over de brug met de exacte coördinaten, en áls erover gesproken werd, dan alleen fluisterend, met schichtige blikken, gevolgd door een verstokt zwijgen.

'Een juweel aan het zeeoppervlak, ergens midden in de oceaan.'

'De laatste poort tot *Awu'kumea*, het paradijs op aarde.'

Aldus de verhalen. En ik zal niet ontkennen dat een dergelijke plek een onweerstaanbare aantrekking op ons uitoefende. Maar vervolgens lieten we het los: we waren met vakantie, zelf op zoek gaan naar onbekende kusten behoorde niet tot het soort prikkels dat wij zochten, en geweldige, goed gedocumenteerde zeilbestemmingen waren er in overvloed. Bovendien durfden we te wedden dat het slechts een van de talloze legendes was die men vreemdelingen op de mouw speldde, een kunstig geweven verhaaltje om toeristen en dromers te strikken.

Maar we vergisten ons. Het geheime strand bestond echt.

Door een gril van het toeval of een beschikking van het noodlot vonden we het uiteindelijk, zonder het zelfs maar te willen.

Nu zijn we daar.

Misschien zijn we er verdwaald geraakt, ik weet het niet meer. Sinds we er zijn, lijkt het of ik met open ogen droom. Of dat ik opnieuw een oude, lang vergeten droom uit mijn vroege jeugd beleef.

Er is hier alleen verblindend licht en een stralende kleurenpracht. Kleuren die alle andere zintuigen overvleugelen.

Het roze van het zand. Het azuur van de hemel, dat in het turkoois van de zee vervloeit. De wit blinkende, tot een kring geordende rotsen, uitgehold door de wind en tot betoverende bogen getransformeerd. Overal dansen bolletjes licht, zonlicht gebroken door zoutbeparelde wimpers.

En, niet te vergeten, jij bent hier.

Uitgestrekt in het gloeiende zand, pal naast mij. Stralend van vreugde ben jij de bron van al dat licht. De reden waarom ik hier ben, waarom ik zo'n zuiver, kinderlijk, ongebreideld geluk ervaar.

Het gebeurde zo plotseling. Een onverhoopt geschenk, toen ik het het meest nodig had. Ik beweeg mijn tong langs mijn lippen en proef de heerlijke smaak van het zout. In mijn handen heb ik, wie weet waarom, een boek. Mijn hoofd is leeg.

Mijn enige wens is de tijd stil te zetten, zo te blijven, met jou, tot het einde der dagen.

Dan explodeert de zon.

De lucht wordt zwart en rijt in tweeën.
Vogels krijsen aan de hemel,
vissen krijsen in zee.
De wolken en de sterren storten neer
en worden schaduwen. Worden water.
Niets ademt meer.
Niets is meer.

Amper had ik haar alles tot in de kleinste details verteld, of ik had er spijt van. Van achter haar witte schrijfbureau keek dr. Caerdydd in haar witte jas me met ironisch opgetrokken wenkbrauwen en een ongelovige, bijna meewarige glimlach om haar lippen aan.

Stom! Stom! dacht ik met opeengeperste lippen. *Je had haar alleen moeten vertellen wat je je had voorgenomen. En geen woord meer.*

Maar de jonge psychologe had een meelevende, geruststellende blik die zelfs een steen aan het praten zou hebben gekregen. En na alles wat ik had doorgemaakt, had ik die uiteindelijk niet kunnen weerstaan. Pas nu werd me duidelijk wat deze grote blauwe kijkers in werkelijkheid waren: twee gevoelloze dieploden die hun peilingen hadden afgerond.

'Je moet toegeven – ik mag toch wel "je" zeggen? – dat je verhaal nogal ongelooflijk klinkt.'

Ik verstijfde nog meer. Prompt parkeerde de psychologe haar scepsis en keerde terug naar haar eerdere strategie. Ze glimlachte me toe en sperde haar ogen wijd open als een nieuwsgierige kleuter, het ronde sproetengezicht omlijst door springerige blonde lokken.

'Maar één ding kan ik je verzekeren. Er is nooit gevaar geweest dat je écht krankzinnig werd. Ik bedoel, alles wat er is gebeurd, zelfs al is nog niet duidelijk wat je werkelijk overkomen is, heeft waarschijnlijk geen psychische schade aangericht. Althans geen blijvende.'

Natuurlijk, mevrouw de psycholoog, dacht ik grimmig. *Het gaat geweldig met me. Perfect gewoon.*

De psychologe zette haar bril op en rekte haar schouders. Ze had lang geluisterd, nu was het haar beurt om het woord te nemen en het verlossende woord te spreken. Het was duidelijk dat ze dit deel van haar werk erg op prijs stelde.

'De dingen die je mij beschreef, zijn typerende symptomen van een zogenaamde radicale posttraumatische amnesie.'

Ze liet de term even in de lucht hangen. Het effect was theatraal, en ik hing nu aan haar lippen.

'Sommige trauma's zijn zo ingrijpend dat ze zelfs de diepste lagen van het geheugen uitschakelen,' vervolgde ze. 'Dat kan zelfs zo ver gaan dat iemand zijn eigen taal vergeet. Zich geen woord meer herinnert.'

Precies. Ga door, dacht ik, instemmend knikkend.

'In dergelijke gevallen wordt het onmogelijk om correct te spreken of zelfs maar te denken. De gedachten, die niet langer tot zinnen kunnen worden gearticuleerd, worden een warrige verzameling van impulsen, een chaos van blind door het brein schietende, abstracte emoties. Dat is het zogenaamde syndroom van Steinberg. Een extreme psychische toestand die als waanzin kan worden ervaren. Maar dat is het niet. Normaal gesproken herstelt het taalgeheugen zich vrij snel en daarna krijgt de persoon weer de beschikking over al zijn geestelijke vermogens. Maar het proces is niet pijnloos: vaak doorleeft de persoon een toestand van verwarring, die hem of haar in de waan brengt iets beleefd te hebben wat zich in wérkelijkheid,' zei de psychologe met nadruk, 'alleen in zijn of haar hoofd heeft afgespeeld.'

Ze glimlachte tevreden. Ze had me de wetenschappelijke theorie gepresenteerd die haar stelling zonder twijfel bewees: mijn relaas, mijn versie van de feiten, was in wezen te wijten aan de spinsels van een brein dat in verwarring verkeerde. Zwijgend en met een onuitstaanbare glimlach wachtte ze op mijn reactie. Maar ik had niet meer de kracht er iets tegen in te brengen.

Maar de psychologe vergiste zich. Ja, de symptomen klopten, ik had mijn geheugen verloren en daarna had ik het weer teruggekregen. Maar niet helemaal: ik kon me nog steeds de periode net vóór het geheugenverlies niet herinneren, en ik had al helemaal geen idee door welk 'trauma' het was veroorzaakt. Maar ten eerste had ik me noch iets ingebeeld, noch geloofde ik dat ik destijds het contact met de realiteit verloren had. En ten tweede maakte de dame het zich wel erg gemakkelijk, terwijl ik toch echt maar één stap van de afgrond van vervreemding en waanzin verwijderd was geweest. Dat wist ik maar al te goed, beter dan zij, per slot van rekening had ík het meegemaakt. En noch de medische wetenschap, noch haar psychiatrische theorieën hadden mij kunnen helpen.

Nee, de redding was van verder weg gekomen. Een uitgestoken hand, sporen die ik had moeten volgen, in weerwil van angst en pijn, stralende herinneringen die beetje bij beetje weer waren opgelicht.

Toen was zij daar. Zij, die me op raadselachtige wijze hierheen geleid had. Zij, de enige ware reden waarom ik alle moeilijkheden getrotseerd had. En nu ik, na alle ellende, had ontdekt – of liever herontdekt – wie zij was, zou ik haar eindelijk ontmoeten, dat hoopte ik tenminste vurig.

In één woord: de redding was door de *liefde* gekomen. Hoe misbruikt en versleten dit woord ook mag zijn, ik zou het niet anders kunnen zeggen. Aan de liefde had ik het te danken dat ik het overleefd had, dat ik mijn naam en mijn gezicht had teruggevonden. Het belangrijkste ontbrak nog: het weerzien met de bron van deze liefde, met oorzaak en gevolg, met háár. En daarmee de onthulling van het grote raadsel, dat van de *dromen*. Spoedig zou alles weer in orde zijn gebracht, alles opgehelderd, zelfs de laatste restjes schaduw over mijn verleden.

Op één punt had de psychologe gelijk: mijn verhaal was ongelooflijk. Toch was het waar, precies zoals ik het verteld had. Nu de puzzelstukjes op hun plek begonnen te vallen, had ik de zekerheid dat ik die dagen daadwerkelijk beleefd had. Ik had ze niet alleen maar gedroomd. Ze waren echt gebeurd. Ze behoorden tot mijn verleden.

Nu wachtte mijn verhaal alleen nog op zijn goede afloop, op de ultieme bekroning, de liefde.

Binnenkort zou ik haar terugzien.

Ik wilde het meer dan wat ook. Ik wilde het zo graag dat ik bij voorbaat de mogelijkheid uitsloot dat het misschien niet zou gebeuren. Die gedachte en de bijbehorende angst had ik verdrongen.

Maar hoezeer ik hem er ook onder hield, de angst wachtte op me, wreed en geduldig.

Achter mij het avontuur van een man zonder herinnering, verloren aan de grenzen van de wereld. Een afgrond die zich gesloten had.

Nu lag, nog onzichtbaar, een ander soort afgrond voor me – die zich niet had gesloten, maar alleen van vorm was veranderd. Die nog steeds op me wachtte, me nog steeds opeiste.

DEEL I

ALS EEN WEDERGEBOORTE

1

ONTWAKEN

Wij, liggend bij zeezand, starend naar geel

Ik weet niet meer wie ik ben.

Een zonnestraal priemde door zijn gesloten oogleden.

en de bange zee, geven smalend af op het honen

Ik weet niet meer hoe ik heet.

Zijn oren registreerden het geruis van de branding.

*van hen die de rode rivieren volgen, holle
alkoof van woorden uit cicadeschaduw*

Ik herinner me niets. Waar ben ik?
Met de grootste moeite opende de man zijn ogen. Het zout had in zijn wimpers een korst gevormd die zijn oogleden dichtplakte. Hij rekte zijn hals om zijn omgeving in zich op te nemen. Een sobere hut. Wanden van riet, een dak van droog gebladerte: een kegel waar fijne lichtstralen doorheen prikten. Een opwaaiend gordijn waarachter een stuk spierwit zandstrand opflitste, en lome golven die, een paar meter verder, bijna tot aan de drempel kropen.

Hij probeerde te gaan zitten. Een stekende pijn in zijn rug deed hem terugvallen, voorover, met zijn gezicht in de grove strozak waarop hij geslapen had. Hij streek met zijn tong over zijn droge lippen en proefde de zoutkristallen die zich in de nacht op zijn lichaam hadden afgezet.

Nogmaals probeerde hij overeind te komen, langzamer nu. Met opeengeklemde tanden om de pijn te verbijten richtte hij zich op. Op de met rietmatten bedekte vloer stonden manden met vruchten en vreemde beeldjes. Hij kon zich niet herinneren ze de avond tevoren gezien te hebben: iemand moest 's nachts de hut in zijn gekomen. Nu zag hij ook de verspochte spiegel die tegen de wand leunde. Na lang aarzelen keek hij erin. Tussen de weervlekken zag hij zichzelf: het strohaar en de warrige baard, de door de zon getaande, geschaafde huid, de uitstekende ribben en sleutelbeenderen. Hij kon dertig, misschien vijfendertig jaar oud zijn, moeilijk te zeggen in deze toestand. Een grijze lendendoek was om zijn heupen geslagen. Aandachtig dwaalde zijn blik over het eigen spiegelbeeld en bleef hier en daar hangen. Toen ontmoette hij zijn ogen, groen en onzeker. Ze kwamen hem enorm voor, verloren in de knokige oogkassen. Hij staarde erin, oog in oog met zichzelf. Minutenlang bleef hij zo zitten, dof en onbeweeglijk. Zijn blik behoorde toe aan een onbekende. Dit beeld bood geen herkenning, geen herinneringen, geen houvast voor zijn lege brein.

Huiverend kneep hij zijn ogen dicht en zakte op zijn knieën. Zijn gebalde vuisten bewogen naar zijn slapen, openden zich weer en gleden beschermend voor zijn gezicht.

Wat was er met hem gebeurd? Hoeveel dagen was hij hier al?

Hij had zijn geheugen verloren.

Niet alleen dat: hij had ook de woorden verloren. De herinnering aan zijn taal.

Zonder het filter van de woorden overstelpte de werkelijkheid hem met verwarde beelden, flitsen van onbeheerste emoties, vooral angst, die hem op het fysieke af benauwden en verwarden.

Hij had woorden nodig om zijn gevoelens te ordenen en zin te geven. Hij kon het niet meer. Hij kon niet meer denken.

Hij was als een kind van een paar maanden dat de wereld nog moet verkennen en voor wie alles nog puur en naamloos is. Hij was Adam in het paradijs. Dat mag een zegen lijken, maar dat was het allerminst: ondanks het volledige geheugenverlies bespeurde hij de vage echo van een verloren verleden. Hete tranen rolden over zijn wangen.

Misschien ben ik gek aan het worden.

Hij dacht dit niet met deze woorden, hij ervoer krampachtig schokkend hun emotionele equivalent. Lange tijd bleef hij zo zitten, met gesloten ogen en zijn hoofd tussen zijn vuisten, wachtend tot de troebele kolk was gaan liggen op de bodem van zijn geest en plaatsmaakte voor een helderheid waarin hij ademen kon.

Hij voelde een schaduw over zijn gezicht vallen. In het tegenlicht, bij de ingang van de hut, stond een man die hem toelachte. Hij herkende het gezicht meteen. Het was het eerste beeld geweest waarop zijn blik in zijn nieuwe, herinneringsloze leven gevallen was. Hij herademde. Hij voelde dat deze man hem van een ernstig gevaar, misschien wel van de dood, gered had.

Horu.

De naam echode door zijn brein. Hij probeerde hem hardop uit te spreken, maar zijn stembanden lieten hem in de steek.

Zijn gezicht vertrok tot een grimas van wanhoop. Horu kwam dichterbij en monsterde hem aandachtig, zoals een gewetensvol arts zijn patiënt. Zelfs toen hij de ontstelde, angstige blik ontmoette, bleef zijn stralende glimlach onveranderd.

'Mauke Nuha!'

Horu's diepe stem riep hem. Verrast veerde hij op.

Mauke Nuha, dacht hij stom. Dat was zijn nieuwe naam. Zo had men hem na zijn ontwaken genoemd. Hoewel hij voelde dat dit niet zijn echte naam was, moest hij het er voorlopig mee doen. *Mauke Nuha*. De bijzondere achtergrond van deze twee woorden zou hij weldra te horen krijgen.

Horu kwam naast hem zitten en begon behoedzaam op hem in te praten. Zijn gebaren brachten zijn van schelpen gemaakte kettingen en armbanden aan het rammelen. Zijn stem was melodieus en aangenaam, maar zijn woorden waren voor Mauke Nuha betekenisloze klanken. Weliswaar kon hij zich zijn eigen taal niet herinneren, maar, net als bij zijn naam, deed iets hem vermoeden dat dit niet de taal was die door het geheugenverlies uit zijn hoofd gewist was.

Aangezien hij er niets van verstond, beperkte hij zich tot observeren. Horu was bijna een kop kleiner dan hij, donker van huid, stevig gebouwd, en straalde ondanks zijn gevorderde leeftijd iets krachtigs uit. Een dicht netwerk van rimpeltjes doorgroefde zijn ronde gezicht. Zijn mond en neus waren groot en vlezig, zijn haar was zwart en dik, zijn langwerpige ogen, die eruitzagen als twee donkere vensters, waren eveneens diepzwart.

Toen hij merkte dat zijn woorden niets uithaalden, zweeg Horu. Hij boog zich over een houten kist en haalde er een stapel boeken uit tevoorschijn. Hij nam er een ter hand, ging weer zitten en begon er langzaam in te bladeren. Mauke Nuha's blik volgde het omslaan van de pagina's en bleef hier en daar aan teksten en beelden hangen. Sinds de jongeman op het eiland was, had Horu elke dag iets bedacht om hem te helpen zijn geheugen terug te vinden. Zonder enig resultaat.

Zo brachten ze verscheidene uren door met het doornemen van de boekverzameling die Horu God weet hoe en waar had opgeduikeld. Mauke Nuha bleef onberoerd, de woorden waren voor hem onbegrijpelijke tekens, de afbeeldingen en verbleekte foto's zeiden hem niets. Ook deze poging was mislukt. Toch bleef Horu glimlachen, hij was een zeer geduldig man, die nooit de moed verloor.

Met een hartelijke omhelzing nam hij afscheid van Mauke Nuha en liep naar de deur. Een plotselinge inval deed hem stilstaan. Met een handbeweging nodigde hij Mauke Nuha uit hem te volgen, toen liep hij de hut uit en verdween in het verblindende ochtendlicht.

Het licht dat water en zand terugkaatsten was zo fel dat het oog enkele minuten nodig had om de bovenaardse schoonheid van de plek te bevatten. Het eerste wat Mauke Nuha zag, was het witte strand waar de hut op stond: het had de vorm van een boemerang, strekte zich kilometers lang uit en omarmde een vredige baai, stralend blauw als de hemel. Achter de hut ging het felwit van het zand over in het lommerrijke groen van een weelderige vegetatie van palmen en exotische struiken met wiegende luchtwortels. Verder landinwaarts steeg het terrein en bereikte zijn hoogtepunt in parelkleurige rotsnaalden, gebeeldhouwd door de onvermoeibare fantasie van de wind. Voorbij de lagune liet de donkerblauwe zee zijn witgekopte golven stukslaan op het nu en dan uit het water opflitsende koraalrif, dat het eiland met zijn halfronde vorm beschutte.

Mauke Nuha bleef lange tijd doodstil staan om dit uitzicht te bewonderen. De amnesie had zijn gevoel voor schoonheid niet aangetast en hij ervoer een vluchtig gevoel van opluchting. Het licht en de kleuren hadden een verborgen verlangen in hem aangeroerd, dat erop wachtte ontdekt te worden. De flikkering van een hoop die zich amper langer dan een moment liet vasthouden.

Voorzichtig, stap voor stap, liep hij achter Horu aan. Op het strand en tussen het groen stonden talrijke andere hutten, die samen een klein dorp vormden. Tientallen mensen die op Horu leken wijdden zich aan hun dagelijkse werk. In het water dartelden en lachten de kinderen met kristalheldere stemmen, die de zeebries tot in de wijde omtrek verspreidde. Bij de waterlijn stonden een paar mannen te vissen door primitieve netten achter zich aan te slepen, andere repareerden hun boten – lange kano's die ze op het strand getrokken hadden. Een groep vrouwen bevestigde grote bladeren aan een net van draden die tussen de hutten waren gespannen. Hun melodieuze gezang vervulde de lucht.

Iedereen die hij passeerde hield op met wat hij aan het doen was en keek hem aan. Sommigen groetten hem met een brede glimlach, anderen met bezorgde of medelijdende blikken. De kinderen zwaaiden naar hem en riepen: 'Mauke Nuha! Mauke Nuha!'

Zonder te reageren liep hij verder, met zijn gezicht in zijn handen en zijn ogen zo veel mogelijk gesloten. Zijn fragiele innerlijke evenwicht kon al deze stemmen, gezichten en kleuren amper verdragen. Ze wekten een lichamelijk onbehagen, een soort duizeligheid en misselijkheid.

De twee mannen bereikten een grote, door vier palmen beschaduwde hut: de woning van Horu, de hoofdman van het eiland. In het interieur stapelden zich de meest uiteenlopende en onwaarschijnlijke voorwerpen op, waarvan de enige overeenkomst was dat ze door de zon gebleekt en met een zoutkorst bedekt waren. Een oeroude, ogenschijnlijk kapotte radio had een ereplaats op een stelling van bamboehout. Ernaast, ingelijst achter een glasplaat, prijkte een grote wereldkaart. Horu duwde hem erheen en keek hem vragend aan.

Weet je waar je vandaan komt? vroeg zijn blik. Lange tijd bestudeerde Mauke Nuha de kaart. Zijn blik volgde de kleurige vormen die de fysiognomie van de aarde beschreven, maar in zijn hoofd heerste roerloze duisternis.

Horu wachtte geduldig, toen barstte hij in een bulderend gelach uit en nam hem in zijn armen alsof hij hem wilde troosten. Hij wees naar zijn voeten en vervolgens naar de wereldkaart, naar het midden van de grote blauwe vlek. Hij herhaalde het gebaar ettelijke malen en bleef hartelijk lachen. *Begrijp je? We bevinden ons op een eiland in het midden van de Stille Oceaan, omgeven door een onmetelijke watervlakte.*

Gelukkig kon Mauke Nuha het niet verstaan.

En zo werd de man zonder herinnering met een warme omhelzing weggestuurd uit Horu's hut. Hij zou deze dag doorbrengen zoals de dag ervoor en alle eerdere: hij zou zich zo ver mogelijk van het dorp en zijn

21

bewoners verwijderen en naar de andere, rotsachtige en onbewoonde kant van het eiland vluchten. Zijn labiele toestand vroeg om eenzaamheid en stilte.

Hij liep het op het oosten gelegen strand helemaal tot het eind toe af; zo ontweek hij de dichte junglevegetatie en de kleine bergachtige rotsformatie, die de ruggengraat van het eiland vormde. Aan de andere zijde verhief de kust zich hoog boven de oceaan en bood talloze, deels steile, deels zachter glooiende inhammen met zanderige kloven en kleine grotten.

Daar ging hij zitten en liet roerloos starend naar het glinsterende water de uren verstrijken. Alleen op deze momenten kwam zijn ziel tot rust, verzonken in een donker, aan tijd en ruimte ontheven niets, met half verdoofde zintuigen, ongevoelig voor dorst en honger. Zelfs de voortdurende pijn aan zijn rug plaagde hem dan niet meer. De eenzame, in de wind ruisende palmen leken hem gade te slaan, zich naar hem toe te buigen en hem te vragen: *Wie ben je? Wat doe je hier?* Misschien wilden ze hem waarschuwen voor het gevaar dat dreigde: een dikke wolk van somberheid was hem aan het omhullen en stond op het punt hem te verstikken. Deze kalme, van pijn verstoken vergetelheid verhulde een bodemloze afgrond, waarvan hij slechts één stap verwijderd was.

Kort voor zonsondergang keerde Mauke Nuha naar het dorp terug. Alleen het donker bracht hem ertoe het gezelschap van mensen te zoeken. Het duister joeg hem angst aan alsof hij een kind was.

De nacht daalde neer. Net als de eerdere nachten lag hij stil en wezenloos voor zijn hut naar de donkere hemel te staren. Hoe lang was hij al hier? Dagen? Maanden misschien? Hij had elk besef van tijd verloren. En zou dat voor altijd zo blijven?

In werkelijkheid waren er sinds zijn ontwaken twee weken verstreken. De dagen hadden zich identiek aaneengeregen en hem uur na uur dichter naar de rand van de afgrond gebracht.

Zo gingen er nog twee weken voorbij.

Toen kwam de nacht van nieuwe maan, die de maand besloot en de stralende openbaring van de eerste herinnering bracht.

2

ZOEKTOCHT

De tekst prijkte boven aan een informatiescherm, het enige houvast in de stroom van bestemmingen, vertrek- en aankomsttijden en gatenummers. De tijdsaanduiding eronder, 06:08 AM, was een van de weinige dingen die Ian te midden van het vuurwerk van knipperende en fluorescerende symbolen begreep. Het was ongelooflijk, maar op alle richtingen reclameborden die hij tot nu toe gezien had, had hij nog geen twee identieke karakters ontdekt.

Wie was het ook al weer die beweerde dat luchthavens 'anonieme en stereotiepe "non-places" zijn, die overal op de wereld hetzelfde zijn'? Beslist iemand die nog nooit in het Verre Oosten is geweest.

Bijna ongemerkt was de terloopse gedachte in hem opgekomen – die door de borden van de taxfreeshops om hem heen ten dele werd weersproken. Versace en Marlboro, Chanel en Jack Daniel's. Afgezien van de ietwat verschillende locaties van de boetieks kon je de indruk krijgen dat ze nog op dezelfde luchthaven waren als waarvan ze zo'n tien uur tevoren waren opgestegen. Hetzelfde gold voor het Starbucks-logo achter hem, dat op elk vliegveld ter wereld te vinden was. Niettemin kon je bij Starbucks goed ontbijten, als je geen zin had om te gokken wat er achter termen als *jyuhiké, obiko, boba tea, aju-peng* en *chu-kaké* schuilging.

Hij zat aan een tafeltje op het terras dat uitkeek op de grote ronde hal met de incheckbalies. Ondanks het vroege uur heerste er al een drukte van belang. Van hierboven zagen de mensen eruit als een krioelende massa treurig kleine, onbeduidende insecten.

Precies zo voelde hij zich.

In de ene hand hield hij een geïsoleerde kartonnen beker met gloeiend hete koffie. In de andere draaide hij een chocolademuffin rond, waarin hij maar niet kon besluiten te bijten. Als een antistressbal kneedde hij hem tussen zijn vingers.

'Wat zei de stewardess ook alweer, in welke richting voel je de jetlag het minst?'

Ian hoorde de vraag alsof die van ver weg kwam. Hij reageerde niet meteen.

'Hé, Ian, hoor je me?'

Samuel, die naast hem zat, legde een hand op zijn schouder. Beiden waren rond de zestig, met wit, kortgeknipt haar, en goed gekleed, al waren hun colberts en donkere pantalons door de lange reis gekreukt geraakt.

'Ja, sorry,' zei hij, opschrikkend. 'Ik zit met open ogen te slapen. Wat zei je?'

'O, niets.' Samuel geeuwde. 'Trek het je niet aan, ik ben ook doodop. Het enige waar ik nu naar taal, is een acht uur lange siësta, om zes uur in de ochtend!'

Ze keken elkaar aan. In het gezicht van de ander zagen ze de sporen van hun eigen vermoeidheid: diepe kringen, doffe ogen, het gerimpelde voorhoofd dat niet meer glad wilde worden.

En daar was niet alleen de reis schuldig aan.

Tegenover hen zat Rachel, een vrouw van dezelfde leeftijd met blond haar en een grijs mantelpakje. Zwijgend nipte ze aan een dampende citroenthee en ze wierp af en toe een blik op de voor hun tafel geparkeerde rolkoffers. Haar stem trilde toen ze het stilzwijgen verbrak.

'Hoe laat is de afspraak met de politie?'

'Om half tien, over drie uur. We kunnen er maar beter direct naartoe gaan en niet eerst naar het hotel,' antwoordde Ian, die de volgende vraag van zijn vrouw zag aankomen. 'We weten niet waar het politiebureau is en Taipei is monsterlijk groot. We mogen niet te laat komen.'

De vrouw knikte afwezig. Ian stond op, opende zijn koffer en vergewiste zich er voor de zoveelste keer van dat de ordner met het dossier op zijn plaats zat en dat alle benodigde documenten en formulieren er nog waren. Sinds hun vertrek had hij dat al minstens tien keer gedaan, maar hij kon het niet laten. Dit dossier was te belangrijk, al een maand beheerste het zijn gedachten. Zijn reisgenoten merkten zijn kleine tic niet eens meer op.

Ze stonden op en liepen door de lange gang naar de taxistandplaats. Afgezien van de deuken die de nerveuze vingertoppen in de zachte cake hadden achtergelaten, bleef de chocolademuffin intact op de tafel achter.

Ian merkte dat zijn vrouw een paar passen achtergebleven was. Hij draaide zich om en zag dat ze zich met hangend hoofd voortbewoog en zo onmerkbaar beefde dat alleen hij het zag. Geduldig wachtte hij op haar, toen tilde hij zachtjes haar kin op. Haar ogen stonden vol tranen.

'Ian, geloof jij dat het wat uithaalt?' fluisterde Rachel, langs haar ogen vegend.

Haar man keek haar aan en deed zijn best er minder afgemat en bezorgd uit te zien dan hij in werkelijkheid was.

'We moeten het geloven. Het is onze enige hoop...'

... afgezien van een wonder.

Hij maakte de zin slechts in gedachten af. Hij haakte zijn arm in de hare en ondersteunde haar zachtjes tot ze de uitgang van de luchthaven bereikt hadden.

3

DE EERSTE HERINNERING

De eerste herinnering werd hem geopenbaard via een droom.

Mauke Nuha lag op het koude zand vlak voor zijn hut, de blik verloren in het maanloze, met miljoenen sterren bezaaide firmament. De Melkweg was een wit, in het niets zwevend vuurwerk, een aan het rijk der duisternis ontrukte gordel van licht, een door de oneindig lange reis uitgeput schijnsel dat zacht en onmerkbaar op het water, op het zand en op zijn ogen drukte.

Hij bezag het allemaal als een buitenstaander. Dag na dag had hij het weinige verloren wat hem nog met de werkelijke wereld verbond. Hij werd krankzinnig, op de meest simpele en subtiele manier: stukje bij beetje raakte hij los van de werkelijkheid, als oud plakband waarvan de lijm is uitgedroogd.

Gewiegd door het geluid van de branding sliep hij in.

Sinds hij zijn geheugen verloren had, had hij niets meer gedroomd. Slapen was voor Mauke Nuha als wegzinken in een zwart, onbeweeglijk en ondoordringbaar moeras. Samen met zijn verleden en zijn woorden leek hij ook het vermogen om te dromen verloren te hebben.

De nacht verliep rustig. Vanwege de pijn aan zijn rug sliep hij op zijn buik, met zijn armen onder zijn borst, zijn gezicht vertrokken tot een grimas van pijn. Alleen zijn onmerkbare ademhaling onderscheidde hem van een levenloos, na lange doodstrijd verkrampt lichaam.

Tegen het einde van de nacht ontspande zijn gezicht en werd zijn ademhaling dieper. Zijn oogleden begonnen te trillen, zijn handen en voeten schokten licht.

Op het zwarte scherm van zijn oogleden schemerde iets. Lichtende bollen, doorschijnende, dansende schijven, die ritmisch over elkaar schoven en weer uiteengingen.

Zijn eerste droom nam vorm aan.

De bollen vermeerderden zich en werden razendsnel groter. Het volgende moment namen ze zijn hele gezichtsveld in beslag en versmolten tot een eindeloze ruimte, een verblindende woestijn van louter licht. Op het eerste gezicht was daar niets, want er was geen schaduw. Alleen de kleuren hielden stand in het felle schijnsel: een wazige horizonlijn scheidde een teer zalmroze van een stralend hemelsblauw, een aardse verbeelding van een hemels visioen.

Hij strekte zijn hand uit. Zijn vingertoppen verdwenen voor zijn ogen, alsof ze door de kleuren werden opgeslokt. Hij besefte dat het immense, weidse landschap in werkelijkheid een ongrijpbare nevel van licht was, die zijn lichaam op slechts enkele centimeters afstand omhulde. Hij probeerde zich om te draaien en om zich heen te kijken.

Waar ben je...?

Een stem.

Hier ben je...

Een stem fluisterde in zijn oor.

... vlakbij.

De stem van een vrouw.

Hij kon de woorden verstaan. Letters dansten voor zijn ogen, met licht geschreven.

Maar bovenal – zijn lichaam kromp ineen bij het besef, en het scheelde niet veel of hij was wakker geworden – herkende hij de stem.

Hij probeerde te antwoorden, maar slaagde er niet in. De lucht voor zijn ogen bewoog lichtjes. Concentrische cirkels dijden uit, als druppels die op een verticale waterspiegel vallen.

Iets maakte zich los uit de nevel.

Eindelijk is het zover... Ik zie je...

Het gezicht van een vrouw.

Lichte huid, zachte gelaatstrekken. Twee grote, donkere ogen staarden hem aan. Hij kende dit gezicht. Bevend droomde hij verder.

De vrouw glimlachte naar hem, bewoog haar lippen en nogmaals vervulde haar stem de lucht.

Ja, jij bent het. Ik herinner me... je ogen, je gezicht.

Maar je naam weet ik niet meer.

Mauke Nuha strekte zijn hand naar haar uit, en de vrouw volgde zijn voorbeeld. Haar bleke, ranke vingers reikten uit de stralende nevel.

Hun handen naderden elkaar.

Wie ben jij? Wie ben ik?

Hun vingers beroerden elkaar bijna.

Ik kan het me niet meer herinneren, maar...
Zijn hand zonk weg in glibberige kou en het visioen verdween met de
laatste echo van zijn stem.
... ik moet je terugvinden.

Huilend werd hij wakker. Maar door zijn tranen heen werd hij zich iets
gewaar wat vreugde moest zijn. Of nee, eerder heimwee, zoet en smartelijk. Wie was die vrouw?
Het was zo vreemd: hij herinnerde zich haar niet, kende haar naam
niet en toch voelde hij dat tussen hen beiden een zeer sterke band bestond. Een band zo intens dat de donkere deur van de amnesie er heel
even door was opengegaan.
Wie ben je?
Een antwoord diende zich aan, maar hij slaagde er nog niet in het te
horen (of misschien durfde hij het niet). Hij keek naar de opkomende
zon. De schoonheid van de ochtend die aanbrak boven de lagune roerde
iets in hem aan.
Voor het eerst sinds hij zijn geheugen verloren had, verlangde hij iets.
Met heel zijn hart.

Horu's hand op zijn schouder onderbrak de maalstroom van gevoelens.
Snikkend, maar met een blik die nooit eerder zo levendig was geweest,
draaide Mauke Nuha zich naar hem om. Hoe graag had hij hem alles
verteld, maar hij kon nog steeds niet spreken. Het was niet nodig: zijn
stralende ogen zeiden meer dan welke woorden dan ook. Horu wist niet
wat er gebeurd was, maar hij vermoedde dat een diepe schok Mauke
Nuha naar het leven had teruggebracht. Glimlachend kwam hij naast
hem zitten en legde een arm om zijn schouders tot hij weer gekalmeerd
was.
Mauke Nuha bracht die dag door zoals alle andere: alleen, op een eenzame plek, starend naar de oceaan die oogverblindend in de zon lag te
schitteren. Maar ditmaal gaf hij zich niet over aan vergetelheid, maar
dwong hij zichzelf te reflecteren. Hij dacht op een dierlijke, non-verbale
manier, die uit emotionele opwellingen bestond. Tal van vragen zonder
antwoorden waren in hem geboren. Wie was de vrouw uit zijn droom?
Waar was zij op dit moment? Wat betekende hun ontmoeting?
Zijn naakte, verwarde, volledig weerloze ziel zwalkte tussen euforie

en wanhoop, tussen de bedwelmende herinnering aan zijn droom en de angst dat het slechts een hersenspinsel was, en dat hij haar misschien nooit terug zou zien.

Bij zonsondergang lag hij, uitgeput van zijn innerlijke strijd, languit op het strand. De laatste zonnestralen drongen door zijn half gesloten oogleden. Het geruis van de branding in zijn oren stierf langzaam weg. Hij sloot zijn ogen.

In zijn halfslaap veranderde de pijn van zijn door de zon verbrande huid in het verterende verlangen haar terug te zien, die onbekende vrouw, van wie hij voelde dat hij haar meer liefhad dan al het andere wat hij in het onbegrensde universum verloren had.

4

ZOEKTOCHT (2)

Twee uur te vroeg voor hun afspraak arriveerden Ian, Samuel en Rachel op het hoofdbureau van politie van Taipei en ze werden uitgenodigd in de wachtruimte plaats te nemen. Deze bestond uit drie spartaanse bankjes en een koffieautomaat in een hoek achter in een reusachtige kantoorruimte, een chaos van bureaus, computers, onophoudelijk rinkelende telefoons, af en aan lopende en naar elkaar schreeuwende agenten en oorverdovend sirenegehuil dat van de straat naar binnen drong. *Als de rest van Taipei net zo is als het hoofdbureau van politie,* dacht Ian beduusd, *dan is de stad je reinste chaos, wat voor ons niet bepaald gunstig is.*

Ze waren moe en gespannen en hadden spijt dat ze geen tussenstop in het hotel hadden ingelast om zich op z'n minst een beetje op te frissen. Ian zat op het puntje van zijn stoel en wipte nerveus met zijn been. Om de tien seconden legde Rachel haar hand op zijn knie. Korte tijd hield Ian zich dan in, om er even later des te nerveuzer weer mee door te gaan.

Hij werd pas kalm toen hij de ordner uit zijn tas opdiepte.

Starend naar het kaft dacht hij aan de gelukkige samenloop van omstandigheden dankzij welke hij een afspraak met de politiechef van Taipei had weten te regelen. Zou het iets uithalen? De hoop woog niet meer dan een stofdeeltje, maar het feit dat hij eindelijk hier was, in eigen persoon, verschafte hem een zekere opluchting.

Er was al een maand verstreken. Hectische telefoontjes naar ambassades en consulaten, privédetectives, gespecialiseerde bureaus, meer of minder betrouwbare internetsites, een keten van e-mails: het had tot niets geleid. Alleen de toedracht van het verdwijnen had zich, bij benadering en met tal van lacunes, laten reconstrueren. Met een grote foutmarge hadden ze het wanneer en het hoe kunnen vaststellen.

Ze hadden niet langer stil kunnen zitten. Dus hadden ze besloten hun koffers te pakken en het zoeken zelf voort te zetten. Nog net op tijd om paspoorten en visa te regelen, en nu waren ze daar, in Taiwan, waar alles begonnen was.

Afwezig bladerde Ian door de eerste pagina's.

BUITENGEWONE STAATSCOMMISSIE VOOR VERMISTE PERSONEN –
AFDELING INTERNATIONALE SAMENWERKING
Internationale vermistenaangifte
Prot.nr. ##### van ####, p/a het kantoor van #####.
Samenvattend formulier overeenkomstig de EXSO-procedure
Blz. 8 van 52

Deel E [Vervolg van blz. 7]:

E6. Waren de (onder A voluit beschreven) personen in
het buitenland onderweg?
[X]JA [ ]NEE

E7. Zo JA, geef de naam van de plaats:

Het geschreeuw van enkele politieagenten deed Ian opkijken. Samuel
was ingedommeld, de bofferd, ondanks de chaos om hen heen. Hij sloeg
een paar regels over en las verder.

E20. Was er tijdens hun verblijf in de onder E7 aan-
geduide plaats sprake van telefonisch contact met de
betreffende personen?
[X]JA [ ]NEE

E21. Zo ja, noem dan datum en tijdstip van het laatste
contact:

Ian had het formulier zo vaak gelezen dat hij het bijna uit zijn hoofd
kende. Hij bladerde zo'n twintig pagina's verder.

daaruit volgt dat het door de vermisten aangegeven bui-
tenlandadres niet overeenstemt met het laatste daadwerkelijk door hen gebruikte, vooralsnog onbekende adres.
Dit leidt tot een grote marge van onzekerheid met betrekking tot het tijdvenster, en met name tot het geografische gebied waarin de verdwijning zich moet hebben
afgespeeld.

Uit de analyse van de creditcardgegevens (zie Aanhangsel 4) komt de betaling naar voren van een vlucht
naar Taipei, Taiwan, International Airport Chiang Kai-
shek. Verder is er geen voor het onderzoek relevant
betalingsverkeer boven water gekomen. Eventuele betalingen voor verdere vlieg-, trein- of boottickets,
huurauto's, hotels of andere onderkomens zijn niet met
creditcard vereffend.
Het laatste geslaagde contact vond plaats per satelliettelefoon (uitgaande telefoongesprekken naar nummer ###-######). De eerste onbeantwoorde contactpoging
volgde vier dagen later (inkomende oproep van nummer
###-######).
De analyse van de telefoongegevens (zie Aanhangsel 3)
wijst op drie oproepen naar een ander nummer, die echter...

Opnieuw onderbrak Ian zijn lectuur. Hij sloeg een tiental bladzijden
over.

code waaruit blijkt dat het gebied als uiterst risico-
vol wordt beschouwd waar het gaat om activiteiten van
georganiseerde misdaadbendes.

D)   Natuurrampen en gevaarlijke dieren
Uitgaande van:
- het onder E genoemde vermoedelijke geografische gebied;
- het onder B benoemde vermoedelijke tijdsbestek
dient te worden uitgegaan van de volgende (volgens
het asymptotische schadediagram, Aanhangsel 9) als
catastrofaal geclassificeerde natuurlijke gebeurtenissen:
een natuurramp van tamelijk grote omvang, waarbij echter, voor zover bekend, geen mensen letsel opliepen, is
de aardbeving van sterkte 6 met epicentrum in...

Hij sloeg de ordner dicht. Rachel had zich vastgeklemd aan zijn arm en keek angstig om zich heen. Een paar meter verderop schreeuwden politieagenten tegen een gehandboeide jongen. De jongen liet het verbale geweld apathisch over zich heen komen en begon plotseling van zich af te schoppen en als een waanzinnige te krijsen. Er klonk een doffe klap, gevolgd door een pijnkreet: een gummiknuppel had het gezicht van de jongen in een bloedig masker veranderd. Instinctief drukte Rachel zich tegen haar man aan en verborg haar gezicht in zijn schouder. De brute atmosfeer van het politiebureau beangstigde haar. Ze voelde zich bedreigd, hoewel daar geen reden voor was.

Samuel werd wakker, verhief zich van niets bewust van de bank en rekte zich uit.

'Wil er iemand koffie?' vroeg hij geeuwend.

Voordat iemand kon antwoorden, werden ze opgeroepen door een jong agentje.

'Directeur Kasumi kan u nu ontvangen,' zei hij in gebroken Engels. 'Volgt u mij alstublieft.'

Het kantoor van de politiechef van Taipei lag één verdieping hoger, goed afgeschermd van de chaos van de grote kantoorruimte van zijn ondergeschikten. Kasumi ontving hen met een krachtige, onderkoelde handdruk en liet hen plaatsnemen voor zijn elegante schrijftafel van glas en geborsteld metaal. Hij beheerste hun taal feilloos, zij het met een zwaar Chinees accent.

Al aan Kasumi's eerste uitlatingen kon Ian merken hoe weinig affiniteit de man ervoer met een zaak die hij kennelijk als complete tijdverspilling beschouwde. Dus besloot hij meteen ter zake te komen en stak hem het dossier toe.

Kasumi zette zijn leesbril op en verdiepte zich minutenlang in de documenten, waarbij hij onverstaanbaar mompelde. Zijn leeftijdsloze gezicht verried geen gevoel, het bleef uitdrukkingsloos als dat van een porseleinen pop: lichte huid, fijne wenkbrauwen, kraalogen, regelmatige, starre trekken.

Hij keek op en duwde zijn bril naar het puntje van zijn neus.

'De stukken met het oog op een officieel onderzoek zijn in orde,' zei hij zuchtend, alsof de hele zaak hem vermoeide. 'Ik hoef u niet te zeggen dat dit een weliswaar noodzakelijke, maar in de regel volkomen ontoereikende maatregel is om iets te bereiken. In ons archief stapelen zich duizenden aangiften van vermissingen op en dagelijks komen er nieuwe bij. U zult al weten dat de succesquota bij dergelijke naspeuringen zich rond de nul bewegen.'

Onwillekeurig liet Rachel een gesmoorde kreun ontsnappen. Kasumi negeerde het en wapperde zich koelte toe met de door Ian pijnlijk nauwgezet ingevulde formulieren.

'Natuurlijk zullen we deze gegevens in ons computersysteem invoeren en u op de hoogte brengen van eventuele ontwikkelingen. Maar helaas komen die zo goed als nooit voor. Daar komt bij dat de toedracht van de verdwijning in uw geval uiterst onduidelijk is.'

Ian wilde iets terugzeggen, maar hij had een brok in zijn keel. Zwijgend onderwierp Kasumi de laatste pagina's van het dossier aan een onderzoek, toen stond hij op, maakte ruimte op zijn schrijftafel, haalde een lange rol papier uit een kast en rolde die voor hen uit. Het was een landkaart die een groot deel van de Pacific met Taiwan, Japan, de Filippijnen, Indonesië, Papoea en Micronesië besloeg. Hij haalde een passer en een zakcalculator uit een lade. Aan de hand van een pagina uit het dossier begon hij kringen en lijnen op de kaart uit te zetten, berekeningen uit te voeren en, razendsnel typend, gegevens in zijn computer in te voeren.

Na een kwartier printte hij het resultaat uit en spreidde de circa tien vellen op zijn schrijftafel uit.

'Volgens de door u verzamelde gegevens is dit het potentiële zoekgebied.'

De vellen toonden een kaart met een rode cirkel die een doorsnede van drieduizend mijl had.

'Maar dat is immens!' riep Ian ongelovig uit.

'Niet alleen dat,' vervolgde Kasumi, ietwat gepikeerd over de onderbreking. 'Het omvat ook verschillende landen waartussen geen enkele politiële samenwerking bestaat. Ik bedoel, de enige manier om een kans op succes te hebben en met een zuiver geweten te kunnen zeggen dat u al het menselijkerwijs mogelijke hebt gedaan, bestaat erin persoonlijk te gaan zoeken. Dat is de enige mogelijkheid. Men kan de politie in kennis stellen en privédetectives inhuren, maar desondanks is het onontbeerlijk om zelf ter plekke te zijn,' besloot hij met een vaag gebaar naar de drieduizendmijlszone.

'Daarom zijn wij ook hier!' zei Ian nadrukkelijk. 'We willen zelf op onderzoek uitgaan!'

'Heel goed,' antwoordde Kasumi, 'dat siert u. Maar voor u een definitief besluit neemt, moet u goed naar mij luisteren.'

De politiechef schraapte zijn keel en ging rechtop zitten, legde zijn bril op het bureau en monsterde zijn vier gesprekspartners met de kilte van een man die gewend is slechte berichten over te brengen.

'Als u uitsluit dat de bedoelde personen hun sporen willens en wetens uitgewist hebben...'

'Natuurlijk sluiten we dat uit!' barstte Samuel uit, die tot dan toe nog niets gezegd had.

'Als men,' hernam Kasumi geprikkeld, 'zoals in dit geval, verscheidene weken lang geen bericht van de vermiste personen ontvangt, krimpt het palet aan mogelijkheden drastisch. Het uitblijven van spontane contacten geeft aanleiding tot de aanname dat de betrokkenen om zo te zeggen onbekwaam zijn, met andere woorden: niet langer in staat vrij te handelen. Ze zouden gewond of gevangen kunnen zijn of zich op een afgelegen, van de beschaving afgesneden plek zonder transport- en communicatiemiddelen kunnen bevinden.

Daarnaast bestaat de zeldzame, maar niet te verwaarlozen mogelijkheid' – Kasumi's ogen versmalden zich nu tot twee smalle spleetjes – 'dat de vermisten trauma's met daaropvolgende amnesie opgelopen hebben. In dat geval bestaan er geen objectieve beletselen – afgezien van het feit dat men zich noch de eigen identiteit, noch de namen van familie of vrienden herinnert. En, *last but not least*, kan ook de onfortuinlijke combinatie van deze beide factoren niet worden uitgesloten.'

Kasumi bracht zijn handen bijeen, met de vingertoppen tegen elkaar. Zijn metalige stem klonk als een grijsgedraaide bandopname.

'En natuurlijk mogen we ook de eenvoudigste en doorgaans juiste verklaring niet vergeten: de dood van de vermisten.'

Een tweede kreun ontsnapte aan Rachels keel. Ze verborg haar gezicht in haar handen en barstte in een geluidloos snikken uit. Kasumi sprak onbewogen verder.

'In dit geval dient u zich af te vragen: loont het de moeite om aanzienlijke middelen in te zetten en u aan grote gevaren bloot te stellen, alleen om,' – hij beklemtoonde het woord met een grimas – 'een *lijk* te vinden? In het licht van de enorme wettelijke deregulering op het gebied van uitvaartverzorging en de angst voor ziekten is het terugvinden van een dode vermiste in deze contreien zo goed als onmogelijk. In het beste geval worden ze onmiddellijk en zonder bureaucratische plichtplegingen gecremeerd of begraven.'

Ian drukte de nog steeds hevig snikkende Rachel tegen zich aan. Hij voelde een diepe haat jegens deze man, die zo kil en onverschillig over de dood sprak. Hij voelde een enorme woede opkomen en moest zich inhouden om dat porseleinen gezicht niet met een vuistslag aan diggelen te slaan.

Kasumi, die dergelijke reacties gewend was, liet niets merken en schudde enkel zijn hoofd. Hun opvattingen over leven en dood liepen eenvoudig te ver uiteen om een gemeenschappelijke noemer te vinden. Het was duidelijk dat het onderhoud beëindigd was.

De politiechef reikte hun de papieren aan met het zoekgebied en een mapje met diverse adressen en telefoonnummers die hun van pas zouden kunnen komen, mochten ze de zoektocht toch op eigen houtje voortzetten. Toen nam hij nog onderkoelder afscheid van hen dan hij hen ontvangen had.

Om 10.30 uur verlieten Rachel, Ian en Samuel het politiebureau. Beduusd en aangeslagen liepen ze de zwoele hitte van Taipei in om te midden van het razende verkeer een vrije taxi te vinden. Hun hoop hing aan een bijna onzichtbaar dunne draad. Toch was Ian niet van zins het op te geven.

Hij zou niet naar huis gaan voor hij al het mogelijke ondernomen had, en zo nodig nog meer dan dat.

5

YLA HOMA

Mauke Nuha droomde niet opnieuw. Dagen, misschien weken, gingen voorbij en voortdurend keerden zijn gedachten obsessief terug naar het beeld van de vrouw uit de droom. Het was zijn reddingslijn om niet door te draaien, maar ook een stormgolf die hem nu eens de lucht in slingerde, dan weer omlaag wierp naar de diepten van de oceaan, op en neer, op en neer, steeds verder op drift. Deze emotionele woelingen waren het enige wat hem nog aan het leven bond.

Het zonnige klimaat van het eiland was ook omgeslagen en leek zijn stemmingswisselingen te weerspiegelen. Hevige stormen raasden over het strand, drukten de palmen omlaag en even later straalde de zon weer uit een wolkeloze hemel. Met elke regenbui werden de contouren van het geliefde gezicht wat vager en de zon bleekte de kleuren.

Langzamerhand sloot de door de droom geopende afgrond zich weer en de golf van emoties trok zich in het donker terug. Weldra zou hij zich weer opsluiten in zijn wereld van woordeloze gedachten.

En toen kwam de tyfoon.

Na een ochtend die stralend was geweest, doken er reusachtige zwarte cumuluswolken aan de horizon op, als bergen die op instorten staan. Zonder waarschuwing schoven ze over het eiland. De hemel werd gitzwart, het gezang van de vogels stierf weg, de natuur verviel tot een onwerkelijke stilte. Mauke Nuha begreep dat dit geen toevallige passant zou worden. Hij werd bevangen door een dierlijke oerangst. Zo snel als zijn voeten hem konden dragen rende hij door de weelderige vegetatie naar het dorp toe.

De eerste regendruppels vielen, groot als walnoten. De lagune zwol aan, reeds likten de golven aan de hutten.

De eerste donderslag weerklonk.

Een felle bliksemschicht ontlaadde zich in een van de grote palmen, gevolgd door een gedaver dat de lucht deed trillen en de aarde schudden.

Mauke Nuha's oren tuitten, kinderen begonnen te huilen, allen drukten zich tegen de grond en legden hun armen beschermend over hun hoofd. Van de aan splinters geslagen palm bleef alleen nog een dikke, rokende stomp over. Een hevige wind stak op, die wolken zand de hemel in blies, bomen neerdrukte, daken van hutten rukte. Salvo's van bliksem dompelden het hele eiland in spookachtig wit licht, de wind raasde steeds harder, ontwortelde mangroves en slingerde ze samen met droge takken, kledingstukken, manden en werktuigen in een woeste reidans de lucht in. De vrouwen gilden van angst, de mannen staarden elkaar als verlamd aan. Inmiddels hadden de zwartblauwe golven de vegetatie bereikt en sleurden alles met zich mee wat op hun weg lag.

Enkele minuten van angst leken uren te duren. Toen nam de tyfoon in kracht af en trok weg zonder verdere schade aan te richten.

De dorpsbewoners waren zichtbaar geschokt, sommige vielen elkaar in de armen, andere zochten hun kinderen. Horu vergewiste zich ervan dat iedereen gezond en ongedeerd was en gaf Mauke Nuha een aai over het hoofd. Binnen enkele uren losten de wolken op en brak de zon door. Om te kalmeren keerde Mauke Nuha naar de rotsachtige kant van het eiland terug. Tot aan zonsondergang dwaalde hij eenzaam rond, vol bewondering voor het schouwspel van de woeste golven, die het wrakgoed van de storm op de kust wierpen.

Die nacht zag hij haar weer.

In zijn slaap verschenen de bolletjes licht weer. Net als bij de eerste droom vermenigvuldigden ze zich en dijden trillend uit tot een ruimte van zuiver licht. Maar ditmaal begon de stralende nevel op te lossen.

De omtrekken van een droomlandschap doemden op, zinderend als een fata morgana: een klein, wit zandstrand tussen grijze rotsen, omspoeld door golven waarvan het fijnste schuim op de lucht dreef.

Mauke Nuha kreeg het gevoel alsof hij de plek al kende. In de verte een lichtflits. Toen nog een, en nog een, alsof een piepkleine spiegel hem met zonnestralen verblindde...

Daar was ze, vlak bij de rotsen...

Ze kwam hem tegemoet.

Naakt, slechts verhuld door het tegenlicht. Soepele bewegingen, slank, bleek lijf, stralende glimlach.

Toen was ze bij hem. Pas op dat moment zag hij de witte bol in haar handen. Glimlachend strekte ze haar armen naar hem uit.

Ook hij strekte zijn armen uit, overweldigd door het oppermachtige verlangen haar te omhelzen.

Opnieuw stonden ze op het punt elkaar aan te raken.

Hij schrok wakker. De hut was gedompeld in een bleek licht dat de zonsopgang aankondigde. Hij voelde zich merkwaardig helder. Van een nieuw gevoel vervuld sprong hij op: voor de eerste keer sinds hij op het eiland was wist hij precies wat hem te doen stond.

Hij begon te lopen, maar zijn lichaam was stijf van de lange apathie en niet meer gewend aan een dergelijke onstuimigheid. Slechts enkele passen van de hut ging hij languit op zijn gezicht. Zand spugend krabbelde hij op en hobbelde struikelend verder. Hij doorkruiste het nog slapende dorp en bereikte het eind van het strand, boog toen af naar de rotsachtige kant van het eiland en liet drie kleine zandige baaien achter zich. Toen hij de top van de steile klip boven de vierde baai had bereikt, bleef hij staan en keek omlaag.

Hij herkende het strand uit zijn droom.

Hij was er heel zeker van. Dit was de plek.

De zon begon op te komen. Als een bezetene daalde hij de helling af, zonder acht te slaan op de messcherpe randen, die in zijn handen en voeten sneden. Toen hij hijgend en wel beneden was, staarde hij vol verwachting in de richting waaruit de vrouw in de droom was opgedoken. Vervolgens liet hij zijn blik zoekend over elke centimeter van de kleine baai dwalen.

Niets.

Hij werd onrustig. Al zijn hoop was gevestigd op dit korte ogenblik, maar er gebeurde niets.

De rode schijf van de zon steeg snel en was al half boven de horizon verschenen.

Iets schitterde tussen de klippen. Precies op de plek waar de vrouw was verschenen.

Het schitteren verdween, dook weer op en verdween. Mauke Nuha bleef doodstil staan, met ingehouden adem en turende blik.

Hij begreep dat het de weerkaatsing was van iets wat klem zat tussen de klippen en rees en daalde op het ritme van de golven.

Hij liep ernaartoe.

Toen hij er nog maar een paar meter vandaan was, zag hij wat daar danste in het schuim van de golven. Hij geloofde zijn ogen niet.

Het was de geheimzinnige bol uit zijn droom.

Hij stapte het water in en liep om de klippen heen. Daar was het, bijna binnen handbereik, door de zeestroming naar de oever gedreven.

Het was een verfrommeld ogende plastic tas. Hij wist wat het was, ook al had hij net zomin als voor al het andere een woord om het te benoemen. Behoedzaam, alsof het een relikwie was dat in zijn vingers tot stof uiteen kon vallen, pakte hij het bolstaande pakketje op en waadde terug naar de oever. Hij draaide het om in zijn handen om het water zo veel mogelijk uit de plooien te laten druipen en opende het toen voorzichtig. Het plastic was een paar keer om de onduidelijke inhoud heen gewonden en stevig dichtgeknoopt. Hij peuterde de knopen los. In de eerste tas zat een tweede, die iets zachts bevatte. Met bevende vingers opende hij ook deze. Hij stak zijn hand erin en diepte er een druipend, opgezwollen voorwerp uit op. Iets wat ooit een boek moest zijn geweest.

Het omslag was onleesbaar en de doorweekte pagina's waren versmolten tot één klomp, donker en compact. Hij zag dat het boek op één plek nog te openen was: daar kleefde een plastic flap als een bladwijzer tussen de pagina's. Met bonzend hart sloeg hij het boek open bij de enige twee pagina's die toegang tot het binnenwerk boden.

Ze waren gevuld met lange reeksen onbegrijpelijke tekens, net als in de boeken die Horu met hem had doorgebladerd. Hij werd bevangen door een gevoel van enorme ontgoocheling dat veranderde in woede. Hij moest op zijn lippen bijten om het boek niet terug in het water te slingeren.

Toen viel zijn blik op een detail. Iets wat onder aan de bladzijde gekrabbeld was. Hij keek nauwkeuriger: de tekens waren verbleekt en eveneens onleesbaar.

Maar terwijl hij ze bekeek, voelde hij hoe iets zich roerde in zijn hoofd.

Nogmaals staarde hij ernaar tot de tekens voor zijn ogen vervaagden. Alles werd dubbel, toen grijs, toen zwart. Toen hij weer keek...

yla homa

Hij herkende de tekens. Het waren letters. Letters van het alfabet, dat hij vergeten was. Wat betekenden ze? Dat was nu niet belangrijk. Zijn handen beefden van opwinding en het boek viel in het vochtige zand. Panisch reikte hij ernaar en opende het opnieuw.

Hij bekeek de bladzijde en voelde de grond onder zijn voeten wegvallen. Hij kon lézen!

Nu deze dag afloopt
aan dit godzalige zomereind
in de woeste zalmzon,
in mijn zeedoorbeefd huis
op halsbrekende rotsen
in een wirwar van gesjirp, fruit,
schuim, fluit, vin en veer

Langzaam, letter voor letter, schreven de woorden zich in zijn hoofd. Hij kon hun betekenis weer begrijpen. Een rilling ging als een stroomstoot door hem heen.

aan de dansende hoef van een woud,
bij beschuimde zeesterrenslikken
met hun als viswijven kijvende
meeuwen, steltlopers, kokkels en zeilen,
in de verte, kraaizwart, mannen
met wolken bekleed, die knielen
voor netten vol zonsonder,
ganzen bijna in de hemel, jongens
die pikken, en reigers, en schelpen
die spreken van zeven zeeën,
eeuwige wateren verwijderd
van de steden der negendaagse
nacht, met hun torens die zullen ontvlammen

De geheimzinnige woorden stroomden zijn hoofd in. Sommige kwamen taai en zwaar aanrollen en tekenden zich als reusachtige sculpturen zwart tegen het zonlicht af. Andere kwamen licht en als op thermiek gedragen aanzweven. De vergeten woorden waren er weer: hij holde ze achterna, hield ze vast, woog ze, proefde ze.

uit deze zeebeduimelde vellen,
die zullen vliegen en vallen
als het loof van bomen en even snel
vergaan en ontslapen
in de honds dagende nacht

Terwijl hij las, steeg er diep uit zijn keel een vaag gebrom op.

Zie: ik bouw mijn loeiende ark
naar mijn beste liefde,
als de vloed begint te stromen
uit de welmond
van angst, rode woede, mensenlief,
gesmolten en hoog als een berg,
over de in gewonden slaap verzonken
schaapswitte holle hoeven, ocharme
naar Wales in mijn armen

Het gebrom veranderde op zijn half geopende lippen in geprevel. Een steeds sterkere fontein van lettergrepen borrelde op als opwellend bloed uit de wond van de amnesie. En werd stem.

Wij zullen alleen uitvaren en dan,
onder de sterren van Wales,
roepen: Arken bij de vleet!
Over het verdronken land,
bemand met hun liefjes zullen ze gaan
als houten eilanden, van heuvel tot heuvel.
Hei daar, mijn trots gestevende doffer met fluit!
Ahoi, oude zeebenige vos

Zijn stem barstte los in een kreet die uitwervelde over het strand.

Mijn arke zingt in de zon
aan het godzalige zomereind
en de vloed staat nu in bloei.

De bladzijde was ten einde.

Het geluid van zijn stem, die vreemde, vergeten stem, galmde hem in de oren. Zwaar ademend van emotie keek hij op van het boek.

Alles zag er anders uit. De raadselachtige prikkeling die van het materiaal uitging en zijn zintuigen belaagde, overspoelde hem als een golf. Verzengend licht doorboorde iris en pupil, stroomde door hem heen, reet hem uiteen. Hij verloor zijn evenwicht, viel op de grond en barstte in een hysterisch gelach uit.

De lichtgolf trok zich terug, vloeide uit zijn ogen, uit elke porie, ebde weg en verzonk in het zand van zijn bewustzijn. Elke letter was in het zand geschreven. Alle woorden waren er weer, klaar voor gebruik, gedrukt in dit eindeloze strand dat hij in zich droeg.

Hij zag zijn handen, en het woord dat hij zocht verscheen helder voor zijn geestesoog. Opnieuw moest hij lachen. Toen haalde hij diep adem en brulde naar de hemel.

'*Handen*, dit zijn mijn handen! En jij bent de *hemel*,' schreeuwde hij zo hard als hij kon, met wijd gespreide armen. En zo benoemde hij alles, in de greep van een onbedwingbare euforie.

'*Water*! En dat is *zand*! En jij bent een *krab*!' deed hij een heremietkrab opschrikken, die zich aan zijn handpalmen vastklemde.

Het was heerlijk om de eigen stem te horen: die klonk zowel vreemd als heel vertrouwd. Het was alsof je na jaren een versje uit je kindertijd hoorde.

Joelend, lachend, maaiend met zijn armen en struikelend over zijn eigen voeten rende Mauke Nuha over het strand. Hij zag eruit als een waanzinnige.

'Horu! Horu!' riep hij, zodra de eerste hutten in zicht kwamen. 'Ik kan weer praten! Begrijp je me? Ik kan PRATEN!'

Onthutst staarden de dorpsbewoners hem aan: had hij nu ook het laatste restje van zijn verstand verloren? Maar Horu, wiens fijngevoeligheid een zesde zintuig benaderde, vermoedde wat er aan de hand was. Lachend sloot hij de alsmaar door ratelende Mauke Nuha in zijn armen. Horu verstond er geen woord van en wist niet wat er gebeurd was, maar begreep dat Mauke Nuha genezen was van zijn raadselachtige kwaal die hem tot zwijgen veroordeeld had.

Hij was blij voor hem. Hij mocht deze vreemde jongen die de oceaan had aangedragen, die hij aan de klauwen van de dood had ontrukt en die zijn zoon had kunnen zijn. Geroerd drukte hij hem tegen zich aan en het hele dorp begon te juichen.

6

GLIMLACHENDE RUG

Horu voelde iets warms en kleverigs over zijn arm naar zijn vingertoppen vloeien. Hij maakt zich los uit de omhelzing met Mauke Nuha en deinsde terug: zijn handen zaten onder het bloed.

De vreugdekreten van de dorpsbewoners verstomden abrupt, de gezichten betrokken, enkele vrouwen slaakten een gilletje van schrik. Mauke Nuha begreep het niet. Toen zag hij het bloed dat van zijn doordrenkte lendendoek op het zand druppelde.

Hij voelde zich ontzettend zwak. Zijn hoofd viel krachteloos naar voren, een pijnscheut trok door zijn rug.

Hij was een flauwte nabij.

De wereld verzonk in schaduw. Terwijl hij als een zak zand naar de grond zakte, werd hij besprongen door de angst zijn amper herwonnen taal weer te vergeten. *Nee, niet nu,* dacht hij wanhopig. Terwijl hij het bewustzijn verloor, zag hij zichzelf op het strand de woorden najagen die aan zijn hoofd ontsnapten. Hij stelde ze zich voor als zwermen vlinders die in alle richtingen wegfladderden.

Toen werd alles zwart.

Toen hij een uur later wakker werd, lag hij in zijn hut. Meer pijnscheuten trokken door zijn stevig verbonden rug. Om hem heen tal van mensen, een vaag geroezemoes, wazige gezichten. Als eerste herkende hij Horu. Deze glimlachte hem toe, zoals altijd, en die stralende glimlach verzachtte zijn pijn.

'Wat is er met me gebeurd?' stamelde hij, terwijl hij zijn hoofd probeerde op te tillen. 'Wat is er met me gebeurd?' herhaalde hij, hoewel hij wist dat niemand hem verstond. 'Ben ik gewond?'

Horu hielp hem om te gaan zitten en een vrouw maakte het verband los. Twee kleine jongens toonden hem zijn rug met behulp van verweerde spiegels.

Het was geen fraaie aanblik.

In zijn vlees gaapte een vingerbrede wond die over een afstand van

veertig centimeter in een ongelijkmatige boog van zijn nek naar zijn heiligbeen liep. Het rood en geelachtig gekleurde midden leek te kloppen,
maar bloedde niet meer. De randen waren rafelig en droog en droegen
de sporen van een oudere, bijna genezen wond, die door zijn uitgelaten
renpartij van die ochtend weer opengegaan was.

Ongelovig bekeek Mauke Nuha zichzelf in de spiegel. Hij was zo ver
heen geweest dat hij het nooit gemerkt had.

Waardoor kan ik zo'n zware wond hebben opgelopen? Hij herinnerde
zich niets, de bron van de verwonding was achter de gesloten deur van
de amnesie verloren gegaan.

Hij keek Horu recht in de ogen. Ondanks de pijn was zijn eigen blik voor
de eerste keer helder en wakker, vrij van de dichte sluier die zijn blik tot
dan toe vertroebeld had. Nu hij zich kon uitspreken, popelde hij om alles te
horen. Hij had duizend vragen. Maar hij wist niet hoe hij ze stellen moest.

Horu kreeg een idee. Hij klopte op zijn rug en herhaalde meermaals
nadrukkelijk: 'Mau-ke! Mau-ke!'

Toen spreidde hij wijs- en middelvinger en trok zijn mondhoeken
omhoog tot een glimlach. Met vertrokken lippen mummelde hij: 'Nuha!
Nuha!'

Het komische effect maakte iedereen aan het lachen. Toen het weer
stil was, herhaalde Horu de gebaren meerdere malen. Hij probeerde
hem iets te vertellen. Mauke Nuha zei hem de woorden na die zijn naam
vormden. Toen begreep hij het.

'*Mauke*... dat betekent rug. *Nuha*, dat zal glimlach betekenen. Je wilt
me uitleggen wat mijn naam betekent, hè? Mauke Nuha... rug, glimlach... glimlachende rug. Ja, nu begrijp ik het! Vanwege mijn rugwond
die er als een glimlach uitziet!'

Hij knikte nadrukkelijk. Toen was Horu aan de beurt om de woorden
te herhalen die Mauke Nuha hem langzaam voorzei:

'Rug... glimlach...'

'Rug... glimlach...'

Allen lachten. Bemoedigd door dit eerste succes gingen de twee door
met hun communicatiepogingen. Horu waagde zich zelfs aan een klein
gesprek.

'*Troupu moa'ha*,' sprak hij met een weids gebaar naar de lagune.

'Midden op de oceaan,' interpreteerde Mauke Nuha, na verscheidene
vruchteloze pogingen.

'*Atewa'y'motwy,*' vervolgde Horu, terwijl hij deed alsof hij wilde weglopen.

'Ver weg van het eiland,' begreep Mauke Nuha.

Stukje bij beetje, met handen en voeten, woorden uit beide talen, misverstanden en tal van onzekerheden, vertelde Horu hem hoe ze hem uit zee hadden opgevist en veilig naar hun eiland hadden gebracht. In die opwindende uren schiepen ze de basis van wat hun onmisbare gemeenschappelijke taal zou worden.

Toen Mauke Nuha eindelijk weer alleen in zijn hut was, was hij dringend aan rust toe. De wond speelde hem parten. Liggend op zijn buik viel hij aan op de kostelijke geroosterde vis die de vrouwen van het dorp hem hadden gebracht.

En dacht na.

Nu hij zijn taal had hervonden, kon hij weer denken in heldere volzinnen. En werd hij zich bewust van het gevaar waaraan hij had blootgestaan. *Het had niet veel gescheeld of ik was krankzinnig geworden,* bedacht hij, terwijl hij een dikke graat uit zijn mond verwijderde.

Toen dacht hij ineens aan het boek. Panisch en met ingehouden adem zocht hij het met zijn ogen. Daar lag het, op de strozak, samen met de plastic tassen die het op zijn reis over de oceaan beschermd hadden. Moeizaam reikte hij ernaar en sloeg het open op de enige twee nog leesbare pagina's.

Wat is dit voor een boek? vroeg hij zich af, terwijl hij de regels van het vreemde gedicht nogmaals las.

Waar komt het vandaan? Waarover gaat het?

En wat is 'yla homa'?

Hij herinnerde zich dat uitgerekend deze twee mysterieuze woorden onder aan de bladzijde de terugkeer van zijn herinnering op gang gebracht hadden. Wat betekenden ze? Bovendien waren het onvolledige woorden: op de vochtige onderrand stonden nog meer letters, die niet langer leesbaar waren.

Zuchtend sloeg hij het boek dicht. Nu hij weer in rust kon nadenken, werd hem duidelijk dat hij slechts een heel klein deel van zijn geheugen terugveroverd had.

Zijn naam niet. En ook niet hoe hij op het eiland terechtgekomen was of waar hij eigenlijk thuishoorde. Of wie de vrouw uit de droom was.

Hij kreeg een idee. Een ingeving die in de loop der dagen bevestigd zou worden. Slechts een deel van zijn geheugen was teruggekeerd, of liever, aan het terugkeren. Het culturele en semantische deel. De sleutel tot zijn unieke, onverwisselbare persoonlijke herinneringen had hij nog niet gevonden. Als die überhaupt te vinden was.

Deze gedachten maakten hem bang, maar nu was hij bereid om in actie te komen. Hij zou op zoek gaan naar zijn ware identiteit. Hij zou de vrouw vinden die hem via zijn dromen gered had. Dat was van nu af aan zijn levensdoel.

Zijn hervonden wilskracht had effect op zijn lichaam. Hij ging overeind zitten, met gebalde vuisten, om de pijn te verdragen. Hij slaakte een kreet. Een witte flits trok door zijn hoofd.

Naar Wales in mijn armen

Samen met een felle pijnscheut was er plotseling een dichtregel in hem opgeflakkerd.

Wales, probeerde hij zich te herinneren, *is dat niet een land? Ja, dat is zo. En misschien...*

Met het boek in de hand stommelde hij de hut uit. Langzaam doorkruiste hij het dorp en beantwoordde glimlachend en wuivend de begroetingen van de dorpelingen, die blij waren hem weer op de been te zien.

Hij bereikte Horu's hut en keek naar binnen. Er was niemand te zien, maar hij besloot toch naar binnen te gaan. Hij liep naar de wand met de grote wereldkaart en zag meteen dat deze niet voorzien was van tekst in zijn taal of zelfs maar zijn alfabet. Het waren Chinese of misschien Japanse karakters. Hij staarde naar het verschoten blauw van de zee en het bleke geel van de landmassa's. Met een vinger volgde hij de contouren van alle vijf continenten en langzaam keerden de namen terug, die hij zachtjes voor zich uit prevelde: 'Amerika... Europa... Afrika... Azië... Oceanië...'

Geleidelijk aan kwamen ook de namen naar boven van afzonderlijke landen die hij op de kaart herkende. Hij zocht één bepaald land. Zijn geografische geheugen kwam weer tot leven: hij vermoedde dat Wales in Europa lag, zijn blik viel op Groot-Brittannië en uiteindelijk schoot de exacte ligging, in het zuidwesten van het land, hem weer te binnen. Hij legde zijn wijsvinger erop en bekeek dat nietige hoekje van de wereld. Op de kaart leek het bijna voor het grijpen te liggen.

Lang bleef hij daar in gedachten verzonken staan, ook toen hij voelde dat Horu achter hem kwam staan.

'Ik geloof dat ik weet waar ik naartoe moet,' fluisterde hij, zonder zich om te draaien. 'Naar een plek die Wales heet. Ik vrees dat het ver van hier is.'

Horu kwam naast hem staan, zag de vinger op de kaart en begreep het. Zwijgend zette hij de top van zijn wijsvinger midden op het reusachtige blauwe vlak van de Stille Oceaan. *Wij zijn hier*, wilde hij daarmee zeggen. Toen bewoog hij zijn vinger langzaam naar het noordoosten, over tweeduizend mijl aan water, tot aan een eilandengroep in het zuiden van Japan.

'Awu'Taypune,' zei Horu. 'O-ki-na-wa,' voegde hij er glimlachend en elke lettergreep beklemtonend aan toe.

'Okinawa,' herhaalde Mauke Nuha knikkend.

Vanaf Okinawa trok Horu een tweede lijn. Deze passeerde het enorme China, de Himalaya, Afghanistan, de Dode Zee, Griekenland en Italië en eindigde naast Mauke Nuha's vinger op Wales.

Ze keken elkaar aan. Horu zag hoe verbijsterd de jongeman was. Kennelijk begreep deze nu pas hoe ver hij van zijn wereld verwijderd was, waar die ook precies mocht zijn.

Horu sprak kalmerend op hem in. Mauke Nuha verstond er geen woord van, maar voelde de betekenis.

Maak je geen zorgen. Binnenkort zul je weer veilig thuis zijn.

Dat beloofde Horu hem, donders goed wetend hoe lang en gevaarlijk de terugreis was. En niet alleen dat: spoedig zou er nóg iets met Mauke Nuha's lot vervlochten raken, een dramatisch geheim, dat Horu zwijgend bewaarde terwijl hij geduldig op het juiste moment wachtte om het aan hem te onthullen.

7

HET NET VAN HERINNERINGEN

De volgende morgen werd Mauke Nuha bij zonsopgang gewekt door Horu's oudste zoon Aruke. In vergelijking met de gemiddelde dorpsbewoner was Aruke een uitzonderlijk grote, gespierde jongeman van halverwege de twintig. Met een simpel knikje maakte Aruke hem duidelijk dat hij hem naar buiten moest volgen, en leidde hem het nog verlaten strand op. Aangekomen bij hun boten – reusachtige uitleggerkano's – hield hij halt. Ze lagen keurig naast elkaar op het strand in de vroege ochtendzon en wierpen langgerekte schaduwen op het zand.

'Wa'hay', zei Aruke plechtig, wijzend naar de kano's. Toen keek hij Mauke Nuha recht in de ogen en begon streng en ernstig op hem in te praten. Deze probeerde hem te onderbreken door zijn hoofd te schudden, zijn schouders op te halen en verontschuldigend te glimlachen: hij begreep er geen woord van. Zuchtend begon Aruke opnieuw, ditmaal harder en bozer. Zijn knappe, gelijkmatig gevormde gezicht had een harde, trotse uitdrukking aangenomen. Net als Horu was ook hij een geboren hoofdman, hij straalde autoriteit en wilskracht uit. Maar anders dan de altijd vriendelijke, hartelijke vader liet Aruke zich van zijn agressieve kant zien, misschien om zijn grotere onzekerheid te overschreeuwen.

Mauke Nuha had geruime tijd nodig om te begrijpen wat hij probeerde te zeggen.

Hij zou een lange, gevaarlijke reis aanvaarden.

De reis naar Okinawa, dacht hij.

Voor het zover was zou er nog veel tijd verstrijken.

Omdat ik eerst van deze vervloekte verwonding moet herstellen, bedacht hij verder.

Hij zou met een van de *wa'hay*, lange kano's, reizen. Aruke zou het hem leren. Of hem misschien zelfs vergezellen – hij wist niet zeker of hij dat deel goed begrepen had.

Ondertussen was het strand tot leven gekomen. Aruke leidde Mauke Nuha naar een open plek aan de rand van het strand, achter de hutten.

In de schaduw van de palmen zat daar een groep oude mensen en kinderen, van beide geslachten, dicht opeen rond een berg zwaar verwarde visnetten. Met een korte beweging van zijn kin wees Aruke naar de netten en keek Mauke Nuha aan.

Ik geloof dat Aruke me mijn eerste taak toewijst, dacht Mauke Nuha knikkend. Zonder nadere toelichting draaide Aruke zich om en liet Mauke Nuha staan, die het hem zojuist opgedragen werk nieuwsgierig in ogenschouw nam. Alle aanwezigen glimlachten naar hem en gebaarden hem dichterbij te komen en zich bij hen te voegen. Een kind nam hem bij de hand en wees hem een plaats in de kring. Behoedzaam en onhandig vanwege zijn rugletsel ging hij zitten.

Het werk bestond uit het repareren van de grote netten die de vissers door de lagune trokken, en die vanwege de zware vangsten, het messcherpe koraal of het lange gebruik dikwijls scheurden. Eerst zocht je de rand van een net en probeerde het met oneindig geduld uit de warboel te bevrijden. Vervolgens ging het erom de zwakke of kapotte plekken met nieuwe draden van kokosvezel te repareren.

Mauke Nuha wist niet of deze taak iets met de voorbereiding op zijn reis te maken had. Hij dacht eerder dat men hem iets te doen wilde geven: een eenvoudige, lichte, voor oude mensen en kinderen bestemde taak die hij ondanks zijn verwonding kon uitvoeren. *Wat maakt het ook uit,* dacht hij, *deze mensen hebben me gered, ze hebben me een dak boven het hoofd gegeven, me dagenlang verpleegd en gevoed, het is de hoogste tijd dat ik hen een handje help.* Voortvarend en welgemoed zette hij zich aan het werk. Het was goed om na zo'n lange tijd van sombere afzondering weer naar het actieve leven terug te keren.

Tegen de middag kwamen meisjes met bladen vol eten voor iedereen. Twee van hen inspecteerden zijn wond: giechelend verwijderden ze het oude verband, brachten een gele, ontzettend stinkende maar weldadige zalf aan en brachten een nieuw verband aan. Ook Horu kwam langs om zich ervan te vergewissen dat het goed ging met Mauke Nuha. Een moment lang bleef hij voor hem staan en keek hem zwijgend aan, alsof hij hem iets wilde zeggen en niet de juiste woorden vond.

Mauke Nuha werd zich bewust van de dringende noodzaak met hen te kunnen communiceren. Hij wilde het eiland zo spoedig mogelijk verlaten, maar eerst moest hij alles leren wat hij nodig had om zijn reis te volbrengen. Allereerst moest hij van zijn letsel herstellen en hun taal spreken. Dit rustgevende werk was een perfecte gelegenheid voor allebei.

Zo begon hij zich in het eilandleven te voegen. De dagen gleden ontspannen voorbij, de tijd vloog. Mauke Nuha wijdde zich met hart en ziel aan zijn nieuwe taak. Netten repareren was een slechts ogenschijnlijk gemakkelijke groepsactiviteit, in feite moest iedereen met verbazingwekkende precisie en snelheid op elkaar reageren. Hij was met afstand de langzaamste en onhandigste, degene die de groepsarbeid vaak ophield, maar hij leerde elke dag iets bij en werd steeds bedrevener.

Af en toe, wanneer hij even moest uitrusten vanwege zijn verwonding, staarde hij mijmerend naar de netten. *Wat lijken ze op mij,* dacht hij dan. *Een onontwarbare kluwen, net als ik. In mijn geval een kluwen van onbeantwoorde vragen. Ik ben hier, op dit door de tijd vergeten eiland, te gast bij de inheemse bevolking, ver van mijn huis en mijn familie, waar die ook mogen zijn. Ik ben hier en weet niets van mezelf, alsof ik mijn leven bij nul begin.*

Dat hij geen herinneringen had maakte deze ervaring nog vreemder, en zijn dagen leken soms amper substantiëler dan zijn dromen. Alsof één windvlaag voldoende zou zijn om alles weg te vagen. Misschien werd het werk hem ook daarom dierbaar. Elke schram op zijn zachte handen, elke blaar, elk nieuw eeltkussentje hielp hem om het contact met de werkelijkheid te bewaren, dat hij in de verblindende schittering van de lagune, in het warme zand, in de van gezang en geuren verzadigde lucht leek te verliezen.

In de loop der dagen ging hij beseffen dat het werk ook een heilzaam effect op zijn geheugen had. Terwijl hij visnetten boette, knoopte hij beetje bij beetje ook de draden van zijn herinnering weer aaneen. Het was alsof die twee dingen hand in hand gingen, alsof er een geheimzinnige samenhang bestond. Elke nieuw geknoopte draad leek met een herstelde neuronale verbinding te corresponderen, synaps voor synaps, tot een mentaal circuit zich plotseling sloot en hem voor een kort moment naar een niveau tilde waar verschillende zintuiglijke prikkels met elkaar verbonden raakten: er ontstond een herinnering, de herinnering riep een naam op en de naam bracht een geluid, een smaak, een geur met zich mee. Beetje bij beetje kwamen zo de meest uiteenlopende dingen bij hem terug: tandpasta en cola, koffie en pizza. Hij herinnerde zich weer dat er voorwerpen zoals mobiele telefoons en televisies bestonden, wolkenkrabbers en vliegtuigen, wollen truien en shampoo. Dat hij ooit schoenen aan zijn voeten had gehad en belachelijke, los bungelende repen stof genaamd stropdassen om zijn nek had gedragen.

Helaas waren dit steeds louter onpersoonlijke herinneringen, voorwerpen en situaties, zoals iedereen ze kon hebben beleefd. Er doken geen namen van personen op, noch gezichten, noch plekken die met een persoonlijke ervaring te verbinden waren. Hij deed vertwijfelde pogingen om onder de weinige flarden die boven kwamen drijven een aanknopingspunt voor zijn identiteit te vinden. Maar de deur naar zijn eigen unieke herinneringen bleef gesloten.

Elke dag verzamelden de dorpsbewoners zich bij zonsondergang rond grote kampvuren, die op het strand ontstoken werden, en bereidden zich voor op een aangename avond vol ontspanning en plezier, die met een bepaald niet karige maaltijd begon. Voedsel en water waren er op het eiland in overvloed: men ving de meest uitlopende soorten vis, fokte kippen, verzamelde wilde vruchten en verbouwde een zoete knolvrucht genaamd *aumara*. Gekookt werd er boven een kampvuur, op roosters die zo groot waren dat er drie personen nodig waren om ze te bedienen, of in met houtskool gevulde en met zand afgedekte kuilen, waarin vis en vlees in een jasje van palmblad gaarden. Allen aten aandachtig en in diepe stilte alsof het om een heilig ritueel ging. Mauke Nuha volgde hun voorbeeld en stelde vast dat de aroma's op deze wijze een ongelooflijke intensiteit kregen. Wie klaar was met eten, bleef een hele tijd met gesloten ogen zitten en sprak een stil dankgebed. Wanneer iedereen verzadigd was, vulde de lucht zich opnieuw met geluiden en werd de rest van de avond gevuld met gesprekken, spelletjes, zang en dans rond de kampvuren, die de vochtige avondkilte verdreven. Sommige mannen bespeelden *towere*, grote trommels, en *arywane*, kleine, primitieve gitaren, waarvan de klank Mauke Nuha betoverde.

De avond was zonder twijfel Mauke Nuha's favoriete deel van de dag. Er hing dan een vrolijke stemming die hem afleidde van zijn sombere gedachten en hem het aangename gevoel gaf erbij te horen. Hij, de geheimzinnige, uit het niets opgedoken vreemdeling, was ongewild tot de hoofdattractie van het gebeuren geworden. Allen bestormden hem met vragen over zijn verleden, waarop hij hulpeloos zijn armen spreidde en probeerde uit te leggen dat hij zich niets herinnerde. Maar kennelijk was het concept 'amnesie' of 'geheugenverlies' hun volledig vreemd. Met Horu's hulp vond hij uiteindelijk een uitdrukking die hun iets zei: *waraky'nega*, 'leeg hoofd'. Het werd prompt een nieuw spel om hem hun taal bij te brengen. Hij deed er vol vuur aan mee en benutte elke gelegenheid om nieuwe woorden te leren. De dorpsbewoners, vooral de kinderen, hielpen hem en schepten er een groot genoegen in hem met zijn vergissingen te plagen. Mauke Nuha leerde snel en in korte tijd kon hij kleine gesprekjes voeren over de onderwerpen die hem het meest interesseerden.

Op een avond liet hij zich de details van zijn redding vertellen.

Hij hoorde dat hij op volle zee was aangetroffen, zo'n honderd mijl ten westen van het eiland: bewusteloos, uitgedroogd, aan de rug gewond, liggend in een wit, notendopvormig wrakstuk van een verwoeste boot. Hij was door zes mannen gevonden, onder wie Horu. Tussen hun versies bestonden kleine verschillen. Twee mannen hadden een klein wit voorwerp opgemerkt, dat naast hem dobberde en daar achtergelaten was. Maar iedereen was het erover eens dat zijn redding een dermate ongelooflijk toeval was dat het een wonder, een vingerwijzing van het lot leek.

Omdat het onderwerp steeds terugkwam, bracht Horu op een avond een *rewe'llib* mee: een driedimensionaal rooster van dunne, gebogen houten stokjes. Het zag eruit als een dicht spinnenweb waarin kleine schelpen waren blijven hangen. Het kostte Horu de nodige tijd om Mauke Nuha uit te leggen dat het om een complexe zeekaart ging, waarin de schelpen de eilanden voorstelden en de staafjes, al naargelang hun dikte, de zeeroutes of zeestromingen. Horu probeerde hem de exacte locatie van zijn redding aan te wijzen. Maar dit vreemde voorwerp vertelde dingen die, hoe duidelijk ze voor Horu ook mochten zijn, Mauke Nuha volslagen boven de pet gingen.

Wanneer de nacht inviel en allen sliepen, bleef Mauke Nuha vaak wakker, besprongen door tal van gedachten. Hij lag dan in zijn hut naar de lagunebranding te luisteren of wandelde over het koude strand en staarde omhoog naar de sterren. In zulke momenten van eenzaamheid kwam er een beeld in hem op dat elke vezel van zijn lijf doordrong. Dan kon Mauke Nuha niet anders dan de blik naar binnen richten en het aanschouwen.

Haar gezicht. Haar stem. Haar lichaam.

Dit beeld was steeds aanwezig in hem, overdag als een zachte achtergrond, als een harmonisch, amper waarneembaar continuüm, dat niettemin alles doordrong, waarin alles bestond, verging en opnieuw ontstond.

Wanneer het rondom stil werd, stond het beeld hem helder en stralend voor ogen. Hij dacht aan de twee dromen, liet ze moment voor moment weer tot leven komen en prentte zich elke lijn en elke schaduw van dit gezicht in, dat zijn toevlucht was.

Vaak moest hij aan het teruggevonden boek denken, aan het feit dat zij had geweten waar het was, en dat het haar gelukt was om het hem in een droom te vertellen. Onvermoeibaar zocht hij naar mogelijke verklaringen. Maar hoe rationeel of fantastisch, geruststellend of beangstigend ze ook waren, geen enkele kon dit mysterie verklaren.

Om zichzelf te kalmeren strekte hij zich dan maar op zijn strozak uit en greep naar het boek. Hij las het gedicht nogmaals en speurde de raadselachtige regels af op verborgen betekenissen en aanwijzingen. Steeds opnieuw las hij ze, tot de woorden elke betekenis verloren. Hij brak zijn hoofd over de woorden *yla homa*: misschien betekenden ze iets in Horu's taal. Een eenvoudige vraag zou afdoende zijn geweest, maar iets, een soort intuïtie, zei hem daar van af te zien. Het voelde niet goed om zijn gedachten te delen, zeker niet waar het de dromen betrof. Hij wist niet waarom, maar hij hield ze angstvallig voor zich en had er tot nu toe met niemand over gesproken.

En wanneer hij zich dan eindelijk aan de slaap overgaf en zijn geest tussen waken en dromen zweefde, flitste er altijd een laatste gedachte, een laatste wens in hem op, steeds dezelfde. Nacht na nacht keerde die wens terug en hij was een soort gebed geworden.

De wens opnieuw over haar te dromen.

En elke morgen bij het ontwaken was zijn eerste, treurige gedachte het besef dat zijn smeekbede niet verhoord was. Dan werd hij bevangen door een soort heimwee, dat van ver weg leek te komen. Hij volgde het kronkelige pad van dit gevoel, dat zich door het kreupelhout van zijn ziel slingerde. Maar elke keer eindigde hij voor een donkere, ongenaakbare barrière. Daar waar zijn amnesie begon, daar waar zijn herinneringen zich schuilhielden. En hij niet binnen kon.

En zo bleef hij bezig, totdat de eerste geluiden van het ontwakende eiland weerklonken, de kinderstemmen, het gezang van de vrouwen, het doffe geluid van de boten die in het water geduwd werden. Dan verjoeg een vlaag van energie en optimisme de treurigheid. *Tot nog toe heeft ze mij weten te vinden*, dacht hij. *Zij heeft me het boek gebracht, me van de vergetelheid gered en me de weg gewezen. Nu ben ik aan zet, nu moet ik mijn missie vervullen. Nu is het aan mij om haar terug te vinden.*

Deze gedachte gaf hem de kracht om op te staan en aan een nieuwe dag te beginnen.

Op een dag, terwijl hij netten boette en zijn handen de inmiddels vertrouwde gebaren als vanzelf uitvoerden, droomde hij met open ogen van hun ontmoeting. De beelden dienden zich onverwacht in hem aan en legden zich een kort ogenblik als een sluier over de werkelijkheid die hem omringde: een vliegtuig landde op een enorme zandvlakte. De zee was niet te zien, maar om een of andere reden wist hij dat deze woestijn in werkelijkheid een eindeloos strand was. De vliegtuigdeur ging open, hij daalde de trap af en keek radeloos om zich heen: in de wijde omtrek was niets of niemand te zien. Maar amper had hij voet op het zand gezet...

Wij zullen alleen uitvaren en dan,
onder de sterren van Wales...

Ik fluister de regels van het gedicht, en ineens kan ik me onze namen herinneren. Ik weet waar ik je terugvind.

De zandige landingsstrip verandert in een prachtig roze strand met kristalhelder, rustig water.

Daar ben je.

Je staat met je rug naar me toe en kijkt uit over zee. De kromming van je rug verraadt me dat je dieptreurig bent. Een zacht snikken doet je beven. Je huilt.

Maar plotseling verdwenen de beelden, en daarmee de schitterende illusie zich iets herinnerd te hebben. Nu zag hij weer alleen de hopen netten, de palmen, de nietsvermoedende gezichten van de dorpelingen.

Dagen later keerde de dagdroom terug, maar nu in een somberder variant: het vliegtuig landde, hij liep de trap af, maar toen hij voet aan de grond zette, gebeurde er niets. Zijn hoofd bleef leeg, de herinneringen kwamen niet en dus stond hij daar, onder de buik van het vliegtuig, met krachteloze armen en knikkende knieën. Ze was er niet.

In plaats daarvan een akelig voorgevoel.

Misschien was het allemaal zinloos. Hij zou in Wales arriveren en zich niets herinneren. Hij zou een schipbreukeling zijn, precies zoals hij hier was, verloren midden in de Pacific.

Het enige wat hij wilde was dit eiland verlaten, dat hem ondanks alles beschermde en zijn thuis was. Wie zou hem beschermen, waar moest hij naartoe, als hij daar, in dat verre land, zijn geheugen niet terugvond?

Hij ging af op het magere spoor van een gedicht dat over Wales en in zee steken ging. Op de een of andere manier leek het over hém te gaan. Maar als dat nu eens puur toeval, louter wensdenken was?

Dat was zijn pijnpunt, zijn diepste angst. En tegelijk was het de enige hoop die hij had, en die kon hij niet opgeven.

Vijf weken gingen voorbij. Zijn glimlachende wond was intussen genezen en Mauke Nuha begon onrustig te worden. Iets in hem oefende druk uit: hij moest onmiddellijk handelen, anders zou het te laat zijn.

Op een morgen nam hij een lang overdacht besluit. In plaats van zoals gewoonlijk naar de open plek te gaan en netten te boeten, zocht hij Horu op om hem over het boek te vertellen. Hij maakte geen gewag van de dromen en vertelde alleen waar en hoe hij het gevonden had. Horu hoorde hem geboeid aan.

'Op de dag na de tyfoon, na de grote vloed,' herhaalde Horu knikkend. 'Volg mij,' sprak hij plechtig. 'We gaan naar dat strand terug. Er zou daar nog iets voor je kunnen zijn.'

En resoluut betraden ze samen de dichte, donkere vegetatie, de ondergroei van de palmen en mangroves, op weg naar de rotsachtige, steile, mysterieuze kant van het eiland.

8

ZOEKTOCHT (3)

De lucht in het dorp Gyakyshu was zo vochtig dat je er amper ademen kon. De modder stroomde als een rivier door de straten en bedekte bomen, huizen en zelfs de gegroefde gezichten van de mensen. Het was net opgehouden met regenen, maar een nieuwe bui maakte zich al op om nog meer modder te brengen.

Ian slaakte een diepe zucht van uitputting en leunde zijn vijfenzestigjarige lichaam tegen de afgebladderde muur. Van hieraf kon hij het drukke plein overzien en een paar minuten uitrusten zonder al te veel op te vallen. Zijn informant was nog niet in zicht.

Sinds zijn aankomst in Taiwan was er een maand verstreken. Het pessimisme van politiechef Kasumi en de ontmoedigende omvang van het zoekgebied ten spijt hadden Ian en Samuel besloten door te zetten. Rachel was, zeer tegen haar zin, naar huis gevolgd. Met het argument dat de toch al torenhoge reiskosten met z'n drieën onnodig hoog zouden oplopen, had Ian haar weten over te halen. Maar de ware reden was een andere, en Ian ondervond die al aan den lijve: de onaangenaamheden en gevaren die deze zoektocht met zich meebracht. Hij miste Rachels steun enorm, maar toch was hij ervan overtuigd dat het zo beter was. Het normale leven moest, althans voor haar, zo normaal mogelijk doorgang vinden.

Na enkele dagen van planning en organisatie in Taipei hadden Ian en Samuel besloten zich op te splitsen en ieder een deel van het door Kasumi afgebakende gebied voor zijn rekening te nemen: Ian het noordelijke deel, dat de kuststreek van Shanghai en de eilandgroepen ten noordoosten van Taiwan omvatte; Samuel het zuidelijke deel met de kuststreek ten noorden van Hongkong, de noordwestelijke Filippijnen en de archipels daartussen.

Samuel was direct vertrokken naar Fuzhou, in de Chinese provincie Fujian, die tegenover Taiwan lag. Ian was gebleven en een maand later nog altijd daar. Ze stonden in dagelijks e-mail- of telefooncontact en hielden elkaar op de hoogte van hun verplaatsingen. De moeilijkheden waren meteen duidelijk geworden: hun gevorderde leeftijd, het klimaat, de taal, de grote afstanden, de rommelig georganiseerde samenleving en de chaos in de steden, het wantrouwen van de mensen – alles leek tegen hen te werken. Ze hadden die hele maand nog geen begin van een aanwijzing opgedaan. Ze waren alleen en absoluut niet opgewassen tegen de taak.

Toch waren ze daadkrachtig en vastberaden van start gegaan. Ian had de samen met Samuel minutieus uitgekiende strategie onmiddellijk in daden omgezet en hun respectieve verplaatsingen en verblijfsduur berekend op basis van de bevolkingsdichtheid en het aantal te spreken personen en instanties: politiebureaus, ziekenhuizen, opvangcentra, hulporganisaties. Volgens zijn calculaties moest hij zijn zoekgebied binnen twee maanden hebben afgewerkt.

Maar hij hoefde het centrum van Taipei maar te verlaten om te begrijpen hoezeer hij de situatie had onderschat. Bijna niemand sprak Engels, niet eens de taxichauffeurs, en zelfs zijn gps weigerde regelmatig dienst in het labyrint van de stinkende sloppenwijken aan de rand van de stad. Als er geen wonder gebeurde, zou het zoeken veel langer gaan duren dan de geschatte twee maanden. Alleen al met de plaatselijke politie te vinden, aangifte van de vermissing te doen en de opsporingsfoto's af te geven, was hij een hele dag kwijt. Bovendien dwong de welig tierende corruptie tot eindeloze slopende onderhandelingen. Je moest betalen om überhaupt aangehoord te worden, en met vette beloningen zwaaien voor bruikbare tips.

De ziekenhuizen en organisaties die zich om vermisten en daklozen bekommerden, toonden zich weliswaar solidair, maar niemand kon hem werkelijk verder helpen.

Niemand behalve een zekere Jacques, een Fransman die hij een paar dagen geleden ontmoet had. Jacques had het afgeleefde gezicht en het verwaarloosde, zonderlinge uiterlijk van een straatartiest, waar Ian eigenlijk niet bijzonder veel mee ophad, maar deze vond hij onmiddellijk instinctief sympathiek. In weinig meer dan een half uur had Jacques – vijfenveertig jaar, mager, lang strooachtig haar – hem zijn geschiedenis verteld. Twaalf jaar geleden had hij in Zuid-Korea bij een vliegtuigongeluk zijn vrouw en zijn zoon verloren. Aan het eind van de landingsmanoeuvres was de oude Boeing 747 in brand gevlogen. Bijna alle passagiers waren in de vlammen omgekomen of in de vrijkomende gassen gestikt. Van zijn gezin had alleen hij zich op wonderbaarlijke wijze weten te redden, zij het met zware brandwonden. Na zijn genezing had hij zijn volledig geruïneerde oude leven achter zich gelaten en zich in de vergeefse hoop op troost met hart en ziel aan liefdadigheidswerk gewijd. Sinds twaalf jaar leefde hij als een nomade terwijl hij werkte voor hulporganisaties in verschillende Oost-Aziatische landen: China, Taiwan, Korea, Laos, Cambodja. Hij was niet onbekend met vermissingszaken en raadde Ian een weliswaar niet erg orthodoxe, maar naar zijn mening effectieve aanpak aan. Volgens hem moesten in een succesvolle zoektocht 'bepaalde plekken' betrokken worden, waar je slechts met bijzondere gidsen kon komen.

'Het zijn plekken die ik, *excusez le mot*, als "infernaal", zou aanduiden,' had Jacques hem met een zwaar Frans accent toegefluisterd. 'Plekken "diep als graftombes", zoals *notre cher* Baudelaire zou zeggen, waar ieder weldenkend mens zich verre van zou houden. Maar jij, beste Ian, moet daar helaas naar afdalen, als je bij je zoektocht niets wilt overslaan. Je zult echter je Charon nodig hebben, zoals *notre cher* Dante zou zeggen. Je begrijpt het, *non*? Een gids die je door de hel leidt.'

Met rollende ogen had hij hem in het oor gefluisterd: 'Zoek in de Wu-Fu Nightmare.'

Toen had hij het gesprek zonder verdere toelichting op iets anders gebracht en met normale stem verder gesproken.

Nieuwsgierig geworden door deze woorden, hoe vaag ze ook waren, begon Ian zich voor die geheimzinnige Wu-Fu Nightmare te interesseren en een beetje rond te vragen. Ondertussen had hij duizenden flyers laten drukken, met de opsporingsfoto en het vooruitzicht op een forse beloning. Hij hing ze op de drukste kruispunten op en drukte ze eenieder in de hand die zijn pad kruiste. Hij had nog geen enkel vermoeden dat hij zich daarmee in ernstig gevaar bracht.

De gedachten waaraan Ian zich overgaf terwijl hij in Gyakyshu tegen een bouwvallige muur leunde, werden door de aankomst van zijn informant Shu-Sheing onderbroken. Hij was een nietig mannetje met een muizengezicht, wiens ogen schuilgingen achter dichte, grijze, ver uitgegroeide wenkbrauwen die hem iets lachwekkends gaven. Hij was de Charon waarover Jacques gesproken had.

Daags tevoren had Ian via de barman van de Wu-Fu Nightmare, een louche bar in de buitenwijken van Kaishin, contact met hem opgenomen. Shu-Sheing werd hem voorgesteld als de juiste man voor wie ongehinderd wilde rondkijken op de gevaarlijkste en ontoegankelijkste plekken van Taiwan: gevangenissen, werkkampen, gekkenhuizen en zelfs legerbases. Ian kreeg een onbehaaglijk gevoel, maar krabbelde niet terug. Hij was zich bewust van de risico's die het illegale bezoek van deze plekken met zich meebracht, maar ze uitsluiten zou hebben betekend dat hij bij zijn zoektocht niet echt grondig te werk ging.

Shu-Sheing herkende Ian, kwam naar hem toe en drukte hem heimelijk de hand.

'Jij mij volgen, beetje afstand houden. Zo doen alsof wij elkaar niet kennen,' zei hij in zangerig Engels.

Toen haastte hij zich de modderige weg af. Hij droeg een afgedragen victoriaans ontdekkingsreizigerskostuum, waardoor hij eruitzag als de miniatuurversie van dr. Livingstone op zoek naar de bronnen van de Nijl. Toen ze buiten het dorp waren, ver van nieuwsgierige blikken, kwam Shu-Sheing meteen ter zake.

'Honderd dollar vooruit, zoals afgesproken, mijn vriend.' Hij stak zijn hand uit.

Woordeloos overhandigde Ian hem het biljet.

Ze liepen enkele mijlen het steeds dichter wordende tropische regenwoud in en zonken tot aan hun enkels in de blubber. Het pad werd zienderogen smaller en verdween in de dichte ondergroei. Steeds opnieuw moest Shu-Sheing blijven staan om zich met een kapmes een weg te banen. De vochtige hitte werd met elke stap drukkender. De bomen stonden op sommige plekken zo dicht opeen dat er geen zonnestraal doordrong en ze een schemerige groene tunnel vormden. Geritsel, doffe klappen en kreten verbraken de stilte, soms zo dichtbij dat ze verschrikt ineenkrompen.

Ian was buiten adem en ten diepste verontrust. De situatie en zijn escorte hadden niet beroerder kunnen zijn, maar hij dwong zichzelf om door te gaan.

'Is er geen route die begaanbaar is met een auto?' vroeg hij hijgend.

'Ja, maar hoofdweg te gevaarlijk,' riep Shu-Sheing zonder te blijven staan of zich om te draaien. 'Veel militairen controleren weg, we kunnen niet iedereen omkopen!' Hij onderdrukte een giechel.

Ian slaakte een zucht van verlichting toen het tropisch bos zich opende naar een weidse open plek. In het midden stond eenzaam een vensterloze blokkendoos van gegolfd plaatijzer en rood beton.

'Gyakyshu's gekkenhuis voor criminelen,' kondigde Shu-Sheing met een plechtige buiging aan. 'Hier lachen de gekken en huilen de criminelen,' voegde hij er geheimzinnig aan toe en hij liet nogmaals zijn onaangename kirlachje horen. Hij zette zijn hoed recht en klopte het stof van zijn pak.

'Hier wachten!' beval hij. Voorzichtig liep hij op de bewaker af, die voor de enige ingang, een kleine ijzeren deur, zat. Verder was er niemand te zien. Een paar minuten lang voerden de twee mannen een geanimeerd gesprek, toen drukte Shu-Sheing de militair iets in de hand. Vervolgens draaide hij zich naar Ian om en wenkte hem naderbij.

'Veel geluk, mijn vriend,' zei hij grijnzend.

De bewaker had de deur geopend en nodigde hem uit binnen te treden. Onzeker stapte Ian over de drempel. Na de stralende middagzon leek er in het inwendige van het gebouw inktzwarte duisternis te heersen. Met een dreun viel de ijzeren deur in het slot. Met een bruuske por dirigeerde de politieman hem de gang in.

Een afschuwelijke stank, dicht als een muur, kwam hem tegemoet. Slechts met moeite kon hij een braakneiging onderdrukken. Een geur van dood en ziekte, nog versterkt door de verschrikkelijke vochtigheid. Binnen enkele seconden was hij kletsnat van het zweet.

De bewaker drukte hem een zaklamp in de hand, waarmee hij in de cellen moest schijnen om de gezichten van de gevangenen te onderscheiden. Hij moest het etensluik openen en met de zaklamp naar binnen schijnen, maar zonder te dichtbij te komen: de bewaker greep zichzelf wurgend naar de keel om hem duidelijk te maken welk gevaar dan dreigde. Met bonzend hart hield Ian zich nauwgezet aan de aanwijzingen. Toen hij de eerste cel opende, sloeg hem een walm in het gezicht die hij van zijn leven niet meer vergeten zou.

Het duurde meer dan een uur voor hij de hele gevangenis gezien had. De ondraaglijke lucht was vervuld van geschreeuw en gekreun. Bij de aanblik van het licht braken de gevangenen in waanzinnig gelach of wanhopig gehuil uit. Kort daarop weergalmde het hele gebouw van een demonisch gezang dat de bewaker met even waanzinnig gebrul probeerde te smoren.

Dit is een gekkenhuis voor criminelen. De gekken lachen en de criminelen huilen. De gekken lachen en de criminelen huilen.

Volledig zonder reden spookte Shu-Sheings uitspraak door Ians hoofd. De gezichten die hij in het schijnsel van de zaklamp zag, waren van pijn vertrokken, uit zweren, korstige drek en ziekte gehouwen maskers. De onmenselijke toestanden bezorgden Ian koude rillingen. Elke keer dat hij in een nieuw gezicht keek, was hij bijna opgelucht dat het niet het gezochte was.

Toen hij de rondgang beëindigd had, drukte hij de bewaker zwijgend en als een slaapwandelaar de zaklamp in de hand en stommelde het zonlicht in. Een paar seconden lang hapte hij als na een lange duik hijgend naar adem.

Hij wilde naar huis, hij wilde een potje grienen. Hij dacht aan Rachel en wat een geluk het was dat zij er niet bij was. De gedachte aan zijn vrouw sterkte hem een beetje. Hij slikte zijn tranen weg en sprak zich nogmaals moed in. Hij mocht het niet opgeven. Hij had een missie te vervullen.

Aan de slag. Dit is pas het begin.

Hij wankelde op Shu-Sheing toe, die op het pad op hem wachtte, en gebaarde hem te gaan lopen.

9

HET WRAKSTUK

De strook bos die het eiland in de lengte doorsneed joeg Mauke Nuha angst aan. De vegetatie werd zienderogen dichter en de paden versmalden zich tot donkere tunnels van verstrengelde takken. De grond was modderig en bedekt met rottende kokosnoten, vermolmde bladeren en twijgen. De kreten van kleine dieren galmden door het duister en ontelbare kleine ogenparen loerden in het verborgene en observeerden eenieder die passeerde. Het was geen rationele angst: deze duisternis verborg geen ernstige gevaren en als hij verdwaalde zou hij op z'n hoogst een paar uur in een kringetje rondlopen. Het was het onverklaarbare onbehagen dat een mens op bepaalde plekken overvalt, een lichte ontregeling van de zintuigen, het ontwaken van een diep in de genen begraven oerinstinct.

Daarom had Mauke Nuha het bos steeds gemeden wanneer hij zich naar de onbewoonde kant van het eiland begaf, hoewel dit een forse omweg betekende. Maar nu, met Horu erbij, was hij rustig. Het stamhoofd bezat een geheimzinnige kracht, een niet te benoemen uitstraling, die de angel uit de dreigende sfeer van de rimboe haalde. In het labyrint van paden en kleine open plekken dat Horu met gesloten ogen had kunnen doorlopen, kon Mauke Nuha hem amper bijbenen. Het terrein steeg geleidelijk, de begroeiing werd dunner en voor hen doemde een circa tien meter hoge, steile rotswand op: ze hadden de kleine rotskam bereikt die de ruggengraat van het eiland vormde.

Verbazingwekkend behendig klom Horu een natuurlijke trap op, die steil naar boven voerde en zich in het blauw van de hemel verloor. Al spoedig waren ze boven. Hier kon je het hele eiland overzien: aan de ene zijde de vredige blauwe lagune en de weelderige vegetatie waarachter het strand en het dorp zich verborgen; aan de andere zijde alleen een steil naar zee afdalende rotswand. Een paar meter lager herkende Mauke Nuha het pad dat de rotskust volgde en waarover hij zo vaak gelopen had. Hij bedacht ineens dat hij sinds de dag dat hij het boek gevonden had, hier niet meer geweest was.

Mauke Nuha haalde Horu in en haastte zich om het vertrouwde pad te bereiken. Ze klauterden behoedzaam, steunend op handen en voeten, de rotswand af. Het laatste stuk was steil en glibberig en Mauke Nuha besefte welk gevaar hij gelopen had toen hij, in de ban van het visioen uit zijn droom, in vliegende vaart de helling af geroetsjt was.

De zandige baai zag er heel anders uit dan de vorige keer: het water stond lager, veel klippen die eerst onder water hadden gestaan, lagen nu vrij, het zand was met wrakgoed bezaaid. De golven en stromingen hadden er alles gedeponeerd wat de oceaan tijdens de tyfoon verzwolgen had: takken en bladeren, twee dikke stammen, gebroken peddels, stukken touw, flarden stof, rond geslepen glasscherven, die Horu geïnteresseerd opraapte.

'Daar heb ik het boek gevonden.'

Mauke Nuha wees naar een rij klippen die uit het water oprezen.

Horu knikte, liep er vastberaden op af en sprong in het water. De beide rotsarmen, die de baai als natuurlijke pieren omsloten en het zand tegen de stromingen beschermden, strekten zich tientallen meters in zee uit. Gevolgd door Mauke Nuha zwom Horu eromheen. Aan de voet van de rotswand hield hij stil. Direct onder de waterspiegel vormde een inham een soort grot. De stroming was daar sterker en drukte hen tegen de rots.

'Volg me,' zei Horu, en hij verdween onder water.

Zwemmend zochten ze zich een weg onder het rotsplafond, dat in de duisternis verdween. Een natuurlijke, bijna volledig onder water gelegen tunnel, die gaandeweg smaller werd. Het water was diep, je kon de bodem niet aanraken; het plafond daarentegen was op sommige plekken zo laag dat ze een paar meter moesten duiken. Nadat hij twee keer zijn hoofd had gestoten, zwom Mauke Nuha met zijn ene hand en zette zich met de andere af van het plafond, om zijn hoofd te beschermen. In de steeds diepere duisternis kon hij zich alleen oriënteren aan de hand van Horu's bleke voetzolen, die het water vóór hem deden opwervelen. Verder naar voren begon het water groenachtig te schemeren, er moest dus een lichtbron zijn.

Langzaam werd het plafond hoger en het water ondieper, zodat ze ten slotte in licht gebukte houding door heuphoog water konden waden. Het licht voor hen werd feller.

De tunnel mondde uit in een ronde spelonk met een klein onderaards meer. Aan de overkant van het water was een grijs kiezelstrand te onderscheiden. Een naargeestig groen schijnsel verlichtte de ruimte en leek van het water zelf uit te gaan.

Mauke Nuha keek omhoog. Het dak van de spelonk was ongelooflijk hoog, een onregelmatige kegel waarvan de wanden in het donker verdwenen. Helemaal bovenaan was een stralend, lichtblauw punt te zien.

'Dat is de mooi...'

'Ssst!' maande Horu. 'Ze slapen, het is beter ze niet te wekken.'

Mauke Nuha keek om en begreep het. In de donkere groeven, nissen en rotsbogen kon je het trage trillen van zwarte, in de slaap gestoorde lijven ontwaren.

De grot wemelde van de vleermuizen, die de rotswanden als een tapijt bedekten.

Mauke Nuha had geen tijd om te griezelen.

Zijn volle aandacht werd in beslag genomen door een voorwerp dat op de tegenovergelegen oever lag.

Het was wit, licht gebogen, zo'n drie meter lang en half zo breed, met splinterige, scherpe kanten.

Het was een rompstuk van een boot.

Zijn hart begon wild te bonzen. Hij werd door een lichte duizeligheid bevangen, het gevoel dat hij bijna van zijn stokje zou gaan.

Dat was het wrakstuk. Zíjn wrakstuk.

Daarop had hij gelegen toen hij bewusteloos over de Stille Oceaan dobberde. Hij had Horu kunnen vragen of hij gelijk had, maar dat was niet nodig. Hij wist het.

Voorzichtig naderden ze het rompstuk. Het was van een materiaal dat Horu niet kende, het zag eruit als hout, maar was veel lichter en gladder. Mauke Nuha streek erover, op zoek naar iets wat hem bekend voorkwam. Dit wrakstuk was een deel van iets wat hij in elk geval moest kennen. Maar wat? Ze tilden het op en zochten naar letters of kentekens, maar het oppervlak was smetteloos. Geluidloos lieten ze het in het water glijden en duwden het in de richting van de tunnelmond.

Als dit werkelijk mijn wrakstuk is, dacht Mauke Nuha terwijl ze door de tunnel zwommen en het wrakstuk achter zich aan trokken. *Als het door de stormvloed hierheen is gespoeld, op dezelfde dag dat ik het boek vond... was het boek dan ook van mij?*

Ze verlieten de tunnel en brachten het wrakstuk naar het strand om het in het zonlicht nader te onderzoeken.

Had ik het boek bij me, op dit stuk boot, terwijl ik op zee dobberde?

Ze draaiden het een paar keer om; er waren alleen krassen en deuken te zien. Mauke Nuha was ongelooflijk opgewonden over de vondst, maar in plaats van hem antwoorden te verschaffen, wierp hij nieuwe vragen op.

'Horu,' zei hij ten langen leste, 'wat betekent in jouw taal *yla homa*?'

10

OP DE *WA'HAY*

Horu haalde zijn schouders op: *yla homa* betekende niets in zijn taal. Ze namen het wrakstuk op hun schouders, droegen het naar het dorp en borgen het op onder droge matten. Toen ging Mauke Nuha weer aan het werk.

Aruke had Mauke Nuha al weken elke middag heimelijk gadegeslagen bij diens werk aan de netten: hij kwam er een paar minuten bij staan en liep dan zonder een woord te zeggen weer weg. Maar die dag bleef Aruke langer. Het was hem niet ontgaan dat Mauke Nuha's rugletsel helemaal genezen was en dat zijn handen, die intussen hard en vereelt waren, moeiteloos en soepel aan de netten knoopten.

Mauke Nuha was klaar om zich op zijn reis voor te bereiden. Aruke besloot dat ze er meteen een begin mee zouden maken.

Op het strand toonde hij Mauke Nuha een enorme kano met drie asymmetrische uitleggers en een centraal zeil.

'Dat is de *wa'hay* waarmee je naar awu'Taypune, Okinawa, zult varen,' verklaarde hij, terwijl hij hem recht in de ogen keek. 'Ik zal met je mee reizen. Ik zal sturen, jij moet me helpen. Jij zult de boot slechts een paar uur per dag besturen, terwijl ik slaap. In die tijd zul je alleen zijn met de oceaan. Je leven zal van mij afhangen,' besloot hij, 'zoals het mijne van jou. We hebben niet veel tijd en je moet nog een heleboel leren.'

***

De training was van meet af aan hard. De eerste dagen voeren ze uit met een kleine kano met één uitlegger en zonder zeil, die alleen met *hoe*, kleine peddels, gestuurd werden. Mauke Nuha's eerste taak was om één rondje om het hele eiland te varen.

Aruke liet hem zien hoe het moest, maar slechts één enkele keer en zonder een woord van uitleg. Vervolgens ging hij met gekruiste armen bij de boeg zitten en keek toe. Als Mauke Nuha fouten maakte, trok Aruke een vies gezicht en soms slaakte hij een luide verwensing. Als hij het goed deed, bleef hij met uitgestreken gezicht zwijgen.

Langs de lagune rond het eiland varen bleek vrij eenvoudig. Lastig werd het aan de rotsachtige kant, waar geen koraalrif was dat de kust tegen golven en stromingen beschermde. Daar werd de kano gevaarlijk dicht naar de klippen gedrukt en verloor de onervaren, panische Mauke Nuha steeds opnieuw volledig de controle. Aruke greep dan in: woedend spuugde hij in zee, rukte Mauke Nuha de peddel uit handen, roeide tot ze buiten gevaar waren en liet hem dan weer terugkeren naar de plek van waar ze gekomen waren en van voren af aan beginnen.

En zo ging het elke dag, van zonsopgang tot zonsondergang, zonder pauzes om te eten of voor onweer of de verzengende zon te schuilen. Al na de eerste dag was Mauke Nuha doodop, met pijnlijke spieren en handen vol blaren. Toen hij uitgehongerd en uitgedroogd in het dorp terugkwam, stortte hij zich op water en voedsel. Prompt wees Aruke hem terecht. 'Mauke Nuha,' snauwde hij hem toe, waar iedereen bij was, 'begin met wennen aan honger en dorst. Als we midden op de oceaan zijn, kun je je niet meer volstoppen.'

Na een week kon Mauke Nuha rond het eiland varen. Nu koos Aruke een nieuwe kano met een klein centraal zeil en twee uitleggers, die leek op de kano waarmee ze de reis zouden gaan maken.

Ze voeren de open zee op, elke dag een eindje verder.

Langzamerhand werd Mauke Nuha zekerder met de *wa'hay*. Het ruwe touw waarmee hij het zeil moest bedienen, gleed snel door zijn handen en bezorgde hem diepe schuurwonden, maar hij dwong zich de pijn te negeren. Arukes harde leerschool begon vruchten af te werpen.

Na nog twee weken van uitputtende training voeren ze zo ver uit dat het eiland niet meer te zien was. Toen onthulde Aruke hem de eerste geheimen van zijn volk om koers te houden aan de hand van de waardevolle tekenen van wind en zeestromingen, de vlucht van de vogels, wolkenformaties en de richting van de golfslag. Zoals altijd deed hij hem alles slechts één keer voor, en zonder een woord te zeggen. Dat kostbare moment dat Aruke hem gunde mocht Mauke Nuha niet voorbij laten gaan. De lesmethode was hard – Aruke wist dat: hij had het jaren geleden zelf doorgemaakt – maar garandeerde dat de leerling voortdurend ontvankelijk en geconcentreerd was.

'Als je een fout maakt,' zei Aruke hem op een avond tijdens de terug-tocht, 'als je de kans voorbij laat gaan om iets goed te doen, zal die kans nooit terugkomen. Er zullen andere kansen komen, maar déze niet, die is onherroepelijk verkeken. Misschien komt er een andere kans die er erg op lijkt, maar het is nooit dezelfde. Vergeet dat nooit. Als we op reis zijn, kan dat het verschil maken tussen leven en dood.'

Dat was de enige les in de drie weken durende training die Aruke mondeling overdroeg.

Gaandeweg werd het manoeuvreren van de kano vanzelfsprekend voor Mauke Nuha. Hij begon zich te ontspannen en ervoer uiteindelijk de uitbundige vreugde de wind met het zeil te beteugelen en over de gol-ven te jagen. Hij voelde zich vrij en kreeg zin om te lachen en te joelen. Terwijl hij de eindeloze oceaan doorkliefde, die zich rondom tot aan de horizon uitstrekte, voelde hij zich als op de top van een enorme hoog-vlakte van water die zacht naar de hemel helde – dalen en vlakten van lucht en wolken die zich onder hem uitstrekten. Duidelijk voelde hij de ronding van de wereld.

Nu hij zich klaar voelde, keerden ook de kwellende vragen en twij-fels terug. Hoe had hij hier terecht kunnen komen, in deze uithoek van de planeet, waar de oceaan een onbetwijfelde godheid was, duizenden mijlen van zijn eigen wereld, de wereld van de 'landmensen', zoals de eilanders hen noemden?

Sinds de eerste tocht naar open zee waren er zes weken voorbijgegaan. Mauke Nuha besloot dat het moment gekomen was om bij Aruke een cruciaal onderwerp aan te snijden.

De dag van de afvaart.

Met neergeslagen blik hoorde Aruke hem aan. Zijn gelaat had zich versomberd en een bezorgde uitdrukking aangenomen.

'We vertrekken zeer binnenkort,' zei hij. 'We zitten inmiddels in de enige periode van het jaar dat de winden en stromingen gunstig zijn voor onze oversteek. Die zal nog maar enkele weken aanhouden. Daar-na zou het te gevaarlijk zijn en zou je nog een jaar moeten wachten.'

De rest van de dag bleef Aruke in gedachten verzonken, bekommerde zich noch om Mauke Nuha, noch om de kano en maakte een voor zijn doen introverte indruk.

Het gebeurde drie dagen later, als een donderslag bij heldere hemel. Ze hadden het eiland al vier uur uit het oog verloren en voeren met hoge snelheid voor de wind.

De zee onder hen zwol op als een luchtbel die op barsten staat. De kano werd gevaarlijk schommelend opgetild en stortte met een doffe klap weer omlaag. Mauke Nuha's hart klopte wild, zijn benen trilden. Maar hij had de controle over de kano behouden.

Toen zag hij het.

Heel even leek het alsof stormwolken de zon hadden verduisterd. Maar het was een schaduw, een donkerblauwe wand van water, die hoog voor hen opdoemde.

Een reuzengolf. In hun ogen leek het een berg, de reuzenhand van de zeegod Tayga'ha die zich verhief om zijn toorn te ontladen.

Mauke Nuha voelde het, tot diep in zijn aderen.

Ik ga sterven.

Hij sloot zijn ogen en voelde een heftig kloppen tegen zijn oogleden.

Het was het laatste wat hij meekreeg. Of nee, eerst hoorde hij een stem, de angstkreet van een vrouw, die hem een intens déjà-vugevoel gaf.

Een bovenmenselijke kracht sleurde hem omlaag. Toen klonk er een onvoorstelbaar gedaver dat hij nooit meer vergeten zou, het razen van een lawine van vloeibaar geworden wolken. Machteloos doorstond Mauke Nuha de fractie van een seconde die hem van de botsing met deze neerstortende watermassa's scheidde.

Toen stierf het ontstellende gebrul achter hem weg tot een zwakke echo, het water drong in zijn oren en dempte alle geluiden, hij bevond zich in de waterwand, er was boven noch onder, het water vulde zijn longen, zijn longen stonden op springen, snakten naar lucht en vonden water, snakten naar lucht en vonden...

... lucht.

De lucht was er weer.

Hij hoestte hevig om het doorgeslikte water kwijt te raken, en opende zijn ogen. Hij zat nog op zijn plaats. Tegenover hem zat Aruke met onbewogen gezicht, en de touwen van het van de mast gescheurde zeil in zijn hand. Afgezien daarvan leek de kano onbeschadigd.

Ze hadden de golf ongedeerd doorstaan, Aruke had hem op het enig mogelijke punt doorkruist. Meteen daarna was er niets meer van te zien.

Het was ongelooflijk hoe zo'n reusachtige golf uit het niets kon opduiken en na enkele seconden weer in het niets verdwijnen.

'Je mag nooit je ogen dichtdoen.'

Aruke had gesproken zonder hem aan te kijken, zijn blik was op de einder gericht. Mauke Nuha beefde zo erg dat hij op zijn plaats op en neer hupte. Die dag was hij niet meer in staat de kano te besturen. Aruke repareerde het zeil en sprak geen woord meer, ook vertelde hij niemand van de golf.

De volgende dag sprak Aruke nogmaals met hem. Zijn stem klonk merkwaardig hartelijk, zoals die van zijn vader Horu.

'Je mag niet bang zijn voor de oceaan,' zei hij. 'Hij is niet je vijand, ook niet wanneer hij vertoornd en genadeloos lijkt. Laat het uit je hoofd tegen hem te vechten. Dat zou je dood worden. Niemand kan hem overwinnen. Hem oversteken betekent niet hem uitdagen,' vervolgde hij. 'Wij zeevaarders zijn slechts voorbijgangers, we bevaren de oceaan omdat hij ons een klein stukje van zijn eeuwige, onschokbare kracht schenkt. Leer hem te begrijpen, naar hem te luisteren en hem te volgen: hij zal je brengen waarheen je wilt. Maar vanbinnen,' Aruke keek hem doordringend aan, 'in je hoofd moet het doel helder zijn. Anders zal de oceaan je niet verhoren...

Denk eraan,' besloot hij, 'je mag nooit meer bang zijn. Je geest moet vrij zijn, anders kun je de gedachten van de oceaan niet opvangen en kan hij de jouwe niet opvangen. Laat je niet afleiden door onbenulligheden, bezwaar je reis niet met nutteloze last.'

Mauke Nuha dacht lang na over Arukes tweede en laatste mondelinge les. Niettemin had de ervaring hem getekend. De drieste zekerheid van enkele uren tevoren was verdwenen en had plaatsgemaakt voor onzekerheid en ongerustheid. Nu was hem duidelijk dat zijn leven aan een draadje hing dat veel dunner was dan dat van de visnetten die hij had leren repareren.

In de drie weken daarop ging de training onvermoeibaar verder. Ze voeren ook 's nachts uit, om zich te bekwamen in het zeilen in het donker. Mauke Nuha vroeg zich af wanneer ze zouden vertrekken, want de gunstige periode liep op zijn eind.

Aruke leek met de dag somberder te worden. Zijn hoogmoedige, trotse manier van doen kreeg een waas van bezorgdheid en triestheid. Mauke Nuha kende de reden niet, maar was er vrij zeker van dat hij de oorzaak van Arukes mismoedigheid was. In al die weken van oefenen was het hem niet gelukt het varen zo goed onder de knie te krijgen dat de overtocht een realistische kans van slagen had. En dat, zo dacht hij, maakte dat zijn leraar zich schuldig voelde.

Maar de ware reden was een andere, zoals hij nog diezelfde nacht zou ontdekken.

De achtste opleidingsweek liep ten einde: meer dan drie maanden waren verstreken sinds hij het boek had gevonden. Terwijl hij al op bed lag, vlak voor het inslapen, hoorde Mauke Nuha een verschrikkelijk geschreeuw de stilte van het eiland verscheuren. Met wild kloppend hart sprong hij overeind en rende in het licht van de vollemaan de hut uit.

11

DE DROOMUITLEG

Het geschreeuw klonk nogmaals, aangedragen door de nachtwind. Mauke Nuha bleef staan en spitste zijn oren.

Het klonk als Arukes stem.

Hij doorkruiste het dorp en was verbaasd dat er verder niemand was opgestaan om poolshoogte te nemen. Allen lagen te slapen, of waren zo bang dat ze deden alsof ze sliepen.

Hij bleef staan. Nog meer kreten verscheurden de stilte.

Het waren geen hulpkreten of pijnkreten. Het leken kreten van woede. Toen hij Horu's hut bereikt had, herkende hij overduidelijk Arukes opgewonden stemgeluid. Vervolgens weerklonk de diepere, gedempte stem van de vader. Arukes woede laaide nogmaals op, vol verachting riep hij zijn naam: Mauke Nuha.

Het trof hem als een vuistslag in het gezicht.

Aruke herhaalde de naam opnieuw, zijn gebrul bereikte een hoogtepunt, toen brak een snik zijn stem.

Hij zag Aruke de hut uit stormen en met hangend hoofd zijn kant op rennen. Toen hij hem passeerde, keek hij al lopend op. Zijn betraande ogen stonden ijzig en vernietigend.

Verslagen bleef Mauke Nuha staan. Zijn hele wereld, deze piepkleine wereld, die zijn enige houvast was, stortte in. Waarom had Aruke, zijn leraar, zijn vriend, hem zo vol haat aangekeken?

Horu verscheen in de deuropening van de hut en was verbaasd Mauke Nuha voor zich te zien. Hij wenkte hem bij zich. Hij begreep dat Mauke Nuha de ruzie had gehoord en er genoeg van had begrepen om diep ontsteld te zijn.

Met zijn rug tegen de hutwand liet Horu zich in het zand glijden en nodigde Mauke Nuha uit om naast hem te komen zitten.

Hij zuchtte diep. 'Het is juist goed dat je iets hoort, Mauke Nuha,' begon hij. 'Ik had er al veel eerder met je over moeten beginnen.'

De spanning in de lucht was bijna elektrisch. Mauke Nuha hield zijn adem in.

'We ondernemen deze reis niet alleen om jou naar huis te brengen. Er is nog een verdrietige reden die ons dwingt naar Okinawa te varen. Zoals je zelf hebt kunnen ervaren, leiden wij een vrij leven, overeenkomstig de tradities van onze voorvaderen, en gehoorzamen wij alleen de wetten van de oceaan. Wij zien af van de gemakken van de *tan'y'fenwa*, de landmensen, en leven van wat de natuur ons schenkt. We beseffen heel goed wat we opgegeven hebben. We weten dat ons leven soms zeer hard kan zijn. Maar het is onze wet, de bron van ons geluk. Het is zoals wij willen leven.

Helaas zijn er in het leven situaties die onze zekerheden, onze moed, ons verlangen naar vrijheid en onafhankelijkheid, onze wet aan het wankelen brengen. Er zijn situaties die ons dwingen de landmensen om hulp te vragen. Zij kunnen bepaalde ziekten genezen,' zei Horu met een zucht vol bitterheid, 'waaraan wij net als onze vaderen weerloos zijn overgeleverd. Als een van die ziekten ons treft, zijn de landmensen onze enige hoop.'

De maan dook op van achter een wolk en dompelde de beide mannen in zijn schijnsel. Horu zag de vragende uitdrukking op Mauke Nuha's gezicht.

'Sommigen van ons kiezen ervoor te sterven. Zij willen niet het risico lopen hun laatste dagen ver van huis door te brengen, ze willen geen hulp van de *tan'y'fenwa*. Maar ditmaal kan ik dat niet toelaten. Iemand op ons eiland is zwaar ziek. Haar naam is Same. Ze is mijn *wa'hinie*, mijn vrouw. Arukes moeder.'

Mauke Nuha staarde verbijsterd naar Horu's doorgroefde gelaat.

Same was een sterke, vrolijke vrouw, hij zag haar vaak aan het werk met de andere vrouwen van het dorp. Ze was niet jong meer, maar droeg nog steeds de sporen van een nog niet verwelkte schoonheid. Haar aangrijpende gezang was uniek. Slechts een enkele keer had hij haar kreunend van pijn en omringd door haar vriendinnen in de schaduw van de palmen zien liggen. Destijds had hij gedacht dat het om een voorbijgaande malaise ging, nooit had hij gedacht dat het symptomen van een ernstige ziekte waren.

'Nu begrijp ik Arukes woede en verdriet,' mompelde Mauke Nuha. 'Het spijt me ontzettend, Horu, jullie hadden allang moeten vertrekken. Om mij hebben jullie zo lang gewacht. Jullie moeten onmiddellijk in zee steken, zonder mij.'

Horu schudde zijn hoofd.

'Je vergist je. Dat we nog hier zijn heeft niets met jou te maken. Aruke heeft me al enige tijd geleden verteld dat je klaar bent. Het steekt op iets anders. We zullen in Okinawa geld nodig hebben, zowel voor Sames behandeling als voor jou. Bij ons is er geen geld, wij hebben het niet nodig. Maar we hebben een waardevol ruilmiddel.'

Horu stond op en verdween de donkere hut in, om even later terug te keren met een houten kistje in zijn handen. Het was gevuld met parels. Parels in de meest uiteenlopende kleuren en afmetingen, die als uit de hemel gevallen lichtdruppels het maanlicht reflecteerden. Hun glans wierp een bleke gloed op hun gezichten.

'Het zijn er veel,' zei Horu, 'maar niet genoeg. De behandeling van mijn vrouw zal kostbaar zijn. En dan is daar nog je reisbiljet terug naar Wales. En we moeten ook papieren voor je regelen met een voor landmensen passende naam, en kleding, je moet fatsoenlijk geschoren en ontvlooid worden, zodat je presentabel bent. En liters reukwater aanschaffen... je stinkt verschrikkelijk!'

Horu onderdrukte zijn schallende lach. Maar in dat geluid, dat Mauke Nuha zo dierbaar was, klonk een bittere ondertoon door die hem nooit eerder was opgevallen.

'We moeten de afvaart zo lang mogelijk uitstellen en nog meer parels zoeken,' vervolgde Horu. 'Daarom is Aruke woedend. Hij is bang dat als we nog langer wachten, de reis te gevaarlijk wordt of dat zijn moeder het niet redt. Maar het zal hoe dan ook niet lang meer duren, er ontbreken nog maar een paar dozijn parels,' besloot Horu.

Mauke Nuha voelde het bloed naar zijn hoofd stijgen. Hij sprong op.

'Voor mij hoef je dat allemaal niet te doen!' riep hij met verstikte stem. 'In Okinawa vind ik wel een manier om aan geld te komen. Ik ga wel werken of ik stap naar de politie, ik vind vast wel iemand die me wil helpen. We moeten vertrekken, morgen al!'

Met een ondoorgrondelijke glimlach schudde Horu zijn hoofd.

'Nee, mijn zoon, dat zou te gevaarlijk zijn. Je weet niet wie je bent, je hebt geen identiteit, geen papieren. Je zou geen werk vinden en de politie zou je alleen problemen bezorgen. Je zou nooit in Wales aanlanden. Ik zal niet toelaten dat de zaken zo lopen. De oceaan heeft jou onder mijn hoede gesteld, je bent mijn *fa'wa'amu*. Ik zal me niet aan die verantwoordelijkheid onttrekken, ongeacht de prijs.'

Horu had gesproken als hoofdman. Dit was geen voorstel, maar een bevel, de wet van het eiland. Mauke Nuha waagde het niet hem tegen te spreken.

Minutenlang bleven ze zitten in een stilte die te snijden was. Toen stond Mauke Nuha op, liep het in maanlicht gedompelde strand op en ging zitten op een boomstronk naast het bijna uitgedoofde kampvuur. Hij pookte in de as en bracht een klein vuur op gang, waaraan hij zijn door het vochtige zand koud geworden voeten warmde. Starend in de vlammen liet hij zijn gedachten de vrije loop. Enerzijds was hij diep dankbaar voor de gulheid van Horu, die hem zonder aarzelen zijn onbeperkte steun aanbood. Anderzijds voelde hij zich vreselijk schuldig en schaamde hij zich voor zijn zwakheid. Hij wilde niet dat anderen offers brachten om hem te redden.

Horu voegde zich bij hem. Samen staarden ze naar het grillige spel van de vonken.

'Je moet je niet schuldig voelen,' verbrak Horu de diepe stilte. 'Als het iets hielp, zou ik mijn ogen uitrukken om Same te redden. Maar dit is nu eenmaal ons lot, de wet van ons volk. Ook Aruke zal dat weldra inzien.'

'Maar Horu,' stamelde Mauke Nuha met gebroken stem. 'Stel dat al jullie offers vergeefs zouden zijn?'

Mauke Nuha besefte maar al te goed hoe mager het spoor was dat hem naar Wales voerde. Tot nu toe had hij met niemand over zijn dromen gesproken, hij had er nooit de moed voor gehad. Misschien was hij bang dat hij voor gek zou worden versleten, of dat ze als hij erover vertelde tot onwerkelijke herinneringen zouden verbleken, in rook zouden opgaan. Maar nu was het moment gekomen om zijn twijfels met Horu te delen. Dus vertelde hij hem alles: het visioen van de vrouw dat hem voor de waanzin had behoed, de vondst van het boek, de terugkeer van zijn taal en de eerste herinneringen, de verwijzing naar Wales die hij uit een gedicht had opgedaan.

Hij was een niet te stuiten stroom. Voor het eerst vertelde hij hardop wat hem overkomen was, en dat meer tegen zichzelf dan tegen Horu. Zonder het te merken vermengde hij zijn moedertaal met de taal van het eiland. Horus luisterde met gesloten ogen en knikte. Horu bezat het natuurlijke vermogen de onderstroom van het relaas te volgen, ondanks de moeilijke begrippen en vreemde termen.

'Ik heb geen plausibele verklaring voor de herkomst van dit boek. Na de vondst van het wrakstuk dacht ik dat het me misschien toebehoord had of misschien zelfs door mij geschreven zou kunnen zijn. Maar het beslissende punt is een ander: heeft dit boek het over mij? Ben ik degene die naar Wales moet gaan? Om eerlijk te zijn lijkt het me nogal sterk dat het boek een soort voorspelling bevat dat met mijn lot verbonden is. Maar als ik er niets mee van doen heb, zou Wales een vals spoor zijn en zouden alle voor mij gebrachte offers nutteloos zijn!

Kortom, mijn reis naar Wales is een pure gok. Ik heb geen enkele zekerheid, alleen vermoedens op basis van een droom.'

Mauke Nuha zweeg een moment. Er was nog iets belangrijks. Maar hij aarzelde. Hij was bang om zich volledig open te stellen. Hij monsterde Horu's aandachtige gezicht in het schijnsel van het vuur.

Op dat moment nam hij Horu's gave heel duidelijk waar.

Horu was een buitengewoon luisteraar. Het leek alsof hij de woorden van zijn gesprekspartner met zijn hele lichaam opnam, ze gulzig indronk. Hij vatte de verborgen betekenissen en stemde zich af op de emoties en pijn eronder. Voor Mauke Nuha was het alsof praten met Horu de wonden van zijn ziel in zout water dompelde. En daarom ging hij veel verder dan hij eigenlijk gewild had.

'Wat ik het liefste wil, wat me het meest bezighoudt,' vervolgde hij na een lange stilte, 'is de ware aard van mijn dromen kennen. De ware aard van mijn dromen,' herhaalde hij langzaam. 'Ik heb me daar dag en nacht het hoofd over gebroken en denk een sluitende verklaring te hebben gevonden. Ik geloof dat onze geest in een extreme situatie de kracht vindt voor een laatste wanhopige reactie. In mijn geval heeft hij zich aan een herinnering vastgeklampt. Aan de sterkste herinnering van al, de enige die aan het zwarte gat van het geheugenverlies kon ontsnappen: het gezicht van de persoon die ik liefheb. Uit deze herinnering heeft mijn brein een droom gesponnen, en dit beeld heeft me de kracht gegeven om op het vergeten te reageren. Deze droom is een soort zelfgenezing door mijn geest.

Ook de tweede droom, de droom die me naar het boek leidde, is rationeel te verklaren. Ik heb dag na dag op de rotsachtige kant van het eiland rondgehangen. Zonder dat ik het bewust heb gemerkt, kunnen mijn ogen het opflitsen van een voorwerp tussen de klippen hebben geregistreerd. 's Nachts heeft mijn geest dit onbewuste beeld verwerkt en het me in de droom getoond.'

Mauke Nuha keek Horu aan, die met samengeknepen ogen bedacht-zaam knikte.

Nu kwam hij tot het belangrijkste geheim.

'Maar diep vanbinnen,' vervolgde hij nadrukkelijk, 'heeft langzaam maar zeker een andere gedachte terrein gewonnen, die tot een geloof is uitgegroeid, hoe absurd het ook mag zijn. Dit geloof heeft me dag en nacht begeleid, me gekoesterd en kracht gegeven, me getroost en soms angst aangejaagd.

Ik geloof,' sprak hij fluisterend verder, 'dat deze dromen echte bood-schappen zijn, die *zij me gestuurd heeft*. Ik ben ervan overtuigd dat zij op een of andere manier contact met mij maakt. Zij heeft me het boek laten vinden om ervoor te zorgen dat ik mijn geheugen terugkrijg en een aanknopingspunt vind om naar huis terug te keren. En als dat zo is, ben ik ervan overtuigd dat de reis niet voor niets zal zijn. Zij zal me naar haar toe leiden.'

Als enige antwoord bereikte hen vanuit de bosrand het lied van een nachtvogel, eentonig en hypnotisch, maar oneindig lieflijk. Toen het wegstierf sprak Mauke Nuha verder.

'Ik weet niet meer wat ik denken moet. Ik heb je er nooit over verteld, omdat ik bang was dat je me voor gek zou verklaren. Dat was verkeerd van me, gegeven de ernst van de situatie had ik al veel eerder met je moeten praten. Maar nu je alles weet, moet ik weten wat je denkt, Horu. Wat is volgens jou de waarheid? Is Sames leven in gevaar vanwege de speculaties van een fantast?'

Horu bleef een hele tijd zwijgen, toen zuchtte hij diep. Zijn stem leek te komen uit het eiland zelf, uit de vlammen, de branding.

'Mauke Nuha, mijn zoon. Ik ben blij dat je me je diepste gedachten hebt toevertrouwd. Laat me je om te beginnen geruststellen: ik geloof niet dat Sames leven voor niets op het spel staat. Je verhaal is gecompli-ceerd, het bevat symbolen en geheimzinnige vingerwijzingen, de weg die je moet gaan is ongewis. Toen je hier aankwam, was je helemaal de weg kwijt, je blik was dof, je geest leeg, je lichaam de huls van een verlo-ren ziel. Toen is de liefde je komen zoeken en heeft je een reddend anker toegeworpen, hoe smal het pad van de droom ook mag zijn. En je hebt het met moed en geluk te pakken gekregen en je gered. Dat is wat ik denk: je duidingen zijn allebei juist.'

Deze woorden ontroerden Mauke Nuha, maar konden zijn twijfel niet verjagen.

'Horu,' vroeg hij ten slotte, 'ik zou willen dat je heel direct op mijn vraag antwoordt: denk je dat mijn dromen een product van mijn geest zijn of geloof je dat het daadwerkelijk boodschappen zijn die zij me gestuurd heeft?'

Horu glimlachte.

'Je hebt je geheugen verloren,' antwoordde hij, 'maar denken doe je nog altijd als de *tan'y'fenwa*! Ik zal het met andere woorden proberen. De grens tussen dat wat je "product van de geest" en "boodschap" noemt is vloeiend. Alles wat in ons groeit heeft zijn wortels elders. De droom die je had mag aan je verstand ontspringen, maar tegelijk stamt hij van *Tayga'ha*, van God. Hij vertrouwt zijn boodschappen toe aan de stromingen van hemel en oceaan, om ze over de meest kronkelige paden naar het hart te zenden van wie naar hem luistert.'

Mauke Nuha begreep het nog steeds niet. Horu's uitleg klonk simpel en ingewikkeld tegelijk.

'Maak je geen zorgen,' sprak hij verder, 'ik heb je dilemma begrepen, ook al lopen onze benaderingen in menig opzicht ver uiteen. En ik zal heel direct op je vraag antwoorden. Ik denk dat de vrouw uit je droom, de vrouw die je liefhebt, met God heeft gesproken. Ik denk dat ze gebeden heeft om jou te mogen helpen. En God heeft haar verhoord. Hij heeft toegelaten dat jullie elkaar ontmoeten.'

Met God praten.

Mauke Nuha durfde er niet eens aan te denken. Hij verjoeg de gedachte die zich in zijn hoofd wilde nestelen als fijn, door de wind aangevoerd zand. Een gedachte die hem niet voor het eerst overviel, de verschrikkelijkste gedachte van al, die de grond onder zijn voeten wegsloeg en hem van elke wilskracht beroofde. Maar uiteindelijk kwam de angstige vraag toch over zijn lippen.

'Wil je daarmee zeggen... dat je denkt dat ze dood is?'

Horu bleef in gedachten verzonken in het vuur staren en antwoordde niet.

Aan de horizon zakte de rode schijf van de maan in zee. De sterren keerden weer terug en verlichtten met hun flauwe schijnsel het zwart van de hemel. De pijn en de angst om de vrouwen die ze liefhadden te verliezen, maakten deze twee zo verschillende mannen in de nachtelijke stilte tot broeders. Beiden waren tot alles bereid. De een om haar te redden, de ander om haar te vinden.

Dezelfde reis wachtte hun.

12

ONDERWATERMAAN

Mauke Nuha deed geen oog dicht. Bij dageraad lag hij voor zijn hut met wijd open ogen naar de hemel te staren. Voor het eerst in weken was Aruke hem niet komen wekken om in zee te steken. Die gedachte gaf hem een naar gevoel. Hij besloot zelf naar Aruke te gaan.

Zoekend dwaalde hij door het dorp en uiteindelijk zag hij hem met een groep jongeren aan de uiterste punt van het koraalrif staan. Hij begreep meteen wat er aan de hand was.

Hij rende op hen af. Het scherpe koraal sneed in zijn voetzolen, maar hij merkte het niet.

'Aruke, laat me jullie helpen!' riep hij, buiten adem van het harde lopen. 'Ik wil samen met jullie naar parels zoeken!'

Aruke keek hem recht in de ogen. De ijzige uitdrukking van de afgelopen nacht was van zijn strenge, trotse gezicht verdwenen. Hij knikte bedachtzaam en drukte hem een mes in de hand. Toen sprong hij in zee en riep Mauke Nuha met de vertrouwde, abrupte beweging van zijn kin op zijn voorbeeld te volgen.

De groep *wat'kiydo*, parelduikers, bestond uit acht vrouwen en tien mannen. Dat was niet veel, maar het werk was inspannend en gevaarlijk en alleen wie jong en kerngezond was, was ertegen opgewassen.

'Vergeleken hiermee zullen de dagen op de kano je als onschuldige pleziervaarten voorkomen,' waarschuwde Aruke hem grimmig.

De een na de ander sprongen de parelzoekers in het water en zwommen puur op lichaamskracht en zonder lijnen en gewichten met energieke slagen naar de bodem. Mauke Nuha kon niet zien hoe diep ze doken, maar het ging beslist om tientallen meters.

Aruke deed hem voor hoe hij zich op het apneuduiken moest voorbereiden: hij moest diep en snel inademen om borst en buik met de noodzakelijke lucht te vullen. Maar hij moest oppassen: één ademteug te veel, een beetje zuurstof meer dan nodig, kon fataal zijn.

Mauke Nuha volgde de aanwijzingen op en begaf zich onder water. De eerste meters waren makkelijk en zelfs plezierig. Het zonlicht viel op het rif en bracht de kleuren van de overweldigend mooie onderwaterwereld tot leven. Tot in de donkerste kloven wemelde het koraal van veelvormig, vredig wiegend of bliksemsnel wegschietend leven, dat zich slechts weinig aan zijn komst stoorde.

Hoe dieper hij kwam, hoe kouder het water werd; de kleuren verbleekten en zwart voerde de boventoon. De grootste moeilijkheid bestond erin de angst te overwinnen die hem in deze duistere, doffe wereld overviel, waar de vertrouwde fysische wetmatigheden niet meer golden. Zodra hij begon te twijfelen aan zijn vermogen zijn adem in te houden, kreeg hij regelrechte paniekaanvallen: hectisch crawlde hij dan naar het licht, tot hij verschrikt en hijgend het wateroppervlak bereikte.

Aangemoedigd door Aruke won Mauke Nuha met elke duik aan zekerheid en diepte. Hij begon de toenemende druk op zijn trommelvliezen en stekende pijnen in zijn oren te ervaren.

Toen hij voor de eerste keer de tienmetergrens overschreed, verloor hij heel even zijn oriëntatie: het kwam hem voor alsof hij snel als een tol om zijn as draaide, hoewel hij geen vin had verroerd. De grotere druk had zijn evenwichtsorgaan voor de gek gehouden. Dit soort abrupte variaties kon nog tal van andere gevolgen hebben, waarvan Mauke Nuha geen notie had. Zijn hart sloeg op hol, zijn longen trokken zich samen en zijn borstkas vulde zich in plaats van met lucht met bloed, om de stijgende waterdruk te weerstaan. Aruke legde hem uit dat hij ter compensatie lucht naar zijn dichtgeknepen neus moest sturen en zijn tong tegen zijn verhemelte moest drukken. Hij raadde hem ook aan om in etappes omlaag te duiken en tussendoor kleine pauzes in te lassen.

De laatste moeilijkheid bestond erin de ijzige temperaturen van de onderste waterlagen te trotseren. Elke keer dat hij aan het oppervlak kwam, trakteerde de kou hem op rillingen als zweepslagen. Minstens een kwartier lang moest hij op het koraalrif in de warme zon liggen voordat hij het water weer in kon.

Uiteindelijk betaalden Arukes ervaring en Mauke Nuha's taaiheid zich uit. Na uren van vergeefse pogingen beroerde Mauke Nuha eindelijk de bodem waar de pareloesters zich bevonden. Hij was met Rayaru, een parelzoeker, omlaag gedoken en hem op korte afstand gevolgd tot het punt waar de voet van het koraalrif in gespleten rots overging, zich naar binnen welfde en een soort onderwatergrot vormde. Donkere schaduwen deden kloven en tunnels vermoeden die naar onbekende diepten voerden. Mauke Nuha zag Rayaru in het duister verdwijnen. Hij probeerde hem te volgen, maar schrok terug voor de aanblik en vluchtte zo snel hij kon weer naar het zonnige wateroppervlak.

Vrijwel onmiddellijk stortte hij zich enthousiast weer in het water, vastbesloten om ditmaal zijn eerste oester te halen. Snel bereikte hij de bodem, tastte die af tot hij een oester te pakken kreeg, en dook na amper meer dan een minuut weer aan het oppervlak op. Dolblij hees hij zich op de klippen om de anderen zijn vangst te laten zien en popelde om te zien of die zijn eerste parel bevatte.

Amper stond hij op het droge of alles werd zwart voor zijn ogen.

Een geheimzinnige kracht tilde hem op en liet hem door de lucht cirkelen. Zijn collega's zagen hoe hij wankelde en languit op het ruwe koraalrif viel.

'*Tara'wanay! Tara'wanay!*' riepen ze opgewonden.

Aruke kwam aanlopen, tilde zijn hoofd op en onderzocht zijn ogen. Mauke Nuha sidderde en rochelde, maar hij was bij bewustzijn. Het ergste leek achter de rug.

'Dat was *tara'wanay*, de parelduikersziekte,' zei Aruke. 'Uiterst onaangenaam. Voor vandaag is het voldoende,' verordonneerde hij, zich tot allen richtend.

Mauke Nuha kon zich niet op de been houden. Ondersteund door twee parelzoekers sleepte hij zich naar zijn hut. Hij rilde en hijgde ongecontroleerd, zijn oren tuitten. De rest van de dag en de daaropvolgende nacht bracht hij door in een onrustige slaap. Hij bespeurde schaduwen om zich heen, die bezorgd '*Mauke Nuha... tara'wanay...*' fluisterden.

Die nacht had hij een nachtmerrie.

Hij bevond zich op een kano midden op de oceaan, in de zon. Iemand zat voor hem bij de boeg, maar hij kon het gezicht niet herkennen. De zee zwol op, een reusachtige golf verhief zich als een vloeibare berg en verduisterde de zon. Toen was hij ineens niet meer op de kano, maar op een andere, grotere boot, hij herkende de stralend witte voorsteven. De golf was er nog steeds, monsterlijk groot, en stond op het punt op hem neer te storten.

Hij hoorde een vrouw gillen, ze riep iets, toen werd haar stem door het helse gebulder van de golf gesmoord. *Waar ben je*, dacht hij, vechtend tegen het woeste zeeschuim.

Badend in het zweet en schreeuwend werd hij wakker. Een nietig ogenblik lang echoden de woorden helder en duidelijk in hem na, toen waren ze vergeten.

Wat had hij zojuist geroepen? Wat had de vrouw in de droom geroepen? Was *zij* het? Hij kon zich niets meer herinneren.

Hij werd bevangen door een gevoel van teleurstelling en machteloosheid. Het liefst had hij de verschrikkelijke droom meteen nog een keer gedroomd, om de boodschap te begrijpen. In plaats daarvan viel hij in een loodzware, droomloze slaap.

Toen hij wakker werd, waren zijn lichamelijke klachten verdwenen. Hij voelde zich alleen nog wat futloos, maar dat ging over nadat hij iets gegeten had. Hij besloot zich meteen weer op het parelduiken te richten. Allen waren verbaasd hem al weer op de been te zien: normaal gesproken was je na *tara'wanay* dagenlang uitgeput. Hij keerde naar het koraalrif terug en bereikte na enkele korte oefenduiken de bodem.

Hij verzamelde zes oesters, die helaas allemaal leeg waren. Moe en gefrustreerd laste hij een pauze in. Vervolgens dook hij weer de diepte in, alleen.

Toen zag hij ze.

Lichtjes. Teer en knipperend.

Hoe ver waren ze weg? Hij zou het niet kunnen zeggen. Hij herinnerde zich de lichtbollen die zich aan het begin van zijn dromen vermenigvuldigd en uitgedijd hadden.

Hij bespeurde de onverantwoordelijke neiging naar ze toe te zwemmen, hoewel hij geen idee had wat hun aard was. Hij aarzelde: hij moest weer naar boven, anders zou het gevaarlijk worden.

Nog even en ik zit zonder lucht, dacht hij. Toch zwom hij een eindje naar de lichtjes toe.

Paniek overviel hem: hij zou het niet klaarspelen.

Toen kreeg hij een warrig visioen, een snelle opeenvolging van beelden, Sames lijdende gezicht, Horu's glimlach, Arukes kreten. Toen zag hij háár, alsof ze vlak voor hem was, onder water, hij zag haar liefdevolle blik. Een vlaag moed schoot door hem heen. *Verder, verder*, dacht hij en hij maakte nog een paar slagen. De lichtjes verdwenen in een opening in de rotsen en verlichtten hem zwak. Zijn hart stond op springen, er klonk muziek in zijn oren, een vreemde, wonderschone muziek, die uit één enkel dissonant akkoord bestond. Hij zwom verder. Nog vier slagen, de laatste. Hij bereikte de lichtjes. Op slag doofden ze. Maar vlak ervoor zag hij iets op de grond, het laatste wat hij zag: een oester, anders dan de andere, enorm en zwart, zwart als de bodem van de dodelijke oceaan. Met zijn laatste kracht pakte hij hem en drukte hem tegen zich aan. Toen verzwolg de duisternis hem.

Stemmen.

Snel, pak hem bij de schouders... Nee, zo... Druk op zijn buik!

Een braakneiging haalde hem terug naar het leven, kokhalzend schoot hij overeind. Hij braakte over zijn benen. Het zeewater schoot door zijn slokdarm, keel en neusgaten en stroomde ruw als schuurpapier langs zijn slijmvliezen. Hij hoestte en rochelde, alsof hij zijn luchtpijp uit wilde kotsen. Toen, na een laatste kreun, begon hij weer in te ademen.

Alles was onscherp. Slechts één gezicht was te herkennen. Een stralende glimlach.

Horu, dacht Mauke Nuha.

Maar nee, de man die bij hem knielde en een hand op zijn schouder legde, was Aruke. Het was ongelooflijk hoeveel hij op zijn vader leek als hij glimlachte.

'Welkom terug!' riep hij met een stralende blik in zijn ogen. 'Je hebt je zojuist een plaats in de legenden van ons volk veroverd. Je hebt de *Warama'ay'mitwy*, de Onderwatermaan, gevonden.'

13

BERICHTEN VAN VERRE

Mauke Nuha was op het nippertje aan de verdrinkingsdood ontsnapt. Maar wat hem veel meer deed was Aruke na al die maanden voor het eerst te zien glimlachen.

Ik moet weer buiten kennis zijn geraakt, bedacht hij. *Of misschien ben ik dood.*

Hij keek op en zag het antwoord tussen de vingers van zijn vriend glanzen: een ronde, gitzwarte parel, de grootste die hij ooit gezien had.

'Kijk, Mauke Nuha! Dit is de Onderwatermaan, een van onze legenden!'

De parelduikers die om hem heen stonden spraken opgewonden door elkaar. Zelf kon hij nog steeds geen woord uitbrengen, zijn keel brandde als vuur. Wat was daarbeneden gebeurd?

'Toen ik naar de bodem dook,' vertelde Aruke, 'zag ik je een grot in verdwijnen. Ik maakte me zorgen en ben je gevolgd. Toen ik bij je was, had je juist het bewustzijn verloren en hield je een enorme oester omklemd.'

Aruke wees naar de twee geopende kleppen van de schelp aan zijn voeten, waarvan het parelmoer het zonlicht in alle kleuren liet fonkelen.

'Ik heb je beetgepakt en naar boven getrokken. Toen we de oester openden, kwam je weer bij en vonden we dit erin!'

Aruke hield de reusachtige parel onder zijn neus.

'Zulke exemplaren zijn heel zeldzaam. De laatste werd gevonden toen ik nog een kind was. De Warama'ay'mitwy is de grootste schat die er voor ons volk bestaat!'

Aruke was geëlektriseerd. Joelend renden ze naar het dorp terug en hielden de parel omhoog. Hun waardevolle vondst ontlokte een enorm gejuich. Het hele dorp schoot toe om de Warama'ay'mitwy te zien, iedereen wilde hem vasthouden en in het zonlicht bekijken, en allen juichten als verrukte kinderen over dit door de zee geschapen sieraad. Ook Horu straalde.

'Hij is wonderschoon. Enorm, smetteloos, perfect van vorm en kleur!'

zei hij, terwijl hij Mauke Nuha op zijn schouder klopte. 'Ik weet niet hoeveel hij waard is in yens en kan niet met zekerheid zeggen of hij al onze problemen zal oplossen, maar deze wonderbaarlijke vondst is een teken: we mogen niet langer wachten, we moeten onmiddellijk vertrekken. De Onderwatermaan is een goed voorteken voor onze reis!'

Het hele dorp verkeerde in rep en roer. Niemand keerde naar zijn werk terug, onmiddellijk begonnen de voorbereidingen voor een feestavond ter ere van de Waramaay'mitwy, die gegeven de omstandigheden ook iets weghad van een afscheidsfeest voor Mauke Nuha en zijn reisgezellen, die binnenkort naar Okinawa zouden vertrekken.

Maar de vondst van de parel was niet de enige bijzondere gebeurtenis van die dag.

De zon was juist ondergegaan en de hemel werd langzaam donker. Het grote vuur brandde, bonte lampions hingen aan de palmen, de lucht was al vervuld van muziek en gezang en de kostelijke geur van geroosterde vis.

Toen doken twee piepkleine lichtjes aan de horizon op.

De kinderen zagen ze het eerst en lieten ze opgewonden aan de volwassenen zien. Na een paar minuten was het duidelijk dat het om naderende boten ging.

Mauke Nuha geloofde zijn ogen niet. Hij was verward, verschrikt, geëmotioneerd. Sinds hij op het eiland was, was er geen contact met de buitenwereld geweest: niemand had het eiland verlaten, niemand had het betreden. Het eiland leek niet meer dan een puntje in het weidse niets. En uitgerekend nu hij op het punt stond het te verlaten, verscheen er bezoek aan de einder.

Na een half uur herkenden ze de omtrekken van twee *wa'hay*, die slechts weinig verschilden van die van het eiland.

Opgewonden en zonder zijn blik van het water af te wenden richtte Mauke Nuha zich tot Aruke.

'Wie zijn dat?'

'Vrienden. Ze komen van een andere *motwy*, een ander eiland. Naar hun *wa'hay* te oordelen komen ze van Mahanamo. Er moet iets gebeurd zijn. Als er nieuws uit het noordwesten is, wordt het ons door de boodschappers van Mahanamo overgebracht.'

'Is er iets gebeurd? Wat dan? En waar?' drong Mauke Nuha met overslaande stem aan. Hij had een eigenaardig voorgevoel.

'We zullen het zo horen. Als er op de eilanden een belangrijk bericht te verspreiden valt, stuurt degene die het ontvangen heeft boodschappers naar het volgende eiland. Het is een soort estafetteloop. De eilanden liggen op weken varen van elkaar af, op deze manier worden berichten snel verspreid en delen we de last van de lange reizen.'

Snel? Het idee dat deze mannen zich enorme moeite getroostten en dodelijke gevaren riskeerden alleen om elkaar een paar berichten te sturen, sloeg Mauke Nuha met stomheid.

'Ik weet wat je denkt,' zei Aruke grijnzend. 'Ook wij kennen de apparaten die de *tan'y'fenwa* daarvoor gebruiken. Radio's, telefoons en zo meer. Maar wij bedienen ons er niet van. Wij zeggen elkaar alleen dingen die een lange reis waard zijn, in plaats van mond en oren met zinloze woorden te vullen.'

Beide kano's bereikten het strand en zes zeevaarders stapten aan land. Ze werden met omhelzingen en vreugdekreten ontvangen. Ze waren afgemat en uitgedroogd en konden zich amper op de been houden. Meteen kregen ze opengeboorde kokosnoten in de hand gedrukt, die ze gulzig leegdronken. Vervolgens werden ze bij het grote vuur geïnstalleerd en op vis en fruit onthaald.

Horu kon het niet laten hun meteen de parel te laten zien. Hij haalde hem tevoorschijn en liet hem voor hun sprakeloze gezichten schitteren in het schijnsel van de vlammen.

'Nu stel ik jullie de visser van deze schoonheid voor,' sprak hij plechtig. 'Mauke Nuha, voeg je bij ons!'

Mauke Nuha had zich enigszins afzijdig gehouden. Voor het eerst sinds zijn komst naar het eiland had hij zich vreemd misplaatst gevoeld, alsof het opduiken van deze mannen hem aan zijn anders-zijn herinnerde. Het liefst was hij weggeslopen, maar de drom dreef hem zo enthousiast voort dat hij het volgende moment tegenover de nieuwkomers stond.

De reizigers zetten grote ogen op toen ze plotseling een *tan'y'fenwa* voor zich zagen. Ze begroetten hem en monsterden hem met onverholen verbazing, die nog groeide toen ze hoorden dat hij hun taal foutloos sprak.

'Ik ben hier al verscheidene maanden,' legde Mauke Nuha uit. 'Helaas weet ik niet meer hoe ik hier terechtgekomen ben, ik ben mijn geheugen kwijtgeraakt. Horu heeft me gewond en bewusteloos op volle zee gevonden en me hier als zijn *fa'wa'amu* opgenomen. Aan hem dank ik mijn leven.'

Allen luisterden aandachtig.

'Sinds vanmorgen dank ik mijn leven ook aan Aruke, zijn zoon. Hij heeft me tijdens de duik die me naar de Onderwatermaan voerde, van de verdrinkingsdood gered. Dat dit kleinood nu hier is, is zijn verdienste,' voegde hij er wijzend naar de parel aan toe.

De zeelui luisterden geboeid toe, met ogen vol verwondering.

'Nu is de tijd gekomen dat ik terugkeer naar Wales, dat is een land ver hiervandaan. Daarom zal ik spoedig naar Okinawa vertrekken.'

'Aruke en ik zullen hem vergezellen,' zei Horu. 'Om hem zo nodig nogmaals het leven te kunnen redden.' Iedereen lachte. 'Maar vertel ons, nu jullie je honger hebben gestild: waarom hebben jullie deze reis op je genomen? We kunnen amper wachten om het nieuws te horen dat jullie ons brengen.'

Suro, de leider van de expeditie, verhief zich, slikte zijn laatste happen weg en nam het woord.

'Je noemde Okinawa. Precies daarvandaan komt het bericht dat we jullie brengen. Het is afkomstig van Waremu, Sames broer.'

Zijn blik dwaalde van Horu naar Same, die gehuld in een deken bleek en bibberig naast hem zat.

'Luister goed, Horu. Het schijnt dat er in Okinawa een bodhisattva, een heilige ziel, is opgedoken die de gave bezit zieken te genezen. Ze houdt zich schuil op een geheime plek, wellicht in een boeddhistische tempel in de buurt van Kudaka, waartoe slechts zeer weinigen toegang hebben. Waremu is bevriend met de monniken en het ziet ernaar uit dat ze de aan haar toegeschreven wonderkrachten daadwerkelijk bezit.' Hij zweeg.

Met onbewogen gezicht liet Horu het korte bericht op zich inwerken. Toen verscheen er een hoopvolle glimlach op zijn gezicht.

Zijn zwager Waremu was jaren geleden naar Okinawa getrokken, naar het eiland Tokashiki. Hij had de oceaan de rug toegekeerd en genoot nu van enkele genoegens van de landmensen, hoewel hij nog steeds op het strand leefde. Hij wist van Sames ziekte. Daarom had hij dit dringende bericht gestuurd.

Horu liet zich door Suro alles vertellen wat hij wist. Toen stond hij op. De buitengewone gebeurtenissen van de laatste uren hadden een nooit vertoonde opwinding teweeggebracht. Maar zodra Horu zijn armen hief, verstomden allen. Een onwerkelijke stilte daalde neer, waarin alleen de branding en het geruis van de wind in de palmen te horen waren.

'Vandaag heeft God ons twee tekens gezonden die wij niet kunnen negeren.'

Zijn stem had kracht. Dit was de hoofdman die sprak. Wat er gezegd werd stond niet ter discussie.

'Eerst de vondst van de Warama'ay'mitwy, dan de komst van onze vrienden met dit unieke nieuws. Het tijdstip en de wijze waarop deze tekens zich gemanifesteerd hebben, kunnen geen toeval zijn.'

Hij hield de parel omhoog, zodat iedereen hem kon zien. De Onderwatermaan tekende zich tegen de hemel af als een zwarte ster die het vuurschijnsel opslokte.

'Dit is het waardige geschenk voor vrienden die ons een dergelijk belangrijk bericht gebracht hebben! Ik verzoek jullie het aan te nemen, samen met onze dankbaarheid.'

Horu legde de Warama'ay'mitwy in Soru's handen. Alle blikken rustten op de zwarte parel. Er heerste een diepe stilte, iedereen hield zijn adem in. Horu's plechtige gebaar leek op een oeroud ritueel.

Alleen Mauke Nuha keek ongelovig om zich heen. *Wat doet hij nu?* dacht hij geïrriteerd. Hij hoopte vergeefs dat iemand zich tegen een dergelijk ondoordacht gebaar zou uitspreken. *Ik heb deze parel gevonden! Same heeft hem nodig! Stel dat die genezeres een kwakzalver blijkt te zijn of helemaal niet bestaat?*

'Morgen vertrekken we.'

Horu's stem trof hem als een koude straal water.

'Er is geen reden meer om te wachten. De tekenen zijn eenduidig. Same kan ook zonder geld genezing vinden. We zullen ons aan de bodhisattva van Okinawa en haar wonderkrachten toevertrouwen.'

De opwinding die zojuist nog de lucht vervuld had stierf volledig weg en maakte plaats voor een sfeer van gespannen, onrustige afwachting.

'Het spijt me ons feest zo vroeg te moeten beëindigen,' vervolgde Horu, 'maar in de komende uren moet er veel gebeuren. Dit zijn mijn bevelen. Neem er goede nota van, want vanaf morgen ben ik voor tien weken niet meer bij jullie, misschien ook langer, dat hangt af van de wil van de oceaan. Suro en onze vrienden van Mahana'mo blijven op het eiland tot ze op krachten gekomen zijn en klaar zijn voor de terugreis. Behandel hen steeds met de achting die welkome gasten toekomt. Morgen bij dageraad zullen twee *wa'hay* naar het eiland Wuri'a'ku varen, om het door ons ontvangen bericht door te geven.'

Horu belastte vier mannen met die taak. Met een kreet sprongen ze in de houding, als soldaten voor hun generaal.

'Na de nodige voorbereidingen zullen de vijf *anwy'wa'hay*, de grote kano's, naar Okinawa vertrekken. De eerste zullen Same en ik nemen. De kleine Iruie zal ons vergezellen, want Same is niet in staat om de boot te besturen. In de tweede volgen Aruke en Mauke Nuha. Ik wil vanavond nog zes vrijwilligers bij me zien die ons met de andere drie kano's escorteren. Ga zorgvuldig bij jezelf te rade voor je je aanmeldt, want de reis wordt gevaarlijk. Het gunstige jaargetijde is bijna voorbij en we hebben grote haast. We zullen de snelste en rechtste route kiezen en met lichte uitrusting reizen. Als *Tayga'ha* ons welgezind is, dan kunnen we een nacht uitrusten op het eiland Wapitame. In elk geval worden water en voedsel zo gerantsoeneerd dat we Okinawa ook zonder tussenstop kunnen bereiken. Maar in dat geval wordt het heel zwaar.'

Terwijl Horu sprak, voelde Mauke Nuha de angst oprijzen en zijn keel dichtsnoeren. Het was een nieuwe, hevige, allesomvattende angst. Wat hem te wachten stond was geen oefentochtje met Aruke. De angst die hij bespeurde was de angst voor de grenzeloze oceaan, voor het ongewisse, voor de dood.

Een heftig déjà-vugevoel besprong hem. Had hij in zijn vergeten verleden al eens dezelfde angst gevoeld?

Heimelijk glipte hij weg bij het vuur en dwaalde rusteloos over het strand. Kort daarop voegde Aruke zich bij hem.

'Jammer om zo'n ongelooflijk mooie parel weg te geven, vind je niet?' vroeg Aruke.

Mauke Nuha knikte en glimlachte bij het idee dat Aruke het ook zo ervoer. Toen kwam de vraag weer bij hem op waarmee hij sinds die ochtend rondliep.

'Aruke, toen je mij onder water volgde... heb je ze toen gezien? Heb je die lichtjes gezien?'

'Lichtjes? Ik weet niet wat je bedoelt.' Aruke fronste zijn voorhoofd.

'Het was donker. Van een afstand zag ik je wegzwemmen en ben je gevolgd. Dat je nog in leven bent heb je te danken aan je bleke huid!'

'Dus je hebt ze niet gezien? Terwijl ik die grot alleen in gezwommen ben omdat ik de lichtjes volgde.'

'Misschien heb je het je ingebeeld. Dat kan gebeuren als je nog niet bijzonder ervaren bent. Zulke hallucinaties zijn te wijten aan het drukverschil, een beetje zoals de *tara'wanay* die je aan den lijve hebt ervaren.'

'Maar ze verlichtten de bodem!' Mauke Nuha's stem klonk boos. 'Hoe kan dat een hallucinatie geweest zijn? Alleen daardoor heb ik de oester van de Warama'ay'mitwy überhaupt kunnen zien!'

'Zulke dingen zijn niet te verklaren,' kapte Aruke hem af. 'Hoofdzaak is dat je de parel gevonden hebt. Nu gaan we slapen, vanaf morgen wachten ons zware dagen. *Poywa'yrana*, Mauke Nuha. Goedenacht.'

'Eén moment nog, Aruke. Er is nog iets. De afgelopen maanden leefde ik in de veronderstelling dat er op de wereld alleen wij en dit eiland bestonden. Het is nooit bij me opgekomen dat er nog andere konden zijn, zoals Mahana'mo. Morgen vertrekken we en misschien zal ik dit eiland nooit terugzien. Maar... ik weet nog niet eens hoe het heet!'

Aruke lachte. 'Je hebt gelijk. Voor ons, die erop wonen, is het gewoon *motwy*, het eiland. Maar in de rest van de wereld heeft het natuurlijk een naam. Het heeft dezelfde naam als jij: Motwy Mauke'nha. Eiland met de glimlachende rug.'

Aruke wachtte even om zich de stomme verbazing op Mauke Nuha's gezicht niet te laten ontgaan.

'Is je dat nooit opgevallen? Het eiland heeft precies dezelfde vorm als het litteken dat jij op je rug draagt. Toevallig, hè?' Aruke keek hem indringend aan. 'Alleen bestaat er voor ons volk geen toeval.'

14

HET VERTREK

Ook die nacht kon Mauke Nuha de slaap niet vatten. Korte, van warrige dromen vervulde perioden van slaap wisselden zich af met eindeloze uren van wakker liggen. Een vreemd smeltend gevoel overviel hem, een soort heimwee in het voren. Slapeloos dwaalde hij over het koude zand, om afscheid van het eiland te nemen, en hij vroeg zich af of hij het ooit terug zou zien. De zachte branding van de lagune, de bonte vissen, de krabben op het strand, het ruisen van de palmen, de in de wind wiegende mangroves.

Ergens diep vanbinnen voelde hij dat het nu zijn thuis geworden was. Hij wist dat aan de andere kant van de wereld zijn ware thuis op hem wachtte. Maar die zekerheid kwam hem nu vaag en vluchtig voor, ontbeerde de tastbaarheid van dit dak van bladeren en deze rieten wanden, die hem zo veel dagen geherbergd en beschut hadden.

Toen de ochtend aanbrak, was hij nog steeds aan het piekeren. De kreten en geluiden van koortsachtige reisvoorbereidingen haalden hem naar de werkelijkheid terug.

Hij haastte zich naar het dorp. De vier jongemannen die het bericht over de bodhisattva naar het eiland Wur'ia'ku zouden overbrengen, waren klaar voor vertrek. Over enkele weken zouden ze terugkeren, maar dan zou de *waraky'nega*, de man zonder herinnering, hun goede vriend Mauke Nuha, er niet meer zijn. Ze namen afscheid met een omhelzing en de belofte elkaar terug te zien. Een dergelijke belofte was voor dit volk geen holle frase, maar een plechtige verbintenis, een teken dat het afscheid van mensen die men werkelijk liefhad, bezegelde. Het toonde hoezeer de eilandbewoners Mauke Nuha in deze luttele maanden in hun hart hadden gesloten.

Toen de beide boten aan de horizon verdwenen waren, gingen allen weer aan het werk. Het prepareren van de vijf *anwy'wa'hay* die voor de oversteek waren uitgekozen vloog voorbij. Elk van de pakweg twaalf meter lange kano's was aan weerszijden voorzien van een grote, ongeveer zes meter lange uitlegger. Aan de linkerkant was nog een tweede, kleinere uitlegger aangebracht. In het midden verhief zich het zeil, dat te bedienen was door middel van touwwerk dat Mauke Nuha geniaal eenvoudig vond. Aan de voet van de mast, waar de kano verscheidene meters breed was, stond een kleine tent die als onderdak en bescherming voor de water- en voedselvoorraden diende. Op Mauke Nuha, die tot dan toe alleen op kleinere *wa'hay* les had gehad, kwamen deze kano's als moeilijk bestuurbare bakbeesten over.

Alle mannen van het dorp waren op de boten aan het werk, keurden hun toestand en voerden kleine reparaties uit. De romp van de boot werd met rubberachtig schuim afgedicht, de zeilen werden gerepareerd of vervangen en de knopen waarmee de uitleggers bevestigd waren werden aangetrokken. De vrouwen en kinderen bereidden de proviand voor: gerookte vis, fruit en stevig in grote bladeren verpakte *aumara*. Het water werd in grote, leren flessen gegoten of in gedroogde, met kurken van boomschors afgesloten kokosnoten. De voorraden namen bijna de hele beschikbare ruimte in beslag. Met een zwaar hart moest Mauke Nuha de in de loop van de maanden gekregen geschenken achterlaten: kleine beeldjes, schilderwerkjes, halssnoeren, gereedschap. Het enige wat hij meenam was het boek. Hij wikkelde het in de witte plastic tassen waarin hij het gevonden had, en bond het vast aan de bodemplanken van de kano.

In de drukte van de voorbereidingen had Mauke Nuha de gedachte aan wat hem wachtte bijna verdrongen. Arukes stem riep hem naar de werkelijkheid terug.

'Het is zo ver, Mauke Nuha. Nog even en we steken in zee.'

Er werden tientallen vuren op het strand ontstoken, hoewel de zon nog hoog aan de wolkeloze hemel stond. Overal klonken trommels en de vrouwen zongen met gedempte stemmen. Dit was het *wahi'mane*, het afscheids- en zegeningsritueel voor de lange reis die nu een aanvang nam.

Het moment van het afscheid was gekomen.

'We zullen over je vertellen, als we naar huis terugkeren,' zei Suro uit naam van alle zeelui van Mahana'mo. 'De blanke man zonder herinnering, die de Warama'ay'mitwy gevonden heeft. Je zult voor ons volk een legende worden!'

Suro omarmde hem hartelijk.

'Ik hoop dat ik je op een dag terugzie, Mauke Nuha.'

Mauke Nuha voelde een brok in zijn keel, maar hij wilde niet huilen waar iedereen bij was. Toen hij opkeek en op de gezichten van de omstanders dezelfde ontroering zag, kon hij zich niet langer bedwingen. Hij omhelsde ieder afzonderlijk. Hete tranen vloeiden. Pas nu werd hem duidelijk hoezeer hij deze grootmoedige, edele mensen liefhad. Hij voelde diepe dankbaarheid jegens dit eiland, dat hem gered had en als een zoon had opgenomen. Hij sloot zijn ogen en liet zich van de trommelklanken en gezangen doordringen. Hij wilde deze trillingen in zich dragen, voor altijd, ongeacht wat de toekomst voor hem in petto had.

Zoekend keek hij rond naar Aruke, die teder afscheid nam van zijn *wa'hinie* Nashara en haar stevig in zijn armen sloot. Toen maakte hij zich met een laatste teder gebaar en een kus van haar los en liep met hangend hoofd naar de kano's.

Same stapte ondersteund door twee vrouwen de hut uit. Het ging heel slecht met haar. Ze was in een dikke deken gehuld en rilde hevig ondanks de middaghitte. Allen keken bezorgd toe toen ze met hulp van haar jongste zoon Iruie de dichtstbij gelegen kano besteeg en de tent in werd gebracht. Horu, die alles bezorgd had gadegeslagen, zag er opeens oud en vermoeid uit. Met het parelkistje onder zijn arm, de kleine schat die hij in Okinawa zou verkopen, voegde hij zich bij zijn vrouw.

Nu was het tijd om te vertrekken. Met dichtgesnoerde keel, droge mond en bonzende slapen volgde Mauke Nuha Aruke naar de *wa'hay*. Zijn laatste afscheidszwaai ontmoette onbeweeglijke stilte. Ook de trommels zwegen. Samen duwden ze de boot het water in, sprongen erin, hesen de zeilen en peddelden weg.

Hij besefte nauwelijks wat hij aan het doen was. Hij bevond zich half buiten zijn lichaam, had het gevoel dat hij op twee plekken tegelijk was en van bovenaf observeerde hoe hij schommelde in de zeebries. Het verdriet om het afscheid vermengde zich met een woeste opwinding en panische angst voor het onbekende dat hem buiten de vredige lagune wachtte. Hij stelde zich dit beschutte water voor als een warme moederbuik die op het punt stond hem als een ongeboren kind uit te drijven.

Geluidloos gleden de vijf boten achter elkaar aan door de lagune.

Niemand sprak een woord, geen geluid was te horen, afgezien van het ritmische kletsen van de peddels op het water en de donkere roep van een vogel die eenzaam door de lucht scheerde. Allen waren in gedachten verzonken en staarden omlaag, als in gebed.

Mauke Nuha herinnerde zich niet of hij vóór zijn geheugenverlies in God geloofde of een religie had aangehangen. Maar nu had dat geen betekenis meer. Hij voelde de primitieve, ongeremde behoefte zich toe te vertrouwen aan een hogere macht die alles in de hand had, zelfs de woeste, onberekenbare oceaan. Hij wilde een gebed uitspreken, maar hij herinnerde er zich geen. Wat nog het dichtst bij een gebed kwam, was het gedicht uit zijn boek, dat hij inmiddels uit het hoofd kende. De woorden rolden als vanzelf over zijn lippen.

Zie: ik bouw mijn loeiende ark
naar mijn beste liefde,
als de vloed begint te stromen
uit de welmond
van angst, rode woede, mensenlief,
gesmolten en hoog als een berg,
over de in gewonden slaap verzonken
schaapswitte holle hoeven, ocharme,
naar Wales in mijn armen.

Steeds opnieuw prevelde hij die regels voor zich uit, als een mantra, tot ze elke betekenis verloren en louter klank werden, louter trilling en profetie. De beginnende vloed was zijn reis over de oceaan, zijn kano de ark, de gesmolten berg de reusachtige golf die hij nooit meer wilde tegenkomen. En die armen die hem naar Wales zouden dragen... hij hoopte van ganser harte dat het de ogen waren van een liefdevol mens die tijdens deze lange reis over hem zou kunnen waken.

***

Duizenden kilometers verderop viel een man in slaap en kreeg een droom. Hij zag hen daar, midden op de oceaan, in hun kano's. Hij zag hen van boven, alsof hij boven het water zweefde. Mauke Nuha wist het niet, maar op de een of andere manier had God zijn vreemde gebed verhoord. Hij had de man die hem zo koortsachtig zocht, zijn ogen geleend.

Slechts voor een moment, in een vluchtige droom waaraan hij wellicht slechts weinig betekenis toekende.

***

Ze bereikten de *moa'te'awa*, de bevaarbare opening in het koraalrif die de lagune met de oceaan verbond. Als op een afgesproken teken stonden allen op en draaiden zich om naar het strand, dat intussen ver achter hen lag. Vervolgens hieven ze hun armen ten hemel en stootten een woeste kreet uit. Het was een strijdkreet, een gewelddadige ontlading, voor men ten strijde trok, de kreet die hun kracht gaf en de angst verdreef. Van het strand galmde een woeste echo terug.

Mauke Nuha kon de hevige drang niet weerstaan om met hun gebrul mee te doen. Hij sprong op en schreeuwde, met ten hemel gestrekte armen, schreeuwde zo hard als hij kon, tot zijn keel er pijn van deed.

Daarna voelde hij zich beter. De onrust van de afgelopen uren was vervlogen, zijn hoofd was weer helder. Hij riep zich Arukes les in gedachten: 'Je geest moet vrij zijn, anders kun je de gedachten van de oceaan niet verstaan en kan hij jou niet verstaan. Laat je niet door futiliteiten afleiden, bezwaar je reis niet met nutteloze ballast.'

Ja, nu was hij klaar voor de opgave die hem wachtte. Hij moest helder blijven en in harmonie met de oceaan. Horu en Aruke waren bij hem, maar hij mocht niet al te veel leunen op die gedachte.

Hij gaf zich over aan de diepe stilte die op de kreet volgde. Een voor een gleden de kano's door het koraalrif en voeren de donkere, immense oceaan op.

98

15

ZOEKTOCHT (4)

Ik ben hier te oud voor. Dat was het laatste wat Ian dacht voordat hij zich, aangekleed en met zijn schoenen nog aan, op het bed van zijn pension- kamer aan de noordrand van Shanghai liet vallen.

Toen de telefoon ging sliep hij nog steeds. Hij droomde dat hij vloog, hij scheerde over een licht gerimpelde zee die zich tot aan de horizon uitstrekte. Het was een prachtige droom, hij ervoer het volkomen geluk dat alleen in dromen bestaat. Toen zag hij in de verte iets, het zag eruit als een piepklein bootje, het kwam dichterbij en...

De melodie van Kirk Franklins 'My Desire', een van zijn lievelingsgos- pels, klonk op. Hij graaide naar zijn mobiel. Het was zijn vrouw.

'Hallo, Rachel.'

'Hallo Ian. Alles goed met je?'

'Ik lag te slapen. Ik droomde iets... Ah, ik ben het al weer kwijt.'

'O, sorry. Ik wilde je niet wakker maken. Maar is het bij jou niet drie uur 's middags?'

'Jawel, het is middag, maar maak je geen zorgen. Ik ben gewoon een beetje moe. Ik ben ongemerkt weggedommeld. Ik bof dat je belt, over een uur heb ik een afspraak, dat was me bijna ontschoten.'

Aan de andere kant van de lijn ademde Rachel zwaar, maar Ian hoorde het niet. De vertraagde signaaloverdracht en de voor overzeese gesprek- ken typerende zenuwslopende echo's maakten het moeizaam om met elkaar te praten. Steeds opnieuw overlapten hun stemmen elkaar en ze moesten alles meerdere malen herhalen voor ze elkaar begrepen.

'Een beetje moe? Ian, ik maak me ernstige zorgen. Je bent al meer dan vier maanden weg. Ook al zeg je het niet tegen me, het is me duidelijk dat je doodop bent. En jullie hebben nog niets gevonden.'

Ze zweeg een moment. Toen sprak ze met trillende stem verder.

'Ian, ik ben bang dat dit alles er alleen maar toe leidt dat ik jou ook nog kwijtraak.'

'Hé-hé,' viel hij haar bezwerend in de rede, 'wil je daarmee soms zeg- gen dat ik een oude, slappe nietsnut geworden ben? Kom, maak je geen zorgen. Je zult zien dat er spoedig resultaten op tafel komen. Ik blijf nog drie weken hier in Shanghai en dan vertrek ik naar Okinawa en...'

'Dat van Okinawa begrijp ik echt niet!' barstte Rachel los. 'Dat stond toch helemaal niet op Kasumi's kaart!'

'Weet ik, weet ik. Laten we zeggen dat het een ingeving is die ik gekregen heb. Maar ik beloof je, met de kerst ben ik weer thuis, wat er ook gebeurt.'

'Maar tot kerst is nog zo lang... Ik weet het niet, Ian, ik weet gewoon niet of we het juiste doen. Misschien is het allemaal een maatje te groot voor ons. Misschien moeten we het bijltje erbij neergooien en het zoeken aan de officiële instanties overlaten. Ons aan de wil van God overgeven.'

'Maar Rachel, dit hebben we toch al uit-en-te-na doorgesproken,' antwoordde hij boos. 'Je weet even goed als ik dat officiële onderzoekingen niet volstaan. Als ik nu naar huis zou komen, hoe zouden we dan met het schuldgevoel kunnen leven dat we niet al het mogelijke hebben gedaan? Samuel ziet het ook zo!'

Onwillekeurig had Ian zijn stem verheven. Rachel begon te snuffen.

'O Ian, het is gewoon... allemaal... zo zwaar... Ik...'

Ze barstte in huilen uit.

'Ik red het niet,' bekende Rachel. 'Ik ben aan het eind van mijn krachten.'

'Maar je moet het redden. We moeten het redden, samen. Er is nog steeds hoop dat al deze moeite niet voor niets is. En bovendien zijn we in Gods hand, dat heb je zelf gezegd. Weg nu met die sombere gedachten, anders word ik ook nog helemaal treurig.'

Ians warme stemgeluid was als een teder gebaar dat duizenden mijlen overbrugde en Rachel kalmeerde.

'Vertel me liever hoe het met jou gaat, hoe loopt het thuis?'

'Met mij gaat het goed, met ons allemaal. Ook met de gemeente gaat het voortreffelijk. Pater Esteban doet alles om je te vervangen. Maar tussen jouw preken en de zijne liggen werelden van verschil.'

Ian voelde zich gevleid. Het kwam niet vaak voor dat zijn vrouw hem complimentjes maakte.

'Iedereen vraagt me hoe het met je is en wanneer je terugkomt. Ook Jackie vraagt steeds: Wanneer komt opa nou terug? Ze mist je enorm.'

Bij deze woorden raakte Ian in heftige beroering. Hij merkte dat hij het gesprek acuut moest beëindigen, als hij niet ten overstaan van zijn vrouw in tranen uit wilde barsten, want dat mocht onder geen voorwaarde gebeuren.

'Ik mis haar ook, doe haar de lieve groeten van mij.' Zijn stem trilde.

'Het is laat, ik moet ophangen. Dag, Rachel.'

'Is goed. Tot ziens, Ian. Pas goed op jezelf.'

Nauwelijks had hij opgehangen of Ian barstte in een hevig snikken uit. Van het ene moment op het andere had de liefde voor zijn kleindochter het pantser gebroken dat hij zich in al deze maanden had verworven: de zekerheid het juiste te doen was de motor die hem onvermoeibaar liet verdergaan, ondanks de uitputting, de angst en de teleurstelling waarmee hij elke dag te kampen had.

Maar stel dat hij nu eens degene was die zich vergiste? Stel dat zijn vrouw gelijk had? Was het niet egoïstisch van hem om zijn leven zo op het spel te zetten? Had zijn eigen pijn hem blind gemaakt? Stel dat hij daar zou sterven, in den vreemde, ver van zijn dierbaren, zonder ooit een van hen terug te zien en in zijn armen te sluiten?

Uitputting en machteloosheid drukten op hem, verteerden hem.

Hij streek met de rug van zijn hand langs zijn ogen, opende de lade van het nachtkastje en haalde zijn bijbel tevoorschijn, een in leer gebonden exemplaar, dat wemelde van papiertjes die als bladwijzers dienden. Hij had troost nodig, of beter gezegd: antwoorden. Snel ging hij met zijn duim door de dichtbedrukte, keer op keer gelezen pagina's. Toen stopte hij en zijn blik viel op een vers uit het evangelie van Lucas.

Als iemand van u honderd schapen heeft waarvan er één verloren is geraakt, laat hij dan niet de negenennegentig andere in de woestijn achter om naar het verdwaalde dier op zoek te gaan tot hij het gevonden heeft?

Hij las het vers nog eens, en nog eens, elke keer een beetje meer gesterkt. Deze oude woorden leken voor hem geschreven. Hij droogde zijn tranen en legde de bijbel terug in de lade.

Het was laat geworden. Ian liep de badkamer in, plensde ijskoud water in zijn gezicht om de laatste tranensporen weg te wassen en trok de zweterige, verkreukelde kleren uit waarin hij geslapen had. Terwijl hij een schoon overhemd dichtknoopte, pauzeerde hij nadenkend.

Hij drukte zijn voorhoofd tegen het raam en keek naar buiten. In de verte trokken de meeuwen hun wijde kringen boven de haven van Shanghai. Hij sloeg ze een poosje gade.

'Als ik de wereld van bovenaf zou kunnen zien zoals zij... over de zeeën vliegen, op elke vensterbank neerstrijken... dan zou alles misschien veel eenvoudiger zijn.'

Zijn stem deed het glas licht beslaan en maakte het warm en vochtig. Toen de vochtvlek verdwenen was, breidde een kilte zich via zijn voorhoofd over zijn hele lichaam uit en een rilling ging als een somber voorgevoel door hem heen.

Hoor aan zee het donker geklinkerde vogelkoor.

Onwillekeurig was een regel uit een oud gedicht in hem opgekomen. Wat was het voor een gedicht? Van wie?

Opeens herinnerde hij zich de droom die door het telefoontje van zijn vrouw was onderbroken. Verbluft veerde hij op. Hij had gedroomd dat hij als een vogel over de oceaan vloog. Hij had zich gelukkig gevoeld.

Hij deed een stap terug van het raam.

De droom was afgebroken op het moment dat hij juist iets in de verte ontdekt had. Kleine bootjes. Een soort kano's... Hij schudde het van zich af, hij had een afspraak. Zijn Shanghai-informant zou hem naar een opvangkamp voor evacués en slachtoffers van natuurrampen brengen. Dat zou geen pretje worden en hij wilde niet te laat komen of geestelijk onvoorbereid zijn. Dit was niet het juiste moment om je met een vreemde droom bezig te houden.

Hij borg mobiel, portefeuille en sleutels weg, greep een regenjack en stapte onder de loodgrijze hemel van Shanghai naar buiten.

Al spoedig was hij de droom vergeten.

Maar had hij juist op dit moment als een meeuw naar het zuidwesten over de Pacific kunnen vliegen, dan had hij met een beetje geluk de vijf kano's opgemerkt, klein en licht als notendopjes, in de uitgestrektheid van de oceaan.

Op de eerste zou hij een zwaar zieke vrouw en haar echtgenoot hebben gezien, een oude man die alles op het spel zette om haar te redden.

Op de andere, rechtopstaand, de teugels van de wind vast in de handen, een sterke, stoutmoedige jongeman, de zoon van het ongelukkige echtpaar. En naast hem een man zonder verleden, die zich Mauke Nuha noemde en zijn echte naam niet kende en zich nu over zee spoedde, gedreven door de wens zijn identiteit terug te vinden en daarmee de vrouw die hij liefhad. Hij voer naar Okinawa, naar Wales. En misschien naar huis.

Juist diezelfde dag zou Ian een vlucht naar Okinawa boeken. Over drie weken zou hij vertrekken.

Dezelfde tijd die, als alles goed ging, de groep mannen op de kano's volgens hun berekeningen nodig hadden om de enorme watermassa over te steken die hen van de Japanse zuidkust scheidde.

Zouden ze elkaar daar tegenkomen, in Okinawa, waar hun wegen elkaar kruisten,

voorbij de dertien zeeën,

achter de woestijnen van modder,

achter de klippen van het toeval,

achter de enorme golf van angst,

de vader en zijn zoon?

DEEL II

OP ZOEK NAAR DE
HERINNERINGEN

16

NAAR WALES IN MIJN ARMEN

De *wa'hay* schoten over de oceaan, vijf projectielen van hout, touw, leer en huid. Eromheen de eindeloze uitgestrektheid van water en hemel. Horu bestuurde de eerste kano. Met zijn wijsheid leidde hij de anderen, die hem in een rij volgden, langs onzichtbare routes. Met doffe klappen sloegen de boten op de golven. De bollende, stralende zeilen kraakten en steunden onder de hevige druk van de wind.

In de schaduw van het zeil bestuurde Aruke de voorlaatste kano. Achter hem knielde Mauke Nuha en inspecteerde de knopen die de romp, de uitleggers en het touwwerk van de boot bijeenhielden. Was er een losgekomen, dan sjorde hij hem met een paar doelgerichte handgrepen weer vast.

Hij hief zijn gezicht naar de koele wind en rekte zijn rug. Zijn huid en wimpers waren bedekt met zout, de zon brandde op zijn hoofd en zijn gewrichten deden pijn omdat hij op zijn knieën moest werken. Toch glimlachte hij: hij was het gewend.

Aan andere dingen zal ik nooit wennen.

De onstuimige vaart over het water... de tegenwind die in je oren fluit... het heftige opspringen tussen hemel en aarde... daar kon je nooit aan wennen. De schoonheid van die dans op de golven had elke angst uitgewist. Hij voelde zich gelukkig, vervuld van een koortsig, kinderlijk geluk dat hij verloren had en zich niet meer te binnen kon roepen. Naar wat was hij onderweg? Wat had de toekomst voor hem in petto, welke raadselen zou hij aan de andere kant van de oceaan oplossen? In dit fragiele moment van zuiverheid waren al die dingen onbelangrijk.

Al spoedig was het eiland achter de horizon verdwenen. Toen hij klaar was met zijn werk, liet Mauke Nuha zich moe maar gelukkig tegen de boeg vallen. Door zijn oogharen sloeg hij Aruke gade en bewonderde de gratie en perfectie waarmee deze de kano van golf naar golf liet springen.

De schemering daalde neer over de eerste reisdag. De zon zette de wattige cumuluswolken die zich aan de horizon opstapelden in lichterlaaie. Ze zagen eruit als immense, vliegende vestingen die door vijandelijke ridders in brand waren gestoken. *Vanavond keren we niet naar het eiland terug*, bedacht Mauke Nuha verontrust terwijl hij de kleur van het water bekeek, die langzaam in zwart overging.

'Zo te zien staat het begin van onze reis onder een goed gesternte,' riep Aruke, terwijl hij hem bij zich wenkte. 'Vandaag was het weer optimaal. De *wa'hay* zijn goed op dreef en we maken goede vorderingen.'

Mauke Nuha tuurde knipperend naar de kano's die voor hen uit voeren.

'Weet je waar ik me over verbaas?' zei hij, terwijl hij ging zitten. 'Over het team dat ons naar Okinawa begeleidt. Het zijn bijna nog kinderen, Iruie inbegrepen. Ik had me een meer... volwassen escorte gewenst. Zoals de parelduikers.'

'Mijn broer mag dan klein zijn,' antwoordde Aruke, met zijn blik op het zeil, 'maar in zeilen is hij bijna even goed als ik. En beslist beter dan jij!' voegde hij er lachend aan toe. 'Ja, het zijn allemaal kleine jongens, maar zodoende hebben we meer ruimte voor voorraden en water. En dat zullen we nodig hebben. Tot de laatste druppel.'

Een paar minuten bleven ze zwijgend kijken hoe het donker geleidelijk alles omhulde. De *wa'hay* veranderden van formatie. Ze minderden snelheid en gingen dicht opeen varen, in twee parallelle rijen. Roepend en lachend zwaaiden de zeevaarders elkaar toe. Allen waren in opperbeste stemming.

'Ik heb me nooit bij je verontschuldigd,' zei Aruke, 'voor wat er tijdens de afgelopen trainingsdagen gebeurd is. En voor laatst, voor de wrok tegen jou en dat ik tegen je tekeergegaan ben.' Aruke stotterde bijna van opwinding.

Mauke Nuha schudde zijn hoofd. 'Laat zitten, ik begrijp het helemaal. Ik moet me bij jou verontschuldigen, ik heb het leven van je moeder op het spel gezet en...'

'Dat is niet alles,' onderbrak Aruke hem nerveus. 'Er is nog iets wat me zorgen baart. En tegelijk maakt het me oneindig gelukkig.' Hij schraapte verlegen zijn keel. 'Na mijn familie ben jij de eerste die het hoort. Het gaat om Nashara,' mompelde hij.

Mauke Nuha dacht aan de tederheid die hij bij het afscheid tussen Aruke en zijn vrouw gezien had.

'Mijn *wa'hinie* is zwanger. We verwachten een kind.' Aruke klonk plechtig, maar zijn stem verried hoe aangedaan hij was. Een moment lang was Mauke Nuha sprakeloos, toen sloot hij zijn vriend lachend in zijn armen.

'Maar dat is geweldig! Ik ben zo blij voor jullie! Sinds wanneer weten jullie het?'

'Met zekerheid pas sinds een paar dagen, in het dorp weet nog niemand het. Ik maakte me niet alleen om mijn moeder zorgen, maar ook om Nashara. Op zo'n delicaat moment wilde ik haar niet alleen laten. Maar ja, we zullen immers gauw weer terug zijn. Als alles goed gaat, is ze dan in de vierde maand.'

Aruke zweeg nadenkend. 'Maar we zullen zonder jou terugkeren. En dat zal me treurig stemmen. Ik had gehoopt dat je mijn kind zou zien. Je zou een perfecte *t'wana* zijn, Mauke Nuha, een perfecte oom.'

'Aruke...' Mauke Nuha was diep geroerd. 'Dank je. Je bent als een broer voor me.'

Toen het donker water en hemel deed versmelten, kroop Mauke Nuha de tent in en staarde, met zijn hoofd naar buiten, naar de golven die naast hem wegschoten. De oceaan was die dag rustig geweest en had zich slechts licht gekruld onder de gestage wind: het ideale weer voor het begin van een reis. Maar het was een gespannen rust, voelde Mauke Nuha, onder het oppervlak loerden verwoestende, allesverslindende stromingen, ontembare krachten die elk moment konden losbreken.

Een roodachtige maan kwam op en steeg snel ten hemel. Het water weerkaatste het licht in talloze zilveren tinten. De oceaan zag er nu uit als een enorme vlakte van vloeibaar kwik, doorsneden door een iriserende bundel die zich als een lang pad naar de horizon uitstrekte, om erachter in het donker te verzinken.

Aruke wekte hem. De hemel was nog zwart, maar aan de horizon gloorde reeds een bleek schemerlicht dat de zonsopgang aankondigde.

'Je hoeft niets anders te doen dan de *wa'hay* voor je te volgen,' zei Aruke toen hij de leiding aan hem overdroeg. 'Wek me als er problemen zijn.'

Toen dook hij de tent in en viel meteen in slaap.

Mauke Nuha greep de zeiltouwen. Het was niet moeilijk om de *wa'hay* te besturen. Hij had er wekenlang op geoefend.

Na ongeveer een half uur dook de zon op aan een glasheldere hemel.

Terwijl hij de perfecte overgang van wit naar diepblauw bewonderde, ontdekte hij opeens een vreemde vorm aan de hemel, misschien was het een wolkenflard.

Maar... daarboven... dat zijn wij!

Hij wreef zijn ogen uit. Daarboven, in die spiegel van licht, zag hij de vijf *wa'hay* doorschijnend en ondersteboven langs de hemel zeilen...

Het beeld was klein en ver weg, maar haarscherp.

'Aruke,' riep hij, 'kijk eens!'

Aruke schrok wakker en kroop gealarmeerd de tent uit. Daar zat alleen Mauke Nuha als betoverd omhoog te staren en naar een punt in het hemelsblauw te wijzen.

Hij had het zich niet verbeeld, Aruke zag het ook.

'Dat zijn onze *wy'yn*,' zei hij met open mond. 'Onze hemelse geest volgt ons. Dat is een goed voorteken. We houden het gunstige weer voorlopig.'

Zijn voorspelling kwam uit, in elk geval een paar dagen lang. De *wy'yn* daarentegen waren al snel weer verdwenen en zouden zich niet meer laten zien. Mauke Nuha kwam tot de slotsom dat het een soort optisch bedrog was geweest, ongewoon, maar volmaakt plausibel, en stond er verder niet bij stil.

Waren ze een paar weken eerder vertrokken, midden in de gunstige periode, dan hadden het rustige water, de krachtige rugwind en het heldere zicht hen de hele tocht vergezeld. Maar ze hadden te lang gewacht en de omstandigheden zouden veranderen.

Zes dagen verstreken. Aruke maakte een montere, bijna vrolijke indruk, en Mauke Nuha liet zich door zijn optimisme aansteken en begon slechts geleidelijk aan de eerste tekenen van honger en dorst te voelen. Voor de zekerheid was Aruke al begonnen de water- en voedselvoorraden streng te rantsoeneren.

'Houd nog even vol,' sprak hij bezwerend, 'over een paar dagen landen we in Wapitame. Daar kunnen we zo veel eten en drinken als we willen en onze voorraden aanvullen. Van daaraf wordt de reis eenvoudiger.'

Deze gedachte hielp Mauke Nuha om alles zonder morren te verdragen. Maar die nacht, de zesde, werden al hun hoop en verwachtingen de grond in geboord.

17

DE DORST

Mauke Nuha had slechts vage herinneringen aan wat er gebeurd was, een reeks warrige en onsamenhangende momenten.

Aruke had hem gewekt, of nee, hij was uit zichzelf wakker geworden doordat hij zijn hoofd aan het boord gestoten had.

Golven. Messcherpe waterklingen die boosaardig glinsterden in het vaal rode maanlicht. Steeds groter en sneller. Zwarte watermuren die oprezen en in het donker omlaag stortten.

De kano die wild steigerde, één, twee, drie keer.

Met een oorverdovend lawaai scheurt het zeil.

De kameraden op de andere wa'hay *verdwijnen en duiken doornat en panisch weer op.*

'We zijn alle voorraden kwijt!' schreeuwt Aruke. 'De golven hebben ze meegesleurd!'

En mijn boek? Mijn boek!

In de hevige wind probeert Aruke het zeil te repareren.

Nog een herinnering.

Er moeten een paar dagen verstreken zijn.

Nu zijn de vijf wa'hay *heel dicht bij elkaar.*

Roerloos.

De oceaan is zo glad als was hij met olie bedekt, de zeilen hangen slap naar beneden als de lompen van een gehangene die aan de galg bungelt. Hemel en water hebben dezelfde loodgrijze kleur. Alles is gehuld in een lichte nevel, die ook de zon verbergt.

'De storm heeft ons uit koers geslagen,' roept Horu ons allen vanuit zijn kano toe. 'We zullen Wapitame niet meer kunnen aandoen. We moeten direct doorvaren naar Okinawa. Rantsoeneer de voorraden. Verspil geen druppel water. Weersta de honger en de dorst zolang jullie kunnen.'

Met een dof, dreigend geklots schommelen de boten op de vlakke zee.
Doodsgereutel.
'Laten we bidden dat deze windstilte spoedig voorbijgaat. Anders hebben we geen kans,' besluit Horu ijzig. Een fractie van een seconde voel ik of meen ik te voelen hoe zijn blik me doorboort.
Behoedzaam droogt Horu Sames gezicht.

Een laatste herinnering.

'Ik smeek je, Aruke, geef me wat te drinken! Ik sterf van de dorst, ik sterf, ik smeek je...'
Ik huil als een kind, ben wanhopig, lijd als nooit tevoren.
Aruke heeft bloeddoorlopen ogen, hij ziet eruit als een waanzinnige. Hij brult.
'Hou op! Hou op met huilen! Begrijp je het dan niet? Begrijp je niet dat het jouw schuld is?'

Mauke Nuha lag opgerold als een foetus, zijn hoofd op de rand van de boot, zijn hand in het onbeweeglijke water. Aan de windstilte leek geen eind te komen.

Hij had elk besef van tijd verloren. Hoeveel dagen lag hij daar al, roerloos, de gevangene van de oceaan? Hij wist niets meer. De dorst regeerde oppermachtig, beheerste zijn bestaan. Hij had geen wensen meer, geen gevoelens, hij voelde noch zijn handen, noch zijn voeten. Hij wilde alleen drinken.

Ongelooflijk, dacht hij, terwijl hij het zachte schommelen van de kano observeerde. *Dan ben je omringd door zo veel water... de grootste watermassa op de planeet... en dan sterf je van de dorst.*

Hij moest lachen. Een waanzinnig geluid op een onwerkelijke plek.

Waar was Aruke? Hij zag hem niet meer. Maar het maakte hem niet meer uit.

Het is zijn schuld, hij heeft het water van me afgepakt. Ik weet dat er nog wat over is. Maar hij heeft het verstopt... Hij wil alles voor zichzelf hebben!

Hij hief zijn hand. Traag en koud liepen de druppels over zijn huid en lieten lange, zilte sporen achter.

Hij besloot het te doen, hoewel hij de dodelijke gevolgen kende.

Hij werkte zich op zijn knieën. Leunde naar voren en schepte water op met zijn handen. Bracht ze naar zijn mond.

Dronk twee grote slokken.

Mmm... verfrissend! Méér, ik wil méér.

Het zoute water liep als zuur door zijn slokdarm, maar hij merkte het niet. Hij was zich alleen bewust van het vloeien, de koelte, de geur en de heerlijke smaak van water.

Gulzig dronk hij nog twee, drie, vier slokken. *Wat heerlijk... zo heerlijk...*

Een zachte muziek klonk in zijn oren. Een eentonig gezang, dat uit het water opsteeg en de lucht vervulde.

Een stekende pijn vlijmde door zijn schedel.

Met een kreet kiepte hij opzij: iets had zijn slaap geraakt. Hij voelde hoe het warme bloed over zijn wang liep.

Voor hem stond Aruke met de peddel waarmee hij hem geslagen had. Zijn blik was dof, maar zijn lippen trilden van woede.

'Als je jezelf van kant wilt maken,' siste hij met onnatuurlijk beheerste stem, 'dan had je dat al op het eiland kunnen doen. Dan had je ons allen deze hel bespaard.'

Toen kon hij zich niet langer inhouden.

'Vervloekt! Vervloekt! Het is jouw schuld als we sterven. Vervloekt ben je!'

Zijn ogen leken uit hun kassen te rollen. Hij smeet de peddel neer, een kreet vertrok zijn gezicht. Hij stond op het punt zich op Mauke Nuha te storten. Maar toen hield iets hem tegen en draaide hij zich om, sleepte zich wankelend naar de boeg en verdween achter het slap afhangende zeil.

Mauke Nuha was van dezelfde haat vervuld. Blinde, ongeremde haat, even intens als zijn dorst. In zijn verwarde brein waren dorst en haat tot één bal versmolten.

Hij zou hem doden.

Ja. Als hij dat deed, zou hij zijn water terugkrijgen.

Hij probeerde op te staan, maar een heftige braakneiging wierp hem terug, kromde zijn rug en nek. In drie krampen braakte hij al het zoute water dat hij in lange teugen gedronken had weer uit. Met zijn gezicht omlaag bleef hij in het lauwwarme, schuimige vocht liggen.

Ik voel me beroerd... O god, wat voel ik me beroerd... Ik ga... sterven.

Eiste de oceaan een offer om hen te bevrijden? Zoals in de oude zee-
mansverhalen die hij op de lange avonden bij het kampvuur op het eiland gehoord had?

Ja, Aruke heeft gelijk... Het is mijn schuld. En ik moet... sterven...
Mauke Nuha sloot zijn kloppende, brandende ogen. Nog steeds hoorde hij de klank die uit de oceaan opsteeg. Het monotone, zoete akkoord
dat hem wiegde.

Ik weet dat deze muziek er niet is... maar het is mooi...
Hij gaf zich over aan de bewusteloosheid.

Zo is het minder triest...
Ik smeek je... blijf tot het einde bij me.

Het ging langzaam, maar zonder de gevreesde pijnen. Het was een soort
doofheid, die zich vanaf zijn handen en voeten over zijn armen en benen
verspreidde. Toen ebde ook de dorst weg. Hij was zich van niets meer
bewust. Alleen van het bovenaardse zingen van de oceaan, dat hem in
de dood begeleidde.

Een ander geluid voegde zich erbij.

Aanvankelijk was het slechts een ver zoemen, dat zacht begon zonder
werkelijk hoorbaar te zijn, als een warme, vluchtige stroming op de bodem van een ijskoude zee.

Toen werd het sterker. Tot Mauke Nuha het helder en duidelijk kon
horen.

Het klonk als gehuil of gejoel, als een stem die drie tonen voortbracht.
Het geluid werd nog harder, nu contrasteerde en botste het met de muziek.

Mauke Nuha begreep het verschil tussen de beide geluiden: het tweede was geen illusie, het was echt.

Het was een klaaggeluid.

Het waren de stemmen van Horu en Aruke.

Mauke Nuha sperde zijn ogen open.

18

HET OFFER

Aruke zat op zijn knieën, met zijn armen gekruist voor zijn borst alsof hij een wond aan zijn hart had opgelopen. Zijn knappe gezicht was vertrokken van pijn en een klaaglijk geluid ontsnapte aan zijn wijd opengesperde mond.

Een eind verderop, op zijn eigen *wa'hay*, zat Horu op zijn knieën, eveneens met smartelijk vertrokken gezicht, huilend als een dodelijk gewond wild dier.

In zijn armen lag Same.

Haar hoofd hing slap opzij, haar lege ogen staarden in het niets, haar huid was vaalbleek.

Same was dood.

Het besef trof Mauke Nuha met de kracht van een golf.

De vrouw wier lot onlosmakelijk met het zijne verbonden was geraakt, wier redding de eigenlijke reden voor deze reis was.

De sterke Same, die haar volk ondanks ziekte steeds tot baken en troost was geweest. Same, met haar etherische stem en haar nooit verwelkte schoonheid. Same had hen verlaten. Ze was niet meer.

De smart ontlaadde zich en smoorde elke andere gewaarwording van zijn door ontbering geteisterde lichaam. En met de smart kwam, ijzig en verstikkend, het schuldgevoel.

Aruke had gelijk.

Hij had schuld aan Sames dood.

***

Snikkend en met zijn hoofd tussen zijn knieën begraven hield de kleine Iruie de voeten van zijn moeder omklemd. Zijn smalle lijfje beefde. De *wa'hay* hadden zich rond Horu's kano geschaard, allen keken vol ongeloof en verbijstering toe.

Op dat moment stak er, door niemand opgemerkt, een lichte bries op. De zeilen bolden zich zacht, knarsend als verstijfde leden.

Dus het was waar.

De oceaan had een offer genomen om hen van de nachtmerrie van de windstilte te bevrijden.

Maar waarom had de oceaan niet hém genomen? Hij was er zo dichtbij geweest! Waarom niet hem, die geen naam droeg en kind noch kraai op de wereld had?

Horu legde Sames lichaam in de tent. Drukte haar ogen toe. Streek haar kleren en haar haar glad. Vervolgens deed hij zijn schelpensnoer af, dat hij altijd om had als symbool van hun verbondenheid, en wikkelde het om zijn hand. Toen sloeg hij een klein gat in de bodem van de boot en sprong in het water. Maar eerst moest hij de kleine Iruie van het lichaam van zijn moeder losrukken, die haar gezicht met kussen bedekte en om zich heen schopte om zich tegen de greep van zijn vader te verzetten.

Ze zwommen naar een van de kano's en hesen zich erin. Sames *wa'hay* dreef tollend weg en nam haar lichaam voor altijd met zich mee. Zonder hun blikken van de kano los te maken hieven de mannen een prachtig, hartverscheurend gezang aan, dat volledig anders was dan alles wat Mauke Nuha tot nu toe gehoord had: een dodenzang.

De klaagzang duurde lang, en terwijl de mannen zongen, stak de wind op. Sames *wa'hay* werd steeds kleiner, de romp van de boot en het zeil zonken steeds dieper weg: door het gat dat Horu geslagen had, stroomde het water naar binnen, wat de kano langzaam tot zinken bracht. De oceaan zou zich over Sames lichaam ontfermen.

Het gezang stierf weg, slechts het fluiten van de wind was nog te horen. Ondersteund door zijn nieuwe reisgezellen stond Horu op. Zijn gezicht was niet terug te herkennen. Het goedlachse, goedige gelaat van de man die andere mensen kon lezen als een open boek, leek nu een donkere, zwerende wond, en waar eens zijn ogen waren geweest, gaapten twee zwarte, lege gaten.

'De windstilte is voorbij,' sprak hij met holle stem. 'Laten we onze reis naar Okinawa vervolgen. Het is niet ver meer.'

Overweldigd door pijn en schuldgevoel durfde Mauke Nuha Aruke niet aan te kijken. De een na de ander hervatten de *wa'hay* hun reis, met de wind in de rug, die de zeilen weer vulde. Mauke Nuha keek hen na en verwachtte dat ook zij zich in beweging zouden zetten. Maar toen het tot hem doordrong dat de andere kano's al ver weg waren terwijl de hunne nog steeds stuurloos ronddobberde, vatte hij moed en draaide zich om naar Aruke.

Die lag languit bij de boeg, met zijn gezicht omlaag, zijn armen onder zijn borst getrokken. Hij leek bewusteloos, slechts het amper merkbare rijzen en dalen van zijn ribbenkas verried dat er nog leven in hem was. 'Aruke...' fluisterde Mauke Nuha. Hij strekte zijn hand naar hem uit, maar liet hem meteen weer vallen.

Hij kon nu maar één ding voor hem doen. Het was al bijna te laat. Hij mocht de andere *wa'hay* niet uit het oog verliezen. Hij moest in hun vaarwater blijven, anders zou het afgelopen zijn.

Plotseling was hij weer klaarwakker, de dorst had zich in een verborgen uithoek van zijn wezen verscholen. Hij putte nieuwe kracht uit de geheime bronnen die het leven voor de hardste momenten reserveert. Nu was het aan hem om hen beiden te redden.

Hij greep de zeiltouwen en zette de sokken erin. Hoewel de andere *wa'hay* al ver weg waren, kon hij ze goed onderscheiden, de wind had de nevel weggeblazen. Ondertussen hadden zijn kameraden hun vergissing bemerkt en hun snelheid verminderd om zich te laten inhalen. Even later hadden de vier overgebleven *wa'hay* zich gehergroepeerd en zetten hun reis voort.

Er verstreken twee dagen en twee nachten. Mauke Nuha had de zeiltouwen geen moment losgelaten terwijl hij zijn blik gevestigd hield op de *wa'hay* die voor hem uit voeren. Omdat hij niet zo snel en ervaren was als de anderen, kostte het hem een duivelse moeite om in hun kielwater te blijven. Bovendien kon hij niet verwachten dat ze voor hem langzamer gingen varen; deze kostbare winderige dagen verspillen zou allen fataal zijn geworden. Ze moesten zo snel mogelijk naar Okinawa varen, naar water en voedsel, naar het leven. Ondertussen lag Aruke er star en bewusteloos bij, slechts in leven gehouden door een onmerkbaar ademen.

Op de derde dag begon Mauke Nuha te wankelen.

Hij kreeg last van aanvallen van slaap, eerst sporadisch, toen steeds vaker. Het was een gedeeltelijke slaap, die slechts enkele delen van zijn hersenen overmande. Een deel van hem bleef voortdurend wakker.

Hij sliep, maar tegelijk zag hij in de steeds verdere verte de kano die hij volgde. Hij sliep, maar zijn handen hielden de lijnen stevig omklemd. Na enkele minuten van deze vreemde slaap ging het scherm voor zijn ogen op zwart, zijn hele brein verlangde naar rust. Het zwart deed hem opschrikken en weer volledig wakker worden.

Deze korte perioden van diepe slaap, die aanvankelijk slechts enkele seconden duurden, werden steeds langer. 's Nachts werd het nog erger. Zijn kano raakte uit controle, verloor vaart en dreef steeds opnieuw af. Het gevaar zijn kameraden uit het oog te verliezen was immens. In het donker konden zij hem amper zien, dus zouden ze zijn afwezigheid veel te laat opmerken.

Als ik de nacht doorkom, zijn we in veiligheid, dacht hij in een laatste moment van helderheid. Meteen daarna viel hij in een diepe slaap.

Hij schrok op en sperde zijn ogen open.

Het was klaarlichte dag.

Om hem heen was niemand meer.

Hoe hij de ongenaakbare kring van de horizon die hem omsloot ook afspeurde, er was niets en niemand meer te zien. Alleen die eindeloze uitgestrektheid van blauw en azuur.

Hij voelde zelfs geen angst. Hij besefte dat het hem niet veel meer uitmaakte of hij zou overleven. Prompt liet hij zijn ogen weer dichtvallen. Hij wilde zich alleen nog aan deze zalige verdoving overgeven. Hij wist dat hij zou sterven, maar het liet hem onverschillig. Voor de tweede keer liet hij toe dat het niets zich zachtjes meester maakte van zijn lichaam. Hij had gefaald, maar dat deed er niet meer toe. Nu zou hij slapen. Spoedig zou alles voorbij zijn.

Mauke Nuha zou er nooit achter komen of het een wonder of een hallucinatie was.

Iets streelde zijn gezicht en hij sloeg zijn ogen op.

Een verblindend licht omhulde hem. Hij bespeurde slechts een schaduw, een tedere hand die hem half omhoogtrok en hielp om te gaan zitten. Dezelfde hand leidde hem terug naar de zeiltouwen. Een golf van warmte sloeg door hem heen. Een verre stem, een zoete belofte.

Het licht verdween.

Hij was gewekt.

Wat was er gebeurd? Wie had hem gestreeld, omhoog geholpen, uit deze dodelijke slaap gerukt? Naast hem lag alleen Aruke, nog steeds buiten kennis.

Zijn levenswil had weer de bovenhand gekregen.

De omringende oceaan was een perfecte cirkel en zij waren het midden.

Hij raakte in paniek.

Ze waren in het midden van nergens.

Misschien zouden zijn reisgenoten hun vergissing opmerken en op hen wachten. Maar wat zou dat uithalen? Mauke Nuha had niet het flauwste vermoeden wat de juiste richting was.

Al Arukes lessen in navigeren waren samen met het vocht van zijn uitgedroogde brein verdampt, vervlogen.

Wat kon hij doen? Blindelings een richting kiezen en vertrouwen op de uiterst kleine kans dat het de juiste was? Niet van zijn plek komen, in de hoop dat de andere kano's omkeerden en hen zochten? Maar hoe kon hij op dit voortdurend bewegende watertapijt niet van zijn plek komen?

'Aruke! Aruke, word wakker!' smeekte hij met verstikte stem, de tranen nabij, maar zijn ogen hadden niet eens genoeg vocht om te huilen.

Aruke antwoordde niet. Hij lag er krachteloos bij, alsof hij dood was.

Misschien ís hij dood, dacht Mauke Nuha, en hij was alleen, moederziel alleen, aan de oceaan overgeleverd.

Hij keek op naar de hemel.

Keek ver, ver naar boven.

Iets wekte in zijn hart een laatste sprankje hoop.

19

DE *WY'YN*

Daarboven, waar de azuurblauwe hemelspiegel aan de onzichtbare leegte grensde – de zwarte ruimte van de kosmos buiten de dampkring, de tegenhanger van deze oceaan van water – zag Mauke Nuha zichzelf, ondersteboven gespiegeld, in zijn *wa'hay,* met het zeil naar beneden, door de lucht zeilen.

Dat... ben ik... gespiegeld aan de hemel... Dat is mijn wy'yn.

Koortsachtig zocht hij het zwerk af en barstte van opluchting in snikken uit. Dankzij een optische kromming van de zonnestralen langs de hemelboog, een breking van het licht die op dat moment iets wonderbaarlijks had, spiegelde de hemel ook wat voor Mauke Nuha onzichtbaar en achter de horizon verborgen was.

Hoog boven in een helderblauw zag hij de andere drie *wa'hay* in de verre verte ondersteboven door de lucht zeilen.

Onmiddellijk greep hij de zeiltouwen, trok het zeil in de wind en zette de achtervolging van de drie spiegelbeelden in, die ergens achter de horizon op hem wachtten.

Op topsnelheid joeg hij de *wa'hay* over het water en berekende zijn koers aan de hand van de afstand tussen zijn spiegelbeeld en dat van de andere kano's. Onvermoeibaar bad hij dat de verschijning niet plotseling zou verdwijnen en hem weer alleen zou laten.

Na vele uren doken de drie *wa'hay* – de echte van hout en touw – voor hem op. Volledig uitgeput zakte hij in elkaar.

Hij had ze ingehaald.

Hoewel hij niet helemaal bij kennis was, hoorde Mauke Nuha de vreugdekreten van zijn vrienden die hem weer in hun midden verwelkomden. Het geluid haalde Aruke uit zijn schemertoestand.

'Mauke Nuha...' Arukes hand daalde neer op zijn schouder. Een moeizame glimlach verlichtte zijn gezicht, dat uitgeteerd en gebarsten was als droge klei. 'Je hebt mijn leven gered. Dat zal ik nooit vergeten.'

De half bewusteloze Mauke Nuha hoorde hem amper.

'Laat alles aan mij over, je moet uitrusten.'

Mauke Nuha knikte met zijn laatste kracht.

'Vergeef me mijn zwakte, vergeef me wat ik tegen je gezegd heb,' voegde Aruke eraan toe, en hij barstte in tranen uit. Maar Mauke Nuha hoorde hem niet meer: hij was in een koortsige slaap gevallen en klampte zich vast aan de dunne draad van zijn leven, hangend boven de afgrond van een wrede, pijnlijke dood: omkomen van de dorst.

Alleen de wisseling van licht en donker achter zijn gesloten oogleden verschafte Mauke Nuha nog een vaag besef van tijd. In snelle afwisseling bewoog hij door warrige, maar uiterst levendige dromen.

Een meeuw streek neer op zijn schouder en schreeuwde hem in het oor: 'Land! Laaaaand!'

Nee. Het was geen meeuw.

Het was Aruke. Rauw en ademloos barstte zijn stem los vanuit het niets.

'Mauke Nuha! Laaaand! Laaaaand!'

De huid van zijn gezicht spande zich pijnlijk: voor het eerst sinds tijden had hij geglimlacht.

Zo goed hij kon werkte hij zich overeind en legde zijn hoofd op de rand van de boot. Hij probeerde zijn ogen open te houden, maar vergeefs. Slapen en waken wisselden elkaar onbeheersbaar af. En zo zag hij de wereld van de *tan'y'fenwa* terug: ze toonde zich aan hem in de vorm van stralende beelden die uit het duister opflitsten.

Zwermen opvliegende meeuwen.

Twee viskotters die in de verte voor anker lagen.

Een immens stalen schip – misschien een olietanker.

De donkergroene omtrekken van twee grote eilanden.

Vervolgens gleed een lange kust aan hem voorbij. Stranden en bomen, klippen en kleine havens, huizen en auto's in een voortdurende afwisseling, een vluchtige fata morgana.

Uiteindelijk stuurden de vier *wa'hay* dorstig op een klein, door palmen bezoomd strand af, dat in de beschutting van een steile rotswand lag.

Na tien eeuwig lijkende minuten voelde Mauke Nuha de boot op de zandige grond lopen, een knersend, slepend geluid, dat dwars door hem heen ging.

De reis was ten einde. Ze waren geland.

Ze klommen uit de kano's.

Wankelend, elkaar ondersteunend vanwege het duizelen van de land-ziekte, zetten de tien overlevende zeevaarders in Okinawa voet aan wal. Ze waren op het eiland Tokashiki aangekomen.

Een man kwam uit een kleine hut, het enige bouwsel op het strand. Na een korte aarzeling herkende hij hen en haastte zich naar hen toe.

Waremu. Dat moet Waremu zijn, dacht Mauke Nuha. De aarde leek te deinen onder zijn voeten. Hij stond op het punt over te geven.

Ja, dat is Waremu, Sames broer. De gelijkenis met zijn neef Aruke was verbluffend.

'Horu! Horu!' riep Waremu, terwijl hij met zwaaiende armen op hen toe rende. 'Jullie hebben mijn boodschap ontvangen! Jullie zijn er!'

Toen bleef hij abrupt stilstaan. Zijn glimlach verdween. Hij greep naar zijn borst, alsof hij zich tegen een sabelhouw wilde beschermen.

'Same? Waar is Same?' Zijn stem beefde.

'Waremu...' Horu wankelde naar voren.

'Same...' – hij zakte door zijn knieën – 'is dood.'

Toen viel hij voorover in het zand.

Mauke Nuha's enige herinnering aan die uren was het moment waarop hij weer water proefde. Dat gevoel maakte een onuitwisbare indruk op hem, die hij de rest van zijn leven niet zou vergeten. De pollepel van Waremu aan zijn mond. Het water dat zijn lippen bevochtigde, over zijn tong rolde, zijn uitgedroogde verhemelte beroerde. Het water dat zijn slokdarm in stroomde, het was een bijna pijnlijke extase. De afzonder-lijke druppels, die zich over zijn lichaam verdeelden en zijn stervende cellen weer tot leven wekten.

Drie dagen verstreken. De tien zeevaarders deden niets anders dan dag en nacht slapen, gaven zich eindelijk over aan een droge, versterkende slaap. Af en toe werden ze hongerig en dorstig wakker. Dan stortten ze zich zo gretig op eten en water dat hun door de ontbering gekrompen magen vaak alles weer teruggaven. Waremu waakte over hen, bijgestaan door een Japanse vrouw.

Op de vierde dag ontwaakten ze allemaal langzaam uit hun lethargie en keerden terug naar een bijna normaal levensritme. Ze waren ver-magerd en verzwakt, hadden zwaar verzuurde spieren en konden zich slechts moeizaam bewegen. Maar het ergste leek voorbij en gelukkig had niemand er ernstige lichamelijke schade aan overgehouden.

Die avond baden ze voor Same.

Toen het donker werd, ontstaken ze langs het hele strand tientallen kleine vuurtjes en gingen toen in een kring in het zand zitten. Ieder hief op zijn beurt een klaaglied aan en de anderen vielen in. Was een gezang afgelopen, dan werd er een vuur gedoofd. Dan verhief de volgende stem zich. Uren ging dat zo door, tot alle vuren gedoofd waren en het strand er weer donker bij lag. Waremu en Iruie hadden de hele tijd zachtjes gehuild. Horu's en Arukes pijn daarentegen verried zich slechts door een zacht trillen van hun stemmen. Toen het laatste vuur gedoofd was, bleven allen zwijgend zitten totdat de vermoeidheid hen overmande en ze op het zand in slaap vielen.

Alleen Mauke Nuha kon niet slapen. Tijdens de dodenwake had hij zich zo veel mogelijk afzijdig gehouden en niet gezongen, en niet alleen omdat hij de melodieën niet kende. Een brandend schuldgevoel verteerde hem. Sinds ze aan land gekomen waren, had niemand meer een woord met hem gewisseld. Wat hadden ze hem ook moeten zeggen? Same was Waremu's zuster. Horu's vrouw. De moeder van Aruke en Iruie. En hij droeg schuld aan haar dood. Hij voelde dat hun zwijgen een verholen aanklacht was. Misschien haat. Hij was een vloek, hij was op hun eiland geland en had de dood gebracht. Maar weldra zouden ze van hem verlost zijn, misschien dat dat hun een beetje verlichting zou brengen.

Of misschien ook niet; misschien zou Horu hem vergeven, hem toch helpen, al zijn parels voor hem verkopen. Maar dat zou voor Mauke Nuha nog onverdraaglijker zijn. Hij moest meteen weg. Er zat niets anders op. Die nacht zou hij zich uit de voeten maken.

Toen hij er zeker van was dat iedereen sliep, stond hij geluidloos op. Slechts één ding wilde hij meenemen. Zachtjes sloop hij naar zijn *wa'hay*, tastte de bodem af en vond het in plastic gewikkelde boek. Hij maakte het touw los waarmee het de hele reis veilig vastgebonden was geweest en raapte het op. Het witte plastic glansde in het donker.

Nu moet ik het alleen klaren.

Hij stak het strand over, zette voet op een steil pad achter de hut en begon te klimmen.

Nu zit er niets anders op dan naar de politie te gaan. Misschien heeft iemand aan...

'Mauke Nuha!'

Hij was al halverwege het pad toen een diepe stem hem riep. Geschrokken hield hij halt. Toen draaide hij zich langzaam om. Ondanks zijn pikzwarte ogen schitterde Horu's blik in het duister.

'Ik weet wat je van plan bent,' fluisterde Horu van onder aan het pad. 'Maar kom alsjeblieft terug, ik smeek het je.'

Opnieuw had Horu alles doorzien en hem als een open boek gelezen. Mauke Nuha bleef zwijgen en verroerde zich niet.

'Bezorg me niet nog meer pijn,' zei Horu. 'Laat onze reis niet zinloos zijn geweest.' *Laat Sames dood niet voor niets zijn geweest.*

Maar Mauke Nuha kon daar niet op ingaan. Verrast was hij niet: hij had geweten dat Horu zo tot hem zou spreken, dat hij hem van elke schuld zou ontslaan. Maar Horu's vergeving was het laatste wat hij wilde. Liever had hij zich door hem in elkaar laten slaan. Het schuldgevoel bruiste als schuim in hem op en ontlaadde zich in blinde woede.

'Je wist het!' blafte hij hem toe, terwijl de tranen hem in de ogen schoten. 'Je wist dat Same het niet zou redden... Waarom heb je dat allemaal gedaan? Waarom?'

'Nee, je vergist je!' Horu's boze stem overstemde de zijne. 'Ik heb steeds in onze reis geloofd, tot op het laatst ben ik blijven hopen dat het niet zo zou eindigen. Maar het is de wet van de oceaan. Hij heeft zich van zijn wreedste kant laten zien. De overtocht was verschrikkelijk zwaar, we hadden allemáál om kunnen komen.'

'Altijd dat oceaanverhaal! De oceaan heeft er niets mee te maken. Als jullie op tijd waren vertrokken, was dit allemaal niet gebeurd. Ik smeek je, Horu, laat me gaan! Ik verdraag het niet langer om bij jullie te zijn... ik heb Same gedood!'

'Hoe kun je zoiets zeggen?' Horu schudde zijn hoofd. 'Ben je vergeten hoe je eraan toe was toen je op ons eiland arriveerde? Weerloos, zonder verleden. We hebben je verzorgd als een pasgeboren baby. Je was aan hogere machten overgeleverd, aan grotere plannen, waarvan je slechts vage, onleesbare fragmenten te zien hebt gekregen. Koortsachtig heb je naar je naam, naar je geschiedenis, naar je levenspad gezocht, net als een kind. Wat had je anders moeten doen in jouw situatie? Dat zich dat met Sames lot verweven heeft, is niet jouw schuld!'

'Dat is niet waar!' Woedend zwaaide Mauke Nuha met zijn vuist door de lucht. 'Waarom kun je dat niet begrijpen? Elke beslissing die je hebt genomen om mij te helpen heeft zich tegen je gekeerd!'

'Luister naar mij, Mauke Nuha,' sprak Horu geduldig verder. 'Voor mijn volk was jij een geschenk van de oceaan. En de oceaan heeft je aan mij toevertrouwd. Jij bent mijn *fa'wa'amu*. Weet je wat dat betekent? Je bent als een zoon voor me, als een adoptiefkind. Sterker nog: een door de oceaan geschonken kind.'

Horu's liefdevolle woorden waren als een oorvijg. Mauke Nuha balde zijn vuisten tot zijn nagels zich in zijn vlees boorden.

'Ik kan je zorgen niet meer accepteren. Van nu af aan zal ik me alleen redden. Hou de parels, ik wil jullie niet langer tot last zijn, ik wil niet...'

'De parels laten me koud,' kapte Horu hem af. 'De zeebodem zal ons nog vele andere schenken. Ze zijn nu van jou, ze zijn mijn geschenk aan jou, het geschenk van mijn volk voor onze vriendschap. Dat is het enige wat telt.'

Vriendschap? Bij dit woord hield Mauke Nuha het niet langer uit. Hij draaide zich om en liep verder.

'Ik smeek je, Mauke Nuha, wacht! Loop niet zomaar weg! Bereid me niet nog meer pijn... Mij, Aruke...'

Horu klonk smekend, bijna in tranen. Verbluft bleef Mauke Nuha staan. In al die maanden had hij hem nooit zo gehoord, hem nooit zijn trots en fierheid als stamhoofd opzij zien zetten.

Waarom hing Horu zo aan hem, na alles wat er gebeurd was?

Zijn woede vervloog en maakte plaats voor oneindige uitputting. Hij deed ook alles verkeerd. Hij kon niet zo botweg vertrekken. Als dat werkelijk hun wens was moest hij blijven. Horu's oprechte liefde had hem geroerd als een teder gebaar.

Hij kwam het pad af. Horu glimlachte naar hem en sloot hem in zijn armen. De woede, de pijn, de onmenselijke uitputting van de reis – alles versmolt tot stille tranen die in het zand drupten.

'Vergeet niet dat je Aruke het leven hebt gered,' zei Horu, terwijl hij zich uit de omhelzing losmaakte. 'Daarvoor sta ik eeuwig bij je in het krijt.'

Ze keken elkaar lang in de ogen.

'Dus het is besloten. Morgen gaan we de parels verkopen. We zullen er slechts een tiende van hun waarde voor krijgen, maar dat zal voldoende zijn voor alles wat je nodig hebt, je zult het zien.'

Mauke Nuha leek te aarzelen, toen knikte hij.

Ze keerden terug naar het strand. Slechts een verre muziek verbrak de stilte. Niemand leek hen gehoord te hebben, iedereen was in diepe slaap. 'Je hebt het nu bijna voor elkaar,' zei Horu plotseling. 'Nog even en je bent in je Wales. Staat je besluit nog steeds vast?'

De vreemde vraag verraste Mauke Nuha.

'Jazeker. Wat zou ik anders moeten? De weinige aanwijzingen die ik heb, leiden daarheen. Wat me in Wales wacht zal blijken. Maar waarom vraag je me dat uitgerekend nu?'

'Omdat, wel...' Horu's stem trilde licht. 'Hoewel Same dood is, wil ik de komende dagen een poging doen de bodhisattva van Okinawa te ontmoeten. Ik heb er lang met Waremu over gesproken, het schijnt dat ze werkelijk over bijzondere krachten beschikt, het is geen bedrog. Ik wil met haar praten. Misschien kan ze niet alleen lichamelijke kwalen genezen, maar ook psychisch leed. Ik dacht, voor je naar Wales vertrekt...' – Horu schraapte zijn keel – 'zou je met ons mee kunnen gaan. Denk erover na, Mauke Nuha. Misschien kan de bodhisattva je bevrijden van de nevelen die je herinneringen omwolken.'

Hij zweeg en tuurde afwachtend naar de horizon.

Maar het idee van een verder uitstel stond Mauke Nuha tegen. Wat kon het voor zin hebben om met zo'n heilige vrouw te praten? Zelfs als ze genezende krachten bezat, leek het hem onwaarschijnlijk dat ze hem zijn herinneringen terug zou kunnen geven. Ja, de reis naar Wales was een gok, niets garandeerde hem dat hij op de juiste weg was. Maar ook daarom wilde hij er zo snel mogelijk naartoe, om eindelijk achter de waarheid te komen.

'Hoe lang heeft de reis geduurd?' zei Mauke Nuha eindelijk.

'Ongeveer zes weken. Twee keer zo lang als gepland.'

Mauke Nuha zuchtte. 'Ik kan je niet zeggen waarom, maar sinds enige tijd voel ik me ongedurig. Alsof ik snel achter iets aan moet, ook al weet ik nog steeds niet precies wat. Ik dank je voor je aanbod. En je kunt je niet voorstellen hoe graag ik bij jullie zou blijven. Maar ik geloof niet dat dat een goed idee is. Het is tijd om naar huis terug te keren.'

Horu sloot zijn ogen en knikte langzaam. Ook hij had een voorgevoel. Maar dat was het tegenovergestelde van dat van Mauke Nuha.

'Heb je haar nog wel eens teruggezien?' vroeg Horu als vanuit het niets.

De vraag deed Mauke Nuha ineenkrimpen.

'Heb je nog andere boodschappen gekregen?' drong Horu aan.

Maar Mauke Nuha zweeg. Roerloos staarde hij neer op de bedaarde golven die zijn voeten omspoelden. Hij dacht aan de lichtjes die hij bij het parelduiken had gezien. Aan de mysterieuze figuur die hem op de *wa'hay* overeind had geholpen, toen hij alleen nog maar wilde sterven. Hij vroeg zich af of het boodschappen waren. Of ze misschien iets te maken hadden met zijn dromen, met háár. Hij moest denken aan de verhalen die hij op het eiland had gehoord, over zeelui in doodsnood die hallucinaties hadden. Zij geloofden dat mysterieuze wezens hen hielpen, maar in werkelijkheid hadden ze zichzelf vermand en hun laatste restjes levensenergie aangesproken.

Horu begreep dat Mauke Nuha niet zou antwoorden. Hij deed er het zwijgen toe en drong niet langer aan. Hij voelde zich machteloos. Met zijn bovennatuurlijke gevoeligheid kon hij de donkere schaduw bespeuren die op dit moment over Mauke Nuha's lot viel.

20

EEN NIEUWE NAAM

De volgende morgen ging Horu met Waremu en Aruke op pad om de parels van de hand te doen. Toen ze naar het strand terugkeerden, was het al middag. In plaats van het zacht glanzende kistje hield Horu een dikke gele envelop in de hand, die hij voor Mauke Nuha opende.

'Voor de zekerheid heb ik van alles wat genomen,' lachte hij vergenoegd.

De envelop bevatte een dikke bundel yenbiljetten, een paar Amerikaanse dollars, Engelse ponden en euro's. Het was veel geld, ook al waren de parels belachelijk ver beneden hun waarde weggegaan.

De middag bracht Mauke Nuha door onder de hoede van Waremu en diens vrouw Yukiko, een sierlijke Japanse die één blauw en één bruin oog had. Aan hen de heikele taak hem weer aan een fatsoenlijk uiterlijk te helpen, waarmee hij zich in de beschaafde wereld kon vertonen zonder al te zeer op te vallen. Ze knipten zijn nagels, die voor zover ze niet gescheurd waren op zwarte, scherpe klauwen leken, en kortwiekten zijn intussen schouderlange, door zon en zout asblond gebleekte haar. Vervolgens scheerden ze met een scherp mes zijn ruige roodblonde baard af, die sinds weken zijn gezicht overwoekerde.

'Welkom terug in het licht!' zei Waremu terwijl hij hem een oude spiegel voor de neus hield. Mauke Nuha keek meteen een andere kant op en duwde de spiegel zo ruw opzij dat deze op de vloer van de hut viel en brak.

'Het spijt me,' fluisterde Mauke Nuha. 'Het klinkt misschien raar, maar ik kijk liever niet in de spiegel.'

Hij herinnerde zich nog goed het pijnlijke gevoel dat hij maanden geleden had gehad, toen hij zijn gezicht had gezien en het niet herkend had, alsof het aan een wildvreemde toebehoorde. Sindsdien had hij het als het even kon vermeden zijn spiegelbeeld tegen te komen, en zich achter een zware baard verstopt.

Waremu leidde hem naar de achterkant van de hut, waar een grote kuip met zeepsop wachtte, en schrobde hem met een harde borstel af.

'Hé! Niet zo hard! Je doet me pijn!' protesteerde Mauke Nuha. Zijn door de zon verzengde huid was in rauw, permanent roodachtig leder veranderd. Ondertussen had Yukiko de grijze lendendoek gewassen, zijn enige kledingstuk. Toen hij uitgebadderd was, droogde hij zich af en hulde zich erin.

'Nu is het tijd om te gaan shoppen,' kondigde Waremu theatraal aan. 'Per slot van rekening kun je niet eeuwig met die lompen om je heupen rondlopen!'

'Een paar kilometer van hier, aan de andere kant van het bos, is een vakantiedorp,' zei Yukiko stralend. 'In een van de winkeltjes aan de straatweg vinden we alles wat je nodig hebt, zonder al te zeer op te vallen.'

Ze liepen het strand op, doorkruisten een naar hars ruikend bos en bereikten een smalle, door palmen en riet bezoomde asfaltweg, waaraan na zo'n twintig minuten een houten kiosk opdook. Op het dak prijkte een reusachtig bord met Japanse karakters. Op tafels en schappen lagen massa's kranten, boeken, strandspeelgoed, badpakken, reddingsvesten, opblaasbare rubberboten, hengels en schepnetten. Er was zelfs een pasfotoautomaat.

Yukiko wisselde een paar woorden met de kioskhouder, waarbij ze eerst naar Mauke Nuha wees en toen naar de schappen met kleding en schoenen. Mauke Nuha koos een grote, beige-blauwe rugzak, een zwarte leren portemonnee, twee spijkerbroeken, een olijfgroene short, twee linnen hemden, één donkerblauw en één kakikleurig, enkele onderbroeken, een paar stoffen gympen en een paar hoge wandelschoenen. Waremu drukte hem een honkbalpet met het logo van de Chunichi Dragons op het hoofd en schoof een zonnebril met dichte zijkanten op zijn neus.

'Voor het geval je je gezicht moet verbergen,' zei hij met een veelbetekenende knipoog.

Terwijl Yukiko afrekende, stond Mauke Nuha achter in de winkel en hulde zich voor het eerst sinds lange tijd weer in kleding. Het was een eigenaardig gevoel: vertrouwd en hinderlijk tegelijk. Hij was eraan gewend geraakt om naakt te zijn, deze kledingstukken perkten hem in. Bovendien schuurde de ruwe spijkerstof pijnlijk over zijn verbrande huid.

Waremu duwde hem de pasfotoautomaat in en wierp een munt in de gleuf. Na een paar seconden ontlaadde een flitslicht zich in zijn gezicht en even later spuugde de automaat een strookje papier met vier foto's uit. Waremu ving het op en monsterde het.

'Niet slecht. Wil je ze zien?'
Mauke Nuha schudde zijn hoofd.

Toen ze terugkwamen, werd de nieuwe, schone, gladgeschoren en westers aangeklede Mauke Nuha met gejoel, gelach en ironisch gefluit ontvangen.
'Je bent onherkenbaar!' riep Aruke hem lachend tegemoet. 'Je lijkt een compleet ander iemand!'
Mauke Nuha liet de grappen over zich heen komen, maar in werkelijkheid was hij zwaar van slag.
Je lijkt een compleet ander iemand, herhaalde hij in gedachten. *Ja, maar wie? Welke iemand precies?*
Nog even en ik zal hier weggaan. Ik zal niet langer Mauke Nuha zijn.
Een schaduw daalde over hem neer.
Ik zal opnieuw alleen zijn. En dan ben ik niets meer, voor niemand.
Nog even en hij zou zijn naam afleggen. Hij zou van voren af aan beginnen en zijn naakte spiegelbeeld onder ogen moeten zien.
Hij klampte zich vast aan de enige reden waarom hij dit allemaal doorstond, aan de enige bron van kracht die hem restte. Hij riep zich het gezicht, de glimlach, de grote donkere ogen van de vrouw die hij liefhad te binnen en onderdrukte zijn tranen.
Nog even en ik zal je terugvinden. Dat is het enige wat nu telt.

Toen hij de volgende ochtend wakker werd, ontdekte hij dat Horu, Waremu en Aruke voor dag en dauw met een *wa'hay* uitgevaren waren, zonder hem iets te zeggen. Yukiko kon haar bezorgdheid niet verbergen. Toen hij haar vroeg waar ze naartoe gevaren waren, begon ze opgewonden te stotteren.
'Die lui... geen scrupules... Laten we hopen dat alles goed gaat...'
Toen hij besefte waar de expeditie om draaide, werd hij woedend. Waarom zonder hem? Waarom stelden ze zich nogmaals aan gevaar bloot om hem te helpen?
Twee dagen verstreken. Toen de derde dag aanbrak, keerde de *wa'hay* naar het strand terug en slaakten allen een zucht van verlichting.
'Zoals gevreesd is aan deze twee kleinigheden bijna al het geld opgegaan,' zei Horu, terwijl hij uit de kano sprong.
Hij hield Mauke Nuha een kastanjebruin boekje voor, waarin een

langwerpig, kleurig bedrukt karton was gestoken. Met kloppend hart stak hij zijn hand uit.

'Is dat...' vroeg hij aarzelend. Horu knikte.

Het bevatte zijn naaste toekomst.

Langzaam opende Mauke Nuha zijn nieuwe paspoort.

Linksboven kleefde een van de pasfoto's, ontsierd door een rood stempel. Eronder stond:

```
Achternaam: Haller
Voornaam: Sebastian
```

Dit was zijn nieuwe naam. Zijn nieuwe identiteit. Even vals als de pas die haar bevatte. Daaronder zijn gegevens:

```
Nationaliteit: Brits
Geboren in: Swansea (Wales)
Op: 13/07/1977
```

Mauke Nuha keek op.

'Sebastian Haller. Zo heet ik?'

Met een ietwat geamuseerde glimlach keek hij Horu aan. In werkelijkheid was hij verward en vol bitterheid.

Iedereen kwam in een kring om hem heen staan. Zwijgend. Ze leken bijna opgelaten. Ze voelden de last die er op dit moment op zijn schouders kwam te liggen.

Nóg een naam. Nóg een identiteit. Nogmaals bij nul beginnen.

Hij haalde het vliegticket uit het paspoort en bestudeerde het. Zijn vlucht zou vertrekken van luchthaven Naha, Okinawa, en landen in Cardiff, Wales. De vertrekdatum was 30 september, vertrektijd 22:45 uur.

'Wanneer is het 30 september?' vroeg hij met een gemaakte glimlach.

'Vandaag. Je vliegtuig vertrekt vanavond,' antwoordde Horu.

Mauke Nuha knikte beduusd, hij had niet verwacht dat het zo snel zou gaan.

'De volgende geschikte vlucht zou over twee weken zijn geweest, daarom dachten wij dat je...' zei Horu.

'Heel goed gedaan,' onderbrak hij hem. 'Het heeft geen zin om nog langer te wachten. Mijn reis heeft lang genoeg geduurd.'

'Nu heb je dus een nieuwe naam,' mompelde Horu treurig. 'Een naam waarmee je naar huis, naar de *tan'y'fenwa*, kunt terugkeren. Ik hoop dat hij je slechts korte tijd zal begeleiden, slechts zolang je je echte naam niet gevonden hebt. Maar denk eraan,' vervolgde hij, terwijl hij zijn hand op Maukes schouder legde, 'waar je ook bent, hoe de *tan'y'fenwa* je ook noemen, voor ons zul je altijd Mauke Nuha blijven, Glimlachende Rug, en zo zullen we je steeds in onze herinnering, onze gebeden en onze harten bewaren.'

Allen knikten, hij verwoordde ieders gevoelens.

'Ik heb een geschenk voor je!' riep Horu ten slotte. Hij legde hem een dicht vlechtwerk van samengeknoopte, met schelpen en bonte stenen bezette takken in de hand. Mauke Nuha kende dit kostbare voorwerp intussen precies, het was het peilinstrument waarmee men de navigatiekoers berekende. In de voorbije maanden had hij het op een basaal niveau leren gebruiken.

'Dat is mijn *re'wellib*. Geen zorgen, ik heb de afgelopen dagen een nieuwe gemaakt, anders zouden we niet thuiskomen!' Horu lachte. 'Mocht je ons op een dag willen opzoeken, dan kun je hieraan zien hoe je reizen moet!'

Ook Aruke had een geschenk voor hem. Een brede leren riem, waarin hij hun namen en een aantal gestileerde weergaven van gedeelde momenten had gegraveerd: de training op de *wa'hay*, de monstergolf die over hen heen geslagen was, de pareljacht met de vondst van de Warama'ay'mitwy. Mauke Nuha streek met een vinger over de afbeeldingen en was diep geroerd.

'Ik weet dat ik je niet mag vragen naar ons terug te keren,' zei Aruke, terwijl hij Mauke Nuha aan zijn borst drukte, 'maar vergeet onze vriendschap niet, vergeet de geschiedenis van Aruke en Mauke Nuha niet. Die zal het eerste zijn wat ik mijn kind zal vertellen!'

Arukes ogen vulden zich met tranen.

'Vergeet niet dat we nu broeders zijn,' voegde hij eraan toe. 'Ik wens je van ganser harte dat je zoektocht mag slagen. Dat je je naam terugvindt en de vrouw die je liefhebt.'

'Wat gaan jullie nu doen?' vroeg Mauke Nuha, terwijl hij zich uit de omhelzing losmaakte.

'Over ongeveer een maand zullen de winden draaien en in de richting van ons eiland blazen, dan gaan we weer op weg. In de tussentijd...'

'... zullen we de bodhisattva opzoeken,' viel Horu hem in de rede. 'Ze heeft Same weliswaar niet kunnen genezen, maar misschien kan ze onze terugtocht zegenen. En mocht ze werkelijk wonderen kunnen verrichten... dan kan ze misschien...'

Waremu's roep onderbrak hem.

'Draaien jullie je eens om!' Waremu hield een oude polaroidcamera omhoog. 'Dit ding heb ik een paar dagen geleden gekocht en ik heb nog geen gelegenheid gehad om het uit te proberen. Het moet ongeveer zo gaan...'

Wit licht flitste op en enkele ogenblikken later spuugde het apparaat een mooie foto van Horu, Aruke, Iruie en Mauke Nuha uit, die elkaar glimlachend omarmden.

Het uur van vertrek was gekomen. Door een sluier van tranen opende Mauke Nuha zijn rugzak en borg voorzichtig Arukes riem en Horu's *re'wellib* op, die hij beschermend tussen zijn kleding duwde, en vervolgens het boek, nog steeds in het witte plastic gewikkeld, en de envelop met het weinige geld dat nog over was.

Nog een laatste keer keek hij iedereen aan, toen verliet hij de hut zonder iets te zeggen. Langzaam liep hij het strand over en klom moeizaam het pad op.

Boven aangekomen draaide hij zich nog één keer om. Deze buitengewone mannen stonden daar en keken hoe hij voorgoed vertrok. Het waren nobele, moedige mannen. Hij zou hen altijd in zijn hart dragen.

'*May'hruru!* Bedankt!' riep Mauke Nuha.

Ik zal jullie nooit vergeten.

Toen rende hij zonder om te kijken weg.

21

ELKAAR KRUISENDE WEGEN

'Wakker worden, meneer, we zijn er!' Een knappe Japanse stewardess schudde zachtjes aan zijn schouder.

Verdorie! dacht Ian, opschrikkend uit een diepe slaap met een tong die als een leren lap aan zijn verhemelte kleefde. *Ik heb niet eens gemerkt dat we geland zijn.* Hij maakte de veiligheidsgordel los, nam vriendelijk afscheid van de stewardess en haastte zich tussen de rijen lege stoelen door naar de uitgang.

Eindelijk in Okinawa! dacht hij, terwijl hij de vliegtuigtrap af liep. De naspeuringen in Shanghai hadden een maand langer geduurd dan gepland en hij had deze vlucht tweemaal moeten verzetten. Het was al lunchtijd en hij had honger. Hij begon het platform over te steken.

***

Het was drie uur geleden dat Mauke Nuha de hut van Waremu had verlaten en afscheid had genomen van zijn vrienden. Hij had de kleine toeristenhaven van Tokashiki te voet bereikt en stapte nu op de veerboot die hem in ongeveer vier uur naar Naha, de hoofdstad van de prefectuur Okinawa, zou brengen.

Al spoedig zou hij ook definitief afscheid nemen van de Pacific.

Hij zou zowel de levensstijl van deze maanden als de naam Mauke Nuha achter zich laten. Niemand zou hem ooit nog zo noemen.

Een andere persoon, genaamd Sebastian Haller, zou de veerboot verlaten. Hij stond op het punt zich in een nieuwe, onbekende identiteit te hullen.

Het idee joeg hem angst aan. Hoe lang zou dit spel nog gaan duren?

Hoog aan de hemel krijsten de meeuwen uitbundig. Op het bovendek zaten twee jonge Japanse toeristen, een jongen en een meisje, elkaar hartstochtelijk te zoenen.

Waar ben je nu? Kun je me zien?
Weet je dat ik nog in leven ben?

***

LUCHTHAVEN NAHA, OKINAWA, 13:40 UUR

Al een kwartier waren een oude reistas en een gehavende, met touw bijeengehouden kartonnen doos het enige wat nog treurig ronddraaide op de bagageband. Alleen Ian leunde nog op de reling van de bagageafhaalzone van vlucht JD912 van Shanghai naar Naha.

Oké, rustig. Ze zullen je koffer heus niet kwijt zijn. Hij zal echt wel weer opduiken.

Bij de balie van *bagage claim* verzocht een Japanse vrouw hem met veel *please* en *arigato* om rustig te blijven – maar hij wás heel rustig, hij had alleen zijn stem een beetje verheven – en het aangifteformulier in te vullen.

Verdomme! Dat ontbrak er nog aan!

Ians geduld was op.

'Hoor eens, dame, ik heb nog geen adres waar de koffer naartoe gestuurd zou kunnen worden, indien of wanneer hij gevonden wordt. Wat doen we nu?'

'Geeft u me uw mobiele nummer maar, dan hoort u van ons zodra we iets weten,' antwoordde de employee beminnelijk. Een door en door Japanse glimlach en een buiging en Ian kon vertrekken.

***

VEERBOOT VAN TOKASHIKI NAAR NAHA, OKINAWA, 14:00 UUR

De veerboot vertrok. De man zonder herinnering leunde op de reling bij de achtersteven en zag het eiland Tokashiki langzaam in de stralende nevel verdwijnen. Hij staarde naar het witte kielwater en bedacht hoeveel eenvoudiger het was om zo te reizen.

135

Als hij Waremu's aanwijzingen volgde, zou hij tegen zeven uur 's avonds op het vliegveld zijn en tot het vertrek nog volop tijd overhebben voor de formaliteiten: inchecken, instappen enzovoorts. Hij hoopte dat hij zich op z'n minst rudimentair zou herinneren wat je dan te doen stond en hoe je je in de zogeheten beschaafde wereld gedroeg.

Het gedreun van de scheepsmotoren werd overstemd door het doordringende gerinkel van het mobieltje van de vrouw naast hem. Een groep jongeren filmde elkaar met een digitale videocamera. Een kind knabbelde op chips en dronk uit een blikje.

Een vreemde onrust bekroop hem. Zijn geheugen trilde als een wild dier dat is gekooid. Misschien was het slechts een kwestie van tijd. Zeer korte tijd.

∗∗

LUCHTHAVEN NAHA, OKINAWA, 15:05 UUR

Nerveus en hongerig had Ian een stop ingelast in de *lounge area* om iets te eten. Hoewel het drie uur 's middags en een zonnige dag was, was de enorme hal gedompeld in een blauwachtig schemerlicht, dat hem het gevoel gaf dat hij in een aquarium zat. Amper hoorbare feelgoodmuziek zweefde door de geklimatiseerde lucht. In de restauratiezone stonden tafeltjes en stoelen, zelfs ligstoelen, voor wie erbij wilde gaan liggen. Nadat hij sashimi had gegeten en een kop groene thee gedronken, werd Ian overvallen door een loodzware slaperigheid die hij niet kon weerstaan.

Een hardnekkig vibreren in zijn broekzak rukte hem uit zijn sluimer. Ian nam op, mompelde iets en klapte de gsm weer dicht.

Hoe lang heb ik geslapen? vroeg hij zich af, terwijl hij zich uitrekte. Hij keek op de klok. *Bijna twee uur!* Het was vijf uur 's middags.

Hij had zojuist goed nieuws gekregen: zijn bagage was teruggevonden. Zijn koffer was op de verkeerde wagen geladen en na een uitgebreide rondrit over het vliegveld bij *lost luggage* beland. Om 17:30 uur moest hij zich daar melden, dan zou men hem zijn koffer 'zonder verdere problemen' ter hand stellen, zo had de employee van *bagage claim* hem verzekerd. Dan kon hij eindelijk deze luchthaven verlaten, waar hij al veel te veel tijd had verspild.

***

Je heet niet langer Mauke Nuha. Nu ben je Sebastian Haller. Denk daaraan. Je moet reageren als je zo wordt aangesproken. Kijk niet verbaasd. Aarzel niet. Anders doe je jezelf eigenhandig de das om.
Dat dacht de man zonder herinnering, terwijl hij de automatische schuifdeuren passeerde en de internationale vertrekhal betrad.
Nu ben ik niet langer Mauke Nuha. Ik heet nu Sebastian Haller.
Sebastian trok de honkbalpet van de Chunichi Dragons wat dieper over zijn voorhoofd en zette zijn zonnebril af. Met een al te verscholen gezicht zou hij te veel opvallen.
Hij was gespannen. Klamme handen, droge mond.
Bovendien probeerde hij met een vals paspoort te reizen. Hij vertrouwde Horu en Waremu blindelings, maar illegale emigratie was niet bepaald hun expertise. Waarschijnlijk hadden ze zich in de twee dagen van hun afwezigheid tot de een of andere lokale maffia, een onderafdeling van de Yakuza, gewend. Ze hadden veel voor hem geriskeerd.
Maar nu was híj in gevaar. Stel dat hij werd betrapt? Gearresteerd werd? Dat zou het einde zijn.
De centrale hal ontving hem met een explosie van flikkerende beeldschermen, gehaaste mensen, bergen koffers, vermoeide reizigers, neonreclames en borden vol onbegrijpelijke karakters. Een onverwacht wee gevoel in zijn maag herinnerde hem eraan dat hij die dag nog niets gegeten had. Hij liep naar een kleine kiosk waaraan een Amerikaanse vlag hing.
Het water liep hem in de mond toen hij een hotdog en een cola kocht. Met een rilling van genot zette hij de tanden in het broodje. Vergeten smaken doemden uit zijn herinnering op en schoten als een elektrische storm door zijn lichaam.

***

LUCHTHAVEN NAHA, OKINAWA, 19:30 UUR

'"Zonder verdere problemen", ammehoela!' mompelde Ian nerveus. Om zijn koffer terug te krijgen had hij nog twee zenuwslopende uren moeten wachten.

Niet te geloven! Zelfs bij lost luggage *slagen ze erin hem kwijt te raken!*

Nu kon hij eindelijk gaan. Met een zucht van verlichting doorkruiste hij de automatische schuifdeuren van de internationale aankomsthal. Toen bleef hij abrupt staan, maakte rechtsomkeert en glipte door de zich sluitende glazen deuren weer naar binnen.

Er was nog een kwestie die hij op vliegveld Naha moest afhandelen.

***

LUCHTHAVEN NAHA, OKINAWA, 19:40 UUR

Sinds ongeveer twintig minuten zat Sebastian op een stoel in de brede gang die naar de gates leidde. Voor zich had hij – op veilige afstand – de ingang van de post van de luchthavenpolitie. Het hol van de leeuw.

Nerveus keek hij om zich heen, de pet over zijn voorhoofd getrokken, de rugzak op zijn knieën. Af en toe stond hij op om zijn benen te strekken, zonder de deur uit het oog te verliezen. Beambten kwamen en gingen. Niemand verwaardigde hem met een blik.

Misschien moet ik maar naar de politie gaan. Zeggen wat me overkomen is. Misschien kunnen zij me helpen, iemand zal me toch als vermist hebben opgegeven...

... of niet?

In elk geval zullen ze me beslist niet arresteren. Ik heb niets verkeerd gedaan, nog niet tenminste.

Maar als ze me met een valse pas betrappen, ben ik erbij. Ik weet niet precies wat me dan te wachten staat, maar in Wales kom ik dan vast niet. En misschien zouden ze het amnesieverhaal ook niet meer geloven. Ze zouden denken dat ik het verzonnen heb.

Maar hij voelde dat het verraad tegenover Horu zou zijn om naar de politie te gaan. Horu, die geen greintje vertrouwen in de politie had en alles in het werk had gesteld om hem terug naar Wales te laten gaan: hij

138

had zijn schat verkocht, het leven van zijn vrouw op het spel gezet en haar uiteindelijk voor hem opgeofferd.

Het vliegticket staat op naam van Sebastian Haller. Als ik naar de politie zou gaan, zou ik het eerst samen met de pas moeten weggooien. En ik zou niet genoeg geld hebben om een nieuwe aan te schaffen. Maar misschien is er in zulke gevallen financiële ondersteuning.

Hij moest snel beslissen. Als hij de vlucht wilde halen, had hij nog maar een paar minuten om in te checken.

Er ging een flits door hem heen die elke twijfel het zwijgen oplegde.

Het was beter om naar de politie te gaan.

***

LUCHTHAVEN NAHA, OKINAWA, 19:43 UUR

Ian haastte zich door de gang die naar de gates leidde.

Verdomme! De halve dag verknoeid met wachten op mijn bagage en nu vergeet ik ook nog eens het enige wat ik te regelen had!

Op een bord las hij: POST LUCHTHAVENPOLITIE.

Hij volgde de pijl en sloeg de hoek om.

***

LUCHTHAVEN NAHA, OKINAWA, 19:45 UUR

De man zonder herinnering zette zijn Chunichi Dragons-pet af.

Ja, hij zou naar de politie gaan. Zijn besluit stond vast. Hij werd meteen heel rustig. Hij zou zijn lot in andere handen leggen, iemand anders zou voor hem beslissen. Het zou nu allemaal goed komen. De politie zou ervoor zorgen dat zijn verleden en zijn naam boven tafel kwamen.

Afgelopen met de valse identiteiten, afgelopen met 'Sebastian Haller'. Nu wilde hij alleen nog maar af van het hele gedoe.

Hij kwam overeind uit de stoel en zette zich bedaard in beweging.

Abrupt bleef hij staan, deed een snelle stap terug en liet zich opnieuw in de stoel vallen. Instinctief zette hij de pet weer op en keek omlaag.

Er was hem een man gepasseerd die doelbewust op dezelfde deur af liep. Hij was van westerse herkomst, pakweg een meter tachtig, rond de zestig jaar oud.

Hij droeg een zandkleurig pak, had grijzend haar en een zongebruinde huid. Fijne trekken, waarover echter een diepe uitputting lag.

En die ogen. Die ogen, die hij slechts vluchtig gezien had, herinnerden hem aan zijn eigen ogen, die hem maanden tevoren vanuit de spiegel hadden aangestaard.

Deze man had iets zo vertrouwds...

Hij werd duizelig.

Maar waarom?

Omdat deze man zijn vader was.

Maar natuurlijk, wat dom van me! Geen wonder dat ik me zo voel. Hij is de eerste westerling die ik tegen het lijf loop, die ik wat beter bekeken heb. Misschien is hij zelfs een landgenoot van me.

Hij voelde de onweerstaanbare drang de man aan te spreken.

Maar wat zou ik moeten zeggen? 'Pardon, ik heb mijn geheugen verloren en u herinnert mij aan iemand'? Of: 'Pardon, komt u misschien uit Wales?'

Hij monsterde de man, die met de rug naar hem toe stond, met een indringende blik. Een onverklaarbare golf van genegenheid spoelde over hem heen, een instinctieve sympathie, een warm gevoel in zijn hart. Toen zag hij hem achter de gepantserde deur van de politiepost verdwijnen.

Ach wat, het zou absurd zijn geweest die man lastig te vallen.

Horu's dreunende lach klonk hem in de oren.

Nu naar de politie gaan, na alles wat hij had doorgemaakt, wat zij – zijn vrienden en hij – doorgemaakt hadden, zou absurd zijn geweest.

Hij wist niet waarom, maar deze ontmoeting had hem van gedachten laten veranderen. Ze had alle twijfels verjaagd en hem weer moed gegeven. Een raadsel wachtte op een oplossing, en alleen hij kon die vinden, niet de politie.

Vastbesloten stond Sebastian op en liep naar de inmiddels vrijwel lege incheckbalie.

Nu zullen we zien of het geluk nog aan mijn zijde is.

Met bonkend hart en klamme handen stak Sebastian de stewardess van Celtic Airlines zijn ticket en paspoort toe.

Sebastian Haller, las ze zwijgend. Ze wierp een vluchtige blik op de foto, toen op zijn van opwinding starre, bleke gezicht. Ze typte iets in op de computer, vroeg hem of hij alleen handbagage had – ja, antwoordde hij –, overhandigde hem zijn instapkaart en legde hem kort uit hoe hij bij zijn gate kwam.

Oké. Alles oké. Sebastian haalde diep adem om kalm te worden.

Ook bij de metaaldetector leek alles op rolletjes te gaan. Hij had de rugzak op de lopende band gelegd die hem door de röntgenautomaat haalde. Vervolgens was hij misschien iets te haastig door de metaaldetector gelopen. Geen vreemde geluiden, geen vragen. Alles in orde.

Een Japanse politieman met een groot litteken onder zijn rechteroog had een afwezige blik in zijn paspoort geworpen en het teruggegeven. Kennelijk had hij niet veel zin om te werken, misschien ging zijn weekend vandaag in.

Met haastige stappen repte Sebastian zich weg, sidderend van spanning, maar met een glimlach. Gelukt!

'Meneer!' riep een stem hem na.

Zijn spieren verstijfden.

Rustig aan. Misschien heeft hij het niet tegen jou.

Hij liep verder alsof er niets aan de hand was, alleen wat langzamer dan eerst.

'Meneer, blijft u alstublieft staan!'

Twee koude zweetdruppels liepen langs zijn ruggengraat. Hij draaide zich om.

De politieagent met het litteken wenkte hem terug.

'Wilt u uw rugzak openmaken?' vroeg hij streng.

Waarom dat dan?

Sebastian gehoorzaamde.

Met voorzichtige gebaren haalde de agent de bundel kleren tevoorschijn en wikkelde die behoedzaam open. Triomfantelijk hield hij het voorwerp omhoog en knipoogde naar zijn collega's achter het beeldscherm.

'Wat heb ik je gezegd? Een *rebellib*, en zo te zien een echte!'

Re'wellib, verbeterde Sebastian hem in gedachten, maar hij waagde het niet het hardop te doen.

'Deze objecten zijn zeldzaam en waardevol, meneer,' zei de politieman ernstig. 'Ze behoren tot een inmiddels ondergegane cultuur. Ik weet niet hoe u eraan gekomen bent,' hij keek hem vorsend aan, 'maar past u er maar goed op!'

Hij gaf de *re'wellib* terug. Sebastian knikte en slikte moeizaam.

'Natuurlijk. Doe ik,' antwoordde hij zacht en hij borg Horu's geschenk weer in zijn rugzak.

Om 22:15 uur precies betrad Sebastian het vliegtuig.

Over circa twintig uur, inclusief een tussenstop in Shanghai, zou hij in Cardiff uitstappen, in het oude land Wales. Waar de waarheid, wat die ook precies mocht wezen, op hem wachtte.

22

ONDER DE STERREN VAN WALES

Toen de stewardess langskwam met de krantentrolley, legde Sebastian de hand op de *South Wales Evening Post*. Hij had zo veel adrenaline in zijn bloed dat hij amper stil kon zitten. Hoewel de veiligheidsgordel hem aan zijn stoel kluisterde, zat zijn adem nog hoog en zijn hart ging tekeer. Maar alles was goed gegaan, hij had het gered.

Hij bevoelde het krantenpapier en snoof de geur ervan op. Eindelijk iets wat hij lezen en begrijpen kon! Hij keek om zich heen: zijn medepassagiers zagen er bijna allemaal westers uit en spraken zijn taal. Hun gezichten maakten een vertrouwde indruk.

Hij keerde naar huis terug.

Met trillende handen bladerde hij de krant door. Zijn zintuigen waren klaarwakker, bedacht op de kleinste hint, een foto, een naam die de vonk van de herinnering zou kunnen ontsteken.

Al spoedig vervaagden de letters voor zijn ogen. Slaperig gaf hij zich over aan gelukzalig gemijmer. Hij dacht aan de dagdroom die hij bij het netten boeten op het eiland had gehad: hoe hij de vliegtuigtrap af liep, zijn eerste schreden op Welshe bodem zette, de herinneringen die in hem opstegen als uit een opborrelende onderaardse bron.

'Dames en heren, hier spreekt uw captain.'

Een krakende stem uit de luidspreker boven zijn stoel wekte hem.

'Over enkele minuten zullen wij in Cardiff landen. Het is nu 16:30 uur. Het weer is bewolkt, de buitentemperatuur is 15 graden Celsius. Dank u dat u met Celtic Airlines hebt gevlogen.'

Het vliegtuig landde veilig.

Met de rugzak in de hand sloot Sebastian geduldig aan in de rij die naar de uitgang schuifelde. Hij nam afscheid van een glimlachende stewardess en stapte de winderige buitenlucht in. Van boven aan de trap telde hij de treden die hem van de grond scheidden.

Het vreemde gedicht, zijn voorspelling, werd werkelijkheid.

Zeven treden...

Wij zullen alleen uitvaren en dan,
onder de sterren van Wales

Vijf treden...

over het verdronken land,
bemand met hun liefjes

Drie treden...

Mijn arke zingt in de zon
aan het godzalige zomereind

Laatste trede...

en de vloed staat nu in bloei.

Sebastian sloot zijn ogen en bleef staan, stond letterlijk stil bij dit ogenblik. Toen maakte hij contact met de grond.

Maar het ogenblik ging voorbij, en het volgende ook. De golf van herinneringen bleef uit. Hij herinnerde zich niet plotseling zijn naam en ook niet die van de vrouw die hij zocht.

Er gebeurde helemaal niets, net als in zijn somberste verwachtingen. Enkel een gevoel van verlorenheid dat zo sterk was dat het hem duizelde.

Rustig, zei hij tegen zichzelf terwijl hij de bittere teleurstelling wegslikte. *Wat had je dan verwacht? Je bent koud uitgestapt, staat nog op het vliegveld. Geen haast. Er zal iets gebeuren.*

Ik voel het.

Hij stak het platform over en betrad het luchthavengebouw. Hij kon de reclameborden en de neonletters lezen, hij begreep de omroepberichten en de gespreksflarden die hij opving, zag de gezichten die op het zijne leken en toch...

Kalm blijven. Het is toch logisch dat er hier op het vliegveld niets gebeurt?
Een zin kwam in zijn hoofd.

'Luchthavens zijn overal op de wereld hetzelfde.'
Waar kwamen die woorden vandaan? Uit zijn vergeten herinneringen leek een verre stem op te doemen.
Misschien gebeurde er iets...

'Croeso y Cymru!' Een tsjilpende stem haalde hem terug naar de werkelijkheid. Een jonge vrouw in een knalblauw mantelpakje en een felle sjaal met het opschrift CELTIC TOURISM stak hem een vakantiefolder van Wales toe.
'Dank u,' antwoordde Sebastian, terwijl hij de folder aanpakte.
'Prynhawn da!' zei de hostess tegen een andere passant.
'Sut mae?' sprak de hostess hem nogmaals met een stralende glimlach toe.
'Sorry, ik versta geen...'
Het meisje barstte in lachen uit.
'Ik zei: "Welkom in Wales. Hoe maakt u het?" Bent u hier met vakantie?'
Hij knikte dom.
'Leert u dan toch een paar woordjes *Cymraeg*. Dan zullen de mensen hier u nog hartelijker bejegenen. In de folder vindt u ook een miniwoordenboek Engels-Cymraeg'.
Sebastian werd onrustig.
'Cymraeg? Wat is dat voor iets? Een soort plaatselijk dialect?'
'Ssst! Als iemand het hoort!' las ze hem schertsend de les. 'Cymraeg, de Engelsen zeggen Welsh, is de eigenlijke taal van de Welsh. Iedereen kent het en spreekt het, is er heel trots op en hoedt het als een schat. Het is een heel oude taal.'
Met open mond bleef Sebastian staan, terwijl het meisje doorging met het uitdelen van haar prospectussen.
Alle Welsh kennen deze taal...
'Hwyl!' zei het meisje glimlachend tegen hem. 'Dat betekent: tot ziens!'
Verdoofd, alsof hij een oorvijg had gekregen, liep Sebastian verder.
Cymraeg, de taal van Wales... waarom ken ik die niet? Misschien is het onder mijn amnesie begraven. Toch raar dat het helemaal niet vertrouwd klinkt. Absoluut niet vertrouwd. Alsof ik het nog nooit heb gehoord!
Hij kwam uit op een groot voorplein. Taxi's, auto's en pendelbusjes flitsten voorbij. Mensen passeerden hem gehaast, sleepten rolkoffers

achter zich aan of duwden met koffers en tassen beladen bagagekarren voor zich uit. Iedereen repte zich ergens heen.

Alleen hij had in deze chaos geen doel.

Langzaam wandelde hij tussen de streekbussen door en las de bestemmingen. Hij hoopte een vertrouwde naam te ontdekken.

Bristol... nee, Newport... ook niet, Gloucester... nee, nee.

Een bejaarde buschauffeur stapte uit zijn voertuig, leunde ertegen en stak een sigaar op. Sebastian bleef staan en monsterde hem: er lag iets eerbiedwaardigs in de trekken van de man, waardoor hij er in zijn chauffeursuniform merkwaardig vermomd uitzag. Sebastian keek omhoog naar de bovenkant van de bus. Er liep een rode tekst over het led-display.

```
Dylan Thomas-tour:
Caerdydd — Sweyn'Ey — Talacharn
(Cardiff — Swansea — Laugharne)
```

Een soort zesde zintuig roerde zich in hem. Hij haalde het boek uit zijn rugzak en liep op de buschauffeur af, wiens naam, Sullivan Dodger, op een schildje op zijn jasje prijkte.

'Neem me niet kwalijk,' zei hij schuchter. 'Misschien kunt u mij helpen. Kunt u mij misschien iets over dit boek vertellen?'

Behoedzaam hield Sebastian hem het opengeslagen boek voor. De buschauffeur greep er kordaat naar. Geërgerd rolde hij met zijn ogen.

'Wil je me in de maling nemen? Verdomde hippies, komen hier op zoek naar verlichting en maken alleen maar problemen! Nu willen jullie een mens ook nog voor de gek houden!'

Toen zag de buschauffeur Sebastians blik en verstarde hij. Iets in die verloren, smekende, zongebleekte ogen raakte hem. Een hoogst zeldzame aanval van mededogen overviel de oude Sullivan Dodger. Hij mompelde een excuus.

'Nou ja, het is ook alsof je in Londen loopt en vraagt wie de *Sonnetten* heeft geschreven, of dat je in Florence naar de auteur van *De goddelijke komedie* vraagt. Nogal irritant, toch?'

Sebastian staarde hem met grote ogen aan. Hij begreep er geen sikkepit van.

'Kortom,' vervolgde Sullivan, 'naar Wales komen en naar Dylan Thomas vragen! Die bladzijde die je me liet zien is van 'Proloog', een van zijn beroemdste gedichten. Waar kom je eigenlijk vandaan? Van de maan? Dylan Thomas is onze grootste dichter! En dit boek hier is helemaal verspocht.'

Dylan Thomas... herhaalde Sebastian in gedachten.

'Kijk' - de buschauffeur sloeg het gedicht weer op -, 'hier staat het toch.'

Hij tikte op de voet van de pagina.

yla homa

'"Dylan Thomas". Beetje verbleekt. Is het boek in de wasmachine terechtgekomen of zo?'

yla homa
D - yla - n... T - homa - s...

Een duizeling. Sebastian moest zich aan de bus vasthouden.

'Alles in orde, jongen?' vroeg Sullivan, die Sebastians gebruinde gezicht plotseling bleek zag wegtrekken. 'Maar als je je voor Dylan Thomas interesseert, ben je bij mij aan het goede adres. Mijn bus is speciaal bedoeld voor toeristen die het spoor van de grote dichter willen volgen.'

Mechanisch ratelde hij de gebruikelijke riedel af. 'De tour begint hier op de luchthaven en eindigt in Laugharne, het dorp waar Thomas zijn vruchtbaarste scheppingsperiode had. En waar ondergetekende woont.' Sullivan glimlachte flauw en keek naar de mensen die zich bij de bus verdrongen.

'Dus als je zin hebt, de rondrit kost achttien pond.'

Sebastian betaalde als in trance. Hij stapte in, liet zich op de eerste vrije stoel naast de bestuurder vallen en begroef zijn hoofd in zijn handen.

Yla homa... Dylan Thomas... De auteur van dit gedicht, een Welshe dichter! Mijn god, ik heb het helemaal bij het verkeerde eind. Het heeft niets met mij te maken.

Zijn lippen plooiden zich tot een verbitterde glimlach.

En ik dacht dat het een boodschap voor mij was. Een teken dat ik moest volgen. Mijn voorspelling die ik moest waarmaken. Maar in plaats daarvan...

Ik ben verloren.

Dylan Thomas. De naam galmde door zijn hoofd, alsof hij hem altijd al had gekend. De bus vulde zich, de pneumatische portieren sloten zich snuivend. De rit begon.

Een grijs, mistroostig landschap trok aan het raam voorbij, het weerspiegelde zijn bedruktheid. De hemel bestond uit donker kolkende wolkenpartijen. In de verte, in de richting van het noorden, waren in mist gehulde bergen te zien. In het zuiden de zee, zwart als aardolie.

Llangewydd, Cefn Cribwr, Llandarog, Ystalyfera, Glynneath, Gwan-Cae-Gurwen...

De plaatsnamen op de voorbijtrekkende verkeersborden zeiden hem niets. Deze taal, het Cymraeg, klonk minstens zo eigenaardig en vreemd als de taal van Horu.

Hij kwam niet van hier, uit Wales.

Het offer van zijn vrienden was zinloos geweest.

Na een uur rijden doorkruisten ze een flinke stad. De buschauffeur draaide zich naar hem om.

'Dit is Swansea, oorspronkelijk *Sweyn's Ey*. Hier is Dylan Thomas geboren.'

De bus stopte. De bestuurder zei hetzelfde nog eens door de microfoon, toen opende hij de deuren. Een paar reizigers stapten uit met hun bagage. Sebastian was als verlamd. Als hij was opgestaan, zou hij hebben overgegeven.

Een uur later bereikten ze Laugharne, Talacharn in het Cymraeg, zoals de chauffeur door de microfoon uitlegde. De bus stopte op een ruim plein dat werd omringd door oude lage huizen met schuine daken en stenen of houten gevels. Even verderop was een riviermonding te zien, traag stromend grijs water op weg naar zee.

Sebastian stapte de bus uit en keek verschrikt om zich heen.

Eindelijk werd de duistere droom werkelijkheid.

Na al die ellende, na dat zinloze sterfgeval, was zijn hoofd leeg gebleven. Precies als voorheen.

En nu was hij alleen. Zonder onderdak, Zonder geld.

Maar wat hem het meest kwelde, was dat zíj hem in de steek gelaten had.

Hij wankelde een geplaveid straatje af, de hoofdstraat van Laugharne. IJzige windvlagen geselden zijn gezicht. Als uit een nevelsluier doemde de ingang van een herberg voor hem op.

THE DYLAN THOMAS' INN

Hij duwde de zware houten deur open en stapte naar binnen.

In een enorme schouw brandde een vuur. Een paar gasten zaten zwijgend rond grove, zwaar bekraste houten tafels bier te drinken. Aan de wanden hingen lijsten met oude foto's, allemaal met hetzelfde onderwerp: een papperige, bohemienachtige man die aan het drinken, roken of schrijven was.

Sebastian liep op de waard af, die met zijn ellebogen op de toog leunde. Een als uit steen gehouwen gezicht, wit haar, dichte baard, twee felblauwe ogen tussen zware oogleden.

'Goedenavond,' groette Sebastian. 'Hebt u voor vannacht een kamer vrij?'

'Denk het wel,' antwoordde de man nors, met een blik op het open register. 'Twintig pond per nacht, vooraf te betalen.'

Sebastian schatte de inmiddels karige inhoud van de envelop.

'Ah.' Zijn blik dwaalde nerveus door de gelagkamer. 'Hebt u toevallig niet wat goedkopers?' stamelde hij verlegen.

De waard bromde iets en monsterde hem van top tot teen.

'Ik heb nog een andere kamer. Een beetje stoffig, maar verwarmd en met badkamer. Vijftien pond per nacht.'

'Oké, ik neem hem, voor één nacht.'

'Ik heb een legitimatie nodig,' zei de waard, terwijl hij iets in zijn register noteerde.

Ietwat aarzelend legde Sebastian het geld en het paspoort op de toog.

'Sebastian Haller,' las de waard hardop. 'Ik zie hier dat je Welsh bent. Heb je nog andere legitimatie?'

'Helaas niet, nee.' Sebastians gezicht gloeide.

'Geeft niet. Hier tekenen... prima... en dat was het. Dit is de sleutel. Het hotel sluit om elf uur. Ontbijten kan tot tien uur. Vóór morgenmiddag vier uur moet de kamer vrij zijn. Prettige avond nog.'

Sebastian pakte de sleutel en wilde naar zijn paspoort grijpen, maar de hand van de waard hield hem tegen.

'Die houd ik nog even bij me,' zei hij bruusk. Dat beviel Sebastian helemaal niet.

Hij draaide zich om en liep naar de trap. Aan een tafel zag hij Sullivan Dodger, de buschauffeur, zitten, nog steeds in uniform en met zijn blauwe pet op. Sebastian stak zijn hand naar hem op, maar hij reageerde niet.

'Vreemde jongen, vind je niet, Balth?' riep de buschauffeur naar de waard, zodra Sebastian op de trap verdwenen was. 'Ik heb hem meegenomen van het vliegveld. Stel je voor, hij hield me twee bladzijden van de "Proloog" onder mijn neus en vroeg me of ik hem er wat over kon vertellen. Haha! Ongelooflijk! Die heeft ze niet allemaal op een rijtje. Het lijkt me best een aardige jongen, maar in jouw plaats zou ik hem in de gaten houden.'

'Daar kun je je ouwe brits onder verwedden, dat ik hem in de gaten hou,' siste de waard ijzig.

Hij zwaaide met het paspoort.

'Bij Myrddins baard, deze pas hier is vals.'

23

DYLAN'S WALK

Toen Sebastian wakker werd, duurde het geruime tijd voordat hij wist waar hij was. Voor het eerst, althans voor zover hij zich kon herinneren, had hij in een echt bed geslapen, diep en ononderbroken.

Hij stond op. Instinctief greep hij naar zijn rugzak en rukte hem open. Alles was nog precies zoals hij het de avond tevoren had achtergelaten.

Oké, oké. Maar ik heb te diep geslapen. Iedereen had hier naar binnen kunnen lopen.

Hij opende de badkamerdeur en liep zonder in de spiegel te kijken naar de wastafel. Hij draaide de kraan open en keek met een kinderlijke glimlach naar de waterstraal. Met dezelfde geamuseerde uitdrukking trok hij de wc door.

Dit is me allemaal vertrouwd. Maar waar hebben mijn herinneringen zich verstopt? Waarom komen ze niet terug?

Wat moet ik verdomme nog meer doen?

Woedend sloeg hij met zijn vuist tegen de wand. De spiegel trilde en viel bijna op de grond. Een bloedvlek kleefde aan de tegel.

Hij moest rustig worden. Hij kleedde zich uit en stapte onder de douche. Bijna een half uur lang stond hij onder de lauwe straal en liet het water op zijn hoofd en schouders kletteren tot hij aan niets meer dacht.

Hij droogde zich af, trok schone kleren aan, groef in zijn zakken en wierp een blik in de envelop met geld: van alles wat Horu voor de parels gekregen had, was nog maar zeventien pond over. Dat was net genoeg voor een overnachting. Hij pakte de rugzak en verliet de kamer.

Op de begane grond was de gelagkamer leeg. Hij doorkruiste hem met bedachtzame stappen. De brede houten planken kreunden onder zijn gewicht.

'Je bent te laat. Ontbijt tot tien uur,' riep de waard hem toe vanuit de keuken.

'Geen probleem, geeft niets,' riep Sebastian terug. 'Kan ik nu mijn pas terugkrijgen?'

'Tuurlijk. Die krijg je zodra je de kamer vrijmaakt.'

'Maar...'

De keukendeur sloeg dicht en smoorde elke discussie in de kiem. Op weg naar buiten zag Sebastian een kleine poster bij de ingang.

`Gevraagd: allround voltijds hulp.`
`Passend loon. Richt u tot de receptie.`

Naast de voordeur gaf een dagkalender de datum aan: 1 oktober. Daaronder een bijbelcitaat in gotisch schrift.

> *Mijn omzwervingen hebt u opgetekend,*
> *Vang mijn tranen op in uw kruik.*
> *Staat het niet alles in uw boek?* (Psalm 56,9)

Met een licht gevoel van onbehagen duwde Sebastian de deur open en stapte naar buiten, de vochtig grijze lucht van Laugharne in. Het was 1 oktober. Hij was in Wales. Hij had geen flauw benul wat hem te doen stond of waar hij naartoe moest.

Huiverend stak hij de straat over en bereikte het plein waar hij de avond tevoren uit de bus was gestapt. De oude Sullivan Dodger was er niet. In plaats daarvan stond er een andere lege bus, met een bord achter de voorruit: RITTEN NAAR CAMARTHEN: £ 5

Camarthen... Nog een stad, nog een naam die me niets zegt.

Wat doe ik hier eigenlijk?

Een ijzige windvlaag geselde zijn gezicht.

Heb je me werkelijk hierheen geleid? Of was het een gril van het toeval, een vervloekte aaneenschakeling van toevalligheden zonder betekenis?

Hij keek op en nam voor het eerst bewust het panorama in zich op. Het was indrukwekkend. De huizen keken uit over een weidse, grazige riviermonding, breed als een meer. In de verte kronkelde het water zich door donker heideland en mondde uit in een tweede rivier. En precies op het punt waar de beide mondingen zich verenigden, vloeiden ze samen in de verre, nevelige zee.

Sebastian voelde een overweldigende triestheid over zich heen komen. Dit uitzicht was hem absoluut niet vertrouwd en toch was er iets wat hij niet benoemen kon... maar wat misschien...

Hij klom over het muurtje dat het plein afgrensde en slenterde om-

laag naar de dichtstbijzijnde oever. Het terrein daalde af naar modderig moerasland, bezaaid met door de wind geteisterde plukjes groen
en doorsneden door geulen. Hij liep een honderdtal meters, zakte en-
keldiep in de blubber en bereikte een smalle, droge weg. In de verte,
beschermd door het water, waren de ruïnes van een kasteel te zien. Op
een bord stond:

```
            Castell Talacharn
        Castell yn nhref Talacharn,
            yn ne Sir Gaerfyrddin
    Yw Castell Talacharn ar aber Afon Taf
                    §
            Laugharne Castle
        gelegen aan de monding van de Taf,
            Tywi en Gwendraeth,
            die hier bijeenkomen
    om samen in de Baai van Camarthen uit te stromen
```

*Uitgerekend op het moment dat de beide stromen willen samenvloeien,
verdwijnen ze in zee.* De tranen schoten hem in de ogen. Hij moest ze
met geweld terugdringen om het niet uit te snikken als een kind.

Wat gebeurde er met hem?

De weg leidde omlaag naar de rivieroever en boog toen in de richting van het kasteel. Verder naar beneden ging het moeras over in een
grijs kiezelstrand dat over een afstand van ettelijke honderden meters de
monding bezoomde. Het liep langs de rivieroever tegenover het kasteel
en kwam uit tussen de rivier en een rij knoestige eiken.

Met zijn armen voor zijn borst gekruist om zich tegen de ijzige wind
te beschermen, daalde Sebastian af naar het strand en liep het een heel
eind af. Zand en kiezels bleven aan zijn modderige schoenen kleven en
maakten het lopen moeizaam.

Halverwege bleef hij staan.

Borrelend en met grijs schuim bedekt spoedde de donkere rivier zich
voort. Ook aan de hemel kolkten de vale, trage wolken om elkaar heen,
als zwarte zwermen insecten.

Op dat moment hoorde hij voor de eerste keer de kinderstem.

In het bijzonder wanneer de oktoberwind
met vorstige vingers mijn haar kastijdt...

Hij kromp ineen, alsof er plotseling een hand op zijn schouder werd gelegd. Maar er was niemand. De woorden hadden in zijn hoofd geklonken.
Een verre, gedempte, zachte stem. Nerveus drukte hij zijn handen tegen
zijn oren. Waar kwamen die woorden vandaan? Wie fluisterde ze hem toe?

ik betrapt door de visser-zon over vuur loop
en een krabschaduw op het land werp...

Hij bevond zich in het oog van een tornado, geluiden en beelden wer-
velden om hem heen.

op het strand bij zee, onder het vogeltumult,
als ik de raaf hoor hoesten in het winterriet,
vergiet mijn vlijtig hart, dat siddert als ze spreekt,
syllabisch bloed en zift haar woorden uit.

Alles draaide. Hij zag de kasteelruïne, de stroomversnellingen in de rivier, de huizen van Laugharne een paar keer om hem heen zwieren. Hij
verloor zijn evenwicht en viel voorover in het zand.
    Langzaam krabbelde hij op.
    Van wie was die stem? Was hij gek aan het worden? Of probeerde ie-
mand hem te helpen?
    In het bijzonder wanneer de oktoberwind... Sebastian herhaalde de
woorden in zijn hoofd en probeerde zich meer te herinneren. Misschien
waren ze belangrijk. Misschien bevatten ze een boodschap.
    Hij voelde de drang om weg te lopen.
    Achter de bomen die het strand bezoomden liep een smalle weg langs
de rivier. Besprongen door een onverwachte, oncontroleerbare angst
rende hij erop af. Toen hij er aangekomen was, bleef hij hijgend stilstaan.
De weg kronkelde tussen bomen en struiken door en leidde weg van de
huizen. Er was geen levende ziel te zien, zelfs de vogels zwegen. Alleen
het fluiten van de wind was te horen.
    Hij kwam langs een pijlvormig houten bord.

De begroeiing nam af en je kon de bocht in de rivier weer zien. Het strand was bijna uit het oog verdwenen en de links en rechts door een stenen muurtje geflankeerde weg kwam direct uit op de oeverwal. Een paar honderd meter verder eindigde de bochtige weg voor een merkwaardig huis. Het was een soort kleine villa met een schuin dak en een rondom lopend balkon. Het huis kleefde tegen een rotswand boven de rivier, zodat het boven het water leek te zweven. Op een bord stond:

```
Cartref Dylan Thomas yn Talacharn
(Dylan Thomas Boathouse in Laugharne)

Bezoek het Boathouse van Dylan Thomas!
Entree volwassenen: 3,75 pond
```

Nieuwsgierig kwam Sebastian dichterbij.
Heeft Dylan Thomas hier gewoond? Wat een vreemde plek...
Midden op het kleine voorplein was op een stenen sokkel een grote messing plaquette aangebracht. Door een onverklaarbare onrust bevangen begon Sebastian te lezen.

```
Dylan Marlais Thomas
Swansea, 17 oktober 1914
New York, 9 november 1953
```

Hier in Laugharne, in zijn Boat House, een huis dat in de wereld zijns gelijke niet kent, aan de monding van de Taf, omgeven door een mystiek, suggestief landschap, heeft de grote Welshe dichter Dylan Thomas enkele van zijn vruchtbaarste jaren doorgebracht en inspiratie gevonden voor veel van zijn belangrijkste werken. In mei 1938 kwam hij naar Laugharne, waar hij naar eigen zeggen 'uit de bus stapte, om nooit weer in te stappen'.

Uit de bus stapte, om nooit weer in te stappen... Het klonk als een onheilspellend orakel.

*Aan Laugharne en zijn bewoners heeft Dylan Thomas zijn
werk Onder het Melkwoud opgedragen. Het speelt zich
af in het dorp Llareggub, pseudoniem voor Laugharne:
zijn straten, huizen, bewoners, hun zonden en deugden.
Talrijke plekken in de omgeving hebben Thomas tot zijn
beroemdste gedichten geïnspireerd, zoals St. John's
Hill en Fern Hill.*

Sebastian kreeg een heftig déjà-vugevoel. Kende hij deze namen en plekken al? Was hij al eens hier geweest?

*Thans woont in Laugharne de beroemdste verzamelaar en
kenner van de werken van en over Dylan Thomas, Sir
Ashton Llendebux, die de bijzondere dank van de stad
verdient, ook vanwege zijn grote inzet voor het behoud
van het Boat House.*

Hij keek op. Zijn trommelvliezen klapperden, alsof de luchtdruk plotseling veranderd was. Hij bekeek het Boat House nauwkeuriger: de brede stenen trap die naar de huisdeur leidde, de vier kleine ramen in de verbleekte strogele gevel, de roestkleurige balustrade van het rondlopende balkon op de eerste verdieping.

Het zou interessant zijn om dit huis eens nader te bekijken...
Hij zocht in zijn zak en liet de laatste pondmunten rinkelen.
Maar als ik hier naar binnen ga, kan ik de nacht in de herberg wel vergeten. Ik zou de waard om een paar pond korting kunnen vragen, maar dat is waarschijnlijk geen goed idee.
Sebastian gaf niet op. Hij glipte in de nauwe doorgang tussen de rotswand en de achterkant van het huis, wrong zich tussen takken en onkruid door en spiedde door een stoffig venster. Erachter lag een vertrek dat kennelijk niet te bezichtigen was. Tegen het raam leunden een paar houten borden met aanplakbiljetten, die misschien voor een expositie waren gebruikt. Nieuwsgierig probeerde hij ze te ontcijferen. Dat viel niet mee, want het raam was vies en de kamer donker. Eindelijk had hij de juiste gezichtshoek gevonden.

Proloog

Nu deze dag afloopt
aan dit godzalige zomereind
in de woeste zalmzon
in mijn zeedoorbeefd huis

Hij stopte met lezen, hij wist hoe het verderging. Ontelbare malen had hij deze regels gelezen, hij kende ze uit zijn hoofd: het was het gedicht uit zijn boek. Het symbool van al zijn beschaamde hoop.

Toen keek hij op de poster ernaast en kromp van schrik ineen.

Tiende gedicht

In het bijzonder wanneer de oktoberwind
met vorstige vingers mijn haar kastijdt,
ik betrapt door de visser-zon over vuur loop
en een krabschaduw op het land werp,
op het strand bij zee, onder het vogeltumult,
als ik de raaf hoor hoesten in het winterriet,
vergiet mijn vlijtig hart, dat siddert als ze spreekt,
syllabisch bloed en zift haar woorden uit.

Het waren dezelfde woorden die hij op het strand door een geheimzinnige stem had horen fluisteren. Ook dat waren dus dichtregels van Dylan Thomas?

Laat me er een paar voor je maken uit klinkerbeuken,
een paar van de eikenstemmen en de kronkelige
wortelberichten van menig doornig fabeloord.
Laat me er een paar voor je maken van waterspreuken.

Waarom jij weer? Wat heb je verdorie bij mij te zoeken? Wat wil je me vertellen?

In het bijzonder wanneer de oktoberwind
(laat me er een paar voor je maken van herfstmagie,

de spin-getongde, met Wales' rijke heuvelgalm)
het land met vuisten als knollen bewerkt,
laat me er een paar voor je maken uit harteloze woorden.
Het hart is leeg dat, spellend in de jacht
van chemisch bloed, al sprak van de nad'rende furie.
Hoor aan zee het donker geklinkerde vogelkoor.

Sebastian slaakte een brul en sloeg met zijn vuist zo heftig tegen de ruit dat deze bijna brak.

Haastige voetstappen naderden. Iemand had het lawaai gehoord. Met een sprong verstopte Sebastian zich in het struikgewas. Roerloos hurkte hij daar tot de schaduwen achter het raam verdwenen. Toen vatte hij moed en rende weg door het bos.

Het was na vijven toen hij weer in de herberg aankwam. De ontvangst was niet bepaald hartelijk.

'Hé, je bent laat!' klaagde de waard. 'Om vier uur moest de kamer vrij zijn!'

Alle gasten draaiden zich naar hem om. Onder hen ook Sullivan Dodger, die met drie andere mannen aan een tafel zat. Een van hen droeg een zwarte soutane, waarschijnlijk de dorpspriester.

'Klopt, u hebt gelijk,' antwoordde Sebastian schuchter. 'Maar ik zou de kamer graag nog houden, als dat voor u geen probleem is.'

Zonder op te kijken legde hij vijftien pond op de tapkast.

Hij voelde de priemende, achterdochtige blik van de waard.

'Nee, geen probleem,' bromde deze, terwijl hij het geld pakte. 'En waarom wil je ineens langer blijven?'

De onverwachte vraag dwong Sebastian razendsnel met een plausibele verklaring op de proppen te komen.

'Ja kijk, ik ben hier om onderzoek te doen naar Dylan Thomas. Ik dacht dat ik het in een paar uur rond zou hebben, maar ik heb toch meer tijd nodig.'

'Ben je student? Nee, te oud. Hoogleraar? Wat denken jullie literaten hier eigenlijk nog te kunnen ontdekken! Er zijn toch al hele bibliotheken over Dylan Thomas volgeschreven!'

'Ja, u hebt gelijk. Maar mijn onderzoek is eerder... existentieel van aard. Een psychoanalytische arbeid die met het geheugen te maken heeft.'

De ogen van de waard versmalden zich tot twee felblauwe spleetjes.

'Oké, maar denk erom, morgen verlaat je de kamer op tijd.'

'Eigenlijk wilde ik vragen of ik nog wat meer dagen kan blijven.'

'Hoeveel precies?'

'Dat weet ik helaas nog niet. Ziet u, ik...' – Sebastians stem werd zacht – 'ik dacht we misschien een deal zouden kunnen sluiten. Ik heb uw annonce gelezen en...' – hij werd rood – 'wilde u vragen of ik de baan kan krijgen, als hij nog vrij is.'

De waard monsterde hem.

'Hier werken? Ik neem aan dat het geen zin heeft je naar een getuigschrift te vragen,' zei hij zonder te glimlachen. 'Maar voor mijn behoeften is het voldoende dat je een beetje fut in je armen hebt. Je ziet er wel wat mager uit, maar je bent jong en vast wel taai.'

'Dat zeker! Ik doe alles, geen probleem.'

'Ik moet erover nadenken. Ik heb niet graag dat er vreemden voor mijn voeten lopen. Morgen geef ik je uitsluitsel.'

Sebastian bedankte en vertrok naar zijn kamer. In het voorbijgaan wierp hij een steelse blik op de tafel van de buschauffeur. De mannen hadden de hele tijd gezwegen om geen woord van het gesprek te missen.

'Pas op voor die jongen!' kraste pater Wynngid, de oude priester, met zijn schorre stem, zodra Sebastian de trap op was. 'Ik heb het verhaal van het valse paspoort gehoord!' Met zijn haakneus, ronde kraaloogjes en dubbele onderkin zag hij eruit als een geplukte oude meeuw. 'Vind je niet dat je naar de politie moet gaan?'

De waard wierp hem een vernietigende blik toe.

'De jongen heeft iets in zijn ogen, hè, Balth?' bracht de buschauffeur in het midden. 'Dat is mij ook gelijk opgevallen. Ik weet aan wie hij je doet denken, en het klopt. Hij zou zelfs dezelfde leeftijd kunnen hebben.'

'Nu is het genoeg, afgelopen met die idioterie!' De waard sloeg met zijn vuist op de tapkast, zodat alle aanwezigen zich omdraaiden.

'Ik laat hem een paar dagen voor me werken en hou hem in de smiezen,' sprak hij met rustige stem. 'Ik weet hoe je met landlopers omgaat. En mocht het nodig zijn, dan ga ik naar de politie.' Hij wees naar de priester. 'En alleen als en wanneer het mij uitkomt.'

Woedend stapte hij de keuken in en stuurde een blond meisje met zomersproeten achter de tapkast.

Een uur later liep het groepje mannen de straat op en begon heftig te discussiëren.

'Ik begrijp hem gewoon niet!' riep pater Wynngid met overslaande stem. Zijn adem veranderde in zilveren wolkjes. 'Is hij dan niet bang om zo iemand onder zijn dak te hebben, iemand die met een valse naam uit het niets opduikt?'

'Ik geloof dat hij niet meer helemaal goed bij zinnen is,' zei Sullivan Dodger. 'Ik wed dat hij Llywelyn in hem ziet. Misschien maakt hij zichzelf nog eens wijs dat hij het echt is.'

'Hoe kan een mens zo dom zijn!'

'Maar ergens is het wel te begrijpen, toch? Bovendien is Aeronwy pas gestorven.'

'Als híj de politie niet waarschuwt, doe ik het!'

'Nee, we moeten ons er voorlopig buiten houden. Balth kan heel goed zijn eigen boontjes doppen.'

'Dat mag jij denken, maar we moeten hem in de gaten houden,' zei de pater. 'Als het werkelijk zo is als we denken, zou het kunnen dat de kerel hem wil uitbuiten.'

Tegen middernacht werd Sebastian gewekt door een zacht klopje op zijn kamerdeur. Met bonkend hart schoot hij overeind en deed open. Er was niemand, de gang lag in diepe duisternis. Hij hoorde stappen de trap af lopen.

Iemand had een dienblad op de vloer gezet, met een broodje, een appel en een briefje erop.

Wat mij betreft is het oké. Morgen beginnen. Balthasar
P.S.: Vergis ik me, of heb je niet eens geld om wat te eten te kopen?
Eet smakelijk.

Glimlachend sloot hij de deur. Sinds bijna veertig uur had hij niets meer gegeten of gedronken. Het geldprobleem leek – althans voorlopig – opgelost.

24

TALACHARN

De volgende morgen werd Sebastian bij dag en dauw gewekt; zijn nieuwe werk voor de Dylan Thomas' Inn in Laugharne begon.

'Je mag me Balth noemen en je en jij zeggen, dat doet iedereen,' zei de waard, toen hij hem met zijn pick-up naar zijn eerste opdracht reed: houthakken in de ijzige ochtendnevel, die wit als melk uit het kreupelhout opsteeg.

'Van je eerste loon moet je wat fatsoenlijks aan je lijf kopen,' zei Balth. Sebastian had zijn beide hemden over elkaar aangetrokken en moest desondanks klappertanden. 'Gewoon stevig aanpakken, je zult zien dat je vanzelf warm wordt,' zei Balth, en hij liet hem in het bos achter met een paar honderd tot stookhout klein te hakken stammen.

Sebastian had de arbeidsvoorwaarden zonder tegenspraak geaccepteerd: veertien uur zware arbeid per dag tegen kost en inwoning en een paar pond aan loon.

''s Middags heb je een paar uur voor jezelf,' had Balthasar spottend gezegd. 'Dan kun je je onderzoek op de rails zetten.'

Kennelijk had hij de smoes over Dylan Thomas niet geslikt.

De dagen vlogen om. Balth pakte hem hard aan en gunde hem geen respijt. Van ochtend tot avond kloofde Sebastian hout in het bos, laadde het op een tractor, keerde naar de herberg terug en stapelde het op in het houtschuurtje. Amper had hij gedoucht en iets gegeten – hoezo vrije tijd? – of hij moest al naar de gelagkamer om tot middernacht eten en bier te serveren.

Hoe zwaar het werk ook was, het was niets in vergelijking met wat hij achter de rug had. Maar buiten op de oceaan had hij een doel gehad dat de kwellingen en ontberingen draaglijk maakte en ze zin gaf. Nu zag hij de zin er niet van in. Het ging enkel om overleven, tot er eindelijk iets zou gebeuren. Iets wat hij zich niet eens kon voorstellen. Iets wat misschien helemaal nooit zóú gebeuren.

De nachtmerrie die Mauke Nuha maandenlang gekweld had, werd

werkelijkheid. Naar Wales komen en ontdekken dat hij alles verkeerd had gedaan. De muur van de amnesie niet omver kunnen halen. In een impasse raken, zonder geld, zonder naam, zonder eigen leven, in een of ander gehucht vast komen zitten.

Háár niet terugzien.

Het harde werken had één voordeel: het bevrijdde hem van ieder nadenken, van ieder gevoel. Op het eind van de dag sleepte Sebastian zich volledig uitgeput naar zijn kamer. Maar hij vond het wel best zo. Hij was gekomen om zijn verloren herinneringen terug te vinden, maar inmiddels wilde hij alleen nog de weinige die hij nog overhad uitwissen. Hij wilde verdampen, oplossen, niets en niemand meer zijn.

En inderdaad ontbrak daar niet veel aan.

De avonden haatte hij het meest. Hij voelde dat de dorpelingen in de gelagkamer hem voortdurend aangaapten. Vooral de priester leek het op hem te hebben voorzien. Steeds opnieuw liet hij halve zinnen vallen die als provocaties klonken, maar waarop Sebastian bewust niet inging. Hij had de indruk dat de meesten alleen kwamen om naar hem te koekeloeren en achter zijn rug over hem te smoezen. Eén ding was zeker: in Laugharne was hij niet graag gezien.

Hij was alleen en van iedereen geïsoleerd. Als hij klaar was met zijn werk, trok hij zich terug in zijn kamer en gaf zich over aan een kwellend gevoel van heimwee. Eerst had het lot hem verbannen naar een piepklein eiland, maar daar had hij zich nog vrij en op een of andere manier zelfs gelukkig gevoeld; iedereen had hem daar gekend, gerespecteerd en van hem gehouden. Nu was hij genoodzaakt op zijn kamer te blijven, in een dorp waarin iedereen hem vijandig gezind was. Paradoxaal genoeg voelde hij zich hier ontheemder dan bij dat kleine volk in de verre Pacific.

Urenlang lag hij slapeloos te staren naar de geschenken van Horu en Aruke. Hij vroeg zich af waar ze nu waren, of ze de bodhisattva ontmoet hadden, of ze al weer onderweg naar huis waren, en stond stil bij het zinloze offer dat ze voor hem gebracht hadden. Als Horu hem nu kon zien... Een knagend schuldgevoel achtervolgde hem, zijn dwaze dromen hadden een onschuldig leven gekost, dat gered had kunnen worden.

De eenzaamheid was de enige dimensie geworden waaraan hij zijn dagen afmat. Hij sprak met niemand. Zowel het weinige personeel van de herberg – een verlegen meisje met zomersproeten en een oude vrouw die altijd krulspelden in haar haar had – als de weinige andere dorpelingen die hij ontmoette, behandelden hem met huiverige reserve, bijna alsof hij een gevaarlijke crimineel op vrije voeten was of een besmettelijke ziekte onder de leden had. De enige met wie hij zo nu en dan een woordje wisselde, was Balthasar. Maar dat was een zwijgzame, gesloten figuur die alleen het hoogstnodige zei en hem nooit iets vroeg.

Een enkele keer was het tussen hen tot een uitvoeriger, persoonlijker gesprekje gekomen.

'Ik had nooit gedacht dat een hotel zo veel werk zou geven,' had Sebastian hijgend gezegd, terwijl hij een reusachtige zak knolrapen de keuken in sleepte. 'Wie hielp je vroeger?'

'Het zware werk deed ik zelf,' had Balthasar kortweg geantwoord. 'Tot een paar maanden terug dan. Toen is in juli mijn vrouw Aeronwy gestorven.' Hij schraapte zijn keel. 'Nu moet ik me ook om de dingen bekommeren die zij regelde, maar ik kan niet achter alles aan hobbelen. Dus heb ik hulp gezocht.'

'Sorry. Dat van je vrouw wist ik niet... Het spijt me,' had Sebastian bedremmeld gestotterd.

'Geeft niet. Op onze leeftijd waren we alleen nog succesvolle zakenpartners. Natuurlijk mis ik haar een beetje, dat kan ik niet ontkennen. Maar toch vooral omdat ze me met deze vermaledijde tent heeft laten zitten!'

Waarop Balthasar de vaatdoek in de gootsteen had gemikt en de keuken uit was gebeend. Hij mocht zich dan cynisch voordoen, de dood van zijn vrouw had hem diep geraakt. Hij hield nog altijd van haar, ook al zou hij dat nooit hebben toegegeven, en de pijn van het verlies had hem diep geschokt en lichamelijk verzwakt: in drie maanden tijd was hij tien jaar ouder geworden. Het ademen viel hem zwaar en zijn hart protesteerde als de krakende vloer van zijn vervallen pub.

Balthasar was gewend zijn gevoelens te verbergen. Maar Sebastian had gevoeld dat er achter de norse en zwijgzwame buitenkant van de man een goed hart stak. Hij had met iedereen het beste voor, ook al hoedde hij zich ervoor dat te tonen. Op de avond na zijn eerste werkdag had Sebastian in zijn kamer een gevoerd leren jack en twee pullovers gevonden, alle drie splinternieuw, met het etiket er nog aan. Toen hij bedankt had, had Balthasar hem de rug toegekeerd en iets onverstaanbaars gemompeld.

Op een of andere manier deed Balthasar hem aan Horu denken: beiden hadden hem bij zich opgenomen en hem uit pure goedhartigheid geholpen. Beiden hadden pas hun vrouw verloren en leden in stilte. Sebastian vroeg zich af of hem hetzelfde lot wachtte. Waar was de vrouw naar wie hij ondanks alles nog steeds een verterend verlangen voelde? Had het zin verder naar haar te zoeken, hoewel alles daartegen sprak? Zelfs de dromen waren verbleekt tot een vage herinnering, die duizenden mijlen en honderden dagen overleefd had zonder nieuwe voeding te krijgen.

Zo verstreken drie weken in een spiraal van apathie en wanhoop. Waarom bleef hij in Laugharne? Het antwoord was simpel: hij had er werk en onderdak. Maar er was nóg een reden, lastiger te bevatten, maar dringender, een voorgevoel dat hij niet benoemen kon, een innerlijke stem die zich steeds duidelijker kenbaar maakte. Toen hij op een avond naar zijn kamer terugkeerde, besloot hij een manier te zoeken om die stem te bevrijden.

Hij nam het boek ter hand en bevoelde het compacte blok waartoe het zeewater het had samengebakken. Na enkele pogingen lukte het hem uiteindelijk om twee pagina's met behulp van een mes van elkaar te scheiden. Ze waren droog, bobbelig en fragiel als antiek perkament. Hij haalde een potlood uit de la van zijn kast en zette de punt op het papier. De emotie van dit gebaar deed hem huiveren.

Hij stond op het punt een dagboek te beginnen.

Laugharne, 21 oktober

Waar ik nu ben, voel ik me onzichtbaar. Ik zou in rook kunnen opgaan en niemand zou het merken. Ik ben alleen. Niemand kent me – iets anders zou me ook verbazen, ik weet immers zelf niet wie ik ben. Ik hoef alleen maar mijn rugzak te pakken en de deur uit te lopen. Het een eindje verderop zoeken. Doelloos rondzwerven.

Had je maar niet met me gepraat. Had ik je maar niet meer gezien. Dan zou ik dit vergeten kunnen accepteren. Zonder morren zou ik aan mijn nieuwe niet-leven beginnen. Ik zou niets meer van het verleden verlangen. Ik zou mijn vonnis aanvaarden

en mijn weg vervolgen. Erin berusten zou een opluchting zijn.
Misschien had ik na verloop van tijd zelfs een nieuw leven kun-
nen beginnen.
Maar nu gaat dat niet meer. Weten wie je bent, waar je bent, wat
je nu aan het doen bent, je terug te zien... naar dat alles smacht
ik meer dan naar water. En geloof me, dat zeg ik niet zomaar, ik
heb aan den lijve ervaren wat het betekent om bijna van dorst
om te komen.
Ik weet maar één ding. Dat je werkelijk bestaat, dat je echt bent.
De liefde die ons verbonden heeft, moet groot geweest zijn. Ze
laat niet toe dat ik dit nieuwe leven accepteer. Dat had ik ge-
kund als jij ook door het geheugenverlies was weggevaagd. Maar
je bent levend in mij en vormt de stof van mijn dromen. Daaruit
ben je opgedoken, jij bent de eerste en enige herinnering aan mijn
vroegere leven. Ik kan niet geloven dat de sporen die ik tot nu toe
gevolgd heb, louter een illusie, louter hersenspinsels zijn geweest.
Maar één ding moet je weten: ook al voel ik me nu verloren, op
een dood spoor, ik zou niet kunnen ophouden je tot mijn laatste
ademtocht te zoeken.

Er waren al twintig lege, zinloze dagen verstreken.

Maar iets roerde zich. Als dominostenen die een voor een omvallen langs de kronkelige paden van een labyrint, koersten de talloze denkbare verhalen op één enkele waarheid af. De volgende dag zou Sebastian in Laugharne nogmaals een draad te pakken krijgen van de sluier die over zijn verleden lag.

25

HET LABYRINT

De volgende dag regende het zo hard dat de markt in Cwmfelin-Hywel voortijdig werd gestaakt. Veel vroeger dan gedacht keerde Sebastian naar de herberg terug. Hij wilde juist de achterdeur openen, toen er vanuit de keuken een opgewonden stem tot hem doordrong.

'Ik weet wat je denkt, Balth!' Het was de schorre stem van pater Wynngid. 'Maar gebruik nou je verstand! Hij kan Llywelyn niet zijn!'

'Dat weet ik toch, jij stomme paap!' snauwde Balthasar terug. 'Maar hij is een jongen die in moeilijkheden zit, en ik ga hem helpen!'

Sebastian begreep dat het over hem ging.

'Ik ken je niet terug. Je bent altijd een verstandig mens geweest, hebt altijd geweten hoe je met vreemd volk omgaat, want het is overduidelijk dat hij niet een van ons is. Ga me niet vertellen dat je niet...'

Even overstemde het gekletter van serviesgoed en glazen de stem van de priester.

'... zelf gezien dat zijn paspoort vals is! We kunnen hem niet vertrouwen...'

Opnieuw gerammel van servies.

'... voor de drommel van je wil, maar het kan niets goeds zijn. Je moet subiet naar de politie gaan. Anders doe ik het!'

'Zonder mijn toestemming doe jij helemaal niets! Die jongen is mijn gast.'

'Balth! Kom tot jezelf!' riep de priester met zijn raspende stem. 'Wees toch verstandig. Hij is Llywelyn niet. Llywelyn... is dood!'

Er volgde een lange gespannen stilte.

'Nu is het genoeg. Eruit of ik...'

Sebastian deinsde terug. Hij wist niet wie die Llywelyn was, maar hij had genoeg gehoord.

Ze hadden hem door.

Ze wisten dat zijn pas vals was. Hij kon niet blijven, hij was niet meer veilig. Misschien was de priester al op weg naar de politie. Hij moest meteen weg, anders zou hij hier misschien voor altijd vast komen te zitten.

De achterdeur vloog open. Sebastian kon zich nog net achter de struiken werpen, voor de priester zich langs hem heen haastte en door het tuinhek verdween. Sebastian glipte de herberg in, sloop naar zijn kamer en greep de rugzak, die altijd klaarstond voor een plotseling vertrek. Toen glipte hij met hangend hoofd de deur uit en liep naar de bushalte. Er stonden twee bussen, allebei buiten dienst. En ook een taxi, maar dat had hij niet kunnen betalen.

Rustig blijven. Rustig nadenken.

Met een panisch hortende adem en een hevig bonkend hart was dat moeilijk.

Je mag nu niet je kalmte verliezen!

Wat moest hij nu doen? Ervandoor gaan? Zich verstoppen? Met één klap was hij uit de apathie van de laatste dagen opgeschrikt. Maar als zij hem werkelijk hierheen geleid had, moest dat een reden hebben. En dan kwam het erop aan die te vinden, en wel snel.

Ik heb op je vertrouwd... Laat me nu niet in de steek!

En na weken van broeden en piekeren ging hem eindelijk een licht op.

Als een gek rende hij naar Dylan Thomas' Boat House, stormde naar de messing plaquette voor de deur en las de laatste zinnen:

Thans woont in Laugharne de beroemdste verzamelaar en kenner van de werken van en over Dylan Thomas, Sir Ashton Llendebux.

Hij betrad het Boat House en richtte zich tot een oude dame met lang, wit haar, die bij de ingang entreekaarten verkocht.

'Sir Llendebux? Die oude dwaas? Die heeft in het dorp een antiquariaat dat Het Labyrint heet. Ligt een beetje weggestopt in een steegje in het centrum. Volgt u Caer-Fyrddin Road tot de kerk, daar is een klein plein met een waterput. Daar is het.'

Sebastian volgde de beschrijving en bleef dicht langs de huizen lopen om zo min mogelijk op te vallen. De dorpelingen die hij tegenkwam monsterden hem nors en wantrouwend en draaiden zich fluisterend naar hem om. Of beeldde hij zich dat maar in? Hij passeerde de kerk en sloeg af naar de kronkelige straatjes van het oude Laugharne.

Het geluid van zijn voetstappen kaatste terug van de huizen. De zon ging onder en er was geen levende ziel meer op straat. Hij liep onder een laag stenen poortje door en bereikte een door arcaden bezoomd pleintje. Een fijne laag mos bedekte de muren en het rook er vochtig.

Op het pleintje stond een waterput die met een grote stenen plaat was afgedekt. Terwijl hij erlangs liep zag Sebastian dat de plaat met een ongewoon reliëf was versierd: een ingewikkeld vlechtwerk van lijnen, die samen een hypnotisch labyrint vormden. Gefascineerd bleef hij ervoor staan, en de lijnen begonnen voor zijn ogen te dansen. Alles om hem heen leek te verdwijnen, alsof hij buiten de tijd stond.

Toen zag hij de inscriptie. De smalle randen van het labyrint vormden warrige letters, opengesperde monden met naar buiten hangende tongen. Sebastian probeerde ze met zijn ogen op een rij te zetten

Beth yw eich enw...

... Maar intussen...

O le i chi'n dod...

... schoof er een schaduw achter hem langs.

Ydych chi wedi bod yma o'r blaen...

Iemand greep zijn arm. Heel even was hij als verlamd van schrik. Toen draaide hij zich om en keek recht in het gezicht van een man: meeuwachtige trekken, kromme neus, vlassige witte haardos.

Pater Wynngid had hem van achteren beslopen.

'Fascinerend beeld, nietwaar, jongeman?' kraste de pater, zonder zijn greep te laten verslappen. 'Dat is een *maze*. Maar als echte Welshman ken je die vast wel, niet?'

Sebastian wist geen woord uit te brengen.

'Wales wemelt van dit soort *mazes*. Ze zijn een van de vele geheimen die onze voorvaderen voor ons achtergelaten hebben. Afbeeldingen van labyrinten. Niemand weet of ze slechts als decoratie dienen of echte landkaarten zijn. Deze hier heeft een bijzonderheid: de woorden in het Cymraeg tussen de lijnen. Weet je wat ze betekenen?'

'Nee,' fluisterde Sebastian.

'*Beth yw eich enw*, hoe is je naam? *O le i chi'n dod*, waar kom je vandaan? *Ydych chi wedi bod yma o'r blaen*, ben je al eens hier geweest? En, hoe luiden jouw antwoorden? Waarom ben je hier, jongen?'

'Ik... ik weet het niet,' stamelde Sebastian verward. 'Zo is het genoeg! Laat me los!' flapte hij er ten slotte uit. Hij gaf de pater een duw, waardoor deze met een gesmoorde kreet op de grond viel, en vluchtte het eerste het beste straatje in.

Pater Wynngid zat hem op de hielen. Hij was verbazend snel voor zijn leeftijd. Sebastian schoot een smal zijstraatje in en de pater rende rechtdoor, zonder hem op te merken. Misschien had hij hem afgeschud. Sebastian bleef staan en hijgde met zijn handen op zijn knieën uit.

In de huismuur tegenover hem, half verborgen door een klimplant, zag hij een smalle beglaasde deur met een messing bord ernaast.

Antiquariaat Het Labyrint

Hij herademde opgelucht. Aarzelend duwde hij de deur open en betrad Sir Ashton Llendebux' winkel.

26

HET GEHEIM VAN HET BOEK

Het kristallen klokkenspel boven de deur tinkelde zacht toen Sebastian het antiquariaat in stapte. Er heerste zo'n zwaar schemerdonker dat hij aanvankelijk amper iets zag, maar vervolgens ontwaarde hij, dankzij het zwakke licht dat een tafellamp verspreidde, een winkelruimte met een gewelfd stenen plafond. Overal waar hij keek zag hij boeken, puilend uit schappen en opgestapeld tot aan het plafond. Er was niemand, maar uit een op een kier staande kleine deur achter de toonbank viel licht.

Stilletjes doorkruiste Sebastian de ruimte. Zijn blik viel op een paar antiek uitziende boeken, die op een met rood velours beklede stoel lagen. Toen werd zijn aandacht getrokken door een boek dat, beschermd door een glazen stolp, op een lessenaar lag. Hij las de in verstrengelde, metalig ogende letters gedrukte titel:

Mabinogion

Nieuwsgierig tilde hij de stolp op en reikte naar het boek.

'Halt!' klonk het bars door de winkel. 'Dat boek is niet te koop!'

Sebastian deinsde achteruit en stootte tegen de lessenaar, die bijna omviel.

'Sorry, ik wist niet...' Onhandig probeerde Sebastian alles weer op orde te brengen. Het oude mannetje dat voor hem stond, leek weggelopen uit een negentiende-eeuws schilderij: spierwitte lange baard, knijpbrilletje op de spitse neus, elegant, donkergroen tweed kostuum. De goudkleurige hoortrompet die hij aan zijn oor hield gaf zijn gedistingeerde uiterlijk iets lachwekkends.

'Bent u Ashton Llendebux?' vroeg Sebastian met stemverheffing.

'Sír Ashton Llendebux,' corrigeerde de boekhandelaar hem. 'En je hoeft niet zo te schreeuwen, ik hoor voortreffelijk! Hoe kan ik je helpen, jongeman?'

'Ik heb hier een boek van Dylan Thomas, dat ik u graag zou laten zien.

Helaas verkeert het in een nogal deplorabele toestand. Maar misschien kunt u mij er toch iets over vertellen.'

'Dat is zeer waarschijnlijk.'

Sebastian opende zijn rugzak en overhandigde hem het boek.

'Er is niet veel meer van over, maar elk stukje informatie, al is het nog zo klein, zou behulpzaam kunnen zijn.'

Met stijgende verbazing draaide de boekhandelaar de breekbare, door het water samengeklonte papiermassa om en om in zijn handen. Ze beefden.

'Mijn god!' liet hij zich ontvallen. Sebastian toonde hem de enige twee nog leesbare pagina's.

'Mijn god!' fluisterde hij nogmaals. 'Jongen, wat is er met dit boek gebeurd?'

'Nou ja, eh...' stamelde Sebastian, maar de boekhandelaar liet hem niet uitpraten.

'Heb jij het zo geruïneerd?'

'Ja... Ik bedoel nee, nee!'

'Is het je eigendom?'

'Ja, ja, natuurlijk.'

De oude boekhandelaar streelde de boekband en trok een grimmig gezicht.

'Er is niet veel meer van over, maar het lijdt geen twijfel: dit is een uitgave van BrynCoedwyg uit het jaar 1951. Het is, of beter gezegd wás, heel kostbaar.' Llendebux wierp hem een vernietigende blik toe. 'Er zijn geen andere exemplaren meer van.'

'Ah! Dat wist ik niet.'

'En waar heb je dit boek gekocht?'

'Laten we zeggen dat ik het gevonden heb. Het was... weggegooid. Geloof ik.'

Llendebux keek hem met argwanend knipperende ogen aan.

'Weggegooid? Deze uitgave is een vermogen waard! De ignoramus die zo'n schanddaad kon begaan, zou ik graag eens leren kennen!'

'U hebt gelijk, sir. Het is een geluk dat ik het gered heb.'

'Er is geen eerbied meer voor cultuur!' fulmineerde de grijsaard, schuddend met zijn vuist. 'Dat is heiligschennis!'

'Gelooft u mij, sir: ik ben net zo verontwaardigd als u. Maar kunt u me nog wat meer over dit boek vertellen? Waarom is het zo waardevol?'

Zuchtend bracht Llendebux zichzelf weer tot kalmte. Hij legde de hoortrompet op de toonbank, tikte zijn vingertoppen tegen elkaar en schraapte zijn keel. Sebastian kreeg ineens een duizelingwekkend déjà vu, alsof hij deze situatie als eens eerder had beleefd.

'Welaan dan, mijn jongen, de unieke bijzonderheid aan dit boek is het feit dat het een misdruk is. Een fout van de uitgever. BrynCoedwyg was een piepkleine uitgeverij in Camarthen die na de oorlog de rechten voor een uitgave van de gedichten van Dylan Thomas had verworven. Maar er ging iets mis. Of misschien, zo vermoedden sommigen, is alles wel met opzet gebeurd. Om te beginnen werden de drukmatrijzen verkeerd gecombineerd. De 'Proloog' bijvoorbeeld, het gedicht dat aan het begin hoorde te staan, kwam op pagina 52 terecht.' Hij wees op de plek naast de tekst *yla homa*, waar ooit het paginacijfer had gestaan.

'Bovendien waren de gedichten die in druk gingen in filologisch opzicht verminkt. Sommige regels waren anders opgebouwd, met woorden op een andere plek of met een andere betekenis, vergeleken met de versies die we allemaal kennen, zodat ze nog raadselachtiger en onbegrijpelijker leken dan ze al waren. Wat had dat alles te betekenen? Was het een grap? Of bestonden er van sommige gedichten meerdere versies? Dylan Thomas heeft de kwestie nooit opgehelderd en BrynCoedwyg sloot al spoedig zijn deuren en nam het geheim met zich mee. Maar ik heb mijn theorie.'

Sir Llendebux zweeg een moment, hij had zich al te zeer door zijn hartstocht laten meeslepen. Vervolgens sprak hij op samenzweerderige fluistertoon verder.

'Ik heb reden om te geloven dat het bij de gedichten in de BrynCoedwyg-editie om de oorspronkelijke versies gaat. Dus zonder correcties en aanpassingen die de auteur later heeft aangebracht, soms op aanraden van zijn uitgevers. Daarmee zou dit het enige document zijn dat de oerversies van enkele gedichten bevat, de eerste spontane concepten, zonder later *labor limae*. Daar komt bij dat het drukken van het boek vrijwel onmiddellijk en onder niet volledig opgehelderde omstandigheden gestaakt werd, waardoor er slechts weinig exemplaren in omloop kwamen. Zo werden ze tot een begeerd verzamelobject en rees de prijs de pan uit.'

'Dat is allemaal heel interessant, maar ik...'

'Interessant? Dat kun je wel zeggen, mijn jongen! We zijn in Wales, een land dat doordrenkt is van magie en bijgeloof.'

Hij viel stil. Met grote stappen doorkruiste hij de ruimte en trommelde toen nerveus met zijn vingers op de toonbank.

'Pah! Verzamelaars, taxaties!' barstte hij los. 'De reden waarom wij Welsh dit boek als een unieke schat beschouwen, is een andere! Deze pagina's bevatten pure inspiratie. Verzen die aan Dylan Thomas' ziel ontvloden exact zoals ze hem – zoals menigeen gelooft – van boven ingegeven werden. Begrijp je wat ik zeggen wil? Voor alle duidelijkheid: ik ben linguïst, een man van de wetenschap, en daarmee van nature sceptisch. Ik geloof niet in al die pseudoreligieuze rimram. Toch valt niet te ontkennen dat zijn werk iets bovennatuurlijks bevat...' – Sir Llendebux spreidde zijn armen, waardoor hij een schaduw op de boekenwand wierp die eruitzag alsof hij een reusachtige stapel boeken wilde omtrekken – '... *literaire* magie! Probeer een van zijn gedichten maar eens aandachtig te proeven. Sluit je ogen en reciteer het zachtjes. Je zult horen hoe de woorden met elkaar botsen en onder de ondraaglijke last van hun symboliek bezwijken. Tot je eronder de wervelende chaos bespeurt, het pulserende magma van de naakte werkelijkheid. Is dat soms geen magie?'

Llendebux' ogen fonkelden in het halfduister.

'Dylan Thomas was een liederlijke dronkaard. Hij stierf al op zijn negenendertigste aan een delirium tremens. En toch vereren wij hem als een profeet. Inderdaad heeft zijn leven overeenkomsten met dat van enkele opstandige bijbelprofeten, die Gods stem hoorden, die erdoor werden aangetrokken en er tegelijk voor probeerden te vluchten, in een slopende afwisseling van geboeidheid en afgrijzen. Zoals Jona of Jeremia. Maar in het geval van Dylan Thomas gaat het om een geheimere, angstaanjagender god, schepper van duisternis en insecten, woeste vlakten en vergeten woorden, bloedige geboorten en vreselijke levenseindes, om de cycli van schepping en vernietiging. De god van een voorouderlijke geheime cultus, waarvan Dylan Thomas de onvrijwillige priester werd. Van dat alles was hij zich niet eens bewust. Of als hij het wel wist, dan verzette hij zich met hand en tand tegen die rol. Hij vluchtte naar Amerika, waar hij uiteindelijk is overleden.'

Sir Llendebux wees met een duim naar een zwart-witfoto achter zich.

'Hebt u hem persoonlijk gekend?' vroeg Sebastian, anticiperend op wat de man ging zeggen.

De boekhandelaar knikte plechtig. Op de oude foto poseerden twee mannen voor een schuurtje. De twintigjarige Llendebux was niet meer te herkennen.

'Wat je daar op de achtergrond ziet, is de *writing shed*, de schrijfhut waar Thomas zich dagenlang opsloot om zijn gedichten te schrijven. Hij staat hier in Laugharne, achter het Boat House.'

Sebastian nam Llendebux het boek uit handen.

'Dus dit boek was een soort Keltische "bijbel", concludeerde Sebastian ietwat sceptisch. 'En dit is het laatste bestaande exemplaar.'

De boekhandelaar leek te aarzelen, maar knikte toen beslist.

'Maar waarom bent u daar zo zeker van? Het is toch maar een verzameling schimmelig papier, het zou van alles kunnen wezen.'

'Jongeman!' riep Llendebux met overslaande stem, in zijn eer gekrenkt. 'Waag je het aan mijn competenties te twijfelen? Ik kan me niet vergissen, en wel om twee eenvoudige redenen. De eerste is dat ik, zonder valse bescheidenheid, wereldwijd de grootste expert ben als het gaat om publicaties van en over Dylan Thomas. De tweede en nog zwaarwegender reden is dat ik het laatste exemplaar van deze uitgave eigenhandig verkocht heb. Hier, in mijn winkel.'

Sebastian schrok op.

'U? Hier? En u... denkt dat het om dit exemplaar gaat?'

'Ik denk het niet alleen, ik ben er absoluut zeker van. Als ik me goed herinner, is het ongeveer een jaar geleden.' De boekhandelaar dacht ingespannen na. 'De koopster was een mooi meisje, jonge vrouw, zeg maar.'

Sebastians hart begon sneller te kloppen.

'Een echte kenner! Ze herkende de onschatbare waarde van het boek onmiddellijk. Ik zou er nooit afstand van hebben gedaan, maar helaas stond ik er dat jaar financieel niet bijster goed voor. En bovendien vond ik het meisje sympathiek. En ze wilde het tot elke prijs hebben! Dat boek en geen ander. Ik geloof dat ze het cadeau wilde doen. Als ik had geweten dat het zo zou eindigen, had ik het nooit uit handen gegeven!'

'Neemt u me niet kwalijk,' zei Sebastian met trillende stem, 'maar herinnert u zich hoe dat meisje eruitzag? Kunt u haar beschrijven?'

'Tja, het is al een tijd geleden, mijn geheugen is niet meer zo goed als vroeger. Even denken... Ze was lang, had lang bruin haar en grote zachte ogen, als een hertenkalf, zou Dylan Thomas hebben gezegd.'

Dat is ze.

Sebastian pakte de boekhandelaar bij de arm.

'Weet u haar naam nog? Hebt u iets waardoor ik haar kan vinden? De kwitantie, wat dan ook?'

'Jongen, laat mijn arm los! Nee maar! Dit is een serieuze winkel en de privacy van mijn cliënten is mij heilig. Wie ben je eigenlijk? Valt hier binnen met een verwoest meesterwerk waarvan ik nog niet eens weet hoe je het in handen gekregen hebt. Dus waarom zou ik je die informatie geven?'

'Ja, weet u, ik wil haar graag vinden... om haar het boek terug te geven. En om te horen waardoor het in deze toestand is geraakt en hoe het bij mij terecht is gekomen.'

'Nou, bravo dan.' Llendebux knikte tevreden. 'Dat klinkt als een voortreffelijk idee. Maar helaas heb ik geen informatie over de jongedame. Ze betaalde contant en...' – Llendebux keek schichtig om zich heen – '... en wilde geen kwitantie.'

'Ik smeek u, denk na, er moet toch iets zijn! Heeft ze haar naam niet gezegd? Het ging toch om een zeldzaam, waardevol exemplaar? Het is heel belangrijk voor me!'

'Ik heb er niets meer aan toe te voegen, jongeman. En nu eruit!'

Vriendelijk maar beslist duwde de boekhandelaar Sebastian naar de deur. 'Mijn jongen,' zei hij en hij monsterde hem een laatste keer, 'weet je zeker dat je niet al eens hier bent geweest? Op een of andere manier kom je me bekend voor.'

Zonder een antwoord af te wachten knalde hij Sebastian de deur in het gezicht en sloot af.

Met slappe knieën van opwinding leunde Sebastian tegen de huismuur.

Ze is hier geweest...

Hij sloot zijn ogen en balde zijn vuisten. Hij moest zich inhouden om het niet hardop uit te schreeuwen.

Ik heb me niet vergist. Het was niet allemaal waan!

Hij was op een spoor van zijn verleden gestuit, op een heel vluchtig spoor, maar nu had hij beet. Iets aan deze plek had met hem te maken. Een jaar geleden had ze in dit smalle straatje het boek gekocht dat hij nu in zijn handen had, dat mysterieuze boek dat samen met hem de oceaan was overgestoken.

Een koortsige hoop steeg in hem op. Zij had hem begeleid op deze lange reis. Misschien deed ze dat nog.

Eén ding was zeker: alle risico's ten spijt kon hij Laugharne nu niet verlaten.

Het was inmiddels avond. Een uur lang zwierf Sebastian doelloos rond, zo onopvallend mogelijk en met een hoofd vol warrige gedachten als gevolg van de adrenaline. Misschien was het maar suggestie, maar opeens kwamen de straatjes en pleintjes van Laugharne hem bekend voor. Was hij hier ook al eens geweest? Een langdurig déjà-vugevoel overmande hem, alsof er elk moment een mistsluier kon oplossen. Maar hoe hij ook om zich heen tuurde, het laatste deel van het geheim bleef verborgen.

De wind geselde zijn gezicht en deed zijn lippen barsten. Hij moest een schuilplaats voor de nacht vinden, want die zou beslist koud worden. Hij stak zijn hand in zijn zak en voelde een klein metalen voorwerp.

De sleutel van de achterdeur... Ik zou sluitingstijd kunnen afwachten en dan de keuken in sluipen.

Hij zou op de vloer moeten slapen en zich bij zonsopgang uit de voeten maken, voordat Balth voor het ontbijt naar beneden kwam. Het was een stoutmoedig plan, maar een beter had hij niet.

Hij bereikte de Dylan Thomas' Inn en verstopte zich in de struiken. Om half twaalf ging het licht in de keuken uit. Hij wachtte een paar minuten, sloop toen naar de achterdeur en stak de sleutel in het slot.

Zijn vingers tastten in het niets en een vlaag warme lucht kwam hem tegemoet.

De deur was met een ruk opengevlogen en Balth tekende zich tegen de duisternis af.

'Sebastian... nee! Loop alsjeblieft niet weg.'

Sebastian was achteruit gesprongen.

'Ik wil je toch alleen maar helpen.'

Hij had geen keus, hij moest hem vertrouwen. Zwijgend volgde hij hem het etablissement in. De gelagkamer was al koud en donker, de laatste sintels verspreidden een roodachtige gloed en wierpen lange, zwarte schaduwen. Balthasar ging bij de schouw zitten en nodigde Sebastian uit om naast hem te komen zitten.

'Ik weet dat je pater Wynngid tegen het lijf bent gelopen,' zei Balth, terwijl hij in de as pookte om het vuur weer aan te wakkeren. 'Je hebt vast begrepen dat je in een delicate situatie verkeert. Het nieuws van je valse identiteit heeft zich intussen verspreid. De mensen zijn bang voor je, voor vreemden in het algemeen, en maken zich zorgen.'

Balthasar blies in het vuur en krabde aan zijn grijze baard.

'Maar op mij maak je geen bijster gevaarlijke indruk. Ik zal je verborgen houden zo lang het nodig is. Hier ben je veilig.'

Sebastian knikte en wierp hem een dankbare blik toe.

'Vraag me niet waarom ik dat allemaal doe. Normaal gesproken had ik al lang de politie gebeld. Maar iets in je ogen heeft me daarvan afgehouden. Ik voelde dat ik je helpen moest.'

In de haard explodeerde een vonkenregen.

'Maar ik begrijp nog steeds niet waarom je hier bent. Als je wilt dat ik je help, moet je me vertellen wie je bent en wat je hier in Laugharne te zoeken hebt.'

Sebastian zweeg.

'Je bent hier niet om onderzoek te doen naar Dylan Thomas, hè?'

'Nee... of liever gezegd, ik weet het niet. Eigenlijk ben ik hier aanbeland omdat ik het spoor van een van zijn boeken heb gevolgd.'

'Een boek?'

Balth kneep zijn ogen tot spleetjes Hij had het niet op dat soort cryptische uitlatingen.

'Wat is je echte naam?'

'Ik weet het niet. Ik herinner het me niet meer,' bekende Sebastian met een hulpeloos gebaar.

'Wat moet dat betekenen: je herinnert het je niet meer?' Zijn stem klonk dreigend. 'Op dag één zag ik al dat je pas vals is. Ik had je kunnen aangeven. In plaats daarvan heb ik je, God weet waarom, onderdak en werk gegeven. Ik besloot je te vertrouwen. Nu zul jij op jouw beurt mij moeten vertrouwen!'

Sebastian zuchtte. Hij keek de waard aan. In het flakkerende schijnsel van het haardvuur leek zijn norse gezicht op een antiek masker. Hij moest denken aan de nacht op het strand, toen hij met Horu bij het vuur had zitten praten. Daar had dezelfde verwachtingsvolle atmosfeer geheerst, de spanning voor een openbaring.

'Nou goed, ik zal je alles vertellen. Je hoeft me niet te geloven, maar wees ervan verzekerd: hoe ongelooflijk het ook mag klinken, het is allemaal waar.'

Hij stond op en begon nerveus voor de schouw heen en weer te banjeren.

177

'Ik kan me mijn echte naam niet herinneren, omdat mijn geheugen niet verder teruggaat dan een paar maanden geleden. Ik werd wakker op een klein eiland ergens in de Pacific, zonder één herinnering aan mijn eerdere leven, zonder te weten waarom ik daar was. Toen kreeg ik een droom.'

Sebastian sprak lang en Balthasar onderbrak hem geen enkele keer. Toen hij uitverteld was, ging hij zitten. Beide mannen zwegen.

'Je had gelijk,' mompelde Bath uiteindelijk sceptisch. 'Dat klinkt inderdaad ongelooflijk.'

Sebastian sprong overeind, rukte zijn trui en zijn hemd omhoog en toonde zijn naakte rug. Het enorme rode litteken leek te trillen in het flakkerende schijnsel van het vuur.

'Kijk! Dat is het bewijs van mijn schipbreuk, de reden waarom ze me Mauke Nuha, Glimlachende Rug, noemden!'

'Ik heb geen bewijzen nodig,' stelde Balth hem gerust. 'Ik geloof je. Ieder ander zou ik hebben uitgelachen, maar bij jou is het anders. Ik hoefde maar in je ogen te kijken om te begrijpen dat wat jij doorgemaakt hebt en nog steeds doormaakt, waar is.'

De waard was ten prooi aan verwarde gedachten.

'En wat ben je nu van plan?' vroeg hij ten slotte.

'Ik weet het nog niet. Tot gisteren was ik hier alleen vanwege het onderdak en het werk. Maar nu weet ik dat zíj het boek gekocht heeft, een jaar geleden, in Llendebux' winkel. En misschien ben ik zelf ook al eens hier geweest.'

Een vlaag koude lucht kwam ergens vandaan en dreigde de vlam in de schouw te verstikken.

'Genoeg, het is laat.' Balth stond op. 'We kunnen nu beter gaan slapen. Ga naar je kamer, morgen bekijken we hoe we je een poosje kunnen verstoppen.'

Sebastian glimlachte. Hij had Balth dolgraag van alles gevraagd, maar de kracht ontbrak hem. Uitgeput kroop hij in bed en viel meteen in slaap.

Balth daarentegen deed geen oog dicht. Sinds hij deze jongen voor de eerste keer had gezien, was hij bekropen door een vaag voorgevoel. Het was absurd, onmogelijk, en toch leek elke dag hem nieuwe kleine aanwijzingen te leveren. Tot nu toe had hij ze voor Sebastian verborgen gehouden. Maar diezelfde nacht zou hij hem, ondanks zichzelf, alles vertellen.

27

HET VERMISTE KIND

Ik droomde mijn schepping in het zweet van de slaap, brekend
door de roterende schaal, sterk
als de motorspier op de dril, borend
door gezicht en gegorde zenuw...

Sebastian schrok wakker. Smalle streepjes maanlicht drongen door de luiken en vielen op de muur van de kamer. De wekker op het nachtkastje gaf 03:13 aan.

Hij spitste zijn oren, hij bespeurde een geluid, amper meer dan een trilling.

Wat had hem gewekt?

Hij glipte uit bed en opende voorzichtig zijn kamerdeur. De krakende vloerplanken verwensend stapte hij de lange overloop op. Alles was donker, afgezien van een smalle streep licht, die tot aan de trap reikte en naar een iets openstaande deur wees. Balths kantoortje.

Daar kwam het geluid vandaan. Sebastian gluurde naar binnen. Balth zat met zijn rug naar de deur ineengedoken aan zijn schrijftafel. Hij huilde. Voor hem een wirwar van foto's en een lege fles Cutty Sark. Een doordringende whiskywalm vulde de kamer. Balth moest straalbezopen zijn. Hij snufte en mompelde iets door zijn tranen heen.

'Uitgerekend nu... Heb je het gezien? Hij is terug... Jij bent er niet meer en... hem teruggevonden... Aeronwy...'

Opnieuw brak hij in een vertwijfeld snikken uit.

Sebastian begreep dat hij om zijn dode vrouw huilde en had erg met hem te doen. Het liefst was hij naar binnen gelopen om hem te omhelzen, iets troostends te zeggen, maar iets zei hem zich niet te verroeren en te luisteren.

'Maar nu heb ik begrepen...' Balthasar probeerde op te staan. Sebastian verstijfde, klaar om weg te lopen mocht Balth zich omdraaien. Maar die liet zich met hangend hoofd weer in zijn stoel vallen.

'Ja, ik heb het begrepen. Dat was jij. Het is een teken. Llywelyn is hier, uitgerekend nu jij er niet meer bent.' Hij pakte een foto en hield die vlak voor zijn ogen. 'Aeronwy, zeg iets! Ik moet het weten! Heb jij hem naar me teruggebracht? Heb jij hem vanuit de hemel de weg naar huis gewezen?'

Toen zakte hij weer over het tafelblad. Sebastian hield zijn adem in om de woorden te verstaan.

'... de vrouw van wie de jongen gedroomd heeft... dat was jij... de pas gestorven moeder. Het is ongelooflijk en toch... van die groene ogen... de leeftijd... en hij heeft zijn geheugen verloren...'

De stem veranderde in een onverstaanbaar gebrom en stierf weg. Na een minuut werkte hij zich kreunend op zijn ellebogen en stopte de foto met verstrooide bewegingen in een klein kistje terug.

Als verlamd staarde Sebastian naar hem, diep geschokt door de mogelijke betekenis van deze woorden. Toen stond Balth op en stootte daarbij zijn stoel om. Sebastian kwam uit zijn verstarring en liep stilletjes weer terug naar zijn kamer. Een paar minuten later hoorde hij Balth het kantoortje uit komen, de deur dichtdoen en de trap af lopen om naar bed te gaan. Sebastian wachtte een kwartier, toen glipte hij weer de overloop op en liep op zijn tenen naar de kantoordeur. Balth moest werkelijk stomdronken zijn: voor de eerste keer had hij vergeten om de deur op slot te doen. Hij drukte de klink omlaag en stapte naar binnen.

Door een groot raam met uitzicht op de rivier de Taf viel het maanlicht op een schrijftafel en een stoel, die in het midden van de kamer stonden. Tegen de muren stonden hoge boekenkasten. Naast het raam stond een grote, antiek ogende pendule. Sebastian knipte het licht aan en zocht naar het kistje. Hij vond het verstopt achter verscheidene boeken, helemaal boven in een van de boekenkasten. Hij zette het op de schrijftafel en opende het.

Het bevatte tal van foto's, oud en verbleekt en de meeste zwart-wit. Voorzichtig pakte hij ze op en bekeek ze. Vele toonden Balths bruiloft: elegant en stralend hief hij het glas en kuste de bruid, een mooie, zo'n tien jaar jongere vrouw met lang rood haar en een zachte glimlach. Op de achterkant stond: 'Balthasar en Aeronwy Llanwymmyr, 16 mei 1972.'

Op één foto was Balth met een baby op de arm te zien.

Balth had dus een kind...

En nog meer familiefoto's, het kind, intussen een stuk gegroeid, Aeronwy met kort haar, de waard met de eerste rimpels. De laatste kleurenfoto toonde de waard hand in hand met zijn inmiddels vijfjarige zoon. Sebastian herkende de achtergrond: Het was het strand aan de overkant van de rivier. Op de achterkant stond:

Laatste foto van Llywelyn – 1 oktober 1981

In het kistje, onder de foto's, lag een in leer gebonden notitieboek. Een soort dagboek. Balth had er aantekeningen, afspraken en korte gedachten in genoteerd. Niets al te persoonlijks of wereldschokkends. Sebastian bladerde het snel door, tot hij iets las waar zijn adem van stokte.

17 oktober 1981
Het is al elf uur en Llywelyn is nog steeds niet terug. Heb in het hele dorp gezocht, maar hij is nergens te vinden. Niemand lijkt hem gezien te hebben. Waar hangt hij verdomme uit? Dit keer zwaait er wat.

Sebastian sloeg de bladzijde om. In de stilte van de nacht klonk het kloppen van zijn hart versterkt, het leek zo luid dat hij bang was dat iemand het kon horen.

19 oktober 1981
We zoeken overal. We hebben het hele dorp en de omgeving uitgekamd, twintig vrijwilligers en de politie. Llywelyn is weg, als door de aardbodem verzwolgen.
Twee dagen zijn verstreken. Geen idee wat hem overkomen kan zijn. Hij was altijd een brave, verstandige jongen. Ik heb de oude Ratgoed horen zeggen dat hij in de rivier kan zijn gevallen. Ik heb maar gedaan alsof ik het niet hoorde, anders had ik hem de schedel moeten inslaan. Llywelyn weet precies waar hij spelen mag en waar niet.
Waar ben je gebleven, mijn jongen? Ik weet niet meer wat ik denken moet. Ik doe van angst geen oog dicht. En Aeronwy houdt niet meer op met huilen.

181

We gaan het zoekgebied uitbreiden. De politie heeft een paar hypotheses opgesteld, maar ik denk dat ze zich vergissen. Ze houden het voor mogelijk dat Llywelyn een bus over de Cambrian Mountains naar de Breacon Beacons heeft genomen. Absurd, zo'n klein kind! Ze denken dat hij misschien niet alleen is geweest...
De anderen in het dorp doen alles om me te helpen. Maar ik kan hun medelijdende, fatalistische schouderklopjes niet uitstaan. Ik steek mijn hand ervoor in het vuur dat mijn zoon in leven is. Balthasar Llanwymmyr zal zijn kind terugvinden, ik zal ze laten zien dat ik gelijk heb. Llywelyn leeft, ik voel het in mijn aderen.

25 oktober 1981
De politie onderzoekt de mogelijkheid van een ontvoering. Kinderroof. Maar dat is onmogelijk. Llywelyn wist dat hij zich niet met vreemden moest inlaten, hij kan onmogelijk ontvoerd zijn.

Hier brak het dagboek af. Tussen de volgende pagina's staken papieren, sommige vastgemaakt met uitgedroogd plakband. Een kopie van de aangifte van vermissing. Een knipsel uit een plaatselijke krant over de verdwijning van het kind. Een paar flyers, die Balth kennelijk had laten drukken om ze te verspreiden. Een paar landkaarten van de plekken waar gezocht was, vol opmerkingen en afkortingen. Alles wees op een uitvoerig, grondig onderzoek, dat Balth maanden of zelfs jaren ondernomen had.

Met bevende vingers legde Sebastian alles zorgvuldig in het kistje terug.

Nu begreep hij waarom de waard zo goed voor hem was, en de betekenis van de gesprekken die hij van hem en de dorpelingen had opgevangen.

Balth denkt dat ik zijn zoon Llywelyn zou kunnen zijn...

Nee, dat kon niet waar zijn.

Balths leven was verwoest door het verlies van zijn zoon, en de recente dood van zijn vrouw had hem de genadeklap bezorgd. Toen was Sebastian opgedoken: dezelfde leeftijd als de zoon, dezelfde kleur ogen, overeenkomstige trekken. Een valse naam, een man zonder herinneringen, een lege huls die Balth met zijn geheimste wensen kon vullen. In hem had hij het antwoord op al zijn pijn gevonden.

Nee, dat is absurd, en toch... Oké, laten we heel even aannemen dat Balth gelijk heeft.

Ik ben vijf. Ik loop weg van huis en verdwaal of val in de rivier of word ontvoerd. Ik beland in een weeshuis of word misschien aan een familie verkocht die tot alles bereid is om een kind te krijgen. Het trauma, het feit dat ik nog zo klein ben, plus nog een paar andere factoren, zorgen ervoor dat ik een nieuw leven begin en mijn echte familie en het korte leven dat ik daar doorgebracht heb vergeet. Nietsvermoedend groei ik op.

Dertig jaar later heeft iets een volledig geheugenverlies in me veroorzaakt. Ik word wakker op een eiland midden in de Stille Oceaan. Mysterieuze tekens leiden me naar Wales en helpen me mijn begraven verleden bloot te leggen: mijn ware herkomst, die ik anders nooit te weten was gekomen. Ik vind mijn ouderlijk huis en mijn ouders terug. En zo ontdek ik dat het verleden, dat ik zo wanhopig zoek, in werkelijkheid op een leugen berust.

Verward schudde hij zijn hoofd.

Maar wie ben jij dan?

Wie ben jij, meisje uit mijn droom?

Een dof, metalig geluid galmde door de nacht. Sebastian kromp verschrikt ineen. Maar het was slechts de pendule die vier uur sloeg. Hij was hier al veel te lang. Hij sloot het kistje, zette het op zijn plek terug en sloop weer naar zijn kamer.

Zijn slapen klopten. Duizend vragen schoten door zijn hoofd. Hij vroeg zich af wat hij de volgende dag zou doen. Moest hij open met Balth praten? Opbiechten dat hij hem afgeluisterd had en wist van zijn vermoeden? Of moest hij doen alsof er niets aan de hand was? Misschien was het nog te vroeg om erover te praten. In wezen ging het alleen om vreemde toevalligheden, om een hoop ongefundeerde speculatie.

Eén ding was zeker: allereerst moest hij zijn geheugen terugvinden. En hij voelde dat de sleutel tot alles in dat raadselachtige boek verborgen was.

Het feit dat ze het uitgerekend hier heeft gekocht, een jaar geleden...

Hij besloot er voorlopig niet met Balth over te praten. In plaats daarvan moest hij meer over het boek te weten komen, nagaan of hij een jaar geleden misschien al hier in Laugharne geweest was.

Het gastenboek van de herberg! Ik zou hem kunnen vragen of ik een blik op het register mag slaan, misschien heeft ze hier overnacht. Als ik haar naam zag, zou ik hem misschien herkennen...

Met deze gedachten sliep hij in.

Maar wat hij besloten had, zou sowieso geen rol spelen. De geschiedenis van het boek en die van Llywelyn waren met elkaar verweven, zoals Balth hem de volgende dag zelf zou vertellen.

Alles was begonnen met een vreemde ontmoeting, zeventig jaar geleden, waarbij een nog kleine Balth, Dylan Thomas en een geheimzinnig strand in de vorm van een zandloper betrokken waren.

28

ELKAAR KRUISENDE WEGEN (2)

Ian was verdwaald.

Een labyrint van smalle paden kronkelde tussen bomen en heggen door. In de roerloze lucht van Tokashiki was alleen het verre ruisen van de zee te horen. Ian volgde het geluid om zich te kunnen oriënteren en niet in een kringetje rond te lopen, maar de zee verborg zich hardnekkig achter de palm- en bamboekruinen. Af en toe doken kleine houten huizen in Okinawastijl op, omgeven door adembenemende tuinen: klaterende fonteintjes in natuurstenen bekkens, houten promenades, bomen in volle bloesempracht. Betoverende geuren en een sfeer van vrome toewijding gingen van deze plekken uit. Een vrouw in rode kimono verscheen in een venster en verdween weer.

De befaamde tuinen van Okinawa, dacht Ian geïmponeerd. Maar hij zou nog meer onder de indruk raken.

Achter de laatste bocht opende zich de overweldigende oceaan. Een vredige, azuurblauwe baai, een lang strand, beschaduwd door bomen met bronskleurige blaadjes. De bries liet ze zachtjes op het strand regenen, metalig glanzende glitters die schitterden in de zon.

Met open mond bleef Ian staan. De schoonheid van deze plek was hartverscheurend. Hij trok zijn schoenen uit en liet zijn voeten in het zand wegzinken. De namiddaglucht was nog warm, het diepblauwe water volkomen rustig. Hij ging zitten op een lange witte boomstam die door de branding was aangespoeld. Aan de hemel krijste een meeuw.

Ian was nu al meer dan twintig dagen in Okinawa. Hij had de omgeving van Naha en een paar andere eilanden afgezocht. Toen was hij, gegrepen door een van zijn onverklaarbare inspiraties, per schip naar Tokashiki, in de Kerama-archipel, gereisd, enkele tientallen mijlen verder naar het westen.

Hij dacht aan Samuel. Bij hem liepen de zaken allesbehalve rooskleurig. Hij was al meer dan een maand op de Filippijnen en lag sinds een week in het ziekenhuis van Clavaria, op de noordpunt van de archipel. Hij had een darmvirus opgelopen, moest steeds braken en leed aan voortdurende diarreeaanvallen. Hij liep gevaar uit te drogen. Ian had naar hem toe willen reizen, maar zijn vriend had hem gerustgesteld: het ergste was achter de rug en het ziekenhuis was helemaal zo slecht nog niet, het was schoon en hij werd goed behandeld.

In de verte dook een groot stoomschip op dat zijn scheepshoorn liet loeien. Ian koos Samuels nummer. Hij wilde hem laten delen in zijn positieve energie, zoals hij die al sinds maanden niet meer gevoeld had.

'Hallo, Ian.'

'Hallo, Samuel. Hoe gaat het?'

'Goed. De doktoren zeiden dat ik zo gezond als een vis ben en hebben me vanmorgen vroeg ontslagen. Ik ben ook al weer wat aangekomen. Ze denken dat het een gewone griep is geweest, waarvoor je niet meteen naar het ziekenhuis hoeft te rennen. Kennelijk zijn de mensen hier taaier dan bij ons. In elk geval hebben ze een sterkere maag.'

'Spreek voor jezelf, watje,' zei Ian lachend, opgelucht dat zijn vriend weer in vorm was. 'Mij was dat niet gebeurd.'

'Nee, dat zal wel niet. Ik had jou wel eens willen zien!' zei Samuel gepikeerd, maar toen moest ook hij lachen. 'Ik was bijna het hoekje om gegaan en jij lacht!'

'En jij overdrijft weer eens. Waar ben je nu?'

'In het hotel, een beetje uitrusten. Wat is er bij jou voor nieuws?'

'Je raadt nooit waar ik nu ben.'

'Nou?'

Ian beschreef de betovering van de Baai van Tokashiki. Samuel hoorde de ondertoon van vreugde in zijn stem en liet zich erdoor aansteken.

'Met andere woorden, je houdt een beetje vakantie.'

'Ho ho, Okinawa is allesbehalve een uitstapje. Ik weet dat jij het als tijdverspilling ziet. Maar ik geloof in die plotselinge intuïties.'

'Ja, dat weet ik. Jij bent de man van de goddelijke openbaringen,' lachte Samuel. Toen verviel hij tot een bedachtzaam stilzwijgen. 'Het schijnt daar prachtig te zijn. Wie weet zijn onze kinderen nu wel op net zo'n mooie plek. Ik hoop het van ganser harte.'

Ze namen afscheid. Het was precies de onuitgesproken gedachte die in Ian was opgekomen. De gedachte waaraan hij dit moment van sereniteit dankte.

29

VISIOEN EN GEBED

Balthasar wekte Sebastian kort na zonsopkomst. Hij zag er vreselijk uit: hij stond wankel op zijn benen en stonk naar whisky. Sebastian monsterde hem en vroeg zich af of deze man werkelijk zijn vader kon zijn.

'Ik zal zeggen dat je Laugharne hebt verlaten,' mompelde de waard, terwijl hij een dienblad op Sebastians schrijftafel zette. 'Maar voorlopig is het beter dat je hier op je kamer blijft en de gordijnen dicht houdt. Het is goed mogelijk dat pater Wynngid komt rondsnuffelen om na te gaan of je echt weg bent. Ik heb eten voor de hele dag meegebracht.'

Sebastian zweeg. Het idee op zijn kamer te moeten blijven zitten, stond hem niet aan. Bij het verlaten van de kamer bleef Balthasar staan, leunde tegen het deurkozijn en schudde zijn hoofd.

Nu is het zover, dacht Sebastian ongemakkelijk. *Het moment van de bekentenissen is gekomen.* Maar Balth draaide zich om en zei iets wat Sebastian nooit had verwacht.

'Zou je een exemplaar van het boek willen zien?'

Sebastian verhief zich van het bed en staarde hem verbluft aan. Balth was bleek geworden, zijn bovenlip trilde.

'Maar... Sir Llendebux zei dat het mijne het enige exemplaar was dat nog over is.'

'Ik ken de geschiedenis van dit boek goed. Ik weet dingen die zelfs hij niet zou kunnen vertellen. Maar Llendebux heeft je voorgelogen: er is nog een exemplaar.'

Hij glimlachte bitter. Toen kwam hij de kamer weer in en drukte de deur achter zich dicht.

'Als ze wisten dat ik er met een vreemde over praat, zouden ze me vermoorden.'

Maar ik weet dat je geen vreemde bent, voegde hij er inwendig aan toe. Hij ging op de rand van het bed zitten en haalde diep adem.

'Er is een strand, verborgen tussen de klippen, bij de zuidhelling van Llan-Caed-Pennug. Het is een unieke plek: een strand dat de vorm van een zandloper heeft. Ik heb het toevallig ontdekt, als kind. Ik vertelde het tegen niemand en ging er spelen, doodsbang dat de grote mensen boos zouden kunnen worden. Er heerste daar een vreemde sfeer, alsof die plek door... het *niets* werd omgeven. Op een dag trof ik daar Dylan Thomas. Die ontmoeting heeft zo'n diepe indruk op me gemaakt dat het de eerste levendige herinnering van mijn leven is geworden. Ik was per slot van rekening pas vijf jaar oud.'

Balth legde zijn handen op zijn knieën, met de handpalmen naar boven. Hij staarde ernaar alsof hetgeen hij zeggen wilde in de lijnen ervan geschreven stond.

'Ik wist al wie Dylan Thomas was. Voor ons kinderen was hij een komische snuiter, die zijn huis in pyjama en ochtendjas verliet en voortdurend dronken was. Tot dan toe was ik nooit bang voor hem geweest. Pas later hoorde ik dat hij dit strand al van kindsbeen bezocht, om naar inspiratie te zoeken en zijn gedichten te schrijven. Hij beklom de vervallen vuurtoren en keek naar de golven die tegen de klippen sloegen en Joost mag weten wat nog meer. Maar op al mijn middagen op het zandloperstrand had ik hem tot dan toe nooit ontmoet.'

Hij zweeg een moment en staarde naar het plafond.

'Kun je je voorstellen hoe ik die dag schrok toen Dylan Thomas op het strand naar mij toe kwam en me plotseling van achter een hand op de schouder legde. "Jongen!" zei hij met een bleek, bevend gezicht. Het was laat in de herfst, er stond een kille wind en er hingen dikke wolken boven land en zee. Het rossige haar van de dichter waaide woest om zijn hoofd, in zijn ogen brandde een sombere gloed. Doodsbang begon ik te stamelen: "Het spijt me, meneer, het spijt me, ik zal u niet meer storen, neem me niet kwalijk." Hij hield mijn arm vast. "Ik heb je van verre zien spelen," schreeuwde hij me in het gezicht. "Ik heb je vanaf de vuurtoren gadegeslagen, hoe je voor de golven stond en je kleine schaduw op het strand wierp. En ik heb" – hij pakte me nog steviger beet – "de zandloper van de tijd gezien, de dunne wand die geboorte en dood scheidt, de ruit van de schoot die eerst baart en dan verslindt." Dat is woordelijk wat hij me toen zei, het heeft een onuitwisbare indruk op me gemaakt. "Jongen!" riep hij nogmaals met een zware whiskykegel, "een ontzettende pijn wacht je, een pijn die je voor eeuwig zal vergezellen als een onoplosbaar raadsel!" Zijn gezicht was paars aangelopen. Ik was verschrikkelijk bang, maar wist me toch uit zijn greep te bevrijden. "Wacht," zei hij ten slotte heel rustig, "pak aan." En hij drukte me een kreukelig stuk papier in de hand. Er waren woorden op gekrabbeld die geometrische figuren leken. Links vormden de regels een soort ruit, in het midden een zandloper. Ik kon toen nog niet lezen, maar het handschrift was zo beverig dat ik er sowieso niets van zou hebben begrepen. "Deze woorden zijn geboren uit de schaduw die jij op de toekomst hebt geworpen. Ik heb ze vergaard en op papier gezet in de vorm waarin ze aan mij verschenen zijn. Nu schenk ik ze aan jou. Maar denk eraan: woorden behoren ons niet toe, net zomin als de schaduw toebehoort aan de mens die hem werpt!"

Ik pakte het papier aan en holde weg, zonder me nog eens om te draaien. Ik verstopte het zorgvuldig en vertelde niemand van deze ontmoeting. Ik hechtte geen betekenis aan zijn woorden en beschouwde ze als het gebazel van een verwarde dronkenlap. Maar vergeten deed ik het voorval nooit.

Tien jaar later nam BrynCoedwyg, een kleine uitgeverij in Camarthen, contact met me op. Ik had geen idee hoe ze van het bestaan van deze fragmenten gehoord hadden, maar ze zeiden dat ze er dolgraag een blik op wilden werpen. Uiteindelijk publiceerden ze ze in die vreemde uitgave, waarvan jij een exemplaar bezit.'

Balths stem begon te trillen.

'Die ontmoeting had zelfs zo'n diepe indruk op me gemaakt dat ik dertig jaar later besloot om mijn zoon naar Dylan Thomas' eerste kind te noemen: Llywelyn. Misschien was dat mijn fout: ik riep de duistere voorspelling van de dichter over me af.'

Balthasars ademhaling ging over in een gejaagd gehijg.

'Ja, want ik heb een zoon gehad... die op zijn vijfde jaar spoorloos is verdwenen. Bijna dertig jaar zijn verstreken, zonder dat ik wat dan ook over hem gehoord heb. En dat is mijn onoplosbare pijn, die Thomas op een of andere manier gezien heeft, in de...'

Balth werd onderbroken door een luid gerammel van borden op de benedenverdieping. Het was alsof hij uit een trance ontwaakte.

'Ik moet gaan. Vanavond kom ik terug. Vandaag blijf jij voorlopig hier, daarna verzinnen we er wel wat op.'

Hij haalde een envelop uit zijn zak en drukte die Sebastian in de hand.

'Kijk daar maar eens in.'

Sebastian deed de deur achter hem op slot en opende de envelop.

Hij bevatte een in een sierlijk handschrift geschreven brief van 21 november 1981, die Sir Llendebux' handtekening droeg.

Beste Balthasar,

Het document dat je me vroeg te onderzoeken is zonder twijfel authentiek en van onschatbare waarde. Ik heb het handschrift uiterst nauwgezet onderzocht en er bestaat geen twijfel dat het om dat van Dylan Thomas gaat. Mijn handen beven van opwinding terwijl ik je schrijf. [...]

Deze beide fragmenten vormen waarschijnlijk de centrale kern waaruit 'Visioen en gebed' is ontstaan. Het volledige gedicht bestaat uit twaalf delen van elk zo'n zeventien regels. In de eerste zes coupletten zijn de regels in ruitvorm geordend. In de laatste zes in zandlopervorm: naar het midden toe worden de regels korter en naar het eind toe langer. [...]

Wat je vraag betreft, moet je in eerste instantie rekening houden met de kracht van de symbolen die de dichter gebruikt. Daar draait alles om.

De ruit is het vrouwelijke, creatieve symbool: het is de deur waardoor we allemaal ter wereld komen, de toevlucht waar we altijd naartoe trekken.

De zandloper is het mannelijke, destructieve symbool: de verwoestende kracht van de tijd die alles verslindt wat uit de moederbuik geboren wordt.

Bedenk echter wel dat deze twee tegengestelde symbolen complementair zijn. De ruit is het leven, dat zich voor de pasgeborene opent ('wie ben jij, geboren in de kamer hiernaast...') en zich bij de dood weer sluit, die te zien is als een terugblik op het begin. Dan deelt de ruit zich halverwege en opent zich, elke helft draait om zichzelf, tot hij op de punt van de andere staat en een zandloper vormt.

Probeer de afzonderlijke componenten maar eens naast elkaar te zetten: de ruiten en zandlopers huwen elkaar, hun tegenstellingen verdwijnen, ze vormen een ondeelbare eenheid. Leven en dood treden in verbinding. Die 'wand zo dun als vogelbeen', die het geboortevertrek van het doodsvertrek scheidt, is inderdaad flinterdun: daar kunnen de levenden, de doden en zij die op de grenslijn toeven elkaar ontmoeten.

Tegen de middag nam Sebastian een broodje en een glas water van het dienblad en dwong zichzelf te eten. Beïnvloed, bijna geobsedeerd, door de brief en Balths woorden voelde hij zich overweldigd door warrige gedachten en sombere beelden, terwijl zijn ogen ervoor kozen dicht te vallen. Overmand door een plotselinge vermoeidheid liet hij zich op bed vallen.

Hij voelde dat hij slechts één stap van de waarheid verwijderd was. Daar, verborgen achter een ondoorzichtige sluier. Maar hoe hij zich ook inspande, hij slaagde er nog niet in hem te pakken te krijgen en weg te rukken.

Een jaar geleden was ze hier... Misschien waren we hier zelfs samen... Zij heeft de dichtbundel gekocht die me over de oceaan heeft geleid... Zij heeft me teruggeleid naar Laugharne... Een kring heeft zich gesloten...

Het zandloperstrand... Het laatste intacte exemplaar van het kostbare boek... Dylan Thomas' voorspelling... Balth denkt dat ik zijn zoon ben...

Hij viel in slaap en gleed in een droom die zich amper van de werkelijkheid onderscheidde.

In deze droom zou hij haar na bijna zes maanden terugzien.

30

ELKAAR KRUISENDE WEGEN (3)

Toen Ian die avond naar zijn bungalow terugkeerde, merkte hij het dubbelgevouwen vel papier niet op dat iemand onder zijn deur door had geschoven.

Hij wierp zich op het bed. Hij was nu vier dagen op Tokashiki. Het was geen vakantietijd en het eiland was bijna onbewoond. Ian zou al weer zijn afgereisd als die dringende innerlijke stem er niet was geweest, die hem adviseerde te blijven en zijn zoektocht voort te zetten. Alsof zijn onderbewustzijn een vaag spoor had opgepikt, een spoor dat zijn zoon op zijn doorreis had achtergelaten.

En toen hij het papier op de vloer ontdekte, het nieuwsgierig opraapte en openvouwde, wist hij eindelijk dat die stem het bij het rechte eind had.

Op het papier was een ruwe plattegrond van Tokashiki getekend en met rood potlood een klein strand aan de zuidkant van het eiland gemarkeerd. Hij was al in die omgeving geweest: er was daar een half verlaten vakantiedorp met een paar onverharde wegen en een schitterend, naar hars geurend bos pal aan zee.

De gebruikelijke grappenmakerij, dacht Ian. Maar hij werd meteen uit de droom geholpen.

Direct onder het plattegrondje stond een foto.

Het was slechts een fotokopie, en ook nog een zeer donkere. Maar Ian had niet de geringste twijfel: het was zijn zoon.

Het gezicht was uitgemergeld, maar de blik was helder en de lippen waren geplooid tot een flauwe glimlach. Het was een pasfoto. Eronder was de datum van de opname aangegeven: 26/09/2009. Achtentwintig dagen geleden.

In de voorbije maanden had Ian momenten van onmetelijke uitputting, grote angst en diep verdriet beleefd. Negatieve emoties van een hevigheid die hij nooit had gedacht te kunnen verdragen. Toch werd juist deze golf van vreugde, dit ene moment van hoop, het enige in al die maanden, te veel voor zijn lichaam.

Terwijl hij ongelovig naar het gezicht van zijn zoon staarde, ging er iets mis in het wonderbaarlijke mechanisme dat het leven door zijn aderen pompte. Hij voelde een loden zwaarte in zijn borst die hem met zo'n kracht neerdrukte dat hij op zijn knieën viel. *Mijn hart...* Een mes doorboorde hem en deed hem zo heftig verkrampen dat hij niet eens kreunen kon. Hij voelde hoe de vlijmende pijn door zijn arm omhoogschoot, en kromp in elkaar.

Ik moet naar buiten... zodat iemand me vindt...

Met bovenmenselijke inspanning bereikte hij de deur en wierp zich ertegenaan. Het slot sprong krakend open en hij duikelde de treden af en landde met zijn gezicht in de vochtige aarde van het dennenwoud.

Hij bad dat iemand hem ontdekte. Maar misschien was dat zinloos.

Komt zo de dood?

Een laatste gebed, een laatste stroom van gedachten, dan duisternis.

Heer, waarom... doet U me dat aan... Juist nu... ik hem teruggevonden heb?

Maar misschien... ben ik degene... die er niets van begrijpt... zoals altijd.

Ians laatste beweging was een glimlach.

Dit is gewoon een geschenk van U...

... aan de stervende vader... die zijn zoon behouden weet.

31

DE DERDE DROOM

Om me heen is veel licht, geel, warm licht. Zonlicht. Een licht, koel briesje waait in mijn gezicht, het smaakt naar zout.

Ik draai me om en zie haar.

Haar gezicht is zo vlak bij het mijne dat ik in het bruin van haar enorme ogen lijk te verzinken als in een warme donkere poel. Een korte flits van wit, haar glimlach die oplicht tussen haar lippen.

Onder mijn vingertoppen voel ik haar huid. Die is koel en zacht, een rilling van genot gaat door me heen.

'... ik vind het een beetje luguber,' zegt ze lachend, en haar stem galmt een beetje na als in een grote, lege ruimte. 'Maar eigenlijk is het mijn schuld. Ik heb het je tenslotte cadeau gegeven, dus mag ik niet klagen. En bovendien is het ook heel... romantisch.'

Haar lippen naderen langzaam mijn mond, als een teder ideogram van licht.

Plotseling verandert de lichte bries in ijzige wind. Het licht wordt grijzer. Ik lig op vochtig, stevig zand.

Om mij heen een door golven en wind gegeseld strand. De hemel is bedekt met zwarte wolken, die eruitzien als reusachtige motten: ze fladderen met hun vleugels en verbergen de transparante zonneschijf.

Naast me de resten van een boot, een wit onderdeel van een romp. Ik zou het uit duizenden herkennen: het is mijn wrakstuk.

Ik sta op. Nu ben ik alleen.

Het harde strand waarover mijn voeten zich bewegen opent zich als een zandloper: twee grote, gespiegelde driehoeken van zand die elkaar op één punt raken, ingesloten door de zee en een reeks steile klippen. Boven me verheft zich een vervallen toren, een oude vuurtoren misschien. De naar de zee gerichte zijde is een ruïne, je kunt het met puin bezaaide inwendige zien.

'Waar ben je naartoe?' roep ik.

Een kinderstem antwoordt me in het gefluit van de wind.

'Je bent leeg, staat op de grens. Je kunt zorgen dat we elkaar ontmoeten.'

Ik draai me om mijn as en tuur omhoog naar de toren. Niemand.

De wolken pakken zich samen tot een reusachtige zwarte sprinkhaan.
'Wil je met me meegaan?' vervolgt de stem. 'Zorg dat ik mijn vader
terugzie, dan vind je jezelf terug.'
De sprinkhaan maakt een sprong en zweeft over me heen, de wereld
verduistert. Ik roep 'Ja, ja!', maar de hemel, de zee, het strand, de toren,
alles lost op in de zwarte melk van de droom.

Badend in het zweet werd hij wakker. Iets was niet in orde. Het lag niet
alleen aan de verontrustende droom. Hij keek om zich heen: alles leek
gehuld in een fijne, grijze, bijna onzichtbare sluier die de werkelijkheid
onbereikbaar maakte.

Had men hem gedrogeerd? Hij sprong op en greep zijn rugzak.

Ik kan de kamer beter niet verlaten. Maar als een robot haalde hij de
sleutel tevoorschijn en opende de deur. Een onweerstaanbare kracht
drong hem de gang op. Boven aan de trap stond hij stil en keek omlaag.

De gelagkamer was vol mensen, iedereen stond dicht opeen en langs
de muren geleund. Slechts een smal middenpad naar de ingang was vrij
gebleven. Allemaal stonden ze daar op hem te wachten, zwijgend staarden ze naar hem op.

Hij daalde de trap af. Beneden stond Balth, die hem streng aankeek.

'Hoe weet jij van het zandloperstrand?' snauwde hij hem toe. 'Niemand kan je daarvan verteld hebben, het is ons geheim!' Zijn stem werd
zachter. 'Maar dat is het bewijs dat je werkelijk mijn zoon bent. Hoe
moet je die plek anders kennen?'

'Nee, dat klopt niet!' kraste pater Wynngid. 'En daar zal de jongen
spoedig achter komen!'

Inmiddels liep Sebastian tussen de terugwijkende gezichten door.
Toen draaide hij zich om naar Balth.

'Ik... ik heb van hem gedroomd. Maar wat is dat zandloperstrand? En
waar is het?'

Sullivan Dodger, die hij juist passeerde, antwoordde hem.

'Het strand van Dylan Thomas is ons Kelten heilig. Jij hoort niet bij
ons, je hebt het recht niet dat te weten!'

'Maar dat is niet waar, het bestaat niet! Het is gewoon een symbolische
plek, een metafoor!' kraste pater Wynngid van achter.

'Het is een gevaarlijke plek, blijf er ver vandaan,' beet Dodger hem toe,
en hij schudde hem aan de arm.

Het strand van Dylan Thomas. Het zandloperstrand. Sebastian had het gevoel alsof hij een dergelijke situatie al eens eerder had beleefd. Mensen die bang waren voor een plek die hij zocht. Een geheim strand. Was dat al eens eerder gebeurd? Wanneer? En waar? Alles lag onder de amnesie begraven.

Hij liep verder langs de gezichten. Het stilzwijgen was verbroken en een gedempt gemompel ging op.

Dat is gevaarlijk... Nee, het is niet zoals je denkt... Er zijn daar veel rotsspleten... gevaren... Je moet voorzichtig zijn... voorzichtig...

Enkele oude mensen stapten opzij om hem door te laten. Achter hen zag hij Horu en Same, hand in hand, stralend van geluk. Hij bespeurde een onweerstaanbaar verlangen naar hen toe te lopen en hen in zijn armen te sluiten.

'Mauke Nuha,' riep Horu. Hij wees naar iemand bij de deur. 'Ga nu, je moet je geschenk in ontvangst nemen.' Met een handgebaar riep hij hem op zonder uitstel zijn weg te vervolgen.

Pas toen viel het Sebastian op dat de deur op een kier stond en dat er van buiten een verblindend schijnsel naar binnen viel. Naast de deur stond een witharige zestiger in een zandkleurig pak uitgeput tegen de muur geleund.

Waar had hij deze man eerder gezien? Sebastian was er zeker van dat hij hem al eens ontmoet had, en nog niet zo lang geleden. Maar op dat moment kon hij zich eenvoudig niet meer herinneren dat het de westers uitziende man was die hij op het vliegveld van Okinawa had willen aanspreken.

Toen de man Sebastian zag, lichtten zijn ogen op. Hij richtte zich op, gebaarde hem mee te komen en stapte naar buiten, het felle schijnsel in.

Sebastian volgde hem. Een ogenblik lang liep hij zonder iets te zien, verblind door het schijnsel, dat onmiddellijk daarna in een werveling van zwarte en witte bollen werd getransformeerd. Hij kon de aanwezigheid van de man voor hem alleen maar voelen. Toen verdween het schijnsel. Toen zijn ogen weer aan het daglicht gewend waren – ze waren niet opgehouden met lopen – bevond hij zich op het kiezelstrand tegenover Laugharne. Er was niemand meer bij hem.

Hij liep een paar passen in de richting van de rivier. Het gevoel niet helemaal aanwezig te zijn had hem nog niet verlaten. Alles zag er donkerder uit, als in dun gaas gewikkeld, onbereikbaar voor zijn zintuigen. Zelfs de ijzige wind die zijn gezicht teisterde leek gedempt, alsof hij verdoofd was.

Een onbestemde fluistering bereikte zijn oor.

Die ochtend ben ik daar gaan spelen... Ik was ongehoorzaam... Ben niet meer teruggekomen...

Het was de kinderstem uit de droom.

Wie ben je? Waarom hoor ik je stem? riep Sebastian inwendig.

Ben jij het, Llywelyn?

Ikzelf als kind, verloren achter de amnesie...

... achter de dunne wand die ieder mens van zijn vroege herinneringen scheidt?

Sebastian voelde een lichte druk in zijn handpalm. Hij keek omlaag. Een kleine hand had zich in de zijne gelegd.

Daar stond het jongetje, naast hem. Een warrige blonde haardos, lichte huid, ogen met diepe kringen, alsof hij nachtenlang niet had geslapen.

De kleine begon langzaam langs de oever te lopen en trok Sebastian met zich mee. Lange tijd wandelden ze zo, zij aan zij, de voeten in zand en slik, over de onzichtbare weg die hen naar het zandloperstrand voerde, naar het strand van Dylan Thomas, naar het geheime strand, het strand der herinneringen.

32

LLYWELYNS REIS

Ik droomde mijn schepping
in het zweet des doods, tweemaal
gevallen in de voedende zee, brak
geworden van Adams pekel, tot ik, visioen
van nieuwe menselijke kracht, de zon zoek.

Een verlaten vlakte zo ver het oog reikte, een uitgestrektheid van witte gebarsten modder, geteisterd door vlagen zilte wind. Enkele droge ballen tuimelkruid rolden er gejaagd door de wind overheen. Van de zee was niet meer te zien dan een smalle streep aan de horizon, zwarte, met schuim bekroonde golven omsluierd door nevelige damp. Een fijne motregen verzadigde de lucht, beparelde wimpers en brak het licht tot glinsterende stralen. Midden in dit niets stond, scheef, een oud, roestig bord.

ATTENTIE:

gevaarlijk terrein

verboden toegang!

Sebastian wist niet waar hij was. Hij had het gevoel alsof hij zojuist uit een diepe slaap was ontwaakt. Maar dit was toch echt niet zijn kamer.

Hij herinnerde zich de droom.

Haar. Ze had met hem gesproken. Het zandloperstrand en de vervallen toren. De man die door de deur van licht verdween. De ontmoeting met het kind. Hun lange wandeling.

Dit was geen gewone droom geweest. Had hij zijn kamer werkelijk verlaten? Had hij de hele tijd als een slaapwandelaar rondgedoold?

Nu voelde hij zich klaarwakker. Hij opende en sloot zijn vingers, draaide zijn ogen. Hij had de volledige controle over lichaam en wil hervonden. Maar hij kende deze plek niet. Als hij te voet gekomen was, kon hij niet ver van Laugharne zijn.

In de verte, in de richting van de zee, tekende zich een donker silhouet af tegen de horizon. Hij kneep zijn ogen tot spleetjes en probeerde het te herkennen. Het zag eruit als een kleine, vervallen toren.

De vuurtoren uit zijn droom?

Nieuwsgierig rende hij erop af.

Zijn voet stapte in de leegte en zijn hart schoot naar zijn keel, het gevoel alsof hij een tree gemist had. Met dit verschil dat zijn voet nergens een tree vond. Dan een oorverdovend geraas van vallende aarde en gesteente. Een val van een halve seconde die een eeuwigheid leek.

Toen de dreun tegen een glazen ruit, woest neerkletterende scherven als mitrailleursalvo's. Hij was op drassige bodem geland, dat had zijn val gedempt. Maar de stroom was nog niet opgedroogd, een berg aarde kwam omlaag en begroef hem onder zich, drong hem in neus, mond, oren, kroop onder zijn kleren.

Nu lag hij op zijn rug, bedekt door een hoop aarde, stenen en dode wortels. Hij kon geen adem krijgen. Hij zag geen hand voor ogen. Panisch begon hij met handen en voeten te graven, tot hij weer een briesje voelde. Hoestend en zand spugend krabbelde hij overeind. Hij voelde een hevige pijn aan zijn linkerschouder en op zijn rug: het litteken was weer opengegaan. Zijn kleren waren gescheurd en legden diepe, bloedende schrammen bloot. Hij kon zijn rechteroog niet meer open krijgen en het hield niet op te tranen.

Maar hij was nog steeds heel en in leven.

Hij keek omhoog. Hij was in een smalle scheur van zo'n tien, twaalf meter diep gevallen. Een vervloekte, door een dunne laag stoffige wortels bedekte aardscheur die zijn gewicht niet gehouden had. Slechts een smalle streep grijze hemel was te zien. De zon was juist ondergegaan.

Hij probeerde omhoog te klimmen, maar een stekende pijn in zijn schouder hield hem daarvan af. Hij probeerde het met alleen zijn benen en zijn rechterarm, maar de stenige aarde gaf mee en hij gleed steeds opnieuw naar beneden. Alleen zou hij het nooit klaarspelen.

Rustig blijven. Misschien komt Balth op het idee dat ik hier ben en komt hij me zoeken.

Inmiddels was het donker. De streep hemel tekende zich amper nog van de donkere wanden van modder af.

Maar waar is 'hier'? Ik ben als een slaapwandelaar hierheen gekomen, geen idee hoe lang en in welke richting ik gelopen ben.

Hij dwong zichzelf om niet te schreeuwen. Het was nu donker. Het was beter om de ochtend af te wachten en zijn stem te sparen.

Paniek overweldigde hem.

Maar waarom zou Balth me zoeken? Hij zal denken dat ik me opgesloten voelde en de benen heb genomen. Iedereen ziet mij als een zwerver met valse papieren. In hun ogen heeft niets me in Laugharne gehouden. Het zal Balth zuur opbreken dat hij me niet eerder over zijn vermoedens met betrekking tot Llywelyn heeft verteld...

Zijn benen lieten hem in de steek en hij zakte terug op zijn knieën.

Niemand zou hem vinden.

Hij begon te huilen en te roepen en te vloeken, tot zijn brandende keel hem dwong ermee op te houden.

Er stak een koude wind op die huilend tot op de bodem van de scheur doordrong.

"'In het bijzonder wanneer de oktoberwind", zei Sebastian zacht voor zich uit, "'met vorstige vingers mijn haar kastijdt...'"

Hij barstte in lachen uit, een waanzinnige lach, die door een hoestaanval werd gesmoord.

Toen hoorde hij de stem van het kind.

Een ijl deuntje van op de wind dansende woorden.

Wie
ben jij
die daar
geboren wordt
in de kamer hiernaast,
zo gehorig in de mijne,
dat ik hoor hoe de schoot zich
opent en het donker uitstroomt
over de geest en de gevallen zoon
achter de wand zo dun als vogelbeen?

'Ophouden! Ik wil je niet meer horen. Laat me verdomme met rust!'

Maar de stem ging door en schreef zich als vurige letters in de lucht.

Ik
moet stil
liggen als steen
bij de vogelbeenwand,
het steunen van de moeder horen
en het schaduwhoofd van de pijn
dat naar de toekomst wijst als een doorn
en de vroedvrouwen die van een mirakel zingen
totdat het uitbundige nieuwgeboren kind
mij zijn naam en zijn vlam inbrandt
en de gevleugelde wand rijt
door zijn woeste kruin en
zijn donker lendendal
in het klare licht
valt.

Ik passeer het kritieke punt in het gebed en brand
in een zegenend licht van de plotse
zon. In naam van de verdoemden
wil ik terug het verborgen
land in vluchten, maar
de zon krijt zijn
doop reeds
neer.
Ik
ben ontdekt.
O laat hij me maar
verzengen en verdrinken
in de wond van zijn wereld.
Zijn bliksem beantwoordt mijn
kreet. Mijn stem brandt in zijn hand.
Nu ben ik verloren in de verblindende
gloed. De zon brult aan het eind van het gebed.

Op dat moment begreep Sebastian het.

Als een waanzinnige begon hij in de wand van gedroogde modder te graven. Ondanks afgebroken nagels en bloedende vingers hield hij niet op voordat de wand het begaf. Een kleine nis in de rots kwam tevoorschijn, die een eerdere aardverschuiving bijna dertig jaar terug onder zich begraven en verzegeld had.

Sebastian wist wat hij erin zou vinden. Toch benam wat hij zag hem de adem.

Ingebed in de rots lag het geraamte van een kind, opgerold als een foetus, de kleine botjes bijeengehouden door gescheurde, modderige kleertjes.

'Llywelyn,' zei Sebastian hijgend, en hij barstte in tranen uit.

Hij streelde de resten van het kind dat hem in de droom bij de hand had genomen en hier had gebracht.

Dus ik ben niet Balths zoon.

Llywelyn... Wat een afschuwelijke dood...

Hij zag het allemaal voor zich. Llywelyn, die zijn moeder een afscheidskus geeft en stiekem op een verboden plek gaat spelen. Op dezelfde plek waar dertig jaar tevoren zijn vader als kind had gespeeld. Maar in Llywelyns geval wordt zijn ongehoorzaamheid hem fataal. Hij valt in een holte in de rots. Een modderlawine bedelft hem en drukt hem tegen het gesteente, zodat hij onzichtbaar wordt voor de mensen die naar hem zoeken.

Balth heeft zijn zoon destijds niet gevonden, dacht Sebastian met zijn hoofd in zijn handen. *En mij zal hij ook niet vinden.*

33

ELKAAR KRUISENDE WEGEN (4)

Absolute, onbeweeglijke duisternis.
Zonder tijd of ruimte.

Totdat de eerste snaar opduikt. Zo kwam het Ian tenminste voor. Een lange, dunne snaar van licht. Uitzicht op iets wat dit duister doorbrak. Alsof je je opnieuw bewust wordt van je eigen ik, van het feit dat je bestaat. Maar wáár bestond hij? Wat was dit voor een plek? Een droom? De dood? De sfeer waarin een terminaal patiënt zich bevindt die in het vegetatieve stadium verkeert? In elk geval bevond Ian zich nu niet in zijn lichaam. In feite kon hij zich dit soort vragen helemaal niet stellen. Hij beperkte zich tot observeren en stelde vast dat de lichtsnaar steeds sterker trilde en zich ten slotte verdubbelde. Dit gebeurde nog een keer, en toen nog drie keer, totdat vijf lichtsnaren zich in het oneindige uitstrekten.

Hun vibreren gehoorzaamde aan een exact geometrisch plan, nu eens sneller, dan weer langzamer, maar wel steeds samen, steeds twee tegelijk, ze wisselden elkaar af, het trillen werd zwakker en viel toen helemaal weg. Ian begreep het: hij zág tonen. Het vibreren was muziek. Hij kon de klanken niet horen, of beter gezegd, hij hoorde ze door ze te zien. En hij was er zeker van dat hij de melodie kende.

Kon ik maar weer in mijn lichaam neerdalen.

Het verlangen weer naar het leven terug te keren, deze muziek werkelijk te horen, verteerde hem.

Langzaam werd hij zich bewust van de zwakke geluiden die uit de vibraties opwelden. Ze doken op uit het niets en verdwenen weer in het niets, als verschrikte visjes.

De pijn sloeg door hem heen met de kracht van een explosie. Hij voelde het schrijnen van zijn keel, het hevige kloppen van zijn schedel, zijn lichaam dat slap als pap leek. Niettemin glimlachte Ian: eindelijk kon hij die heerlijke muziek hóren.

Zwakjes bewoog hij zijn handen. Hij opende zijn ogen, maar moest ze meteen weer sluiten, want ontelbare naalden boorden zich in zijn oogbollen. Toen de stekende pijn minder werd, waagde hij het nogmaals. Langzaam probeerde hij zijn omgeving te onderscheiden: een ziekenhuiskamer en het glimlachende gezicht van een Japanse verpleegkundige die naast hem stond.

'Wat is... dat... voor muziek?' steunde Ian. 'Ik... ken het.'

'De *Moldau* van Smetana,' antwoordde de vrouw verrast. 'Goedemorgen! U hebt drie dagen geslapen.'

'Ik heb van mijn zoon gedroomd,' fluisterde Ian, terwijl hij de beelden weer bij elkaar raapte. 'Hij was in een soort café vol mensen, hij zag me, ik wilde hem de weg wijzen. Toen liepen we door een deur van licht, ik moest hem ergens naartoe brengen.'

De verpleegkundige knipperde sceptisch met haar ogen. Ian zweeg: hij dacht ineens aan het bericht dat hij kort voor het infarct ontvangen had.

De pasfoto van zijn zoon. Het plattegrondje.

'Zuster,' zei Ian smekend, 'ik weet dat u nee zult zeggen, maar ik smeek u: het gaat weer goed met me en ik moet het ziekenhuis onmiddellijk verlaten.'

34

HET ZANDLOPERSTRAND

Ian... Ian...

Een ver roepen galmde na in Sebastians hoofd en vermengde zich met de stemmen uit zijn dromen. Zonder het te merken was hij tegen Llywelyns gebeente in slaap gevallen.

Ian... Ian...

De stem hield niet op met roepen, maar hij kon hem nog steeds niet onderscheiden van de beelden die hem de hele nacht achtervolgd hadden.

Iaaaan... Iaaaan...

Hij opende zijn ogen. De verre stem was geen droom, zijn oren hadden hem gehoord. Hij keek omhoog en zag de hemel, die langzaam lichter werd. Dadelijk zou de zon opkomen.

'Tiaaan... Stiaaan...'

De stem kwam dichterbij.

'Bastiaaan...'

Iemand riep naar hem. Sebastian schreeuwde uit alle macht.

'Ik ben hier! Ik ben híér!'

'Sebastiaaaan! Sebastiaaaan!' De stem was nu heel dichtbij.

'Hier! Híér!'

De grond boven hem beefde, er ruiste gruis naar beneden, toen priemde de lichtbundel van een zaklamp door het duister van de kuil en scheen hem in het gezicht.

'Sebastian! Mijn god, dáár ben je!'

Het was Balth.

'Hoe is het met je? Zeg iets!'

'Balth! Ik ben naar beneden gestort,' riep hij verward. 'Het gaat goed met me, maar ik kom er niet uit!'

'Wacht! Ik haal je eruit. Weet je zeker dat alles in orde is?'

'Ja! Ik heb pijn aan mijn schouder, maar het is niets ergs.'

Hij hoorde het geluid van zich verwijderende voetstappen. Toen een paar eindeloze minuten lang niets meer. Hij begon al te vrezen dat hij het allemaal gedroomd had, toen hij eindelijk het luider wordende geronk van een motor hoorde. Nog meer gruis kwam los van de wanden en regende op hem neer. De koplampen van de pick-up priemden door de lucht boven de scheur. Balth wierp een touw naar beneden.

'Ik kom eraan!'

Sebastian antwoordde niet meer. Hij ging in de nis zitten en wachtte in stilte.

Toen Balth het kleine geraamte op de bodem van het gat zag, scheurde er iets open in zijn hart. Hoewel de tijd er niet veel van had overgelaten, herkende hij het joppertje en de broek waarin zijn zoon die vervloekte ochtend het huis had verlaten onmiddellijk. Het antwoord dat hij zijn leven lang gezocht en gevreesd had, lag daar voor hem. Llywelyn was dood.

Balth viel op zijn knieën en boog zich over de stoffelijke resten van zijn zoon. Hij barstte uit in een tranenloos wenen, een gesmoord snikken, en hield de kleine botjes van zijn kind vast omklemd. Een hele tijd bleef hij daar zo zitten, verscheurd door snikken en kreunen die ongecontroleerd aan zijn keel ontsnapten, onverstaanbare uitingen van liefde en pijn. Toen hij weer tot zichzelf gekomen was, legde Sebastian schuchter een hand op zijn schouder.

'Ja, laten we gaan,' mompelde Balth met holle stem. Hij nam Llywelyns kleine lichaam in zijn armen. Het was hartverscheurend om te zien hoe de kledingresten tot bundel voor de botjes dienden. Moeizaam, met maar één arm, zijn voeten tegen de wanden gedrukt, trok Balth zich aan het touw omhoog. Toen hij boven was, opende hij het portier van de pick-up en vlijde de resten van zijn zoon behoedzaaam op de achterbank. Toen keerde hij terug en hielp Sebastian uit de spleet.

De zon was juist opgegaan. Uitgeput leunden de beide mannen met de rug tegen de pick-up en lieten zich, starend naar de kale witte vlakte, door de eerste bleke stralen beschijnen.

'Ik ben hier zo vaak geweest om hem te zoeken,' fluisterde Balth. 'Mijn god, zo vaak... Op de dag na zijn verdwijning en later met de honden, met de politie...'

'Hij was achter een muur van modder gevangen, Balth. Tien meter onder de grond. Niemand had hem kunnen zien of horen.'

'Misschien heeft hij mij horen roepen. Maar ik heb zijn stemmetje niet gehoord! Mijn god, wat moet hij hebben geleden... Mijn arme kind...'

De tranen liepen hem over de wangen. Maar over zijn gekwelde gezicht lag een nieuw licht. Nu zou hij vrede vinden, hoe smartelijk die ook zou zijn.

'Dank, Sebastian, dank.' Balth sloot hem in zijn armen. 'Eindelijk kan ik mijn zoon begraven.'

'Ik heb niets gedaan, Balth. Ik moet jou bedanken. Als jij er niet geweest was, was ik daar ook gestorven.'

Hij legde een arm om de schouders van de oude waard. Een hele tijd bleven ze daar zwijgend kijken hoe de zon door de morgennevel brak en snel ten hemel steeg.

'Waar zijn we hier?' vroeg Sebastian ten langen leste. 'En hoe heb je me gevonden? Hoe wist je dat ik hier was?'

Balth negeerde zijn vraag en bleef naar de horizon staren.

'En zo sluit de cirkel zich,' mompelde hij als tot zichzelf. 'Hier is alles begonnen en hier eindigt alles.'

Toen richtte hij zich op, alsof hij zich ineens iets belangrijks herinnerde.

'Kom mee, er is een plek die je moet zien.'

Sebastian monsterde hem, zonder zich te verroeren.

'Het is hier, hè? Achter deze klip.'

Ze gingen op weg naar de vuurtoren. Het terrein werd ruwer en ze moesten lange omwegen maken om niet in scheuren of kloven te storten die zich voor hun voeten openden. Met kordate pas liep Balth zigzaggend voorop, alsof hij een route in zijn hoofd volgde. De zee was nu dichtbij, je kon de golven horen brullen. Eindelijk bleef Balthasar staan.

'Ja, het is hier,' antwoordde hij.

Ze stonden aan de rand van de kale vlakte waar de klippen steil naar zee afdaalden. Rechts van hen verhief zich de vervallen vuurtoren. Een paar meter verder omlaag, tussen de klippen en het water, lag een strand dat de vorm van een zandloper had.

'Hier is mijn geheime strand.'

Sebastian schrok op. Iets in hem roerde zich heftig en probeerde zich uit de amnesie te bevrijden.

'Weet je, Sebastian, sommige plekken zijn magisch, heilig, en daarom uniek omdat we ze met onze geschiedenis die macht verlenen. Op dit strand heb ik bijna zeventig jaar geleden Dylan Thomas ontmoet. Hier heeft hij me zijn voorspelling toevertrouwd. En dertig jaar later heeft mijn kind hier de dood gevonden. Begrijp je? Dit strand is het symbool van mijn hele leven. Van heel mijn lijden.'

Hij wees naar de vuurtoren.

'Daarboven, in die toren, heeft Dylan Thomas "Visioen en gebed" geschreven, het gedicht dat het lot van mijn gezin heeft getekend. Hij heeft er ook "Proloog" geschreven, de dichtregels die jou vanuit de Pacific hierheen gebracht hebben.'

In de ban van een plotselinge inspiratie keek hij Sebastian indringend aan.

'Het is alsof er voor ieder van ons een speciale plek, uniek op de wereld, is waar we de mensen terug kunnen vinden van wie we in ons leven het meest gehouden hebben. Ook al is het maar voor even en pas nadat we ons er over pijnlijk kronkelige paden naartoe geworsteld hebben. Dit is mijn plek. Een strand niet ver van het huis waar ik mijn hele leven als een slaapwandelaar heb doorgebracht.'

Balth legde een hand op Sebastians schouder.

'Ga nu, mijn jongen. Deze plek heeft ook voor jou een geschenk in petto. Iets kostbaars wat je al veel te lang zoekt.'

Sebastian draaide zich gespannen naar hem om.

'Je weet het nog niet, maar ook hier ben je al eens eerder geweest. En je was niet alleen.'

De jongen keek hem verbijsterd aan, hij wilde iets zeggen, maar Balth kapte hem af.

'Nee, vraag me niets. Ik kan je niet zeggen hoe ik dat allemaal weet. Gisternacht is voor mijn ogen een soort wonder geschied. Maar dit is niet het moment om daarover te praten. Nu moet je gaan.'

De man zonder naam daalde af naar het strand. Balthasar keek hem na.

'Deze jongen heeft een gave,' mompelde hij. 'En hij is het zich niet eens bewust. Een gave, of misschien een ondraaglijke last, net als Dylan Thomas.'

De man zonder naam verdween uit het zicht, achter de klippen.

'Maar het is niet aan mij om hem dat te zeggen. Er staat hem nu iets belangrijkers te wachten. De man die van dit strand terugkeert zal niet dezelfde zijn die zojuist afscheid van me nam.'

35

DE GOLF VAN HERINNERINGEN

Het zand op dit zandlopervormige strand verplaatst zich horizontaal, terwijl het de onverbiddelijk verstrijkende tijd meet. Zwaartekracht noch wind beweegt het, alleen de ongrijpbare kracht van de tijd. Een onschokbare kracht die nooit aan energie inboet, nooit afneemt.

Hij bereikte het strand. Trok zijn schoenen uit en zette ze op de rotsen. Vervolgens verzette hij een paar stappen over het harde, ijzige zand. Het weerstond het gewicht van zijn voet, liet niet toe dat hij sporen achterliet. Een zonnestraal boorde zich door het kolkende wolkendek.

De schuimende branding sloeg tegen zijn kuiten en deed hem huiveren. Hij dacht aan Dylan Thomas, die een halve eeuw geleden wie weet hoe hoe vaak over dit strand gezworven had. Hij stelde zich hem boven in de toren voor, bezig het schouwspel van de wisselende seizoenen te bewonderen en zijn verzen te schrijven.

Hij dacht aan het boek in zijn rugzak. Het boek dat hem hier had gebracht en de geheimzinnige schakel vormde tussen hem en de vrouw die hij liefhad. Tussen hem en zijn verleden.

Hij voelde het: hier zou het gebeuren. Alleen hier zou er iets met hem kunnen gebeuren, op geen andere plek ter wereld.

Hij draaide zich om naar de toren. In het licht van de bleke zon zag het gebouw er spookachtig uit. De bovenkant was aan de zeekant ingestort, en als de donkere schaduwen van de muren er niet geweest waren, had hij naar binnen kunnen kijken. De basis daarentegen was intact en aan de buitenkant door een rondlopende stenen trap omgeven.

Voorzichtig beklom hij de glibberige treden.

Talloze tekens waren in het graniet gekrast, onbegrijpelijke woorden in het Cymraeg en afbeeldingen van labyrinten, *mazes*, zoals hij ze al in de smalle straatjes van Laugharne had gezien.

Hij passeerde een portaal en betrad het vertrek dat hij vanaf het strand had gezien. Door de geruïneerde muur viel mat, egaal licht naar binnen. De ruimte was leeg, afgezien van een grote stenen cilinder, het bekken waarin ooit de vlam van de vuurtoren had gelaaid. Nu was het omgetoverd tot een soort altaar, waarop een houten kistje stond. Hoewel het gebouw een ruïne was, was er puin noch stof te zien. Alles zag er zorgvuldig gereinigd uit.

Hij liep naar het stenen bekken, streek met de hand over het kistje en opende het.

Er lag een boek in.

De zandloper
Dylan Thomas
Uitgeverij BrynCoedwyg, 1951

Het was een exemplaar van zijn boek. Het wellicht laatste intacte exemplaar dat er nog van bestond.

Hij pakte het op. Er liep een rilling over zijn rug, die hij tot in zijn lippen, zijn handen voelde.

Hij stond op het punt zijn herinnering terug te krijgen.

Koortsachtig bladerde hij naar pagina 27.

Toen keek hij naar het door de tijd vergeelde papier.

Wij, liggend bij zeezand, starend naar geel
en de bange zee, geven smalend af op het honen
van hen die de rode rivieren volgen, holle
alkoof van woorden uit cicadeschaduw,
want in dit gele graf van zand en zee
klinkt een roep om kleur op de wind
die bang en blij is als graf en zee
slapend ter rechter- en linkerhand.
De maandoodse stiltes, het kalme getij
dat de stille kanalen likt, de droge tijmeester,
geribd tussen woestijn en watergeweld,
zij moeten onze waterkwalen genezen
met een monochrome sereniteit;
de hemelse muziek boven het zand
zingt met de ijlende korrels
die de gouden bergen en buitens
van het bange, blije kustland verbergen.

Gebonden in een vorstelijke strook liggen wij,
geel ziend, te wensen dat de wind
de kustlagen wegblaast en rode rots verdrinkt;
maar wensen verrichten de daad niet, noch
kunnen wij de komst van rots afweren,
dus staren we in het geel tot het gouden weer
breekt, o, bloed van mijn hart, zoals een hart, een heuvel.

Amper maak ik mijn blik los van het boek, of de werkelijkheid om me heen gaat op in melkachtige nevel. Een moment lang verlies ik mijn ruimtegevoel, mijn evenwicht. Uit de nevel doemt een nieuw landschap op. De bleke schemer maakt plaats voor verblindende helderheid.

Ik merk dat ik op roze getint zand lig. Er stijgt een weldadige warmte uit op die zich over mijn lichaam verspreidt.

Ik draai me op mijn zij en...

... zie jou.

Je ligt op het roze zand, met je armen ontspannen langs je lijf, je knieën licht gebogen, je stralende gezicht naar de hemel gewend, je in het zonlicht trillende oogleden gesloten. Ik ervaar een onbedwingbaar verlangen je aan te raken, maar hier, waar ik nu ben, is het me niet toegestaan te bewegen. Toch kan niets mijn opwinding stuiten die elk van mijn cellen doet zinderen.

Je draait je op je zij en knippert met je ogen. Je praat tegen me.

'Dat alles hier... herinnert je dat niet aan dat vreemde strand in Wales?' vraag je me glimlachend. 'Dat strand met die gekke zandlopervorm?'

'Jazeker, het strand van Dylan Thomas,' antwoord ik.

'Ah, ja!' verzucht je, terwijl je tegen je voorhoofd slaat. 'Je hebt me ik weet niet hoe lang aan mijn hoofd lopen zeuren om erheen te gaan. Maar weet je wat? Dit strand hier is duizendmaal mooier!' Je lacht gelukkig. 'En natuurlijk was het mijn idee. Maar goed dat ik er ben om je naar plekken te brengen die werkelijk de moeite waard zijn!'

'Maar het klopt,' zeg ik. 'Het was even lastig te vinden. Daar deed ook iedereen heel geheimzinnig en wilde niets loslaten. God weet waarom!'

'En toen vonden we het ook stomtoevallig.'

Dan draai je je weer naar de zon.

'Tja, inmiddels zijn we heuse explorateurs,' roep je vrolijk. 'Ontdekkers van met sagen omsponnen geheime oorden. We zouden kunnen omschakelen naar archeologie, wat vind jij?'

'Daar kom je een beetje laat mee...'

'Hoe bedoel je?'

'Zeg maar Jones, schat. Indiana Jones.'

'Ach, hou toch op! Altijd de clown uithangen.'

Je geeft me een schop met je voet, maar ik voel niets. Ik kan niets voelen.

'Nu herinner ik me weer wie je bent,' zeg ik plotseling ernstig.

'Wat klets je nou?' Je proest het uit en kijkt me aan alsof ik een kind ben bij wie de fantasie op hol geslagen is.

Nu weet ik weer wie je bent.

Ik heb me niet vergist. Ik heb het van het begin af aan goed aangevoeld.

Jij bent de vrouw die ik liefheb.

Meer dan wat ook in het grenzeloze universum.

Je bent de enige vrouw die ik ooit in mijn leven bemind heb.

Een steek snijdt door mijn hart, als ik me alles herinner.

Je heet Karin.

Als ik kon, zou ik voor altijd hier blijven, met jou, op dit vreemde strand van licht. Dat is mijn enige wens: de tijd stil te zetten, zo te zijn, met jou, tot aan het einde der dagen.

Het kan me niet schelen dat het niet de werkelijkheid is. Het zal me een zorg zijn of het maar suggestie is. Ik wens dat ik nooit meer terug hoef te gaan.

Maar een oorverdovend gedaver rukt ons uit elkaar. De zon brult, de aarde beeft, ik draai me om en zie een reusachtige golf, hoog als een berg. Hij bestaat uit spierwit, zuiver licht, een schuimende wand van energie, die me het volgende moment bereikt en over me uitstort. Het licht dringt in mijn vlees, zet het in brand, lost het op, en uit de gloeiende kruimels van mijn lichaam breken nieuwe stralen los die de felle schittering voeden. Dan vlakt de golf af en verdwijnt weer in de koude schemer.

Alles is voorbij. Nu is alles weer zoals het was.

Nee, dat klopt niet.

Ik ben niet meer wie ik was.

Ik ben niet meer Mauke Nuha, ik ben niet meer Sebastian Haller.

Ik doe de rugzak af, rits hem open en haal er míjn boek uit tevoorschijn.

Met mijn nagels pulk ik de schutbladen in het voorwerk van elkaar. Dat valt niet mee, de oceaan heeft ze vast aaneengekit. Maar uiteindelijk lukt het me. En nu zie ik hem.

Natuurlijk is de pagina volkomen leeg. De oceaan heeft alles verbleekt en onleesbaar gemaakt.

En toch, alsof hij daar nog stond, met zwarte pen in de rechterbovenhoek geschreven, alsof hij nog duidelijk leesbaar was, kan ik de naam lezen van de eigenaar van dit boek.

Eindelijk kan ik mijn echte naam lezen.

Demian Sideheart

DEEL III

BIJNA EEN TERUGKEER
NAAR HUIS

36

HET EINDE VAN DE ZOEKTOCHT

De gsm rinkelde midden in de nacht. Het schermpje lichtte op en dompelde de kamer in een vaag, onzeker schijnsel. Samuel schrok zo heftig wakker dat hij rechtop in bed zat. Hij reikte naar het nachtkastje en greep de telefoon.

Al drie dagen deed hij vergeefse pogingen Ian te bereiken. Elke keer dat hij hem belde, stelde een metalige stem hem eerst in een of andere onbegrijpelijke vreemde taal en vervolgens in het Engels in kennis van het feit dat de abonnee niet bereikbaar was. Samuel maakte zich zorgen. De avond tevoren had hij met Rachel gesproken, zij was in tranen uitgebarsten. Misschien was zij het die nu belde.

'Hallo? Ja, spreekt u mee.'

Het was niet Rachel. Het was de stem van een man en hij sprak Engels, zij het met een zwaar Chinees accent. Haastig stelde hij zich voor: het was Kasumi, de politiechef van Taipei.

'Het genoegen is geheel aan mijn kant. Maar waarom belt u me midden in de nacht...'

Hij zweeg. Hij begreep het al. Zijn hart maakte een sprongetje.

'Excuses voor het tijdstip,' zei Kasumi, 'maar gegeven het dringende karakter van de zaak zult u het me vergeven. Het gaat om een ontdekking die, met een hoge graad van waarschijnlijkheid, met uw dochter Karin correspondeert.'

'Wat bedoelt u met "ontdekking"? Hebt u haar gevonden? Is ze... in...'

Een korte stilte, een diepe afgrond die tot in de hel reikte. Toen sprak Kasumi verder.

'Helaas niet, nee, er is niets meer aan te doen. U moet zo snel mogelijk hierheen komen om het lichaam te identificeren. Het spijt me.'

Met handen die bewogen alsof ze aan een vreemde toebehoorden, nam Samuel nota van waar hij zich vervoegen moest. Hij greep een stuk papier, een potlood en schreef het op. Een stem in zijn hoofd zei hem acuut een vlucht te boeken.

Toen viel de gsm uit zijn hand en viel kapot op de vloer. Happend naar adem maaide hij met zijn armen, maar er was niets waar hij zich aan vast kon klemmen. Een verschrikkelijke pijn verplaatste zich van zijn borst naar zijn maag. Een pijn zo fel dat hij naar buiten sloeg, een inwendige explosie die ook in zijn lichaam een ongeneeslijke wond sloeg, direct onder het borstbeen.

Het was 26 oktober. Sinds de verdwijning van Demian en Karin waren er zes maanden verstreken.

37

DEMIAN SIDEHEART

Ik loop over een eindeloos strand.

Mijn voeten zakken weg in het natte zand, ongedurige grens van land en zee. Het strand strekt zich uit tot voorbij de horizon, duin op duin, golf op golf, een zandwoestijn naast een waterwoestijn.

Ik ben er het centrum van.

Het licht overweldigt de kleuren. De hemel is melkachtig blauw, de aarde doorzichtig glas, de zee een wit zwevend dons boven een zwarte afgrond. De lucht is verzadigd van microscopisch kleine regendruppeltjes, zojuist is een hevige storm gaan liggen.

De bulderende branding likt aan mijn voeten. Elke golf die zich terugtrekt laat iets op het zand achter, daarginds, in de verte.

Dit alles bestaat niet echt. Het zit in mij, is een projectie van mijn bewustzijn.

De golven voeren verloren herinneringen aan. Nu hoef ik alleen te wachten tot alles tot rust komt, zodat ze de een na de ander kunnen aanspoelen.

Ik heet Demian. Demian Sideheart.

Maar ik moet helemaal vooraan beginnen, alles in de juiste volgorde.

Ik draai me om en wil teruglopen.

'Dat kun je niet doen,' oordeelt een kinderlijke stem.

Ik blijf staan.

'Je kunt niet achterom kijken. Je kunt niet verder terug.'

'Hoezo niet?' vraag ik.

Geen antwoord.

Dan vermoed ik het: achter me liggen de prenatale herinneringen, de foetale. De herinneringen aan de allervroegste kindertijd. Mijn geheugen heeft nooit toestemming gehad om daarnaar terug te keren.

Ik kan alleen verder het strand af lopen. Mijn vergeten geschiedenis herbeleven.

Sterke armen tillen me op. Een zonnige tuin, gele vlekken, mijn grootmoeder vertelt me een raadselachtig sprookje.

De eerste herinneringen zijn door de wind geërodeerd, het zijn beelden met vage contouren, verzonken dromen.

Een nachtkus. Een verstopplek in de kelder. De indeling van de klassen op de eerste schooldag. Een ruzie. Een stomp in mijn maag. De angst voor het donker achter de deur. Kerstavond, het uitpakken van de cadeautjes onder de kerstboom.

Langzaam loop ik verder, de korrelige herinneringen worden scherper, worden fijn geciseleerde beelden met verrassende details. Ze vertellen verhalen.

De schooljaren, zwijmelend om Emily, het schoolreisje op het eind van het jaar. Dan breekt de puberteit aan, de baslijn van 'Under Pressure', hangplekken, hartkloppingen, momenten van eenzaamheid, extase. Kostbare poeders vermengd met zand, aangespoeld wrakhout, schaamte, leugens, schuldgevoel. Verzegelde flessen, onbewuste fragmenten waar de geest geen vat op krijgt.

Ik blijf staan. Opeens verschijn jij. *Karin.*
Met een stralende glimlach kom je me vanuit de verte tegemoet.
Onze herinneringen omgeven je. Het zijn er zo veel en ze stralen zo helder dat ik ze niet goed kan onderscheiden. Dan ben ik bij je, maar ik mag je niet aanraken. Het directe contact met het verleden is me verboden.
Zonder met elkaar te kunnen spreken gaan we zij aan zij verder.

Zij aan zij op een bankje in Seymour Lake Park. Je bloost. Ik druk je tegen me aan terwijl we op 'Still Remains' dansen. De geur van je naakte rug. Afscheid van een jaar, een lucht doorsneden met zwarte kabels, duizend bochten naar Cottage Grove, een gejatte auto. Wandelingen in Versailles, de Keukenhof, haar dat droogt in de wind, het water dat je dijen omvat, hoe je straalt in je bruidsjapon, en zoals op elk huidig moment, nu, nu en nu, de open geknoopte blouse, je hart dat sneller slaat, dat beeft

Maar het duurt niet lang.

Geprojecteerd vanuit een punt aan de hemel breidt een immense kegel van schaduw zich voor ons uit tot hij het strand bedekt. Een muur van duisternis rijst voor ons op en verspert ons de weg. Een duisternis zo compact als een membraan dat lijkt te pulseren. Het licht van onze herinneringen breekt erop stuk en kan er niets tegen uitrichten.

Voorzichtig kom ik dichterbij en strek mijn arm om het aan te raken. Instinctief zoek ik je hand om je naar me toe te trekken. Maar je glipt me door de vingers, glijdt weg. Dan draai je je om en wuift me met een trieste glimlach toe.

Als versteend moet ik toezien hoe het duister je opslokt.

Ik wil je achterna gaan, maar hoezeer ik me ook inspan, ik kom geen stap dichterbij.

Ik geef het niet op. Ik ga gewoon om de schaduwkegel heen lopen.

Ik laat de zee achter me en betreed de duinen. Hier is het strand een woestijn, een oogverblindende vlakte van droog zand. Ik worstel me de mulle hellingen op en af, de blik star op het monstrum gericht. In het inwendige zie ik een werveling van witte vezels die iets lijken af te beelden, misschien gezichten, maar zodra ik me op een beeld concentreer, lost het op en ontstaat er een nieuwe etherische figuur. Ik loop er met een boog omheen tot ik de zee weer zie. Als mijn voeten weer in het natte zand wegzinken, slaat er een pijnlijk gemis door me heen.

Jij bent er niet.

Kan ik hier blijven? Kan ik hier op je wachten? Ook al jaagt deze plek me angst aan, ook al is het voor altijd, het kan me niet schelen.

Maar ik weet dat het onmogelijk is. Mijn reis moet verdergaan. Het is onvermijdelijk.

Achter de schaduwkegel duiken nog meer herinneringen voor me op. Levendig en pulserend, spartelend en happend naar lucht, als vissen op het droge. In het zinderende zonlicht zie ik, wazig en omfloerst, Horu's gezicht. Dan schiet er een felle pijn door mijn rug. Ik verplaats mijn blik verder naar voren. Op de dromen, het boek, Aruke, die me leert zeilen op de *wa'hay*, de oversteek naar Okinawa, Sames dood, de aankomst in Wales, mijn werk in de herberg. Alle herinneringen van na de amnesie, tot op dit ogenblik.

Mijn naam is Demian Sideheart. Ik ben tweeëndertig jaar oud. Ik ben Amerikaan. Ik ben geboren en getogen in San Francisco, Californië.

Ik ben nu weer mezelf, maar niet meer dezelfde als voorheen. Er zijn maar zes maanden voorbijgegaan, maar het is alsof ik twee levens extra heb geleefd: in mij draag ik nu ook de zielen van Mauke Nuha en Sebastian Haller.

Mijn tijd op dit strand loopt ten einde.

Ik draai me om. In een flits van inzicht weet ik wat de schaduwkegel is.

Maar ik ben er niet bang voor. Ik wil niet bang zijn.

Ik zal erin doordringen en je terugvinden.

Wacht op me, Karin. Ik kom je halen.

38

EINDE VAN DE ZOEKTOCHT (2)

Rachel was wakker. Ze had de hele nacht in de keuken doorgebracht met de telefoon onder handbereik. Ze had al drie dagen niets meer van Ian gehoord en niet meer kunnen slapen. Of beter, niet meer wíllen slapen. Ze wachtte alleen tot de telefoon zou gaan.

Toen het gerinkel door het halfdonkere vertrek galmde, schrok ze een beetje. Met een schokje veerde ze op en legde haar hand op de hoorn. Voordat ze opnam, sloot ze haar ogen en haalde diep adem.

'Hallo?' zei ze.

Een korte stilte. Vreemde achtergrondgeluiden, de voor een langeaf-standsgesprek gebruikelijke storing. Toen een schorre, aarzelende stem aan de andere kant van de lijn.

'Mama...?'

De aarde opende zich onder haar.

'De...an...?'

Haar stem was in haar keel blijven steken. Weer stilte, de vertraagde overdracht van het signaal, het duurde maar even, maar Rachel opende zich erin uit als een blauwe hemel, als een fel licht dat zes maanden van blinde wanhoop oploste.

'Mama, ik ben het! Demian!'

'O mijn god! Demian? Demian?'

'Ja, mama, ik ben het!'

'Demian, jij bent het! O genadige hemel!'

Rachel barstte in tranen uit. Ze omklemde de hoorn met beide han-den, alsof ze bang was dat de stem van haar zoon haar door de vingers zou kunnen glippen, weer in rook kon opgaan.

'Demian!' stamelde Rachel in tranen. 'Hoe is het met je? Waar ben je?'

'Rustig maar, mama, het is goed met me. Het is een lang verhaal. Hoe gaat het bij jullie? Ik heb geprobeerd om Karin mobiel en thuis te berei-ken, maar ze neemt niet op. Waar is ze?'

'Ik weet het niet, Demian... O god...'

'Hoezo je weet het niet? Is alles goed met Karin?'

'Ja, ja, sorry, ik ben helemaal van slag, ik ben zo gelukkig!'

'Oké, oké, maar kalmeer nou! Luister, ik heb maar heel weinig tijd, ik ben bij de politie. Waarschuw Karin, bel haar op en zeg haar dat het goed met me gaat. Waar is papa? Iemand moet me ophalen.'

'Papa is er niet, maar waar zit je?'

'Ik ben nu in Wales. Ik ben een poos mijn geheugen kwijt geweest, mama. Ik heb geen papieren meer. Ik geloof niet dat de politie me zomaar laat gaan, tenzij iemand mijn identiteit bevestigt en borg voor me staat.'

'We komen! Ik bel papa meteen op! Hij is in Japan, geloof ik, hoe lang gaat dat duren? Geen idee, geen idee!'

'Mama, haal eens diep adem! Anders krijg je nog een hartaanval. Je wilt me toch weer in je armen sluiten, of niet soms?'

Rachel moest ondanks de tranen lachen.

'Maar natuurlijk! Hoe kan ik je dan bereiken?'

'Ik ben nu op het politiebureau in Cardiff. Wacht, ik geef je het telefoonnummer van het hotel waar ik logeer. Het heet Dylan Thomas' Inn.'

Rachel was zo in de wolken van blijdschap dat ze nauwelijks besefte dat haar hand het nummer noteerde. Pas enkele minuten nadat ze had opgehangen, herinnerde ze zich dat haar man nu al drie dagen spoorloos verdwenen was.

***

In die drie dagen hadden Samuel en Rachel wanhopig geprobeerd Ian te bereiken en onophoudelijk zijn nummer gebeld. Ian lag ondertussen na zijn infarct in een kunstmatige coma in het Funakoshi-ziekenhuis in Nishihara.

Toen hij bijkwam, had hij slechts één enkele gedachte: het papier met Demians foto. Zo'n dertig dagen gelden, op 26 september had iemand zijn zoon ontmoet en een foto van hem gemaakt.

Zijn gezondheidstoestand en het advies van de artsen ten spijt had hij het ziekenhuis onmiddellijk verlaten, of beter, hij was er op niet geheel legale wijze vandoor gegaan. Toen hij zijn kleren terug had, had hij eerst koortsachtig zijn zakken doorzocht. Het papier was er niet. *Geeft niet,* dacht Ian, de plattegrond stond hem haarscherp voor de geest en hij wist precies waar hij naartoe moest. Zijn geld en papieren waren nog op hun plaats. Zijn satelliettelefoon daarentegen was verdwenen, wellicht zoekgeraakt in de opwinding na het infarct – de val, de ambulance, het transport naar het ziekenhuis. Ian wist dat hij onmiddellijk Rachel moest opbellen om haar gerust te stellen en haar over Demian te vertellen, maar op dit moment had hij daar noch de tijd, noch de mogelijkheid voor. Zonder eraan te denken dat hij net een hartinfarct achter de rug had, verliet hij het ziekenhuis en zette het op een rennen. Doel: het eiland Tokashiki. Hij moest twee bussen en twee veerboten nemen. Hij hield pas op met rennen toen hij het kleine strand aan de zuidkant van het eiland had bereikt. De zon was net ondergegaan.

Op het strand stond een hut waarin Yukiko woonde, een elegante Japanse vrouw met twee verschillend gekleurde ogen. Een kleine jongen uit het nabijgelegen vakantiedorp fungeerde als tolk en de twee spraken bijna drie uur lang. Yukiko vertelde Ian het ongelooflijkste verhaal dat hij ooit had gehoord. Het verhaal van Mauke Nuha, de man zonder geheugen, die de oceaan was overgestoken. Het verhaal van zijn zoon.

Ian haastte zich het pad op dat wegvoerde van het strand en doorkruiste het donkere bos. Nu hamerde er een nieuwe gedachte in zijn hoofd: hij moest meteen zijn vrouw opbellen. Ze hadden elkaar al drie dagen niet meer gesproken en Rachel maakte zich vast verschrikkelijke zorgen. Hij haastte zich naar het vakantiedorp en vroeg daar, hoewel het al heel laat was, of hij van de teloon gebruik mocht maken. Hij popelde om haar het geweldige nieuws te vertellen.

39

DE PSYCHOLOGE

'Even om zeker te zijn dat ik het goed begrijp, meneer Sideheart.' De oudere politiebeambte krabde aan zijn hoofd. 'U bent uit de Verenigde Staten naar Wales gekomen en toen hebt u door een gebeurtenis, die u zich verder niet herinnert, uw geheugen verloren. Men heeft uw papieren, uw mobiele telefoon en uw geld gestolen. Daarna hebt u een poosje in de omgeving van de Breacon Beacons rondgedwaald en bent u opgenomen door de heer Balthasar Llanwymmyr hier aanwezig.' De beambte kijkt hulpzoekend naar Balth. 'En vanmorgen herinnerde u zich ineens uw naam weer en kon u zich met uw familie in verbinding stellen. Is het tot zover correct?'

Ik knik ernstig. De politieman strijkt met zijn vingers door zijn haar.

'En waarom bent u niet meteen hierheen gekomen om de diefstal en al het andere te rapporteren?'

Ik weet niet wat ik moet antwoorden. Ik haal zwijgend mijn schouders op, dat is in zulke gevallen het beste.

'Oké, oké,' zucht de beambte. 'Ik begrijp dat enkele familieleden u komen ophalen?'

'Ja, mijn vrouw en mijn ouders.'

'Goed. Een identificatie van hun zijde zal voldoende zijn om de voorlopige papieren voor de thuisreis uit te reiken. Om al het andere zal de Amerikaanse politie zich bekommeren.' Hij krult zijn lippen geringschattend. 'Vooralsnog moet u hier op het bureau blijven. Nee, het is geen hechtenis' – de beambte heft zijn handen bezwerend –, 'slechts een voorzorgsmaatregel. Voorts is een gesprek met een psycho... met een psychiater of een psycholoog gepland – afijn, een zielenknijper, teneinde een preciezer beeld te krijgen van hetgeen u overkomen is. Als u het proces-verbaal zou willen ondertekenen...'

Hij houdt me een formulier voor, dat ook Balthasar als getuige ondertekent. We werpen elkaar een verstolen blik toe. We hebben een heleboel details verzwegen, maar de politie hoeft per slot van rekening niet alles te weten.

Een half uur later zit ik in het kantoor van dr. Caerdydd, de politiepsychologe van Cardiff. Ze is heel jong, of misschien lijkt ze dat alleen maar vanwege haar kinderlijke sproetengezicht en die twee rebelse blonde lokken die haar gezicht omlijsten. Twee grote blauwe ogen domineren haar trekken: ze zijn voortdurend in beweging, als twee enorme peilloden die de natuur heeft gecreëerd om het innerlijk van haar medemens te peilen, waarschijnlijk de reden dat ze psycholoog is geworden.

Ik weet niet wat me bezielt, maar bemoedigd door haar blik kan ik me uiteindelijk niet inhouden: ik vertel haar alles. Ik spreek de versie die ik zojuist aan de politieman heb opgedist tegen, ik schuw zelfs compromitterende details niet: het valse paspoort, de reis naar Japan, de dromen en de gedichten van Dylan Thomas. Overbodig te zeggen dat ik er het volgende moment al spijt van heb.

Nu gaat ze me aangeven, denk ik.

De psychologe lijkt mijn gedachten te lezen alsof ik een open boek ben.

'Geen zorgen, meneer Sideheart, u hebt tenslotte niemand kwaad gedaan. En los daarvan is er de medische zwijgplicht. Alles blijft onder ons.'

Ze glimlacht vriendelijk naar me, maar ik ben toch niet gerustgesteld.

'Bovendien is het duidelijk dat u niet in het volle bezit van uw mentale faculteiten handelde.'

'Sorry, maar hoe bedoelt u dat?'

'Je moet toegeven – ik mag toch wel "je" zeggen? – dat je verhaal, eh, nou ja, nogal... eigenaardig klinkt.'

Ze trekt ongelovig haar wenkbrauwen op. Ik begrijp niet waar ze naartoe wil.

'Kijk, Demian – ik mag toch wel Demian zeggen? –, amnesie is een delicate zaak. In de fase waarin je herinneringen terugkeren kan het brein je lelijke poetsen bakken.'

Met andere woorden, ze beschouwt me als een fantast.

'Heb je misschien concrete bewijzen die je verhaal kunnen bevestigen?'

'Nou en of!' Ik schreeuw het bijna uit en spring gepikeerd van mijn stoel. 'Dit handgemaakte voorwerp hier kan u bewijzen waar ik geweest ben.'

Ik open de rugzak en zoek de re'wellib. Maar tussen mijn kleren vind ik slechts een warrige kluwen van gebroken schelpen, stokjes en draad. *O mijn god, nee! Horu's geschenk...*

Het begint me te dagen wat er gebeurd is: het is kapotgegaan toen ik in de scheur viel. Bijna begin ik als een kind te huilen. Ze monstert me half goedmoedig, half geïrriteerd, wat me nog woedender maakt.

'Is al goed, rustig maar,' zegt ze, schijnbaar oneindig geduldig zuchtend. 'Laten we liever proberen om nuchter te analyseren wat je overkomen is. We moeten zorgvuldig onderscheid maken tussen *werkelijkheid* en *symbolen*. Vooral waar het gaat om de dromen die je me beschreven hebt. Je hebt je vrouw gezien, en hoewel je haar niet herkende, voelde je meteen de sterke, emotionele band die tussen jullie bestaat. Dat is een duidelijk signaal van het onderbewuste. De droom was een coup de théâtre, een reactie van het brein, een reddingsanker om een nieuwe...'

Terwijl ze praat, moet ik denken aan die nacht waarin ik Horu hetzelfde vertelde. Zijn uitleg was precies het tegenovergestelde van die van deze psychologe. Voor Horu waren deze visioenen *reële* boodschappen, een brug tussen jou en mij. Voor de psychologe daarentegen zijn ze louter een product van mijn geest, een door mijn brein uitgeworpen reddingslijn.

'En dan hebben we nog die gedichten van Dylan Thomas, ja?' De vraag onderbreekt mijn gedachtegang.

'Ja. Ook al heb ik nog niet begrepen welke rol die in dit hele verhaal spelen.'

De psychologe haalt diep adem.

'Luister, mijn beste Demian, de psyche is een onvoorspelbaar labyrint. Als je al deze wegen niet had bewandeld, al deze plekken niet had bezocht en de dingen zoals je ze ervaren hebt, niet had ervaren, dan had je je geheugen misschien nooit teruggekregen. Voor je geest was het noodzakelijk dat juist deze dingen langs juist deze kronkelige wegen gebeurden. Je hebt geluk gehad. Veel slachtoffers van posttraumatische amnesie krijgen hun herinnering nooit terug. Vaak is het niet voldoende om naar een vertrouwde plek terug te keren of het gezicht van een dierbare terug te zien. Integendeel, vaak wordt alles daardoor nog...'

'Maar natuurlijk!' brul ik, en ik sla met mijn vuist op tafel. De psychologe schrikt zich bijna een beroerte. 'Ik heb hem gezien! Op het vliegveld van Okinawa!'

Ze staart me met grote ogen aan, dan krabbelt ze iets in een schriftje, misschien heeft ze zojuist bevestiging gevonden voor de waanzin die ze bij mij vermoedt.

'Ik ben een maand geleden mijn vader tegengekomen, op het vliegveld van Okinawa!' verklaar ik, en ik kan mijn opwinding amper in toom houden. 'Ik heb hem gezien, maar hij mij niet! Ik heb me niet kenbaar gemaakt, hoewel die merkwaardig vertrouwd aanvoelende man mijn nieuwsgierigheid wekte. Ik moest me inhouden om niet naar hem te roepen. Pas nu begrijp ik dat het mijn vader was!'

De psychologe knikt en zet die ellendige ondoorgrondelijke, half sceptische, half welwillende glimlach op.

'Dat zou toch slechts een bevestiging zijn van wat ik zei. Op dat moment was het maar goed dat hij je niet zag, het zou te vroeg zijn geweest. Je had tegenover een volkomen onbekende gestaan, die jou zou hebben willen omhelzen om te bevestigen dat hij je vader was. Maar dat had jou niet geholpen je geheugen terug te krijgen, veeleer had het je nog verder verward.'

Ik ben stomverbaasd over haar woorden.

'Maar waarom?' vraag ik. 'Ik bedoel, waarom híér? Waarom uitgerekend zó? Wat heeft dat allemaal voor zin?'

'Wat dat betreft kan ik je niet helpen. Voor zulke dingen is er meestal geen verklaring. Bovendien ben ik niet in amnesie gespecialiseerd, het is mijn terrein niet. Ik raad je aan een deskundige te zoeken als je weer thuis bent, die zou je daar wat meer over kunnen zeggen.'

'Dat zal ik beslist doen. Maar... er is nog een laatste punt. Ik denk dat het belangrijk is.'

De psychologe buigt zich naar me toe en is een en al oor.

'Ik luister, Demian.'

'Mijn herinneringen... zijn nog niet allemaal terug! Hoezeer ik me ook inspan, ik weet nog steeds niet waardoor het geheugenverlies veroorzaakt is. Ik herinner me niet eens de periode onmiddellijk ervoor. Het zouden maanden kunnen zijn. Het is alsof er over dit deel van mijn leven een schaduw ligt.'

De psychologe knikt peinzend.

'Ja, ook dat is een vrij gebruikelijk verschijnsel. Ik zal het proberen uit te leggen. Na een radicale amnesie keert de herinnering niet in één keer terug. Normaal gesproken zijn daarvoor drie verschillende fasen nodig. Dat noemt men driefasenherstel. In de eerste fase krijgt de patiënt zijn semantische geheugen terug, dat gekoppeld is aan de automatische basisfuncties van het brein: denkvermogen, taal, cultureel substraat enzovoort. Het is vergelijkbaar met het neuronale herstel na een beroerte: het brein herstelt zijn mentale verbindingen en leert het verloren gegane opnieuw. Dan de tweede fase: de patiënt krijgt zijn persoonlijke geheugen terug, de unieke, onverwisselbare herinneringen van de eigen geschiedenis. En dat is jou enkele uren geleden overkomen.'

Ze trekt een ernstig gezicht.

'Maar vaak is dat niet voldoende. Er is een derde fase nodig om de onmiddellijk met de amnesie verbonden herinneringen weer aan het licht te brengen. Je moet bedenken dat de amnesie een beschermingsmechanisme van het brein is, de afweer tegen een onverdraaglijke realiteit die we kortweg als het "trauma" aanduiden. Het brein blijft alle gebeurtenissen toedekken die, als schakels van een ketting, in een oorzaak-gevolgrelatie tot het trauma staan. In de derde fase gaat het erom de schakels van deze ketting stuk voor stuk terug te volgen. In tegenstelling tot de eerste twee fases, die irrationeel en onvoorspelbaar zijn, is deze fase controleerbaar, deductief, maar dat maakt hem nog niet gemakkelijker. Het gaat om een strijd tegen het eigen brein, dat weigert om mee te werken. Het moet met onweerlegbare bewijzen geconfronteerd worden voor het deze zo zeer gevreesde herinneringen binnenlaat.

Kortom, Demian, je moet het trauma verwerken. Er is nog steeds iets wat je brein voor je verbergen wil. Het gaat erom de wortels van de amnesie tegemoet te treden, bloot te leggen wat je overkomen is. Natuurlijk alleen als je het werkelijk weten wilt. Maar laat er in elk geval wat tijd overheen gaan: nu, in jouw toestand, zou een poging om te herinneren je psychische balans in gevaar kunnen brengen.'

Waarom, zo vraag ik me af, waarom ligt deze schaduw nog steeds over mijn verleden? Is deze ellendige reis nog steeds niet afgelopen? Nog even en ik ben weer thuis. Bij jou. Alles zal goed komen. Wat moet ik verder nog weten?

'Maar, zoals gezegd, is het beter als je je tot een specialist wendt, voor het geval...'

Ik luister niet meer.

Alles vervaagt voor mijn ogen, de kamer begint te draaien, mijn oren tuiten. Ik krijg het afwisselend koud en heet, mijn hart bonkt.

'Demian...' De stem van de psychologe klinkt ver weg, als door watten. 'Gaat het? Je bent zo wit als een doek.'

'Nee, ik voel me niet goed,' stamel ik. 'Waar is Balth? Ik moet... met hem spreken...'

Ik word bevangen door een koortsig gevoel. Nu mijn lichaam het eind van de reis voelt naderen, komen alle inspanningen, alle pijn en moeite van die eindeloos lange maanden, opeens bij me aan.

Maar dat dondert niet. Eindelijk kan ik me laten gaan, zonder angst. Ik hoef niet meer eenzaam tegen alles en iedereen te strijden. Ik kan nu slapen.

Nog even en ik word thuis wakker. In jouw armen.

40

DE EERSTE ONTMOETING

SAN FRANCISCO, 14 MEI 1994

VIJFTIEN JAAR EERDER (DEMIAN IS ZEVENTIEN)

Broeierige hitte en het oorverdovende getjirp van krekels.

'Hé, Dem! Laat een trekje voor mij over!'

Chris springt achter een bosje vandaan. Broek met laaghangend kruis, lome tred, legerpukkel die bijna over de grond sleept. Zijn mokkende pubergezicht gaat schuil achter een wirwar van blonde vlechtjes. Ik steek mijn hand uit en voor ik het in de gaten heb, heeft hij mijn 'model Fidel' al in zijn mond, een joint zo dik als een Cubaanse sigaar.

'Ha die Chrissepis,' zeg ik met een geeuw. Hij kan het niet uitstaan als ik hem zo noem.

'Krijg de klere, Dem.' Gulzig trekt hij aan het beetje hasj dat nog in de filter zit, en ploft neer op de rugleuning van de bank.

De bel die het einde van de schooldag aangeeft klinkt als een kreet van opluchting. We horen hem van verre, gedempt door de heggen en parasoldennen van het Seymour Lake Park. De ideale plek om naartoe te gaan als je toe bent aan een vakantiedag.

'Ben je vroeger afgenokt, Chris?'

'Ja, ik trok het gewoon niet meer.'

'Snap ik.'

'Jij klootzak, je had wel eens kunnen zeggen dat je buiten was! Dan had ik me die ouwe Bigley en haar drie uur lange geklep bespaard. Ik heb geslapen als een marmot, op de tafel gekwijld heb ik, zo diep meurde ik.'

'Echt?'

'Ja! Ik kwijlde zo erg dat Dorothy het uitgilde toen ze het zag. Ik zat net midden in een droom en slaakte van schrik prompt ook een kreet. Toen ik mijn hoofd optilde, hing er een draad speeksel aan mijn lip. Iedereen piste bijna in zijn broek van het lachen. Waarop Bigley me eruit gooide onder het motto: "Ga jij buiten maar verder kwijlen, McKean!"'

'Zei ze dat?!'

'Shit, ja!'

Verbaasd spreidt hij zijn armen. We kijken elkaar aan en schateren het uit.

Hoewel ik Chris pas ruim een jaar ken, is hij al snel mijn beste vriend geworden. Hij speelt basgitaar in een band die zijn eigen nummers probeert te schrijven, weer eens wat anders dan het gebruikelijke gecover van Nirvana en Pearl Jam. Ik schrijf de teksten.

'En heb je nog wat uitgespookt?'

'Weet je nog dat nummer van gisteravond, *waaaah wah waah*,' zing ik de vervormde gitaarriff zo'n beetje na. 'Vanmorgen bij het ontbijt ben ik begonnen om een paar woorden op mijn servet te krabbelen.'

'Heb je al wat af? Laat eens zien, kom op.'

Ik houd hem het servet voor. Chris leest het terwijl hij een nieuwe joint draait.

'Hé! Niet slecht, man. Mag ik het houden? Dan ga ik er alvast een paar noten onder leggen.'

'Nee, dat is nog te vroeg. Ik moet er nog een beetje aan sleutelen. Morgenavond breng ik het mee naar de repetitie.'

Hij steekt de joint aan, neemt twee diepe trekken en steekt hem me dan toe.

'Misschien een beetje heavy. Waar gaat het eigenlijk over?'

'Mwah, iets wat al een paar dagen door mijn hoofd speelt.'

'Brand los.'

Witte bloesemblaadjes dwarrelen over onze hoofden. In brede kringen dalen ze op ons neer, roterend als snel draaiende propellors.

'Het probleem is dat dit alles niet zo zal blijven.'

'En waarom dan niet?'

'Ik weet niet. Maar ik geloof dat er op een gegeven moment iets gebeurt in het hoofd van een mens. Je voelt niet alles meer zo intens als wij nu. De dingen beginnen zich te herhalen, in een kringetje rond te draaien. Of beter gezegd, in spiralen, neerwaartse, welteverstaan. Waarschijnlijk een kwestie van perceptie, vermoed ik.'

'Hoe bedoel je?'

'Hoe meer tijd er verstrijkt, hoe minder ontvankelijk je wordt. Je krijgt minder oog voor de dingen, omdat je brein ze al kent en omdat je minder oog krijgt voor de wereld om je heen. Je blik stompt af en wordt steeds oppervlakkiger. Je momenten van bewuste waarneming lijken steeds korter te worden. En steeds zinlozer.'

'Je bent zo stoned als een aap, Sideheart! De dope leidt jou naar vreemde wegen. En wanneer zou dat afstompen van de blik beginnen?'

'Hm, weet ik niet. Als ik die tekst van 'Rotten Apple' zie, misschien op je twintigste.'

'Twintig? En daar denk jij nu al over na? Dat duurt nog vier jaar, man. Een heel leven! Misschien halen we dat niet eens!'

Chris grijnst tevreden en trapt de joint, die de hele tijd tussen ons heen en weer is gegaan, op de grond uit.

'Ik heb honger, Dem. Ga je mee?'

'Nee, ik ga naar huis.'

'Dan kom ik om vier uur bij je langs, oké?'

'Hè? O ja, tuurlijk, aju.'

Ik luister niet meer. Aan het eind van het pad is een meisje in witte shorts en een lichtblauw shirt opgedoken, het uniform van het schoolvolleybalteam.

Dat ben jij.

Ik ken je alleen van zien. Ik weet dat je Karin heet en twee jaar jonger bent dan ik. Je woont ergens achter Seymour Lake Park, want na school kom je altijd hier langs. Is dat de reden dat dit parkbankje me sinds enige tijd zo goed bevalt?

Goed verklaren kan ik het niet. Ja, je bent heel mooi, dat is zeker, maar dat is niet alles. Het is de eerste keer dat ik me zo voel. Het is alsof ik je al ken. Ik weet zeker dat als het ijs eenmaal gebroken is, alles meteen goed zal zitten.

Ik ben een beetje misselijk. Het zal aan de hasj liggen die ik de hele ochtend gerookt heb. En dan die drukkende hitte...

Ik zie je dichterbij komen, je bent intussen niet ver meer. Ik moet nu ophouden je aan te staren, anders zie je me nog aan voor een maniak. Je hebt mijn blik vast al gevoeld. Ik moet iets bedenken, een onschuldige vraag, misschien iets wat met school te maken heeft. Ik draai me om en overtuig me ervan dat Chris achter de heg verdwenen is. Een bij zoemt bij mijn oor.

'Ook geen school vandaag?'

Ik krijg bijna een beroerte. Je gezicht is vlak bij het mijne. Maar je staat in tegenlicht, ik kan je niet goed zien.

'O... hallo...'

'Wat is dat, een boodschappenbriefje? Of een liefdesbrief?' Met een overmoedige lach ruk je het servet met de songtekst uit mijn hand.

'Hé! Nee! Geef dat onmiddellijk terug...' protesteer ik onthutst. Ik had niet gedacht dat je zo doortastend was.

Je doet een stap terug en leest. Ik zie dat je een beetje fronst, je ogen schieten heen en weer.

Signs of time

polystyreen, glaswol
de verveling bij de bevestiging van de waarheid
de nasmaak van de metrotickets
de spleen van het leven heb ik dikwijls ervaren
ik was het zelf, gespiegeld in de ondergrondse etalages
tussen Broadway en Bowery, met ogen rood & groot
op z'n Hofmanniaans, SuperSimpson onder de tong, weet je nog?
amper negen maanden terug, maar het lijkt een ander leven
patton massive attack ist demagogie blasphemie politiki
op een dag jaren terug toen we apestoned niet meer
uit de metro kwamen & ik bijna in tranen uitbarstte.

'Interessant. Heb jij dat geschreven?'

Ik knik.

'Heftig wel. Heeft bijna iets gekwelds. Toch jammer.'

'Wat jammer?'

'Ach, niets.'

'Zeg op.'

'Jammer dat je een regel van een Italiaanse dichter pikt. Denk je soms dat je de enige bent die zich voor literatuur interesseert?' Je lacht en ik voel dat ik rood word. Een beetje geïrriteerd trek ik het servet uit je hand en mompel iets als: 'Het is niet gepikt, het is een citaat.'

'Wees toch niet meteen beledigd!' Je kunt je lachen niet inhouden. Ik doe alle moeite beledigd te zijn, maar je lach heeft een vibe die me een goed gevoel geeft.

'Inhoudelijk een beetje onsamenhangend, maar heel origineel. Wat is het, een songtekst?'

'Geraden,' zeg ik gespeeld onverschillig.

'Dan speel je dus in een band?' Je laat je rugzak van je schouders glijden en komt naast me zitten.

'Nee, ik bespeel geen instrument. Ik beperk me ertoe voor een paar vrienden de teksten te schrijven.'

'En wat spelen ze zoal? Vast van die meuk die nu zo in de mode is in Seattle.'

'Meuk? Grunge noem jij meuk?!'

Ik zou graag nog een hartig woordje uit de kast trekken, maar je begint meteen over iets anders.

'Sorry trouwens dat ik je zo overval! Misschien wacht je op iemand.'

'Neuh, neuh, geen probleem,' zeg ik gespeeld nonchalant. 'En bovendien komen we elkaar al een hele tijd steeds tegen en doen we alsof er niets aan de hand is, het wordt langzamerhand een beetje absurd!'

'Precies! In elk geval hebben we het ijs nu gebroken.'

Je kijkt me even recht in de ogen, met je hoofd licht gekanteld. Ik voel me bekeken, als een proefkonijn in een laboratorium.

'Je bent een komisch type.' Het is niet helemaal duidelijk of dat een compliment of een belediging moet voorstellen. 'Jojo vertelt me af en toe over je.'

'Jojo Summer? Die bij mij in de klas zit?'

'Ja die. Afijn, ik weet nog niet precies wat ik ervan denken moet. 't Is ergens al apart dat je je voor poëzie interesseert... Ik weet niet zo goed hoe ik je plaatsen moet.'

'Je hoeft me helemaal niet te plaatsen. Het is niet zo aardig om iemand een etiket op te plakken, toch?'

Je geeft geen antwoord. Je kijkt op en staart naar een punt in de verte. Misschien was dat een beetje bot en denk je nu dat je iets verkeerds gezegd hebt. Er heerst een pijnlijke stilte.

Ik moet wat doen.

'Omdat je kijk op poëzie hebt, wil ik je wat laten zien,' zeg ik.

Ik open mijn rugzak en haal een oud, smal, beduimeld boekje tevoorschijn, waarvan de pagina's met plakband aan elkaar hangen. Ik sla het open en houd het je voor.

'"In het bijzonder wanneer de oktoberwind",' lees je hardop voor. 'Dylan Thomas. Klinkt interessant.'

'Is het ook. Dit gedicht heeft mijn leven veranderd. Dat mag jij overdreven vinden, maar het is waar.'

In het bijzonder wanneer de oktoberwind
met vorstige vingers mijn haar kastijdt,
ik betrapt door de visser-zon over vuur loop
en een krabschaduw op het land werp,

Het duizelt me... denkt Karin op dat moment. Misschien ligt het aan de hasjgeur die om Demian heen hangt. Bij het lezen van die vreemde woorden voelde ze zich omsingeld, belegerd.

op het strand bij zee, onder het vogeltumult,
als ik de raaf hoor hoesten in het winterriet,
vergiet mijn vlijtig hart, dat siddert als ze spreekt,
syllabisch bloed en zift haar woorden uit.

Demians stem, de geuren van het zonovergoten park... Het is heerlijk en vreemd tegelijk...

Laat me er een paar voor je maken uit klinkerbeuken,
een paar van de eikenstemmen en de kronkelige
wortelberichten van menig doornig fabeloord.
Laat me er een paar voor je maken van waterspreuken.

In het bijzonder wanneer de oktoberwind
(laat me er een paar voor je maken van herfstmagie,
de spin-getongde, met Wales' rijke heuvelgalm)
het land met vuisten als knollen bewerkt

Nee, ik mag me niet laten gaan. Ik moet iets doen, nu meteen! Raap jezelf bij elkaar, Karin...

'Een beetje luguber is het wel!' roep je, terwijl je opkijkt. 'Is een liefdesgedicht niet beter, Neruda of zo, als je een meisje wilt imponeren?'
    Je wordt meteen knalrood en perst je lippen op elkaar.
    'Je hebt gelijk. Maar ik wil niemand imponeren,' antwoord ik ietwat gepikeerd, maar dan bind ik gelijk weer in. 'In elk geval niet zolang ik niet zeker weet dat ik met iemand te doen heb die me echt begrijpt.'
    'Je koketteert! Erger dan een meisje. Je bent echt de weg kwijt, De-

mian!' Lachend laat je de opgehoopte spanning ontsnappen.

'Nee, ik meen het serieus. Dit gedicht is heel belangrijk voor me. Ik laat het alleen zien als ik wil nagaan of mijn gesprekspartner me echt begrijpt. Dat is een groot privilege, weet je?' besluit ik gespeeld pompeus.

Je houdt op met lachen en kijkt me beduusd aan. Je weet niet of ik serieus ben of je in de maling neem. Even kijken we elkaar aan.

'En waaraan heb ik die eer verdiend?' vraag je met een kalme glimlach.

'Weet ik niet. Ik vind je sympathiek. De eerste keer dat ik je zag, dacht ik al: die is oké. Ook al kom je een beetje over als het klassieke brave meisje. Als ik je moest plaatsen, zou ik zeggen dat je een... welopgevoed iemand bent.'

'O ja?!' Nu ben jij de beledigde. 'Schat je mij zo in? Als een "welopgevoed iemand"? Ik snap het niet! Ik ben toch geen kostschoolmeisje uit de negentiende eeuw!'

'Hé, kom op, dat was maar een grapje, trek het je niet zo aan!' Inwendig moet ik lachen, maar dat wil ik niet laten merken. Ik voel dat ik een beetje moediger geworden ben. Ik buk me en pluk een madeliefje.

'Hier. Een bloempje uit San Francisco, in de hoop dat je het me vergeeft.'

'O, wat galant. Nauwelijks te geloven dat jij ook zo welopgevoed bent! Hoor eens...' Je draait nerveus met het steeltje van het madeliefje. 'Ga jij naar het eindejaarsfeest?'

Het eindejaarsfeest! Om spontaan uitslag van te krijgen. Als je er niet heen gaat, word je als asociaal bestempeld, maar dit jaar heb ik daar lak aan. Het gekoppel, de uitnodigingen... om te kotsen.

'Ik denk het niet. Ik krijg er een beetje de zenuwen van.'

Je kijkt teleurgesteld en dat verschaft me een lichte voldoening.

'Ja, mij werkt het ook op de zenuwen.' Aan de manier waarop je het zegt, hoor ik dat het tegendeel het geval is. 'Ik heb al een paar uitnodigingen gekregen, en het is altijd hetzelfde probleem, je wilt niemand voor het hoofd stoten.'

Dat komt koket over, maar tegelijk zo eerlijk dat ik een steek in mijn maag voel. Het is duidelijk dat je niet loopt op te scheppen, dat het je werkelijk spijt iemand teleur te stellen. *Dat geloof ik graag – dat je al een hoop uitnodigingen hebt gekregen... je bent een beauty!* denk ik, maar dat houd ik natuurlijk voor me. 'Maar waarom vraag je dat?' zeg ik met uitgestreken gezicht.

'Zomaar, ik wilde gewoon weten wat voor type meisje jij voor het feest uitnodigt. Maar als je niet komt, blijft dat geheim.'

'Ja, interessant. Ik zou ook graag weten wat voor jongen een welopgevoed meisje als jij...'

Bliksemsnel haal je uit. Ik kan mijn armen amper beschermend omhoog brengen, of je hand zwiept al door de zwoele parklucht en raakt de mijne.

'Au! Dat "welopgevoed" neem ik terug! Daarvoor ben je veel te gewelddadig!'

We barsten allebei in lachen uit.

'Maar alle gekheid op een stokje, met wie ga je?' vis ik. 'Iemand die ik ken?'

'Hm, ik weet het nog niet. Op de een of andere manier is er niemand bij die me overtuigt, of met wie ik een soort klik voel.'

Zoals ik nu tussen ons voel. Wat zou ik ervoor geven je dat te horen zeggen.

'Hé...' Ik zoek je blik. 'Vergis ik me, of is dit de eerste keer dat we een-op-een met elkaar praten?'

'Je vergist je niet. Als je die ene keer niet meetelt toen we op het rugbyveld ruzie hadden wie er aan de beurt was. Maar dat telt niet, dat moet twee jaar geleden zijn, toen wist ik nog niet eens hoe je heette.'

'O ja! Je hebt me toen fiks op mijn nummer gezet.'

'Je was onuitstaanbaar, een echte eikel.'

'Oké, ik vraag je om vergeving voor alle begane zonden. Ik hoop dat je in de toekomst je mening over me een beetje zult bijstellen.'

'Hmmm, eens kijken, je hoort nog van me.' Je lacht, en de heldere klank van je lach herinnert me aan de branding.

'Ik praat graag met je.' Als ik het zeg, slaat mijn hart sneller.

'Ligt dat niet aan dat spul dat je gerookt hebt?' Je wijst met een vies gezicht naar het hoopje peuken onder de bank. 'Ik ga ervandoor, mijn haren stinken al helemaal naar die hasjwalm van je.' Je knipoogt naar me, maar iets zegt me dat je het vrij ernstig meent. 'Ciao, Demian!'

'Ciao, Karin. Tot ziens op school, als ik daar weer eens kom. Anders wacht ik hier in het park op je.'

Ik kijk je na. Shit, wat ben je mooi. Die witte shorts doen je blote benen perfect uitkomen, en die billen... laat ik daar maar niet over nadenken.

Je haren vallen zacht over je felblauwe shirt en wapperen in de wind. Ze zijn bruin, maar de zon heeft ze aan de punten gebleekt. Ik streel ze met mijn blik en voel me net zo licht als zij.

Ik denk aan het 'welopgevoed' en moet grijnzen. In werkelijkheid vind ik je allesbehalve makkelijk te plaatsen. Het gevoel dat ik bij je krijg is alsof je een oceaan bent die aan de oppervlakte kalm en vredig lijkt, maar in de diepte ontembare stromingen en dodelijke draaikolken verbergt. En alsof die gevaren een nog geheimere schat bewaken. Een schat die ik voor alles in de wereld zou willen ontdekken en vervolgens helemaal voor mezelf houden.

Ik kijk je na en voel een druk op mijn borst. Een pijn die zoet en smartelijk tegelijk is.

Ik vraag me af of ik ooit de moed zal vinden om je voor dat ellendige eindejaarsfeest uit te nodigen.

41

BIJNA EEN THUISKOMST

De koorts is een gloeiend filter dat me van de werkelijkheid scheidt. Vreemde handen en gezichten bewegen rond mijn onbeweeglijke lichaam, te snel voor mijn verwarde blik. Ze geven me een spuitje. Ik drijf voortdurend in en uit slaap.

Dan, eindelijk, vertrouwde stemmen. Iemand streelt mijn gezicht. Ik probeer mijn handen uit te steken, maar ik krijg het niet voor elkaar.

'Wat is er, dokter?' vraagt een verre stem.

'Geen zorgen, het is niets ergs. Een beetje rust en alles komt weer in orde.'

Ik wil gaan zitten, maar mijn hoofd hangt week als boter aan mijn nek. Armen tillen me op. Als een kind laat ik me weerloos door sterkere handen dragen. Ik val weer in slaap.

Als ik mijn ogen weer opsla, heeft de koorts plaatsgemaakt voor een verschrikkelijke dorst en een gevoel van oneindige vermoeidheid.

Ik beweeg mijn ogen.

De zon valt door de licht geopende luiken en schildert fijne strepen licht op de kast en het sprei. In het schemerige licht herken ik de lichtblauwe muren en de grote smeedijzeren spiegel. De witte gordijnen waaien zachtjes en bieden steeds opnieuw uitzicht op jouw glimlach op de foto van ons tweetjes in Laugharne. Dat was vorig jaar zomer, als ik me goed herinner.

Ik ben in onze slaapkamer.

Ik kan het nog steeds niet geloven. Ik ben thuis.

De deur staat aan. Ik zie mijn moeder. Ze leunt tegen het deurkozijn en kijkt nerveus heen en weer tussen slaapkamer en eetkamer. Ze heeft nog niet gemerkt dat ik mijn ogen geopend heb en haar gadesla. Achter haar zie ik mijn zuster Rebecca op de sofa, op de plek waar jij normaal gesproken zit.

'Rachel, kom, ga zitten.' Dat is de stem van mijn vader. 'En jij, klein

brutaaltje, kom dadelijk hier, anders maak je je oom nog wakker!'
'Ja, opa!'
Een kwikzilveren lach klinkt op. Dat is Jackie, mijn nichtje.
'Wat heeft oom dan?' hoor ik haar vragend stamelen.
'Hij heeft een lange reis achter de rug en is heel erg moe. Nu moet hij heel veel slapen.'
Ik hoor ook de stem van Chris, mijn beste vriend en zakenpartner.
Met mijn handen bevoel ik het matras, strijk over de stof van de bedsprei, voel de substantie van de wereld om me heen.
Dit is geen droom.
Maar ik ben zo uitgeput dat ik lang niet zo blij ben als ik zou horen te zijn.
Bovendien ontbreekt er iets.

'Karin?' roep ik mat. Dan luider: 'Karin!'
Plotseling heerst er stilte in de eetkamer.
'Demian!' Mijn moeder slaat haar hand voor haar mond.
Het volgende moment staat iedereen om me heen en praat door elkaar. Mijn moeder omhelst me, kust me, dan is het mijn vader die me strak tegen zich aan drukt, Jackie klimt op het bed en kraait: 'Ome! Ome Demian!' Ik omhels mijn zus en voel haar zachtjes schokken, haar tranen bevochtigen mijn gezicht.
'Mama, papa... wat heerlijk om jullie terug te zien.'
'Je hebt ons mooi aan het schrikken gemaakt, Dem. Je bent me er een!'
'Chris... Hallo.'
Ongelovig staren ze me aan, raken me aan alsof ik een geest ben. Ze hadden de hoop me levend terug te zien al opgegeven. Ik zie het aan hun blikken.
Toch hangt er een donkere schaduw over de kamer.
'Waar is Karin?' vraag ik.
Stilte.
'Mama, papa, waar is Karin?' herhaal ik angstig.
Niemand zegt iets, niemand verroert zich. De donkere schaduw daalt op ons neer, hij is ijskoud.
'Zeg me waar Karin is. Nu!' roep ik schor, bijna hysterisch.
Mijn ouders kijken elkaar aan, bleek en gespannen. Dan neemt mijn moeder het woord.

'Demian, kun je je helemaal niets meer herinneren van wat er gebeurd is?'
'Nee... niets.'
'Karin is niet hier. We hoopten dat jij ons iets zou kunnen vertellen. Jullie zijn zeven maanden geleden vertrokken, weet je nog? En daarna hebben we niets meer van jullie vernomen.'

De enige hoop die me die hele reis lang op de been heeft gehouden. Dat jij thuis bent en op me wacht. Dat jij me naar je toe leidt.
Dat jou niet hetzelfde lot getroffen heeft als mij.
Ik denk terug aan wat ik de afgelopen maanden heb meegemaakt.
Was je bij me toen alles begon? Zijn we samen vermist geraakt?
Alles waarop ik gehoopt had, waarop ik had móéten hopen, was fout.
Mijn reis is nog niet ten einde.
Misschien eindigt hij nooit.

'Waar is Samuel?'
'Die is weg, al maanden. Hij zoekt naar haar.'
'Ik wil met hem praten, laat me met hem praten.'
'Oké, Demian. We bellen hem later.'
'Ik wil nu met hem praten!'
'We hebben het al verschillende keren geprobeerd, maar kennelijk is zijn mobiel vandaag uitgeschakeld. Misschien kunnen we hem later...'
'Nee, ik móét hem nu spreken! Waarom laten jullie me niet met Samuel praten?'
'Demian, wat doe je daar! Je moet in bed blijven! De dokter zei...'
'Laat me, ik moet haar gaan zoeken!'
'Je bent te zwak, hou op met die gekkigheid!'
'Laat me gaan! Laat me!' schreeuw ik als een waanzinnige.
Maar na een paar passen merk ik dat ik mijn krachten overschat heb. De kamer begint te draaien, alles wordt zwart, geluiden raken op de achtergrond en ik ga onderuit.
Mijn wilskracht is niet voldoende, ze hebben gelijk. Ik red het niet.

***

'Ik weet niet of dat een goed idee is.' Ians stem trilt. 'Heb je gezien hoe hij reageerde?'

243

'Ik weet het niet, Ian, ik weet het niet,' antwoordde Rachel. 'Misschien is het maar een fase, misschien gaat het voorbij. Laten we afwachten!'

'Maar we hebben geen tijd! De psychologe zei...'

'Oké, oké! Maar hoe zal hij dan reageren, denk je?'

'Ik weet het niet, maar we moeten de deskundigen vertrouwen. Wat kunnen we anders doen?'

'Het is allemaal zo absurd.'

Een lange, gespannen stilte verrees als een muur tussen Ian en Rachel.

'Vroeg of laat komt de waarheid vanzelf aan het licht.'

'Maar het is voor zijn bestwil!'

'Hem op zo'n cruciaal punt voorliegen is voor zijn bestwil? Het lot van zijn vrouw is niet iets om grapjes over te maken!'

'Het is allesbehalve een grap! De gezondheid van onze zoon hangt ervan af. Herinner je je wat de psychologe zei? Hij is in gevaar!'

'Dat weet ik, dat weet ik heel goed! Je hoeft het me niet nog eens te zeggen!'

'Zo komen we nergens. We zijn allebei doodmoe, laten we proberen wat slaap te pakken. Morgenvroeg, als we weer een helder hoofd hebben, bekijken we hoe het verder moet.'

Maar die nacht doet noch Ian, noch Rachel een oog dicht. Het geluk hun zoon teruggevonden te hebben, wordt op slag overschaduwd door de angst hem nogmaals te verliezen. Op een andere, maar misschien even verschrikkelijke manier.

***

Ben ik thuis? Ja, je bent terug... Hoe heet je? Ja, ik herinner me alles, ik was op een strand... Dylan Thomas... Waar ben je? Wij, liggend bij zeezand...

Warrige flarden van ochtenddromen zoemen door mijn hoofd. Volkomen gedesoriënteerd sla ik mijn ogen op. Dan keren de laatste gebeurtenissen terug, de herinneringen, de koorts, de terugkeer naar huis... en Karin... Karin...

Ik til mijn hoofd van het kussen, verslik me in mijn speeksel en moet hoesten. Prompt weet iedereen dat ik wakker ben. De deur gaat open en mijn vader, mijn moeder en Chris komen aarzelend de kamer in. Rebecca en de kleine Jackie zijn er niet bij.

'Demian...'

'Mama... Hoe lang heb ik geslapen?'

'Sinds gistermiddag. Het is nu tien uur in de ochtend. Je was heel moe.'

Moeizaam richt ik me op.

'Waar is Rebecca?'

'Ze moest weg, ze is met Jackie terug naar huis gereden. Ze belt je zodra ze is aangekomen.'

'Gereden? Hoezo dat? Ze woont maar één straat verder.'

'Dem,' zegt mijn moeder met een gealarmeerd gezicht, 'je zuster is een jaar geleden naar San Diego verhuisd.'

'Dat... wist ik niet. Dat wil zeggen, ik was het vergeten. Ik kan me niets herinneren van wat er in de maanden vóór de amnesie is gebeurd.'

'Dat weten we, die psychologe uit Cardiff heeft het ons verteld. Het is een kwestie van tijd, het komt goed. Binnenkort.'

Dan heerst er stilte. Ze kijken elkaar nerveus aan. Er hangt een onverdraaglijke spanning in de ruimte. Ik voel dat ze iets voor me achterhouden en vermoed dat ik me op het ergste moet voorbereiden. Mijn vader kijkt mijn moeder in de ogen, een schier eindeloos durende aarzeling.

Dan begint hij langzaam te vertellen.

Ik wil mijn oren dichthouden en het uitschreeuwen, maar ik kan me niet verroeren.

Hij zegt dat Karin dood is.

Wij hoorden het vier dagen geleden. Op de dag nadat jij ons belde. Samuel is erheen om het lichaam te identificeren. Hij is nog daar.

Alles lijkt zich in slow motion af te spelen, alsof de natuurlijke wereldorde ontregeld is geraakt. De woorden lijken hol, louter klanken, zoals na mijn ontwaken op het eiland, toen ik me op de rand van de waanzin bevond.

Maar een deel van mij dwingt me nuchter te blijven. Dat deel wil weten, stelt genadeloos rationele vragen. *Waar is ze? Wat is er met haar gebeurd? Waar is haar lichaam? Ga erheen! Bel Samuel!*

Dan komt de golf.

Een deel van mij verlaat mijn lichaam. Het verheft zich in de lucht en bekijkt de kamer van boven. Het is opgestegen om de pijn niet te voelen. Het kijkt van boven op mij neer, ziet dat ik het nu uitschreeuw, als een idioot om me heen sla, mijn ouders van me af duw, die hun best doen om me te kalmeren.

Van hierboven hoor ik niets van wat we zeggen. Ik duw hen weg en blijf schreeuwen tot ze terugwijken en zwijgend in de deuropening staan. Dan gaan ze weg.

Ik zijg ineen als een verdord blad en sla tegen de grond. Ik haal mijn kin open en een mengsel van bloed en speeksel druppelt op de vloer. Maar ik voel niets, noch de ijzige vloer tegen mijn lichaam, noch de pijn die bij elke ademhaling door mijn borst snijdt.

In plaats daarvan ervaar ik opnieuw een scène van drie maanden geleden.

Het is diep in de nacht op het eiland, ik zit op het strand bij de resten van het grote kampvuur.

Ik denk dat ze met God heeft gesproken. Ik denk dat ze gebeden heeft om jou te mogen helpen, zegt Horu.

Denk jij dat ze dood zou kunnen zijn?

Horu schudt zijn hoofd en zwijgt.

Waarom al deze pijn? zegt een warme, geruststellende stem. *Was je er niet op voorbereid? In wezen heb je het altijd geweten. Karin is dood en haar laatste wens was dat jij gered zou worden. Dat je heelhuids en gezond weer thuiskwam.*

Ik zal een hoek zoeken waaronder ik je kussen kan.

Mijn lichaam reageert niet. Roerloos lig ik op de vloer tot een laatste kruimel eigenliefde me dwingt me naar de badkamer te slepen, zodat ik het niet in mijn broek doe. Ik plens water in mijn gezicht en druk mijn voorhoofd tegen de spiegel.

het water loopt de wasbak in en spiraalt omlaag

stofdeeltjes warrelen krijsend door een zonnestraal,

achter mijn rug vallen dingen

zandkorrels plakken tussen mijn vingers

mijn handen zijn witte, zeperige lappen die de kraan niet meer dichtgedraaid krijgen

– kijk me nu niet aan ik zou je angst aanjagen mijn rode ogen persen
zich tegen het koude glas

dan barst de spiegel en brengt me op de enige plek ter wereld waar ik
je nog terug kan zien.

42

IN DE SCHADUWKEGEL

'Demian is niet thuis.'

'Hoezo, hij is niet thuis? Waar is hij dan naartoe?'

'Ik weet het niet, hij neemt niet op. Ik heb het al drie keer geprobeerd.'

'O god! Stel dat hij...'

'Rustig, Rachel!'

'Heb je niet gezien hoe overstuur hij was? We moeten naar hem toe!'

'Misschien wil hij gewoon niet opnemen. We kunnen hem beter met rust laten. Hij moet een beetje tot zichzelf komen.'

'En als hij een stommiteit begaat?'

'Rachel, je overdrijft.'

'Misschien hebben we er geen goed aan gedaan. We hadden niet tegen hem...'

'We kunnen niet meer terug. Demian moet het achter zich laten.'

'Ian, we hebben het hier over zijn vrouw! We hebben het er alleen maar erger op gemaakt. Hij lijdt, we moeten met hem praten!'

'Maar de psychologe zei...'

'Die psychologe is niet goed wijs! Hij zal ons voor de rest van zijn leven haten!'

'Dat is minder belangrijk dan zijn welzijn. Hij bevindt zich op het randje, heb je zijn ogen niet gezien? Het gaat slecht met je zoon. Hij moet alles vergeten, tenminste voor een tijdje. Hij moet eerst stabiel worden.'

Rachel keek Ian met vlammende ogen aan.

'Hoe kan uitgerekend jij zo praten? Jij bent predikant, heb je geen respect voor de dood?'

'Dit is iets anders. Het gaat om onze zoon. We moeten hem beschermen.'

'Nee, Ian! We moeten met hem praten, en wel meteen. Demian moet weten wat er gebeurd is. Als jij het niet doet, dan doe ik het.'

'Rachel, wacht!'

'Ik ga hem zoeken.'

***

Ik sleep mijn voeten door het ijzige zand, mijn armen open tegen de wind, de blik naar boven gericht
hemel bedekt met blauwe plekken, kerker van twee verdoemde lotsbestemmingen, laatste reis van grijze wolken en blauwe koffers
hemel boven de Baai van San Francisco.

Het strand is bedekt met duizenden vogelverschrikkers. Scheef, in eindeloze rijen naast elkaar, staan ze afgetekend tegen het verre silhouet van de Golden Gate. Hun lompen waaien lusteloos in de wind, etteren stro. Een enkele gouden halm komt vrij en danst wervelend in de richting van de zee.
Maar ik weet dat het niet waar is. Dat de pijn mijn verstand verduistert.
Langzaam vloeien de dingen over naar zwart. Maar zelfs in de diepste duisternis blijf ik lopen. Met elke stap zak ik verder weg, opgeslokt door de schaduwkegel.
De zon vervormt mij. Alsof ik van rubber ben, maakt hij mijn armen en benen vloeibaar en rekt ze eindeloos op.
Misschien was jij het die me echt maakte. En nu ik weet dat je er niet meer bent, los ik op. Ik smelt als een sneeuwman.
Druppelend steek ik de weg over,
over zebrastrepen
verticale lijnen bomen
druppel ik
langzaam, heel langzaam stoplicht
druppel ik
grijs als de hemel druppel ik
wit als ijs druppel ik

Nu ben ik midden op de weg en alles lijkt heel langzaam en ver, maar het is hier, heel dichtbij, klaar om over me heen te walsen. Ik spreid mijn armen en wacht slechts op de klap, stom, in slow motion, dan het geluid van een claxon en het krijsen van remmen.
'Wat doe je daar? Halve zool!'
Autodeuren slaan. Handen pakken me beet.

'Gooi je maar voor iemand anders z'n auto, als je d'r zo nodig een eind aan wilt maken, begrepen?'

Handen schudden aan me, maar ik zie niets.

'Laat toch, zie je niet hoe hij uit zijn ogen kijkt? Die zit tot zijn nek onder de drugs.'

Een andere stem, die van een vrouw. Een duw, en ik val. Nog meer geschreeuw. De motor ronkt weg.

Ik krabbel op van het plaveisel. Heel geleidelijk treedt de wereld uit de schaduw, als het beeld dat opdoemt op een polaroidfoto.

Ik ben aangekomen in het centrum van Sausalito.

De woonboten kleuren de kade met hun scheve, nostalgische charme. Je wandelde hier graag, weet je nog?

'Demian! Hé, Demian!'

Een stem roept me vanuit de verte. Ik draai me om en zie een vrouw van rond de vijftig die verwoed met haar armen zwaait om mijn aandacht te trekken. Ze is gekleed als een hippie, met een gebloemde tuniek die tot op de grond reikt en een reeks kettingen van verschillende lengte om haar nek. Twee grijze vlechten omlijsten haar bruingebrande gezicht. Ze steekt de straat over en komt op me af met een brede, gele rokersgrijns die haar gezicht in een web van rimpels verandert.

'Waar heb jij uitgehangen?'

Ze slaat haar armen om mijn nek alsof we elkaar al eeuwen kennen, maar ik zou kunnen zweren dat ik haar nog nooit heb gezien. Zwijgend, met slap afhangende armen blijf ik staan.

'Demian, alles in orde?' Ze pakt me bij de schouders, doet een stapje terug en monstert me fronsend. Ik voel me slecht op mijn gemak en staar nerveus knipperend over haar schouder.

De vrouw is uit een verwaarloosde, fel wit-roze gestreepte woonboot gekomen. Boven de deur hangt een bord dat piept in de wind.

ZEILSCHOOL 'SYLVIA & JACK'

'Sylvia?' mompel ik. Met grote ogen staar ik haar aan. Haar gezicht duikt op uit de troebele spiegel van de amnesie en tekent zich helder in mijn herinnering af.

'In hoogsteigen persoon! Maar wat is er met jou aan de hand, Dem?'

Ze kijkt me nog steeds bezorgd aan. 'Je hebt na de reis niets meer van je laten horen! Hoe is het gegaan? Alles goed?'

Een spervuur van warrige beelden trekt over haar gezicht, een film die achterstevoren wordt afgespeeld

'Demian.' Sylvia staart me gealarmeerd aan. 'Je ogen. Mijn god, je kijkt uit je ogen als iemand die... Wat is er met je gebeurd?'

'Karin... Het cadeau... De zeilschool...' stamel ik voor me uit, zonder haar te horen.

Het is precies zoals de psychologe had gezegd. Deze warrige kluwen heeft een begin, de eerste schakel van de ketting die naar het zogeheten 'trauma' leidt. En ik sta op het punt het te vinden. De eerste gebeurtenis, de sleutel die mij de schaduwkegel in laat. *Zo kan ik je vinden.*

'Sylvia? Ja, jij bent het...'

'Demian, *nu moet je naar de Cradle of Salt,*' zegt Sylvia – maar zij is het niet die het zegt. Mijn brein legt deze woorden over de hare.

'Ja, natuurlijk, de Cradle of Salt... Sorry, Sylvia. Ik moet ervandoor.'

Sylvia staat er als versteend bij en staart me verbijsterd aan.

Ik keer haar de rug toe en ren weg.

Hijgend hol ik naar de Cradle of Salt. Waar alles begonnen is. Waar de schaduwkegel zal gaan oplossen. Er komen al vage herinneringen naar boven. Onze laatste trouwdag. Je cadeau.

43

HET CADEAU

SAN FRANCISCO, 12 SEPTEMBER 2008
ACHTTIEN MAANDEN EERDER
– NOG ZEVEN MAANDEN TOT DE AMNESIE –

Ik draai aan het stuur en sla af naar een onverharde weg, die zich van de schilderachtige Conzelman Road door een dichte strook pijnbomen naar zee slingert. Een stofwolk wervelt achter ons op, belicht door de lengende stralen van de ondergaande zon.

'Nu zijn we er bijna. Het is meteen na de volgende bocht. Hopelijk bevalt het je.'

Het bevalt je. Amper duikt de Cradle of Salt voor ons op, of je ogen beginnen te stralen. Een oude tot restaurant omgetoverde molen die zich op een prachtig stuk kust ten zuiden van Sausalito aan de hoge klippen vastklampt. In het zachte licht van de avondzon heet het ons welkom met zijn stenen vuurbekkens, die het terras boven zee verlichten. Een moment lang staan we als betoverd, de aanblik is gewoon overweldigend.

'Wauw!' Je spert je ogen open als een kind dat een enorm cadeau krijgt. 'Hoe heb je dit gevonden?'

'O, ik kwam hier vorige week toevallig langs...'

'Ja, maak dat de kat wijs. Kijk eens, daar beneden, de Golden Gate! Het lijkt wel of hij zweeft.'

'Inderdaad. En wat straalt hij vanavond.'

'Het is werkelijk een grandioos panorama.'

'En als je wist wat een *spaghetti frutti di mare* ze hier maken... mmm...!'

We barsten in lachen uit terwijl we hand in hand het pad op lopen. Het is 12 september en vanavond vieren we onze derde trouwdag.

Bij de ingang klinkt ons een bossanova van Nicola Conte tegemoet. We zijn vooralsnog de enige gasten, nog mooier dan ik had gehoopt. We kiezen een tafeltje aan de rand van het terras. Het is alsof je op een schip bent: de zee omringt ons van drie kanten, een immense waaier van water die tot aan de nevelige horizon reikt. We kijken toe hoe het oppervlak alle tinten van de schemering aanneemt en uiteindelijk in zwart overgaat. Spoedig zullen de passerende schepen nietige lichtpuntjes in het vloeibare donker zijn. Een ouder echtpaar duikt op en gaat ietwat afzijdig zitten. Ze hebben iets ontroerends, zoals ze er chic gekleed hand in hand bij zitten. Ik weet al wat je denkt: het zou mooi zijn om ooit, jaren na nu, net zo te zijn, jij en ik, misschien wel hier. De wijn stijgt ons langzaam naar het hoofd. Misschien komen er nog andere gasten, maar we letten er niet meer op.

'Als ik me niet vergis, valt er vanavond wat te vieren,' fluister je me toe, met ogen die schitteren in het kaarslicht. 'Er komen toch wel cadeautjes? Ik zou zeggen dat het moment gekomen is... Je hébt toch wel een cadeau voor me?' Je kijkt me argwanend aan. 'Ik heb niet gezien dat je iets bij je had.'

'Vertrouw me.' Ik grijns inwendig.

'Nee, wacht!' Je houdt mijn arm vast. 'Ditmaal wil ik de eerste zijn.'

Langzaam open je je handtas en je haalt er een rechthoekig pakje uit. Het ziet eruit als een boek. Ik open het half, steek mijn hand erin... Ja, ik had gelijk. Ik haal het tevoorschijn, draai het om, staar naar het omslag en voel hoe mijn hart stil blijft staan. Dit is niet zomaar een boek.

De zandloper
Dylan Thomas
Uitgeverij BrynCoedwyg, 1951

'Maar hoe... Wanneer... Hoe heb je...'

Ik ben met stomheid geslagen.

'Jij bent dus niet de enige die met verrassende cadeaus kan komen,' zeg je stralend.

'Maar wanneer heb je het gekocht? En die boekhandelaar? Hoe heb je die omgepraat?'

'Overredingskunst. Ik heb hem alleen wat ruimte gegeven, de juiste vragen gesteld en me "buitengewoon gevoelig voor de onschatbare waarde van dit werk" getoond.'

Je imiteert het pompeuze stemgeluid van de antiquaar, en we proesten het uit.

'Maar hoeveel heb je ervoor betaald?'

'Zoiets vraag je niet, het is een cadeau!'

Ik houd het kostbare boek in mijn handen en vind amper de moed het open te slaan.

'Nou? Wat is er? Wil je het niet inzien? Ben je niet nieuwsgierig?'

En of ik dat ben. Stervensnieuwsgierig. Maar ik geniet van de voorpret, streel de oude, ruwe boekband. Dit cadeau heeft een lange geschiedenis. Die twee maanden geleden begon, in juli, tijdens onze korte vakantie in Wales.

***

Een ongewoon zwoele juli voor Wales. Het is zes uur 's middags en we slenteren door de schaduwrijke straatjes van het oude centrum van Laugharne, op zoek naar wat koelte. Jij bent al een week in Engeland, om een fototentoonstelling te begeleiden, ik ben gisterochtend vanuit San Francisco gearriveerd om het weekend met je door te brengen. Ik weet nog altijd niet hoe, maar ik ben erin geslaagd je over te halen Londen te verlaten en mee naar Wales te komen. Hoewel... Ik weet wel hoe: je kent mijn passie voor Dylan Thomas en uiteindelijk ben je voor mijn 'zachte' aandrang gezwicht.

'Karin, kijk eens! Antiquariaat Het Labyrint. Dat is de winkel waarover ze het bij het Boat House hadden, van die Dylan Thomas-kenner! Het zou interessant zijn om hem te leren kennen, nietwaar?'

'Ja, waanzinnig opwindend,' zeg je zuchtend. Je kunt nog steeds niet bevatten dat je Londen hebt verlaten om dit door de tijd vergeten gat te bezoeken.

Een spookachtig geklingel van een klokkenspel weerklinkt als we de boekwinkel betreden. Het schemerduister is afgeladen met stapels boeken die tot aan het plafond reiken. Mijn aandacht wordt meteen getrokken naar een boek dat onder een glazen stolp ligt: *De zandloper* van Dylan Thomas.

Ik reik ernaar.

'Hé, niet aankomen!' berisp je me, alsof ik een kind ben.

'De dame heeft gelijk,' zegt een krakende stem. 'Ik verzoek u dat boek niet aan te raken. Het is niet te koop.'

Uit het donker stapt een oude man naar voren die eruitziet alsof hij in de achttiende eeuw een zetel in het Hogerhuis heeft gehad, zelfs met goudkleurige hoortrompet aan het oor.

'Sir Llendebux?' vraag ik.

'In eigen persoon.'

'Het is me een eer kennis met u te maken,' zeg ik hoffelijk, vervolgens overstelp ik hem met vragen over het boek.

'Het gaat om de legendarische BrynCoedwyg-uitgave uit 1951,' legt hij me uit. Zijn kortaffe toon laat geen twijfel dat hij me uitvoerige informatie niet waardig acht. Maar ik heb nog een troef in handen.

'Ik heb ervan gehoord, meneer. Over dit boek doen merkwaardige verhalen de ronde, misschien kunt u me zeggen of ze waarheid bevatten. Ze zeggen dat het enkele Dylan Thomas-gedichten in hun oorspronkelijke versie zou bevatten. U weet wat ik bedoel, nietwaar? Maar misschien is het slechts een legende.'

Sir Llendebux kijkt me verbaasd aan. Zijn ogen schitteren van emotie.

'Hoezo legende, het is de waarheid!' fluistert hij, alsof het om iets illegaals gaat. Hij licht de stolp op, pakt het boek en begint het voor mijn ogen door te bladeren. 'Moet je lezen, moet je lezen!'

Vervolgens vergast hij ons op een half uur durend college filologie. Als ik het boek uit zijn hand probeer te nemen, trekt hij het weg.

'Helaas is dit boek voor u niet te koop. Het is uiterst zeldzaam, er zijn nog maar twee exemplaren van op de wereld. En ze bevinden zich allebei hier in Laugharne! Het ene is dit exemplaar' – zijn stem beeft van opwinding –, 'het andere wordt boven in de oude vuurtoren bewaard, bij het zandloperstrand.'

'Zandloperstrand? Klinkt interessant. En waar moet dat zijn?'

Llendebux wordt rood van ergernis dat hij zich versproken heeft.

'Vreemden als jullie gaat dat niets aan!'

'Maar meneer...'

'En nu moet ik sluiten, als u het niet erg vindt!'

'Nog heel even, meneer. Weet u zeker dat het boek geen prijs heeft?'

'Natuurlijk niet! Ik bedoel, natuurlijk wel! Maar hoe dan ook, het is niet te koop!'

Bruusk duwt hij ons de winkel uit en slaat ons de deur in het gezicht.

Ik kijk je aan en zet mijn stralendste glimlach op.

'Zeg maar niets, ik weet al genoeg,' zucht je met gelaten blik.

'Hoe doe je dat, me altijd meteen doorzien? Ben je helderziend?'

'Maar denk eraan!' Dreigend richt je je wijsvinger op me, 'al vergaat de wereld, morgenavond wil ik weer in Londen zijn!'

'Oké, oké. Maar dan moeten we ons haasten. We hebben minder dan vierentwintig uur om uit te zoeken waar dat spookachtige zandloperstrand zich bevindt...'

**

'Hé, Dem, ben je daar nog? Vind je het een mooi cadeau?'

Om me heen neemt het restaurant weer vorm aan. De elegante tafels, het terras, je ogen waarin het kaarslicht zich weerspiegelt.

'Ja, sorry. Ik zat te denken aan ons tripje naar Laugharne.'

'Dat dacht ik al.'

'Even checken of ik het goed begrijp. Nadat ik uit Londen vertrokken was, ben jij naar Laugharne teruggekeerd om dit cadeau voor me te kopen?'

'Precies, schat. Een kleine *folie d'amour.*'

'Een mooier cadeau had ik me niet kunnen wensen.'

'Maar het is toch niet je verjaardag,' zeg je spottend, 'maar onze trouwdag? Hoor jij niet ook iets voor mij te hebben? Dit jaar kan ik eenvoudig niet raden wat het zou kunnen zijn!'

Je rekt je hals om over de tafel heen te kijken. Ik steek mijn hand in de binnenzak van mijn colbert en haal een met raffia dichtgestrikte envelop van ruw karton tevoorschijn. Ik weet dat je dat soort kleine details waardeert, en probeer er altijd aan te denken.

'Wat mooi! Wat is het?'

'Maak maar open, dan zul je het zien.'

Je haalt de met mijn onvaste handschrift beschreven kaart tevoorschijn en slaat hem open. Al lezend beginnen je ogen te stralen. Dan barst je uit in een blije lach.

'Je bent gek! Waarom dan? Dat wilde je toch niet?'

'Precies, mijn lief. Een kleine *folie d'amour.*'

'Een zeilcursus... vijf maanden zee, watersport, reizen, wat heerlijk!'

'En vijf maanden kou, vochtigheid en gegarandeerde zeeziekte voor mij.'

'Ach, hou toch op! Je zult er snel genoeg aan wennen. Je moet je niet zo op de kleine, negatieve ervaringen uit het verleden fixeren!'

'Als ik jou toch niet had, om nieuwe vergezichten voor mij te openen, hè?'

'Juist! Trouwens, wat is Sylvia & Jack voor een zeilschool?'

'Ach, die moet je zien, die zijn waanzinnig! Het is een oud hippiestel dat op een woonboot in Sausalito woont. Zij geven ons les.'

Aan je blik te zien ben je niet bijster overtuigd.

'Vertrouw me. Die twee hebben hun hele leven op het water doorgebracht en de wereld rond gevaren. En bovendien is het een leuk stel. Het zal je genoegen doen om met hen in zee te steken.'

'Als jij het zegt. Maar ik ben de kapitein en jij mijn bootsman, afgesproken?'

'O, het begint nu al. Ik wist dat ik een monster had geschapen.'

Je moet lachen.

'Dank je, Dem. Hier droom ik al van sinds ik een klein meisje was: de golven die je wiegen, zonsondergangen boven zee, de bries die je ver weg voert...'

'Klinkt romantisch.'

'Dat wordt het ook.'

'Dan blijft er tussen het stampen en slingeren misschien ook nog een piepkleine verrassing voor mij over?'

'Gek. Op een zeilboot mag je je niet laten afleiden, dat kan heel gevaarlijk worden.' Je stem heeft een weke, sensuele ondertoon. 'Je moet heel attent zijn op...'

'Ik zal superattent zijn.'

'We zullen zien hoe je je op het water gedraagt. Als je goed je best doet, mag je, heel misschien, na vijf maanden...'

'Vijf maanden? Niks daarvan. Ik zou veel vroeger beginnen.' Ik buig me naar je toe. 'Waarom niet nu?'

De steelse blikken van de tafeltjes naast ons ten spijt leg ik mijn arm om je schouders, die naakt zijn afgezien van de smalle bandjes van het dunne, zwarte zijden jurkje dat je draagt, en trek je naar me toe. We kussen elkaar met een hartstocht die uit donkere diepten opstijgt en over ons heen rolt als een vloedgolf.

44

DE TERUGKERENDE NACHTMERRIE

Volledig buiten adem van het rennen leun ik tegen een boomstam. Amper zie ik tussen de pijnbomen het terras van de Cradle of Salt doorschemeren, of de herinnering aan onze laatste trouwdag overvalt me met verpletterende kracht. Er is nauwelijks meer dan een jaar verstreken, maar het voelt als een ander leven.

Onze reis naar Wales. Je cadeau, het boek van Dylan Thomas. De zeilcursus.

Alles draait om me heen, ik ga onderuit.

Sylvia moet zich zorgen hebben gemaakt, want ze is me gevolgd. Ze vindt me half bewusteloos op de grond. Ze helpt me overeind en poot me in haar oude, met bloemen beschilderde Volkswagenbusje. Ik snuif een vertrouwde geur van marihuana en zeewater op. Ik moet hier al eens in gezeten hebben.

'Het gaat niet goed met je, Demian,' zegt ze. 'Ik breng je naar huis.'

'Sylvia...' lal ik als een dronkenman, 'Karin en ik... Hebben wij bij jou en Jack een zeilcursus gevolgd?'

Ze knikt en kijkt me bezorgd aan. Ze voegt er verder niets aan toe en zwijgt de rest van de rit. Ze stopt voor een smal victoriaans pand boven aan een van die steile straten die zo typerend zijn voor San Francisco. Op de tweede verdieping, voorzien van een smeedijzeren balkon en bedekt met een mansardedak, bevindt zich een kleine, fraaie woning: ons huis.

Ik stap uit en stamel een soort dank.

'Dem...' Sylvia legt haar hand op mijn arm. 'Waar is Karin?'

'Die is er niet meer,' mompel ik, terwijl ik het portier slapjes dichtgooi.

Ik moet tegen de muur leunen om niet te vallen. Ik draai de sleutel om in het slot. De huisdeur is een filter die me naar binnen zuigt, en ik weet niet wat er van mij meekomt. Mijn benen laten me in de steek, ik val op mijn knieën. Als een afgedreven foetus rol ik me op op de vloer. Ik heb nog altijd niet om je gehuild.

***

'Samuel, ik smeek je.' Ian sprak opgewonden in de hoorn. 'Ga hem opzoeken, oké, maar beloof me dat je niets tegen hem zegt!'

'Hoe kun je zoiets van me verlangen? Ik dacht dat ik je kende, Ian,
maar nu...'

'Gun hem op z'n minst wat tijd!'

'Ik moet het weten, nu!'

'Ik zal met hem praten, ik zal hem alles vragen wat van belang zou
kunnen zijn. Maar hij herinnert zich nog niets, snap je?'

'Maar als ík met hem zou praten, zou het hem misschien helpen om
zich weer iets te herinneren.'

'Dat mag hij nog niet! Je snapt het niet, hij...'

'Jij bent degene die het niet snapt!' valt Samuel hem in de rede. 'Je bent
verblind door angst! Binnenkort zal Demian alles weten en zul je spijt
krijgen van wat je gedaan hebt.'

Ian kon niets meer antwoorden. Samuel had woedend opgehangen.

***

In mijn halfslaap nemen de herinneringen aan de zeilcursus vorm aan
en worden zo levendig dat ik de frisse bries in mijn gezicht voel, het
vocht dat onder mijn oliegoed kruipt, mijn verstijfde handen. Ik ruik de
geur van natte schoten, hoor het oorverdovende sissen van het zeil, voel
het gladde dek onder mijn voeten. Iets kriebelt in mijn gezicht, het zijn
je vochtige lokken die tegen mijn wangen zwiepen.

'*Maak het grootzeil los, Karin.*'

'*Wat?!*'

'*Je moet de schoot vieren!*' roept Jack je toe. *Zijn verweerde kop en zijn
houding van ervaren zeeman gevoegd bij zijn hippiekleding geven hem
het uiterlijk van een oude piraat. Het enige wat eraan ontbreekt zijn het
ooglapje en het houten been.*

'*Hé! Die daar komt direct op ons af!*'

'*Wat doe je nu, Karin, je mag je ogen niet dichtdoen!*' schreeuw ik licht
panisch.

Het is de derde cursusweek en de resultaten tot nu toe zijn niet bijster bemoedigend.

'Recht zo die gaat, Karin!' zegt Jack zoals altijd met engelengeduld. 'Zeilboten hebben voorrang op motorboten. Ze zullen voor je uitwijken.'

'Maar denk eraan, jullie allebei,' werpt Sylvia in het midden terwijl ze mij op de schouder klopt, 'werkschepen hebben altijd voorrang, ook als ze een motor hebben.'

'En hoe herken ik die? Op mij komt het allemaal erg verwarrend over!' piep jij als een huiverend nat kuiken onder je gele oliejas vandaan. Wij drieën kijken je aan en barsten tegelijkertijd in lachen uit, en op het laatst lach je mee...

De herinneringen vervagen, overlappen elkaar, vermengen zich. Ik glijd in een diepe slaap. Ik droom.

'Hé, bootsman Sideheart!' roep je me vol trots toe. 'Zag je die puike manoeuvre die ik daar uitvoerde?'

'Jazeker, die zag ik, die zag ik. Maar wij hebben een zeilcursus gedaan om te spelevaren, niet om aan een regatta mee te doen. Wees alsjeblieft een beetje voorzichtiger.'

'Tjee, boots, je zeurt. Ik ben tenslotte de kapitein, of niet? Dus wees geen spelbreker!'

De droom maakt de sensaties van de herinnering intenser. Het is alsof ik het nogmaals ervaar. Ik voel je nabijheid. Je adem, je geur, je stem, alsof je lijfelijk bij me bent.

'Kijk eens, daar achter je, dat is Angel Island!'

Ik draai me om. Op de kade van Sausalito staan Sylvia en Jack ons treurig uit te wuiven. Jij zwaait vrolijk terug, dan draai je je om naar de zee. Ik daarentegen laat hen niet uit mijn ogen, omdat ik weet dat ze me iets willen zeggen. Maar ze zijn te ver weg en langzaam verdwijnt de kade in de mist.

'Hé, laten we omkeren,' roep ik je toe. 'Zie je die storm niet?'

'Wat klets je nou? De zon schijnt!'

En de stralende droom verandert in mijn ergste nachtmerrie.

Een donkere, vormeloze massa, een gigantische wand van vloeibaar duister, verheft zich als een reus uit het water. Hij komt op ons af en we kunnen er niet aan ontkomen. Hij verzwelgt ons.
Je schreeuwt wanhopig. Het is zo'n verschrikkelijk geluid dat mijn verstand weigert het te registreren, ik hoor je schreeuwen, je zegt iets, maar ik kan het niet verstaan, ik kan niet...

Badend in het zweet word ik wakker.
'Waarom laat je me verdomme niet met rust?'
Mijn adem stokt in mijn borst, elke ademhaling gaat gepaard met een naargeestig gepiep.
'Verdomde rot... golf...'
Het is dezelfde nachtmerrie die ik op Horu's eiland had. Dezelfde zwarte golf, dezelfde kreten. Maar toen wist ik niet dat het jouw stem was.
Ik haal diep adem om mezelf te kalmeren. Nu ik wakker ben, merk ik dat er meer herinneringen loskomen en op hun plek vallen. Het is een vreemd proces, alsof mijn brein me dwingt een film te zien die zonder voorafgaande waarschuwing begint. Maar het is een film waarvan ik geen scène, geen beeld wil missen: het zijn herinneringen uit de periode september tot februari – zo lang duurde onze zeilcursus. Ik beleef de schoonheid van die zorgeloze maanden nogmaals, de vriendschap die zich met Sylvia en Jack ontwikkelde, ondanks het leeftijdsverschil en jouw duidelijke afkeer van hun hippiestijl.
Dan een laatste herinnering: toen de cursus afgelopen was, hebben wij tweeën samen een korte zeiltocht gemaakt. In een weekend, van de Baai van San Francisco naar Monterey, via Moss Beach en Santa Cruz.
En toen?
Toen kwam je verjaardag, 27 februari. Maar van die dag herinner ik me niets meer. Vanaf toen, hoezeer ik me ook inspan, is er alleen de schaduw van de amnesie. Hij is kleiner geworden, maar des te donkerder en dichter.

Buiten is het donker. Ik zie mijn spiegelbeeld in het raam. Ik kijk in mijn ogen en word bang van mezelf. Hoe lang heb ik mezelf niet in de spiegel gezien? Op mijn huid ontdek ik kneuzingen en wonden waarvan ik niet eens wist dat ik ze opgelopen had.

Maar er is een ander detail dat mijn aandacht trekt. Iets op de achtergrond van de reflectie.

De boekenkast.

Mijn blik blijft hangen bij de rechterhoek, beneden, onder de telefoon, waar je angstvallig je 'archief' bewaart. Ik duw een met kleurig zand gevulde vaas opzij, een van je artistieke decoraties, en trek hem voorzichtig tevoorschijn. Het is een kofferachtige houten kist. Het bloempatroon van weleer is gaandeweg onder een laag etiketten verdwenen, aandenkens van onze gemeenschappelijke reizen.

Ik open hem. Hij zit boordevol brieven, enveloppen, hangertjes, stoffen poppetjes. Bovenop ligt als een presse-papier een sleutelbos, de reservesleutel van het huis van je vader. Meteen daaronder een met een raffia omwikkelde envelop van grof papier, gedateerd 12 september 2008: de kaart van de zeilcursus.

Daaronder nog een envelop, die ik me niet herinner:

Voor Karin, in liefde
– 27 februari –

Met trillende handen maak ik hem open. Het is je verjaardagskaart.

Een geritsel, een doffe klap. Een cd die zich aan de envelop had vastgehaakt, is op de grond gevallen. Het plastic doosje valt open en de cd huppelt over de vloer. Ik vervloek mijn onhandigheid en raap hem op. Het is niet zomaar een cd: je hebt hem al eeuwen en hoedt hem als een schat.

Hoewel ik weet dat ik mezelf nogmaals pijn zal doen, leg ik hem niet terug. Ik zet de stereo-installatie aan en stop de cd erin. Dan selecteer ik track nummer vijf.

Wat voor zin heeft dat allemaal? Wat heeft het voor zin om het terug te halen?

Misschien is het het enige wat me nog rest: het waarom te begrijpen. Is er een reden voor al deze pijn?

Ik zit op de vloer van onze woning, omringd door voorwerpen uit ons verleden, met het cd-boekje met de songteksten in mijn hand, hoewel ik het niet nodig heb, ik ken alles uit het hoofd, en als ik *de twee regels* lees, stijgt er iets op en verzwelgt me. De vloer borrelt, zakt in, de maan stort in de oceaan, een golf slaat over me heen en ik weet niet waaraan ik me kan vastklampen – jij was bij me.

Ik druk op 'play'.

45

'STILL REMAINS'

SAN FRANCISCO, 27 MEI 1994
VIJFTIEN JAAR EERDER (DEMIAN IS BIJNA ZEVENTIEN)

Shit! O, shit! Rennen!
Schaduw, licht, schaduw... struiken en bomen schieten aan me voorbij,
terwijl ik Seymour Lake Park doorkruis. Het is pas half negen en nu al
bloedheet. Ik maak een wijde bocht om twee eenden en een dikke vrouw
met haar hond te omzeilen. Dan vertraag ik mijn pas.

Ik passeer ons bankje.

Ik kom te laat voor mijn laatste proefwerk Engels, maar dat laat me
koud. Ook vandaag heb ik een omweg gemaakt om hier langs te komen.
In de hoop jou weer te zien.

Er zijn al twee weken voorbijgegaan sinds ons eerste en laatste gesprekje. We hebben precies hier naast elkaar gezeten. Ik kan me je geur
nog herinneren, denk aan de paar woorden die we gewisseld hebben.

Maar de dingen zijn heel anders gelopen dan ik gehoopt had.

Op school is het een gekkenhuis. Het is in één klap zomer geworden,
de vakantie is tastbaar dichtbij. Er hangt een zwoelheid in de lucht, één
blik en *beng*, de vlam slaat in de pan, het vuur grijpt om zich heen, onge-
controleerde verbrandingen, detonaties van het leven.

En ik? vraag ik me af, terwijl ik mijn pas versnel. *Deze zomer word ik
verdomme zeventien! En wat doe ik?*

De lessen slepen zich eindeloos voort. De op een kier geopende ramen kijken uit op de binnenplaats of het sportterrein, en je ziet de geluk-
kigen die buiten sport hebben of met de schoolteams trainen. Af en toe
zwaait zelfs iemand stiekem naar beneden. Steeds meer briefjes gaan
onder de lessenaars heen en weer. De docenten zuchten gelaten, doen
alsof ze de sluipende ongehoorzaamheid niet zien, en zinnen op wraak
via de borden met de examenuitslagen.

En iedereen denkt nog maar aan één ding: het eindejaarsfeest.

Om de waarheid te zeggen heb ik dat ellendige feest altijd stom gevonden. In de afgelopen jaren ben ik er alleen naartoe gegaan om me te misdragen en het van binnenuit te saboteren. Ditmaal had ik met Chris en de anderen afgesproken om helemaal niet te gaan. Maar toen kwam jij en stuurde mijn plannen in de war. Mijn hele bestaan.

Sinds twee weken laat ik mijn blik in de pauzes en bij het wisselen van klaslokaal vol verwachting door de gangen zwerven, in de hoop dat je plotseling opduikt. Maar de paar keren dat we elkaar tegenkwamen, kon ik je hoogstens met mijn ogen groeten, wat je met een mysterieus lachje beantwoordde. De gelegenheid voor een praatje heeft zich niet meer voorgedaan. Of jíj bent met je vriendinnen of ík met mijn vrienden, en je hoeft geen genie te zijn om te snappen dat het tussen jouw kliek en de mijne niet botert. Ze negeren elkaar, of beter, koesteren een stille haat jegens elkaar. Een psychologisch duel tussen de Montagues en de Capulets, waarin elkaar negeren de zwaarste vorm van geweld is. Dat draagt er zeker niet toe bij het ijs te breken. En dan begin ik te denken dat deze scherpe tegenstellingen een duidelijk teken zijn dat we in wezen niet bij elkaar passen. Om te beginnen is er die kwestie van het schoolfeest.

Sinds drie dagen blow ik niet meer. Chris maakt zich zorgen, hij heeft me gevraagd of er iets met me is, maar ik moest even kappen, het ging niet meer. Ik raakte steeds verzeild in een vreemde paranoia van warrige verlangens en zinloze vragen, in een labyrint van tunnels die in mijn hoofd onvermoeibaar uitdijden en weer ineenkrompen. Het was niet leuk meer. En sinds ik jou gezien heb, heb ik niet meer gemasturbeerd. Gaz heeft ooit gezegd dat dat het zekerste teken van verliefdheid is. Maar dat is wel meteen een zwaar woord.

Die drie dagen zonder hasj hebben me geholpen om een beetje klaarheid te krijgen, of me misschien definitief in de stront te laten zakken. Uiteindelijk besluit ik op z'n minst een poging te doen om erachter te komen wat je van me vindt, maar dat betekent niet dat ik verplicht ben je voor het feest uit te nodigen. We zouden gewoon met elkaar kunnen afspreken, als vrienden, zonder speciale reden. Op neutraal terrein, om zo te zeggen.

Vijf minuten zijn voldoende om te begrijpen dat dat niet zal werken.

Ik geef het niet graag toe, maar dit jaar kom ik er waarschijnlijk niet onderuit. Want ik besef dat jij op dat feest een geweldige tijd zou kunnen hebben en dat ik dan het nakijken heb. Naar dat schijtfeest gaan is het laatste wat ik wil, maar het idee dat jij daar met een ander bent... Ik moet er niet aan denken, want dan word ik misselijk.

Oké, afgelopen met het getheoretiseer, ik moet wat doen. Misschien is het allemaal iets wat zich alleen in mijn hoofd afspeelt en zeg jij nee, dan kan ik er een streep onder zetten. Je persoonlijk vragen is geen optie, ik heb het de afgelopen twee weken nog niet eens klaargespeeld je fatsoenlijk te groeten, terwijl ik nooit verlegen ben geweest! Wat overblijft is de goede oude telefoon.

Allereerst zal ik je nummer moeten vinden. Ik pak het telefoonboek, er staan twee Weilands in: Scott Weiland en Samuel Weiland. Bij het eerste nummer neemt een vrouw op, kennelijk heeft ze een zesde zintuig, want voor ik mijn mond opendoe, zegt ze me dat ik het verkeerde nummer heb gedraaid. Dus draai ik het tweede nummer en wacht. De oproeptoon klinkt twee keer, drie keer, vijf keer... Ik wil juist ophangen als er wordt opgenomen.

'Hallo.'

Shit, dat moet je vader zijn.

'Hallo.'

'Met Samuel Weiland. Met wie spreek ik?'

'O... eh, goeiedag. Ik zou graag met Karin spreken.'

'Die is niet thuis. En wie ben jij?'

'O, niemand, een schoolgenoot.'

'Moet ik een boodschap aan haar doorgeven?'

'Nee, niet nodig, bedankt. Ik probeer het later nog wel eens.'

'Ben jij die jongen van het schoolfeest? Richard, Robert, kom... hoe heet je.'

'Nee, nee... geen probleem. Goeiedag.'

Oké, oké. Op zijn minst hebben we het bij de wortel aangepakt. Ik heb een wee gevoel in mijn maag. In eerste instantie is het bijna een opluchting, zij het een zeer bittere. Dan word ik bevangen door een treurigheid zoals ik nog nooit heb gevoeld, ik voel me zo klote dat het me een moment lang zwart voor ogen wordt. Maar ik moet me erin schikken. Er is al een Robert, of een Richard. De lust je mee uit te vragen is me vergaan.

Er gaan nog drie dagen voorbij en ik geef me helemaal over aan het blowen, ondanks de veelvuldige aanvallen van paranoia. Mijn vrienden krijgen niet mee wat ik doormaak. Als ik af en toe op het feest zinspeel, staren ze me aan alsof ik van een andere planeet kom. In hun wereld, die overigens ook de mijne behoort te zijn, bestáát dat feest niet eens, het is een onbeduidendheid, waarover alleen onbeduidende mensen praten. Hun gezelschap zou me moeten helpen om er weer bovenop te komen en de zaak te vergeten, maar het werkt niet. Ik heb me nog nooit zo alleen gevoeld.

'Zaterdag is er een waanzinnig concert, lui!'

Degene die dat schreeuwt, dikke ketting om de heupen, half dozijn piercings in het gezicht, is Gaz.

'Van wie?' vraagt Chris, die nonchalant tegen de cola-automaat hangt.

'Soundgarden.'

'Niet slecht,' zegt Jay, en hij begint te zingen: '*And you stare at me in your Jesus Christ pose...*'

'*... arms held out, like you've been carrying a load!*' haakt Chris naadloos aan.

'Nee, lui, dat is al weer passé. Er is een nieuw album, *Superunknown*. Echt mees-ter-lijk.'

'Oké, ik geloof je. Kopieer de cd voor me, ik wil voorbereid voor het podium verschijnen.'

'Heel goed, maak dan voor mij ook meteen een kopie.'

'Kom eerst met wat lege cassettebandjes over de brug, anders kunnen jullie het schudden. Ik ben geen liefdadigheidsinstelling. Een speelduur van negentig minuten is voldoende.'

'Oké, oké, knijperd.'

'Hoeveel kaarten zal ik kopen?'

'Ben jij ook van de partij, Sid?'

Ik daal neer op aarde. Ik was in gedachten heel ergens anders en heb nog geen mond opengedaan.

'Wanneer was dat concert, zei je?'

'Zaterdag.'

'Maar zaterdag is toch het feest? Gaan we daar niet heen?' vraag ik met ongewild pieperige stem.

'Het feest? Bedoel je het schóólfeest?' vraagt Chris ongelovig.

'Ach, het feest,' zegt Gaz zuchtend. 'Wat een warme herinneringen bewaar ik daaraan! Zonder ons zal dit jaar niemand zich amuseren.'

'Weten jullie nog hoe we dj Joe Cormans ontvoerden?'

'En of! We hebben een half uur lang snoeihard Sepultura en Obituary gedraaid.'

'En Cormans maar schreeuwen uit het wc-raam van de derde verdieping: "Ik ben hier, ik ben hier!" En niemand die hem hoorde!'

We brullen van het lachen.

'En toen wilde hij ons aangeven wegens kidnapping! Wat een idioot.'

'Holy shit, dat was wat, lui.'

'Ja, dat waren nog eens tijden.'

'Mâh dit jâh,' imiteert Chris het spraakgebrek van onze filosofieleraar Moorlock, 'kwijg ik uitslag bij het idee die tweurige poppenkast te fudwagen wâhbij jongens pseudofolwassenen na-apen om te laten zien hoe wijk en getapt ze zijn.'

Iedereen buldert het uit. Onder andere omstandigheden had ik meegelachen, maar ditmaal erger ik me dood aan Chris' air van superioriteit. Ik wil juist iets zeggen, als jij voorbijkomt.

Omstuwd door je vriendinnen, die verdomme wel je bodyguards lijken, glimlach je naar me. Ik geloof dat ik je compleet versuft aanstaar, met half open mond en zonder een woord te zeggen, en voel dat ik zojuist een modderfiguur geslagen heb. Het liefst zou ik het uitbrullen en met mijn hoofd tegen de muur beuken.

'Ah, het eindejaarsfeest! Nu begrijp ik het!' fluistert Chris me in het oor, zonder dat de anderen het meekrijgen.

Ik mag er dan als een halve zool bij staan, maar dit gaat te ver. Ik kijk op en kastijd hem met een ongeëvenaarde Ozzy Osbourne-blik. Maar in Chris' ogen staat geen spoor van ironie, integendeel. Hij slaat een arm om mijn schouders en neemt me apart.

'Hé, Dem, je hebt me ook niet gezegd waaróm je naar het feest wilt. Een topreden, dat moet gezegd.'

'Helaas niet. Geen enkele reden.'

'Maar...'

'Laat zitten, Chris. Koop liever een ticket voor die suffe Soundgarden voor me.'

'Weet je het zeker? Het zit namelijk...'

'Ik weet het zeker. En... Chris?'

'Ja?'

'Toch bedankt.'

De volgende dag, 31 mei, is de laatste schooldag. In de pauze, terwijl ik in de schooltuin een beetje afzijdig een sigaret zit te roken, me afsluitend voor het opgewonden geschreeuw dat overwaait vanaf het sportterrein, voel ik een hand op mijn arm. Ik schrik op.

'Hé, wat moet...'

Voor me staat een blond meisje. Het is Chrystal, een van je vriendinnen.

'Je bent niet alleen een idioot, maar ook nog een schijterd.' Haar agressieve toon laat geen twijfel bestaan: dit is niet zomaar een slechte grap. 'Hoor eens, Dem, Sid of hoe je je ook maar noemt, mij zal het een worst zijn. Als je ook maar een greintje benul in je hoofd had, was ik nu niet hier om met je te praten. En je kunt je niet voorstellen hoezeer het me tegenstaat.'

Ik staar haar radeloos aan en toon daarbij waarschijnlijk de domste gelaatsuitdrukking die moeder Natuur me geschonken heeft.

'Kom je er niet uit jezelf op?'

'Ik... weet niet, gaat het om Karin?'

'Bingo!' zegt ze geërgerd. 'Van welke planeet kom je eigenlijk?'

Naar haar gebaren en de lichte trilling in haar stem te oordelen, gaat er achter haar agressiviteit een zekere angst schuil. Maar die is niets in vergelijking met de mijne.

'Ben je bekend met het feit dat er morgen op deze school een feest zal plaatsvinden? En dat de jongens normaal gesproken de meisjes daarvoor uitnodigen?'

'Ja... natuurlijk.'

'Denk dan eens aan Karin en tel een en een bij elkaar op!'

'Maar ze is toch al uitgenodigd, en ik...'

'Natuurlijk is ze al uitgenodigd, wat dacht jij dan? Dit is geen blindenschool! Maar ze heeft nog niemand iets toegezegd.' Het gezicht van je vriendin wordt vuurrood. 'Hoe kan een mens zo blind zijn? Ze wacht alleen op jou!'

Ze wacht op mij? Een zwerm vlinders fladdert op in mijn buik, mijn hart maakt een driedubbele salto. *Er is geen drug die dit effect heeft*, is de enige idiote gedachte die in me opkomt.

'Is het je duidelijk dat als ze vandaag niet op iemands uitnodiging ingaat, ze uiteindelijk thuisblijft?'

'Ah... ja, ik snap het,' stamel ik. 'Maar, weet je, dit feest...'

'En is het je duidelijk dat als dat gebeurt, ze je voor de rest van je leven zal haten?'

'Ja... ik geloof het wel.'

'Dus, bel je haar of niet?'

'Ja... Uiteraard, natuurlijk, doe ik.'

'Hm, mooi.' Haar grimmige gezicht ontspant zich. Haar toon echter niet. 'Doe me een lol en ga voor het feest in bad, scheer je en gebruik eau de toilette, veel eau de toilette. En koop wat fatsoenlijks om aan te trekken.' Met een blik vol walging monstert ze de brandgaten die mijn legendarische Sonic Youth-T-shirt opsieren. Ik zie er inderdaad niet bijzonder appetijtelijk uit.

'Maar bovenal' – ze richt een dreigende wijsvinger op me –, 'Karin is me heel dierbaar. Behandel haar fatsoenlijk, begrepen? Of ik maak je af. En zeg haar niet dat ik met je gepraat heb, anders vermoordt ze me!'

Dan maakt Chrystal rechtsomkeert en loopt zonder te groeten weg.

'Hé, Chrystal!' roep ik haar na, als ik uit mijn verstarring ontwaak. 'Mij is ze ook heel dierbaar!'

Misschien beeld ik het me alleen maar in, maar ik zou kunnen zweren dat Chrystal glimlacht.

Ik ga dus naar het feest. Als ik het mijn vrienden vertel, reageren ze alsof ik hen verraad. Zoals ze hoofdschuddend naar de punten van hun schoenen staren, zien ze eruit alsof ze op de begrafenis van een oude, te vroeg gestorven vriend zijn. Zoals altijd is Chris de enige die me snapt.

'Jongens, jullie hebben de réden voor het feest niet gezien.'

'Het zal wel,' mompelt Gaz weinig overtuigd. 'Maar heb je wel goed naar *Superunknown* geluisterd? Volgens mij laat je een historisch concert aan je neus voorbijgaan.'

'Jaaa, jaaa,' bezweert Chris hem, 'maar vanavond zou Sid nog niet eens komen als Jezus Christus persoonlijk op het podium stond. Vanavond heeft Sid een date die wel eens historisch kon worden voor zijn leven.'

Als hij wil, kan Chris erg theatraal uit de hoek komen.

1 juni, iets over zevenen in de avond. Ik heb me zojuist gedoucht, over een uur haal ik je af. De middag heb ik doorgebracht in Rebecca's klauwen, die de situatie meteen taxeerde en me, opgetogen haar broertje eindelijk toonbaar te maken, regelrecht gegijzeld heeft. Maar ik zie mezelf

gewoon niet in chique kleren. En de toespelingen van mijn vader en de stralende blik van mijn moeder hebben beslist niet tot mijn gevoel van welbevinden bijgedragen.

Als de voorbereidingen voltooid zijn, stuif ik het huis uit, parkeer voor je deur en druk een paar keer op de claxon. Je zwaait naar me van achter het raam en seint me dat je nog vijf minuten nodig hebt. Het worden er dik twintig, dan zwaait de voordeur open. Achter je in de gang ontwaar ik je vader, die je met een opgestoken hand gedag zegt. Maar hij is slechts een schaduw die in het niet valt bij de glans die jou omstraalt. Je draagt een kort zwart jurkje dat je schouders vrijlaat. Als je op me toekomt, stel ik overweldigd vast hoe mooi je bent, ik weet van verlegenheid niet waar ik kijken moet. Je bent al een beetje gebruind, in tegenstelling tot mijn winterbleekheid en de kringen van nachtelijke slemppartijen, die ik met trots bewaar. Dan draai je je om en je zwaait naar je vader. Ik krijg bijna een hartklap als ik je blote rug zie... Mijn god, wat ben jij sensueel. Als je voor me staat, lach je stralend naar me.

'Hebben we het uiteindelijk toch nog gered. Ongelooflijk!' zeg ik, en je barst in lachen uit.

'Je ziet er heel goed uit,' antwoord je, terwijl je me van boven tot onder opneemt. 'Ik heb me namelijk een beetje zorgen gemaakt...'

'O, dat is heel sympathiek van je. Maar jij ziet er zelf ook helemáál niet slecht uit. Ik zal me met jou niet blameren.'

Giechelend om elke onzinnigheid die ons over de lippen komt, stappen we in de auto en rijden naar school. Het is nog licht. De oprit wemelt al van scholieren en de muziek staat voluit, je hoort het tot hier.

Dit jaar hebben ze zich niet laten kennen. Het terrein rond de school is onherkenbaar veranderd. Het scherm boven het buitenbad is verwijderd, rondom staan flakkerende fakkels en lange buffettafels. Midden op het basketbalveld verheft zich een grote houten dansvloer die met bloempotten is opgeluisterd. Ook de deuren van de sporthal staan wagenwijd open, binnen zie ik een tweede dansvloer.

Ik beweeg me aarzelend, opgewonden, onzeker. Het is allemaal zo onwerkelijk. Ik ben nerveus, alsof ik examen moet doen, en voel me misplaatst. Veel mensen groeten ons, sommige fluisteren achter onze rug, maar je stralende gezicht maakt me duidelijk dat je daar maling aan hebt, en dat geeft me een beetje moed. Aan de rand van het zwembad treffen we je vriendinnen, ieder met haar chaperon, we schudden elkaar de hand, wisselen vluchtige kussen, glimlachjes. Iedereen begroet me vrolijk en hartelijk, maar hun argwanende blikken ontgaan me niet. *Wat doe jij hier?* lijken ze zich radeloos, of misschien alleen maar nieuwsgierig, af te vragen. Ik voel me als een steppewolf die per ongeluk in de grote stad verzeild is geraakt. God, ik moet dringend wat drinken om een beetje los te komen!

Gelukkig heeft je vrouwelijke intuïtie de situatie meteen in de smiezen. Je stelt voor om samen een cocktail te halen en bij het zwembad te gaan zitten.

'En jouw vrienden? Waar heb je die gelaten?' vraag je me, zodra we een rustig hoekje hebben gevonden waar we niet hoeven te schreeuwen om onszelf verstaanbaar te maken.

'Die zijn bij het concert van Soundgarden.'

'En wie mogen dat wel wezen? De gebruikelijke meuk waar jij naar luistert?' Je proest het uit, en voor ik iets terug kan zeggen, druk je je hand op mijn mond.

'Mmmof... afeid... befer... dafie... fneu... oeng oeng oem...'

'Wat zei je?' Je haalt je hand weg.

'Ik zei: "Nog altijd beter dan die sneue oenka oenka-zooi!"'

'Breek me de bek niet open... Maar hé, zou je niet liever bij dat concert zijn?'

'Nee.' Ik kijk in je ogen. Ze glanzen in het licht van de fakkels, de vlammen spiegelen zich in je pupillen. 'Ik ben blij om hier met jou te zijn.'

'Ik ben ook blij dat je me alsnog hebt gevraagd. Ik begon me al een beetje zorgen te maken. Sinds die ene keer in het park hadden we niet meer met elkaar gesproken...'

En meteen ontstaat er tussen ons dezelfde magische atmosfeer als die middag. De nacht daalt neer over het feest en het lijkt alsof de wereld om ons heen wegvalt, de lichtshow die losbarst lijkt speciaal voor ons bedoeld. Ik weet niet hoeveel tijd er verstrijkt, een uur, misschien twee. Al die tijd praten we. Het is alsof ik eindelijk een al lang in mij sluimerende behoefte kan bevredigen, de woorden rollen vanzelfsprekend over mijn lippen en vormen een vloeiende eenheid met elke blik, lach, glimlach of beweging van handen en lijf.

'Hé, tortelduifjes!' roept Chrystal, die ons van achter verrast, met een ietwat dubbele tong. *Nee, hè*, denk ik, de betovering is verbroken.

'Sommige dingen doe je aan het eind van het feest, nu wordt er ge-

danst! Je laat me toch niet in mijn uppie dansen, schat?' Ze pakt je bij
je arm en trekt je omhoog. Je lacht en werpt me een bezorgde blik toe.
'Heb jij zin om te dansen, Dem?'
'Ga gerust, geen probleem, dit is niet zo mijn muz...'
Maar vanavond straalt mijn geluksster. Juist op dat moment schalt er
een onmiskenbare gitaarriff uit de luidsprekers.
'Hé, maar dat is "Boys Don't Cry!"' roep ik verheugd, en ik spring
overeind. 'Kom mee!'
Ik grijp je hand en lachend storten we ons op de dansvloer. Het geluk
wil dat de dj een half uur lang oude hits draait, en we leven ons uit in een
woelige massa van armen, lijven en geuren. Misschien komt het doordat
ik jou voor me heb en zie dansen. Mijn maag krampt zich samen van
emotie. Ik vergeet mezelf, Chris, de anderen, Soundgarden, de drugs en
de gedichten. Er is alleen jij en een geluk waarvan ik nooit had gedacht
het te mogen beleven.
Als we weer gaan zitten, raken onze bezwete schouders elkaar. Je
draait je naar me om. Je ziet er verhit uit, je haar is verward, er ligt een
uitdagende gloed in je ogen. Hoe graag zou ik je nu tegen me aan trekken en kussen. Maar ik voel dat het nog niet het moment is. Als terloops
stel ik een riskante vraag.
'Hoe laat moet je vanavond thuis zijn?'
'Nu komt het trieste deel, Dem. Ik mag niet te laat thuis zijn, anders
maakt mijn vader zich ongerust.'
'Oké. Maar hoe laat precies?'
'Je bedoelt hoe vroeg...'
'Je vader was die man aan de deur, toch? Ik heb hem ook aan de telefoon gehad. Je moeder heb ik niet gezien.'
'Dat zou me ook sterk verbazen. Mijn moeder is overleden toen ik nog
heel klein was.'
'Ah... sorry, het spijt me, dat wist ik niet.' Bekommerd knijp ik mijn
ogen samen en ik weet niet wat ik zeggen moet.
'Het is al goed, Dem. Dat is lang geleden. Ik heb alleen heel vage herin-
neringen aan haar, en een paar foto's waarop ze mij op de arm heeft. Ik
geloof dat ze mijn beschermengel is. Misschien zit ze nu wel naast ons
en houdt jou in de gaten.'
'Herejee... dan kan ik je niet eens een afscheidskus geven!'
We moeten giechelen en je bloost.

'En hoe staat het met jouw ouders?'

'Niet zo best. Mijn vader is evangelisch predikant, we kunnen niet zo goed met elkaar opschieten.'

'Dat geloof ik graag, met zo'n losbol als jij! Je ondergraaft zijn werk.'

We lachen weer.

'Het voelt goed om met jou te praten. Heb ik je dat al gezegd?'

'Dat kun je me niet vaak genoeg zeggen... ik hoor het graag.'

'Kun je één minuut hier wachten? Ik moet iets regelen. Ben zo terug.'

Je kijkt me wantrouwend aan.

'Oké, maar haast je, oké?'

Ik werk me door de drukte, hol naar de auto, open het portier, graai iets van het dashboard en stop het tersluiks in mijn zak. Dan stort ik me weer in het feestgedruis en vecht me een weg naar de diskjockeytafel.

'Hé, Joe!'

'Hé, Sideheart. Wat moet je?' Hij kijkt me scheef aan, met zijn koptelefoon tussen oor en schouder geklemd. Hij is niet blij me te zien. Hij is nog niet vergeten dat we hem verleden jaar hebben ontvoerd en op de plee opgesloten om heavy metal te draaien: een glorieus kwartier lang van woest gepogo en duiken in het zwembad.

'Ik wil je een gunst vragen.' Ik steek hem de cd toe die ik uit de auto gehaald heb. 'Ik wil dat je een verzoeknummer draait, met een speciale aankondiging erbij.'

'En wat is het? Metal, punk? Dat wil niemand hier horen.'

'Hoor eens, je weet toch nog wel hoe ik je vorig jaar zover heb gekregen om wat metal te draaien?'

Joe trekt een geërgerd gezicht, dan zet hij een meewarige glimlach op.

'Je bent alleen hier, Sideheart, ik heb het gezien. Dit jaar word je niet gevaarlijk voor me. Ik kan het amper geloven, maar ik zou bijna gaan geloven dat je verstandig bent geworden.'

'Oké, oké. Draai je het voor me? Het is track vijf.'

'Hoor eens, ik heb een hele lijst van verzoeknummers, die ik niet allemaal kan honoreren, anders sta ik hier morgenmiddag nog.'

'Ik geef je twintig dollar.'

Hij monstert me argwanend om te zien of ik hem in de maling neem. Ik produceer het biljet en hij grijnst.

'Nou, dan moet het wel serieus zijn, Sideheart. Oké.'

Hij houdt zijn hand op en incasseert het geld.

'Parasiet.'

'Hoor eens, ik werk me hier in het zweet, krijg geen cent betaald, kan niet eens iemand versieren. Een kleine *incentive* kan dan geen kwaad.'

'Wacht even met opzetten. Ik geef je een teken.'

'Hé, waar was je nou?' Je pruillip is onweerstaanbaar. 'Ik dacht al dat je ervandoor was, dodelijk verveeld door mijn levensverhaal.'

'Ik heb het geprobeerd, maar de deurwacht liet me zo vroeg nog niet gaan.'

'Man, ik meen het serieus. Waar was je?'

In je blik ligt een zachte angst die me verrast. Dan meen ik het te begrijpen en moet ik bijna lachen: je denkt dat ik hunkerend naar drugs de bosjes in ben gedoken om een joint te roken. Ik kijk je geheimzinnig aan en laat je nog even spartelen. Dan grijns ik.

'Nog even geduld, het is een verrassing. Kom!'

Ik neem je bij de hand en trek je naar de dansvloer. Zonder dat je het merkt, draai ik me om en geef de dj mijn oké. Het housenummer sterft weg en Joe doet de aankondiging.

'Het volgende nummer is voor Karin, van Demian. Mensen, ik ken het niet, dus kijk mij er niet op aan.'

Wat een sukkel, denk ik.

Glimlachend kijk ik je aan. Je bloost als nooit tevoren en staart me met grote ogen aan. Je ziet eruit als een katje in het licht van de schijnwerpers.

Plotseling klinkt dan de vervormde, hypnotiserende, dromerige gitaar van 'Still Remains'. Het wordt me duidelijk dat het geen ideaal dansnummer is, al helemaal niet op een feest als dit. Maar je moet het gewoon horen, vanwege je vooroordelen over de 'meuk' waar ik naar luister, en dit was de enige mogelijkheid om je aandacht te krijgen.

'Hoe dans je hierop?' vraag je met een blos van opwinding.

'Het is meer een slijpnummer.'

Je vlijt je tegen me aan en ik leg mijn handen om je heupen. Je vouwt je handen om mijn nek en laat je onderarmen lichtjes tegen mijn borst rusten.

Als er één moment is waarop een leven zich in al zijn wonderbaarlijke tegenstrijdigheden laat samenvatten, dan is het voor mij dit moment.

Vier minuten lang voel ik dat we in het exacte middelpunt van de wereld staan, nergens anders gebeurt nu iets wat even magisch is. Nog sterker dan eerst heb ik het gevoel alsof de werkelijkheid om ons zich oplost. Een roerloos cirkelen van gewichtloze lichten en kleuren. Best mogelijk dat iedereen om de dansvloer staat en ons bekijkt. Maar dat laat me koud. En ik merk dat jij net zo denkt. Je hebt je ogen gesloten en je voorhoofd tegen mijn borst gelegd. Ik voel hoe je hele lichaam zich naar het mijne voegt.

Heel lichtjes hef je je hoofd.

'De tekst van dat lied... is prachtig,' fluister je, en in het licht van de lampen ziet het er bijna uit alsof je huilt.

'Ja... daarom moet je het ook horen. Wacht... hoor het refrein eens.'

Opnieuw laat je je tegen mijn schouder zakken. Je lippen beroeren mijn hals, het zachte kietelen van je wimpers

Pick a song and sing
a yellow nectarine

nu beef je

Take a bath, I'll
drink the water that you leave

je kijkt in mijn ogen, spiegel in spiegel

If you should die before me
ask if you can bring a friend

en op dat moment weten we dat het moet gebeuren

Pick a flower, hold your breath
and drift away...

onze lippen beroeren elkaar lichtjes, bevend, en we vallen steeds dieper, tuimelen omlaag in de donkere afgrond van onze eerste kus.

Als het nummer wegsterft, is het alsof we na een lange duik weer boven water komen. We krijgen geen woord over onze lippen, lopen hand in hand weg, opgeslokt door de chaos van feestgangers, die niet lijken te hebben meegekregen wat er gebeurd is. Zwijgend en trillend loop je met me mee om de cd op te halen.

'Dat is de mooiste tekst die ik ooit gehoord heb.'

'Ik wil dat jij hem houdt.'

'Wat?'

'Deze cd. Ik ben er erg aan gehecht, maar ik wil dat jij hem hebt.'

'Maar Dem...'

'Echt. Hij is voor jou.'

'Dank je... dat is een prachtig cadeau. Als ik me eenzaam voel, zet ik dit nummer op en denk aan deze avond.'

'En waarom zou je je eenzaam voelen?'

'Ik weet het niet... gewoon een gevoel dat ik nu heb.'

Je draait de cd om en om tussen je handen en bekijkt hem als een kostbaar sieraad.

'Stone Temple Pilots. Dat is van die grungemuziek waar jij graag naar luistert, toch? En ik dacht dat het afschuwelijk was! Is het meestal ook...'

Je parelende lach vervult de lucht. Ik zou willen dat hij nooit zou ophouden. Ik zou hem elke dag willen horen, voor de rest van mijn leven.

Maar dat zal niet zo zijn.

46

DE WAARHEID

De klanken van 'Still Remains' begeleiden drieënhalve minuut aan stralende herinneringen, die in de schemerige ruimte van onze woning duistere echo's ontmoeten. Dan begint het volgende nummer, 'Pretty Penny', het slagwerk doet de lucht trillen, maar ik hoor niets meer.

If you should die before me...

Het besef breekt door de dammen en overspoelt me.

Je bent er niet meer. Er is geen hoek meer waaronder ik je nog in mijn armen kan sluiten en kussen kan.

Eindelijk huil ik.

Mijn snikken echoën door de lege woning, vullen de kamers, strelen jouw spullen en keren zonder antwoord terug. De tranen transformeren mijn pijn. Nu ben ik helder; geest en lichaam zijn wakker en ontvankelijk, bereid om deze hel zonder verzet tegemoet te treden. En als een golf komen de vragen, zo voor de hand liggend in hun bruutheid, maar tot nu toe had ik niet de kracht ze mezelf te stellen.

Waar is je lichaam? Waarom kan ik het niet zien, het een laatste keer in mijn armen sluiten? En waarom komt Samuel niet terug? Waarom is hij niet te bereiken?

Ik draai het nummer van je vader, ondanks het tijdstip en het feit dat ik niet kan ophouden met snikken. Na enkele seconden klinkt er een metalige stem: *Verizon California. Het spijt ons, maar de door u gekozen abonnee is momenteel niet bereikbaar.*

In een hoek van mijn brein verheft zich een stem, die me iets toeroept, een verkapte waarschuwing.

Iets klopt hier niet.

Als Samuel in het buitenland is, waarom reageert Verizon Californië dan?

In je souvenirkist, die nog altijd geopend op de vloer staat, zie ik de reservesleutels van je vaders huis glimmen. Ik pak ze eruit. Dan loop ik

de koude novemberregen van San Francisco in. Het is diep in de nacht, bijna drie uur.
Ik ren, gedreven door een dwaze hoop

If you should die before me

dat onze gemeenschappelijke reis nog niet ten einde is.

Ask if you can bring a friend

Samuels huis is het tweede helemaal boven aan Pacheco Street. Voordat we trouwden, heeft deze deur lange tijd de grenslijn tussen jouw leven en het mijne gemarkeerd. Erachter verdween jij en mij bleef niets anders over dan me voor te stellen hoe je in je kamer zat, studerend of misschien uitkijkend op zee, of kort voor het inslapen onder de dekens lag.

Nu is aan het huis de maandenlange leegstand af te zien: de tuin staat vol onkruid, de balkonplanten zijn verdord, de voordeur zit onder de spinnenwebben. Vreemd genoeg is de brievenbus leeg. Zo stilletjes mogelijk steek ik de sleutel in het slot en duw de deur open. De entree ligt in het donker, maar ik maak geen licht. Ik wil niet dat de een of andere buur met slapeloosheid de politie belt.

Op de tast sluip ik naar het raam van de woonkamer. Ik trek de houten lamellen een beetje open, zodat het bleke licht van de straatlantaarns de kamer in valt. Op een tafeltje ligt een stapel ongelezen kranten, enveloppen en reclamefolders. Een van de buren haalt de post uit de brievenbus en legt die in huis. Maar veel brieven zijn vreemd genoeg al geopend en liggen opgestapeld op de rand van de tafel.

Dan valt mijn oog op iets wat mijn nieuwsgierigheid in onrust doet omslaan. Naast de brieven ligt ook Samuels mobieltje. Ik pak het op en weeg het nadenkend op mijn hand. Vreemd. Heeft Samuel zijn telefoon thuisgelaten? Het toestel staat uit. Ik druk op de aan-knop tot het display oplicht en me groen in het gezicht schijnt. Gelukkig is de pincontrole buiten werking gesteld, en de telefoon heeft meteen ontvangst. Na een paar seconden verscheurt een luid gepiep de grafstilte van het huis: een sms.

Dat is de oproep die ik heb gedaan voor ik vertrok. Natuurlijk, logisch. Dit model gsm is zo oud dat hij in het buitenland niet zou werken, en al helemaal niet in het Verre Oosten. Samuel heeft beslist een satelliettelefoon of iets dergelijks aangeschaft.

Maar waarom hebben mijn ouders me dan niet het nummer gegeven, zodat ik hem kan opbellen?

Steeds radelozer loop ik de werkkamer in. Ik ga aan de schrijftafel zitten, tast rond tot ik de aan-uitknop van de computer vind, en druk hem in. Het geruis van de koelventilator komt op gang, het witte licht van het beeldscherm verlicht de kamer.

Ik pak de muis en open de geschiedenis van de computer. Bijna alle gebeurtenissen liggen meer dan zes maanden terug, ongeveer rond de eerste dagen van onze verdwijning.

Maar dan zie ik na die halfjarige leemte een korte reeks gebeurtenissen die amper *twee dagen* terug liggen. Vrijdag 29 oktober: Samuel heeft zijn palmcomputer gesynchroniseerd, de mail gedownload en een paar documenten gelezen.

Wat heeft dit allemaal te betekenen? Was je vader twee dagen geleden hier in San Francisco? Waarom heeft niemand me daar iets van gezegd? Waarom is hij niet naar mij toe gekomen?

Moeizaam beweeg ik de muis, mijn hand trilt. Ik open het e-mailprogramma. Het postvak heb ik een paar jaar geleden voor hem ingericht en ik wil wedden dat Samuel het wachtwoord nooit heeft veranderd. Haastig typ ik *Karin79* en druk op 'Verzenden'.

>> Welkom, Samuel Weiland! Laatste bezoek: vrijdag 29 oktober 2009.

De map *Postvak In* is leeg. Links is een map met de naam *Karin*. Ik klik erop. Er zijn honderden mails.

De oudste dateert van 12 mei. Het is een mailwisseling tussen mijn vader en Samuel, om te testen of hun nieuwe palmcomputers functioneren, die ze kennelijk in Taipei gekocht hebben.

Wat deden ze in Taipei?

Ik scrol door de berichten en krijg meteen een antwoord: onze ouders zijn ons gaan zoeken. Vijf maanden van geanimeerde correspondentie tussen Samuel en mijn vader, minstens drie tot vier e-mails per dag, vaak berichten in telegramstijl over bezochte plekken en afspraken. Ik neem ze haastig door en begin te zien wat een ongelooflijke reis ze op zich hebben genomen: Taiwan, Filippijnen, Shanghai, Okinawa... Het door hen afgezochte gebied is immens, hun afsprakenkalender doorspekt met onheilspellende afspraken. Ik ga tot de laatste berichten: Samuel meldt zijn ziekenhuisverblijf op de Filippijnen vanwege een griep, mijn vader daarentegen is in Okinawa aangekomen.

Dan is er een vreemde berichtenleemte van drie dagen, tussen 24 en 26 oktober: de dag waarop ik mijn geheugen terugkreeg.

Met gespannen aandacht lees ik de weinige mails van na deze datum.

```
Woensdag 26 oktober 2009, 11:15 uur
Van: Samuel Weiland
Aan: Ian Sideheart
Betreft: geen
Hi, Ian.
Sinds drie dagen bereik ik je niet meer. Ik weet niet
wat er aan de hand is, maar ik moet je gewoon schrij-
ven, ook al weet ik niet wanneer je het zult lezen. Ik
heb Manila verlaten en zit in het vliegtuig naar Tai-
pei. Gisternacht belde Kasumi me op met de boodschap
dat Karins lichaam gevonden is. Ik moet het identifice-
ren. Ik heb het er moeilijk mee, Ian, heel moeilijk. Ik
trek het niet. Als je dit bericht leest, kom dan meteen
naar me toe, ik heb je nodig.
```

De aarde opent zich onder me. Ik voel me duizelig. Maar ik moet verder, de waarheid moet boven tafel.

```
Woensdag 27 oktober 2009, 12:15 uur
Van: Samuel Weiland
Aan: Ian Sideheart
Betreft: Re: Re: geen
```

Ik zit hier nog steeds te wachten. De seconden lijken uren en ik geloof dat ik het besterf, maar dat lijkt de politieagenten en laboranten niets uit te maken. Eén enkele vraag kwelt me: zal ik achter deze stalen deur het lichaam van mijn dochter vinden? Eén ding is zeker, als de god in wie jij gelooft werkelijk bestaat, dan schept hij er een plezier in om een pervers spel met ons leven te spelen. Hoe kan het anders dat binnen enkele uren een telefoontje mij in kennis stelt dat mijn dochter dood is, terwijl jouw zoon jou gezond en wel opbelt? Begrijp me niet verkeerd. Ik schrijf je omdat ik bang ben dat je me laatst aan de telefoon misschien verkeerd begrepen hebt. Ik ben blij dat het goed gaat met Demian. Maar ik slaag er eenvoudig nog niet in de zin van dit alles in te zien [...]

Nog maar enkele e-mails te gaan. Panisch scrol ik door naar de twee laatste. Ze zijn van gistermiddag, pas enkele uren oud.

Zondag 31 oktober 2009, 1:05 uur
Van: Ian Sideheart
Aan: Samuel Weiland
Betreft: geen
Hi, Samuel. Ik schrijf je omdat je gewoon de hoorn erop hebt gegooid en niet meer op mijn oproepen reageert. Maar ik wil dat je mijn redenen kent. Je moet me beloven dat je alles zult doen wat ik je zeg, het gaat om het leven van mijn zoon. Ik weet dat ik egoïstisch overkom, maar hij is hier en ik wil niet het risico lopen hem nog eens te verliezen. Karin zou het daar ook mee eens zijn. Eén ding beloof ik je: zodra hij weer tot zichzelf komt, zullen we proberen hem voorzichtig de waarheid te vertellen. Je hebt hem niet gezien, hij is niet meer dezelfde. Hij reageert precies zoals de psychologe voorspelde, dus is het beter om ons aan haar aanwijzingen te houden. Ik vraag je alleen om te wachten. Demian heeft zijn geheugen nog niet helemaal

terug, dat heeft de psychologe ons uitgelegd: de herinnering aan wat ze samen hebben doorgemaakt, is nog
niet teruggekeerd.

Zondag, 31 oktober 2009, 2:15 uur
Van: Samuel Weiland
Aan: Ian Sideheart
Betreft: Re: geen
Eén ding heb je in elk geval begrepen: dat het beter
is als ik niet met je praat. Het is beter dat ik je
schrijf, in elk geval heb ik dan mijn woede onder controle. Anders zou ik er misschien nog iets uit kunnen
flappen waar ik ooit spijt van zou krijgen. Je woorden
hebben me met stomheid geslagen. Besef je wel wat je
van me verlangt? Ik MOET hem onmiddellijk spreken! Ik
ken je niet meer terug, Ian, hoe kun je zoiets doen? Je
bent stekeblind van angst! Begrijp je niet dat Demian
je nooit zal vergeven?
Als ik niet met hem mag praten, is het beter dat ik hem
helemaal niet zie. Ik reis vanavond nog af. Naar Okinawa.

Dat is de laatste e-mail. Het zijn slechts flarden van een correspondentie
en de rode draad die ze verbindt is me niet duidelijk. In mijn groeiende
opwinding heb ik een e-mailbericht overgeslagen. Ik scrol terug. Het is
van vijf dagen eerder.

Woensdag 27 oktober 2009, 9:49 uur
Van: Samuel Weiland
Aan: Ian Sideheart
Betreft: Karin

Ik lees het. Het zijn maar een paar regels, maar ze bevatten het antwoord,
de waarheid die ik zo wanhopig gezocht heb. Een nieuwe stroom van
vragen bestormt me en brengt alles weer in twijfel.

Hoewel het vier uur in de nacht is, ren ik naar het huis van mijn ouders en druk net zo lang op hun bel tot de deur opengaat en ze doods-
bleek en geschrokken voor me staan.

283

47

HET GEHEIM VAN IAN EN RACHEL

MILITAIR HOSPITAAL TAIPEI, 27 OKTOBER 2009
VIJF DAGEN EERDER

'Bent u de heer Samuel Weiland?'

'Ja, dat ben ik.'

'Komt u maar mee, u bent aan de beurt.'

De identificatie van het lijk was verschrikkelijker dan alles wat Samuel zich kon voorstellen en kon verdragen.

De geur van formaline, de kilte van de koelruimtes. Instrumenten en gereedschappen, bladen, weegschalen, steriele, spiegelgladde metalen oppervlakken.

De stalen tafel.

Het genadeloos op dit naakte lichaam neerschijnende neonlicht.

Dit lichaam, dat misschien zijn dochter was.

Die vale, doorschijnende huid, dat opgezette gezicht, die gezwollen ledematen, die opgeblazen buik... er waren niet veel aanknopingspunten meer voor een identificatie.

'Maar hoe kan ik...' stamelde Samuel met rode, door tranen verblinde ogen achter het beschermende masker.

'Begint u hier.' De laborant drukte hem een dossier in de hand. 'Dat zijn de analyseresultaten, de gebitsafdruk en al het andere. Mocht er nog steeds twijfel bestaan, dan gaan we dieper.' Hij wierp een veelzeggende blik op het geschonden lichaam onder het schelle neonlicht.

***

CARDIFF, HOOFDBUREAU VAN POLITIE, 28 OKTOBER 2009
VIER DAGEN EERDER

'Beseft u wel wat u van ons vraagt?' riep Ian nerveus. Hij kon zijn oren niet geloven.

'U moet doen wat u goeddunkt,' antwoordde dr. Caerdydd gelaten. 'In dit soort gevallen zijn er geen algemeen geldende regels. Ik heb u laten komen omdat Demians toestand kritiek is. Iets, we weten nog niet wat, heeft zijn psyche zwaar op de proef gesteld. Uw zoon heeft lang op de rand van de waanzin gebalanceerd, en dat is geen ervaring waar je zonder kleerscheuren van afkomt. Van zijn nabije verleden herinnert hij zich nog niets. Hij is ervan overtuigd dat hij thuis zijn vrouw zal terugzien. Maar u zegt me dat dat niet zo is. Demian is nog niet klaar voor zo'n psychische klap.'

'Maar wat betekent "kritiek"?' vroeg Rachel, wit als een doek.

'Hij toont reeds duidelijke tekenen van schizofrenie. U hebt de opnames van onze gesprekken gehoord: hij heeft zelfs twee identiteiten verzonnen. Hij bevindt zich overduidelijk in een toestand van verwarring en heeft maandenlang regelrechte hallucinaties beleefd, die bovendien uiterst complex gestructureerd waren.'

'Neemt u me niet kwalijk,' mengde Ian zich in het gesprek. 'Bent u daar zeker van? Hebt u op zijn minst de moeite genomen te controleren of Demians beschrijvingen misschien op waarheid berusten? Of er misschien werkelijk een vliegtuigpassagier met de naam Sebastian Haller is geweest die een maand geleden van Okinawa naar Cardiff is gevlogen?'

De psychologe schoot in de lach.

'Maar hoe ziet u dat voor zich? Een vliegreis met valse papieren! Daarvoor zijn de antiterreurmaatregelen die vandaag de dag in Groot-Brittannië van kracht zijn veel te streng. Het zou zinloos zijn daar achteraan te gaan, ik zou alleen valse verwachtingen wekken en uw terugreis naar huis vertragen. Nee, u kunt me geloven: er is niets waars aan Demians relaas.'

***

'Dat is ze niet!' riep Samuel in tranen. 'De gebitsafdruk en de moedervlek aan de pols... Nee! Dat kan onmogelijk Karin zijn!'

De laborant kon een grom maar met moeite onderdrukken. De identificatie was mislukt. Weer een lijk dat naamloos zou blijven.

***

Dan leef je nog.
Nee, wacht.
Klamp je niet vast aan zo'n magere hoop. Anders loop je gevaar al deze
pijn nogmaals door te maken. Dat zou je niet overleven.
Je weet nog niet wat mij overkomen is. Je weet niet waar ik nu ben. Je
weet niet of je me weerziet.

***

'U vraagt dus van ons dat we voor het welzijn van onze zoon doen alsof
zijn vrouw dood is!' kapte Rachel het gedraai van de psychologe af, dat
haar zichtbaar op de zenuwen werkte.

'Ik zeg helemaal niets,' zei de psychologe met een vriendelijke glimlach. 'Maar in simpele termen bedoel ik dat wel, ja. En uiteindelijk is het
niet gezegd dat dat niet de waarheid is. Ongeacht wat er gebeurd is, is het
na al deze tijd vrij onwaarschijnlijk dat de betrokkene nog in leven is.'

'Ja, dank u, dat liedje kennen we al,' beet Rachel haar agressief, verward en angstig tegelijk toe. 'Gisteren nog is het weer tot een zogenaamde ontdekking van haar lichaam gekomen. Haar vader is helemaal voor
niets naar Taipei gevlogen: ze was het niet. Alles is nog mogelijk, en we
zullen de hoop beslist niet opgeven.'

'Dat wens ik u van ganser harte toe, mevrouw Sideheart. Maar we
hebben het hier noch over het lot van uw schoondochter, noch over de
vraag of het moreel verantwoord is om te liegen. Ik zeg u alleen wat naar
mijn mening in het belang van de geestelijke gezondheid van uw zoon
is. Als Demian naar huis komt, heeft hij heldere feiten nodig waaraan
hij zich kan vasthouden, hoe pijnlijk dat ook mag zijn. Voor hem is het
nu veel makkelijker om een diepe, maar zékere pijn te verwerken dan
om in een emotionele achtbaan van twijfels, angsten en hoop te zitten,
die in zijn toestand verwoestende effecten kan hebben. We moeten hem
emotioneel stabiliseren, in een statische psychische toestand brengen.
Ook als dat betekent dat we hem daarmee pijn doen.'

De grote blauwe ogen van de psychologe schoten onderzoekend tussen Rachel en Ian heen en weer.

'Natuurlijk kan dat slechts een voorlopige oplossing zijn: als – en wanneer – de zaak wordt opgehelderd, zult u ongetwijfeld een manier vinden om hem de waarheid te vertellen. Het is aan u hoe u ermee omgaat.'

'Maar hoe moet dat in zijn werk gaan?' mengde Ian zich erin. 'Demian zal het lichaam willen zien. Er zou een begrafenis moeten komen.'

'U zou een logische verklaring kunnen bedenken, geen idee, problemen met de repatriëring van het lichaam. Dat kan soms weken of maanden in beslag nemen. In de tussentijd moet Demian onder observatie worden gehouden. Als het gevaar achter de rug is, zal het voldoende zijn om hem te zeggen dat er bij de identificatie een vergissing is gemaakt, of iets van dien aard.'

Ian en Rachel staarden elkaar verbijsterd aan.

'Ik geef u de contactgegevens van een uiterst bekwaam collega in San Francisco.'

Dr. Caerdydd haalde een visitekaartje uit een bureaulade en stak het Rachel met brede glimlach toe.

***

'Zo is het gegaan. Nu weet je alles,' zegt mijn moeder met bevende stem.

Er heerst een gespannen stilte. Ongelovig staar ik naar de gezichten van mijn ouders. Hoe konden ze me zo voorliegen? En waarom? Omdat een of andere louche would be-psychologe het zei?

'Dan geloven jullie dus dat ik gek ben?' barst ik los, alsof ik in één keer al mijn woede over hen uit wil storten.

'Demian, ik smeek je.' Mijn vader probeert me te kalmeren. 'Toen je bijkwam – weet je dat nog? – hebben we je meteen de waarheid gezegd. Maar daar reageerde je precies zo op als de psychologe voorspeld had, en daar zijn wij ontzettend van geschrokken.'

'Het gebeurde allemaal binnen enkele uren,' voegt mijn moeder eraan toe, 'we hebben intuïtief gehandeld. We zijn in paniek geraakt en hebben, zeer tegen onze zin, besloten je die verschrikkelijke leugen voor te schotelen. Maar we merkten meteen dat het niets zou uithalen.'

'Hoe konden jullie denken dat het beter met me zou gaan als jullie me zeiden dat mijn vrouw dood is?' zeg ik ijzig. 'Als hier iemand gek is, dan zijn jullie het! Wat verwachtten jullie: een paar traantjes en dan is alles weer bij het oude?'

'Om hemelswil, nee! Maar de psychologe vond dat het althans voorlopig voor je bestwil was...'

Van wanhoop en onbegrip gaan mijn handen naar mijn haar.

'Hoe lang zouden jullie me nog hebben voorgelogen?'

'Nee, Demian, luister: we wilden vanmorgen naar je toe gaan, omdat het ons duidelijk geworden was dat we een fout gemaakt hadden. We wilden je de waarheid zeggen, maar je was niet thuis, we hadden geen idee waar je kon zijn. Ik ben me dood geschrokken.'

'Maar begrijpen jullie dan niet dat jullie me juist daarmee in de waanzin of zelfs in de dood gedreven hadden? Dan had ik net zo goed meteen kunnen omkomen, in plaats van eerst naar huis te komen en het door mijn ouders te laten doen!'

Als door de bliksem getroffen staan ze voor me.

'Dat is niet eerlijk van je, Demian. Ja, we hebben een fout gemaakt. Maar je hebt geen idee wat wij doorgemaakt hebben. Je vader is maanden op pad geweest om je te zoeken, hij heeft de halve wereld...'

'Laat maar, Rachel. Dat is niet belangrijk. Ik heb het niet gedaan om zijn dankbaarheid te krijgen. En jij, Demian, zult het begrijpen wanneer je zelf ooit kinderen hebt.' Hij zegt het met de gelatenheid die ik als jongen haatte en die me ook nu nog het bloed naar de wangen jaagt.

'Wat klets je daar voor een onzin?' brul ik, en ik ram mijn vuist tegen de deur. Prompt daalt er een ijzige rust op me neer. 'Hoe kún je,' snauw ik hem toe, 'hoe kun je zelfs maar over kinderen práten, nu Karin...'

Ik kan de zin niet afmaken.

'Ik zal het jullie nooit vergeven. Ik wil jullie niet meer zien.'

Ik maak rechtsomkeert, ren naar huis, blind van woede, aangeraakt door een nieuwe hoop. Amper heb ik de voordeur achter me gesloten of ik schaam me voor hoe ik mijn ouders behandeld heb.

Na een uur wordt er aangebeld. Het is mijn moeder, ze is alleen.

'Wat wil je nog?' zeg ik bits, zodra ze voor me staat. Ik ben opgelucht haar te zien, maar dat laat ik niet merken.

'Demian, ik smeek je, luister naar me. Een minuutje maar. Daarna hoef je ook geen woord meer met ons te wisselen. Maar dat is aan jou.'

Zuchtend laat ik haar binnen. Ze verzet twee schuchtere stappen. Ik blijf op de drempel staan, met de hand op de klink.

'Oké, brand maar los, maar niet meer dan een minuut.'

'Je kunt je niet voorstellen hoeveel hij van je houdt. Papa heeft zijn leven op het spel gezet om jou en Karin te zoeken. Hij heeft met Samuel het halve Aziatische continent afgereisd, zich op de gevaarlijkste plekken gewaagd, zonder ooit aan zichzelf te denken. Hij heeft Taiwan uitgekamd, Shanghai...'

'Dat weet ik al, mama.'

'... de afgrijselijkste oorden gezien, gevangenissen, overvolle vluchtelingenkampen...'

'Ik heb hem gezien, mama.'

'... ziekenhuizen...'

'Ik heb hem in Okinawa ontmoet.'

Eindelijk dringt wat ik zeg tot haar door en zwijgt ze.

'Wat?'

'Ik heb papa gezien, op het vliegveld van Naha. Ik wilde me juist bij de politie melden toen hij plotseling voor me opdook. Door de amnesie heb ik hem niet herkend. Ik kreeg alleen een heel vreemd gevoel, een soort duizelingwekkend déjà vu. Hij zag mij niet, ik had me verstopt.'

Mijn moeder hoort me met open mond aan.

'Maar... dat is ongelooflijk! Je herkende je eigen vader niet? Zo'n amnesie is werkelijk iets afschuwelijks!'

'Toch heeft die ontmoeting me wakker geschud. Ik veranderde plotseling van gedachten. Ik besloot niet naar de politie te gaan en mijn reis voort te zetten.'

Mijn stem beeft.

'De psychologe vindt dat het beter is dat het zo is gegaan. Ik moest deze lange weg gaan om mijn geheugen terug te krijgen. Het zou niet voldoende zijn geweest om papa tegen het lijf te lopen en met hem naar huis te reizen. Jullie zouden onbekenden voor me zijn gebleven.'

Lang staan we in stilte tegenover elkaar. Dan breken alle dammen in mij en gooi ik alles eruit. Ik vertel mijn moeder iets wat ik nog aan niemand verteld heb.

'Ik heb hem niet alleen op het vliegveld gezien. Het is nóg een keer gebeurd, kort voor ik mijn geheugen terugvond. Maar het is een beetje een bizar verhaal. Heb ik ooit geslaapwandeld?'

'Nee, nooit, voor zover ik weet.'

'Nou ja, papa verscheen aan me in een soort droom. Ik was in de Dylan Thomas' Inn, het hotel waar ik logeerde. Ik droomde dat ik naar de gelagkamer afdaalde, en heb dat ook echt gedaan, in mijn slaap. Er waren daar veel mensen. Hij dook daar op, wenkte me dat ik mee moest komen en en liep door een helverlichte deur. Op een of andere manier was papa de schakel tussen mij en een kind, of beter gezegd, de geest van een kind, dat vandaag even oud zou zijn als ik, als het niet op vijfjarige leeftijd overleden was. Ik eindigde op de plek waar zijn lijk al jarenlang verborgen lag. En op diezelfde plek heb ik plotseling mijn geheugen teruggekregen.'

Mijn moeder staart me met ogen als schoteltjes aan. Misschien was het een vergissing om haar dit te vertellen, nu zal ze denken dat ik ze niet meer op een rijtje heb.

'Dat is ongelooflijk,' mompelt ze. 'Op dat moment. Misschien...'

Ze zwijgt abrupt.

'Wat?'

'In Okinawa heeft je vader een hartinfarct gekregen. Hij heeft het me pas gisteren opgebiecht, "om mij niet ongerust te maken", zegt hij. Hij heeft drie dagen lang in coma gelegen. En van jou gedroomd. Het klinkt als dezelfde droom die jij me zojuist vertelde, maar dan vanuit zijn perspectief. Er was een kind dat hem riep, en toen was jij daar...'

Opnieuw zwijgen we lang.

Een vreemd besef dient zich aan. Misschien had ik zonder hem en het offer dat hij gebracht heeft, nooit mijn geheugen teruggevonden.

Maar amper merk ik dat er een glimlach in me opkomt, of mijn woede ontwaakt opnieuw. Ik wil meer over papa's infarct horen, weten hoe het met hem gaat, maar ik blijf zwijgen, met gebalde vuisten, mijn blik naar de grond. Ik kan het hen nog steeds niet vergeven.

'Waarom hebben jullie naar die psychologe geluisterd?' Mijn stem is een metalig gesis. 'Waarom geloven jullie mij niet? Jullie denken dat ik gek ben, maar ik heb dat alles niet uit mijn duim gezogen!'

'Nee, Demian,' zegt mijn moeder vertwijfeld. 'We hebben je altijd geloofd! Demian, luister naar me. Ondanks alles wat de psychologe zei, weten wij dat je verhaal waar moet zijn. En niet alleen omdat we je geloven. Het eiland van Okinawa waar papa zijn infarct had was Tokashiki.'

De naam bezorgt me een steek in mijn hart.

'Papa heeft daar een Japanse vrouw leren kennen, ene Yukiko. Zij heeft hem je verhaal verteld, over Mauke Nuha. Je reis, wat je hebt moeten doorstaan om daar te komen, je vertrek naar Wales.'

'Heeft papa... Horu leren kennen?'

'Nee, niet direct. Hij heeft alleen met Yukiko gepraat. De mannen met wie je op reis was geweest, waren naar een ander eiland vertrokken, op een soort bedevaart.'

'Ja, natuurlijk... de bodhisattva van Okinawa.'

Ik val stil. Ik denk aan papa, stel me hem voor in Waremu's hut, hoe hij met Yukiko over mij praat. Warmte doorstroomt mijn borst, een teder, dankbaar gevoel. Maar ik mag niet door de knieën gaan.

'Dan wisten jullie dat ik niet gek was. En toch...'

'Toen we in Wales aankwamen, lag je buiten kennis in het ziekenhuis, we waren doodsbang. En die psychologe met haar gepraat over schizofrenie...'

'Genoeg, dat verhaal ken ik al! Je hebt gezegd wat je zeggen moest. Laat me nu alsjeblieft alleen.'

'Goed. Dan ga ik nu.'

Ze streelt me over mijn wang. De aanraking van haar hand bezorgt me een schokje.

'Demian... zul je het ons kunnen vergeven?'

Ik sluit de deur. Terwijl ze de trap af loopt, hoor ik dat mijn moeder zich niet meer kan bedwingen en in een onbeheerst snikken uitbarst.

Maar ik voel niets.

Ik stop mijn oren dicht om haar niet te horen. Om niets meer te hoeven horen. Met mijn ogen dicht, mijn rug tegen de muur, laat ik me naar de vloer zakken.

Ik ben zo moe. Een schelp, breekbaar, leeg, speelbal van de storm, achtergelaten op een ver, onbekend strand, dat op geen landkaart is vastgelegd en nog nooit door een menselijk wezen betreden werd.

Ik ben eenzaam en moe, maar ik mag het niet opgeven. Onze reis is nog niet ten einde.

48

HET LEGE HUIS

Ik wacht tot zonsopgang. Dan sta ik op, pak de telefoon en bel Samuel op. Eindelijk krijg ik hem te pakken. Hij is juist in Okinawa en zet de naspeuringen voort die mijn vader daar afgebroken heeft. Amper hoor ik zijn stem, of ik barst in tranen uit, maar zachtjes, ik wil niet dat hij het hoort, en ik voel dat hij hetzelfde doet. We zijn de enige twee mensen op de wereld die elkaar werkelijk begrijpen, zich in de pijn van de ander kunnen terugvinden.

Je vader stelt me vraag op vraag, maar tot grote hulp ben ik hem niet. Er ontbreken nog te veel herinneringen, en juist de belangrijkste. Dan zegt hij me iets verontrustends: het gaat slecht met hem, hij is nog niet hersteld van de infectie die hij op de Filippijnen heeft opgelopen. Onmiddellijk na zijn aankomst in Okinawa is hij als de donder naar het ziekenhuis van Nishihara gegaan, hetzelfde ziekenhuis waarin mijn vader gelegen heeft.

'Samuel, je moet meteen naar huis komen,' probeer ik hem te overtuigen. 'Ik zal het onderzoek wel voortzetten!'

'Nee, Demian.' Zijn stem klinkt bitter. 'Op het ogenblik red ik het nog. En jij moet blijven waar je bent. In jouw toestand is dat te gevaarlijk.'

Er gaan twee weken voorbij. Ik breng ze door als iemand die zich van een langdurige ziekte herstelt. God weet hoe graag ik weer wil vertrekken, meteen naar je wil gaan zoeken. Mijn enige bezigheid, terwijl ik in bed lig, bestaat erin de afzonderlijke bladzijden van het boek met oneindig geduld van elkaar los te peuteren. Nu ik weet waar het vandaan komt, dat het jouw laatste cadeau aan mij is, is het me nog dierbaarder.

Ons huis lijkt me gade te slaan, me te vragen waar je bent. Je verdorde planten staan nog op het balkon, ik heb het nog altijd niet over mijn hart kunnen verkrijgen om ze te vervangen en weg te gooien. Ze staren uit over zee, naar de horizon, wachtend op jou. Ik voel me net als zij. Ik heb geprobeerd om naar de radio te luisteren, een cd op te zetten, maar ik trek het niet. Het kleinste stukje muziek doet me in tranen uitbarsten.

Gisteravond hoorde ik toevallig een nummer dat me aan ons herinnerde, 'Landslide', in de uitvoering van de Smashing Pumpkins: *Well, I've
been afraid of changin', 'cause I've built my life around you....*
Op een avond krijg ik een idee. Ik ruk een oude archiefdoos uit de
kast, waarin ik gedichten en songteksten bewaar die ik tijdens mijn
middelbareschooltijd heb geschreven. Ze zijn er lukraak in gemikt – de
geopende sigarettenpakjes, de uitgescheurde boekpagina's waarvan de
marges zijn volgekrabbeld, servetten, reclamefolders, zelfs bierviltjes:
elk oppervlak was goed genoeg om de plotselinge schrijfdrang te bevredigen. Een voor een haal ik deze fragmenten tevoorschijn en schrijf ze
netjes over op de verbleekte boekpagina's. Ik hoop dat Dylan Thomas
zich niet in zijn graf omdraait. De oren van Sir Llendebux tuiten op dit
moment beslist.

Ik weet niet waarom ik dat allemaal doe. Nadat ik jou had leren kennen en we een stel werden, werd de behoefte om te schrijven steeds
kleiner. Door jou vond ik mijn evenwicht en was het verterende gevoel
dat me tot het schrijven drong, alsof ik op zoek was naar iets onbereik-
baars, langzaam geluwd. Misschien zal de verlorenheid die ik jarenlang
gevoeld heb weer terugkomen, nu jij er niet meer bent. De leegte die ik
met andere ogen probeerde te bekijken, met de ogen van de poëet.

Als bezeten ga ik de hele nacht door. Tegen de ochtend val ik uitgeput
in slaap boven de keukentafel.

Om elf uur word ik wakker van het gerinkel van de telefoon. Het is
Samuel. Hij zegt dat hij naar huis komt. Het gaat heel slecht met hem.

Direct nadat hij is geland, brengen mijn ouders hem naar het ziekenhuis.
Zijn toestand is verder verslechterd. De artsen weten nog niet wat hij
heeft, het is een virusinfectie waarvan de symptomen overeenkomsten
vertonen met enkele tropische ziekten. Samuel moet nog steeds overgeven, soms komt er bloed mee, hij lijdt aan plotselinge diarreeaanvallen
en is bijna uitgedroogd. Hij ligt drie dagen in quarantaine voor ze zeker
weten dat het niet besmettelijk is. Eindelijk kan ik hem opzoeken.

Ditmaal zijn we niet sterk genoeg om onze ontroering te verbergen,
onze lange omhelzing verdrinkt in tranen. Eén ding is zeker: noch mijn
vader, noch Samuel is nog in staat het zoeken voort te zetten. Nu is de
beurt aan mij: ik moet verdergaan waar zij zijn opgehouden. Samuel
geeft me hun documenten en een kort doorbladeren is voldoende om de

volle omvang van hun riskante onderneming te bevatten.

'Ik weet wat je denkt, Demian,' zegt Samuel, terwijl hij me de hand drukt. 'Maar dat is geen goed idee. Je hebt toch gezien hoe gevaarlijk het is? Ik ben ziek geworden, je vader heeft een hartinfarct gekregen. Jij hebt je hele leven nog voor je.'

Zijn ogen vullen zich met tranen, en ik kan niets antwoorden, ook al kook ik inwendig. Dan fluistert Samuel me iets toe dat als een zegen en een appel tegelijk klinkt.

'Maar misschien, als je je zou herinneren...'

Ja. Eerst moet ik me herinneren. Ik moet duidelijkheid krijgen over deze twee maanden die nog steeds in het duister liggen. Me te binnen roepen wat ons overkomen is.

Mijn herinneringen schieten tekort op een heel specifieke dag: op 27 februari 2009, jouw verjaardag. Ik weet wat de volgende stap is. Ik moet je souvenirkist openen en de kaart van die dag lezen. Die ligt daarin, samen met z'n geheim.

Maar ik ben bang.

Ik ben bang om alles opnieuw te beleven. In de schaduwkegel door te dringen en op iets te stuiten wat ik niet wil weten. Iets wat ik, zodra ik het weet, voor altijd wil vergeten.

In de dagen toen ik je dood waande, was ik niet bang. Integendeel, ik popelde om de waarheid te ontdekken. Maar nu is het anders. De hoop brengt angst met zich mee. Soms denk ik dat ik het liefste voor altijd in dit niemandsland van het ongewisse blijf.

Dus besluit ik te wachten. Ik blijf in huis, met wijd geopende ramen, die de ijzige, met brakke geuren en duistere stemmen beladen novemberwind binnenlaten. Het leven gaat aan me voorbij, zonder me te beroeren. Vaak rinkelt de telefoon, maar ik neem niet op. De uren bestaan uit gepieker, angsten, twijfels. Ze veranderen in dagen.

Dan overwin ik mezelf.

Ik open je souvenirkist en haal je verjaarskaart eruit.

49

DE REISINVITATIE

Ik schiet mijn jack aan, stap het balkon op en ga met mijn rug tegen de muur op de grond zitten, met de zon in mijn gezicht. Ik haal diep adem en begin de kaart te lezen die ik negen maanden geleden voor je verjaardag heb geschreven. Ik probeer de eerste regels over te slaan, de liefdesbetuigingen zouden me alleen maar pijn doen en alles nog moeilijker maken. Ik lees er snel overheen tot ik vind wat ik zoek.

... kortom, ik hoop dat je het leuk vindt! Helaas kan het cadeau in dit geval niet geruild worden. Wat kan dat nou zijn, vraag je je vast af...
Probeer je het volgende voor te stellen.
Om je heen een immense, turkooisblauwe uitgestrektheid, zo ver het oog reikt. Het water is kristalhelder, niet te diep en heel warm. Hier en daar duiken er kleurige zandbanken uit op. Mangroves met donkere, wiegende wortels die eruitzien als vreemde dieren. Vissen in alle denkbare kleuren omgeven je. Je bent in een archipel van honderden piepkleine atollen en eilandjes die amper groter zijn dan de rug van een walvis. De koraalriffen liggen dicht opeen en vormen een netwerk dat zich mijlenver door de oceaan uitstrekt en een immense, stille lagune omringt.
En stel je nu een zeilschip voor dat vredig door dit paradijs glijdt. Aan het roer staan wij beiden, jij en ik, en verder niemand. Ja, je hebt het goed begrepen: verder niemand. Geen groepsvakantie, geen schipper, geen vastgelegde route, ik weet hoezeer zoiets je tegenstaat. Oké, oké. Nu staar je nog ongelovig naar deze kaart. Maar voor je je zorgen gaat maken, moet je weten dat alles honderd procent veilig is; er kan ons niets gebeuren. Vertrouw me: Sideheart-organisatie! Als garantie hebben we Sylvia en Jack, die bijna twintig jaar geleden dezelfde reis gemaakt hebben, toen zeilen nog lang niet zo veilig was als nu. Zij hebben me verzekerd dat het absoluut een kolfje naar onze hand is.

En... hou je nu vast... op 6 maart gaat het gebeuren, over twee weken! Ik weet, het komt nu een beetje onverwacht, maar het is het beste jaargetij, en dat kunnen we ons niet laten ontgaan. Er is nog net genoeg tijd om alle voorbereidingen te treffen, en dan hebben we vijfentwintig dagen van volkomen vrijheid, eindeloze firmamenten en kleuren waarvan je nooit had vermoed dat...'

Ik kan niet verder lezen.

Ik vouw de kaart weer dicht en sluit mijn ogen.

Nieuwe flitsen. Nieuwe beelden, die als een film in mijn hoofd worden afgespeeld. Nog één laatste stap naar de kern van de schaduw.

***

SAN FRANCISCO, 27 FEBRUARI 2009
– NOG VEERTIG DAGEN TOT DE AMNESIE –

'Dem, je bent gek!'

Een beetje angstig kijk ik je aan en probeer je gezicht te lezen. We zijn in de slaapkamer, het is elf uur 's ochtends, je bent vandaag jarig en we hebben allebei een vrije dag genomen. Het dienblad met de ontbijtresten staat op het dekbed, een boeket gele tulpen streelt je knieën. In je hand heb je de kaart.

'Vind het je niks?'

'Het is sensationeel! Het... het is... een droom!' Je slaat je armen om mijn nek en drukt me een kus op de mond, die naar koffie smaakt. Mijn handen glijden onder je nachthemd en voelen je naakte huid.

'Maar is het niet gevaarlijk?'

'Ach wat, de archipel is heel kalm, het water is ondiep en heel makkelijk te bevaren.'

'Bij de gedachte krijg ik het heet en koud tegelijk.'

'Van angst?'

'Een beetje... maar vooral van opwinding! Het wordt heerlijk, ik weet het.'

Maar je lijkt niet helemaal overtuigd, en ik vis naar de reden.

'Ik zat alleen aan papa te denken. Die krijgt een hartaanval als ik het hem vertel.'

'Moet je hem dan altijd álles vertellen? Misschien moeten we gewoon een smoes verzinnen. Waarom zou hij zich onnodig zorgen maken. Je zou hem kunnen zeggen dat we door Zuidwest-Azië willen reizen. Het wordt alleen moeilijk om hem wijs te maken dat we drie weken lang niet mobiel te bellen zijn.'

'En als we een satelliettelefoon kopen? Ik kan niet zo lang onderduiken. En dan moeten je ouders het spel meespelen, anders verraden ze ons.'

'Oké, oké, geen probleem. Super, toch? We doen iets waarvan onze ouders niets weten, zoals vroeger, toen we nog *highschool sweethearts* waren.'

'Ik heb nooit iets gedaan waarvan ze niets weten!' Lachend sta je op en komt schrijlings op mijn schoot zitten. 'Maar hoor eens... als we nog maar twee weken hebben, moeten we nu behoorlijk voortmaken, vind je niet?'

'Poeh... Ik wist dat ik in mijn eigen voet zou schieten,' steun ik gespeeld geërgerd. In werkelijkheid popel ik om ermee te beginnen.

'Bovendien heb je heel terecht gezegd: "Ik heb een monster geschapen."'

'Nou, kom dan maar eens hier, monstertje, dan zal ik je er met kussen onder krijgen.'

Gierend van het lachen druk je het kussen op mijn gezicht, maar je ontkomt niet meer aan me. We rollen over het bed, zonder ons om het ontbijtblad en de gele tulpen te bekommeren, die zich over het laken verspreiden.

***

Heel langzaam neemt het brandpunt van de amnesie, het zogenaamde 'trauma', vorm aan. De tijdstippen en geografische afstanden van de herinneringen beginnen mijn schipbreuk te naderen.

Ik bereid me voor op het ergste. Maar ik ben deze weg ingeslagen en kan niet meer terug. Er zijn nog maar twee mensen die me kunnen helpen. En ze wonen hier, in San Francisco. Zonder nog meer gedachten te verspillen, zoek ik hen op.

Op een ligplaats aan de kade van Sausalito ligt het roze-wit gestreepte drijvende huis van Sylvia en Jack op het water te wiegen. De grote living met zijn twee niveaus en houten betimmering doet denken aan het benedendek van een oud schip, een 'in Woodstock aan de grond gelopen piratenschip'. Aldus Jack over zijn honk en de ongelooflijke hoeveelheid maritieme of psychedelische hippiespullen die zich – niet zonder een zekere artistieke pretentie – in de hoeken opstapelt.

Ik roer nadrukkelijk in de oude porseleinen kop.

'Is dat de gebruikelijke "speciale thee"?' vraag ik.

'Jazeker, schat.' Sylvia glimlacht veelzeggend. Jack zakt lachend onderuit in zijn met patchwork beklede fauteuil.

Sylvia's 'speciale thee' is op marihuanabasis. De hoeveelheid werkzame stuff is te zwak om enig effect te kunnen hebben, dat beweert ze tenminste altijd. Maar ik herinner me dat jij altijd weigerde om hem te drinken, zelfs als Sylvia hem aanbood als we, doornat en stervend van de kou, na de winterse zeiluren dringend iets nodig hadden om warm te worden.

'Dan is het misschien beter dat ik hem niet drink. Momenteel kan mijn hoofd niet veel hebben.' Ik zet de kop op het tafeltje, dat gemaakt is van een oud, met een paarsblauw op-art-motief beschilderd stuurwiel.

'Dat heb ik gemerkt. Ik heb me zorgen gemaakt, laatst.'

Hoewel ik me tot de essentie probeer te beperken, heb ik meer dan twee uur nodig om te vertellen wat ik de afgelopen maanden heb meegemaakt. Als ik uitverteld ben, bestormen Sylvia en Jack me met vragen. Uiteindelijk geef ik de ware reden van mijn bezoek prijs: ik heb hun herinneringen nodig.

'Vanmorgen vond ik een kaart van 27 februari. Daarop schreef ik Karin dat we een lange zeilvakantie zouden gaan maken. Het was mijn verjaardagscadeau voor haar. Op die kaart heb ik niet al te veel verraden, maar noem ik jullie ook. Kennelijk hebben jullie me tips gegeven. Kunnen jullie je daar nog iets van herinneren?'

'Maar natuurlijk,' antwoordt Sylvia. 'Dat moet midden februari geweest zijn, jullie waren net klaar met de zeilcursus. Je kwam ons opzoeken en vroeg ons of wij een écht mooie plek kenden waar je zeilen kan, een Zuidzeeparadijs met lagunes en koraalriffen, maar een dat geschikt was voor twee beginners zoals jullie. Jack en ik keken elkaar aan en...'

'... er is maar één zo'n plek op de wereld,' vulde Jack aan. 'We hadden elkaar beloofd hem als het even kon voor onszelf te houden, maar jij en Karin lagen – liggen – ons bijzonder na aan het hart en daarom zeiden wij als uit één mond: Kanku-Shi.'

'Gaat er al een belletje bij je rinkelen? Komt er al iets terug?' vraagt Sylvia half nieuwsgierig, half bezorgd.

Ik schud mijn hoofd. Niets. Jack gaat verder.

'Wij hebben massa's heerlijke plekken op de wereld gezien, maar de archipel van Kanku-Shi doet ons hart sneller kloppen dan welke andere ook. En dan praten we over een reis die nu twintig jaar achter ons ligt! Het is een heel bijzondere, unieke plek. Hij bestaat uit talloze piepkleine eilandjes, zandbanken en atollen, die allemaal heel dicht bij elkaar liggen en een honderden mijlen omvattend netwerk van ronduit schitterende blauwe lagunes vormen. Er is in de wijde omtrek geen vliegveld, er zijn niet eens echte havens, alleen piepkleine dorpjes en eenvoudige mensen die van de visserij en het geld van avontuurlijke toeristen leven. Geen vakantiecomplexen, geen toeristenbureau, geen tankstations. De zeilboot is het enige vervoermiddel waarmee deze ongerepte omgeving te verkennen is. Het is tot op de dag van vandaag nagenoeg onbekend en wie er komt, houdt het bij voorkeur voor zichzelf.'

'Bovendien is Kanku-Shi de ideale bestemming voor beginnende zeilers,' voegt Sylvia eraan toe. 'Het water is er ondiep, altijd rustig, er zijn geen bijzonder sterke stromingen of winden. Het enige lastige deel is de reis ernaartoe. Maar tegenwoordig zijn er lokale organisaties die reizigers met flottieljeboten begeleiden of die ter plekke zeilboten verhuren. Het risico is dus nul.'

'Je hebt vast met een van deze organisaties contact opgenomen,' besluit Jack.

'Heb ik jullie voor ons vertrek niet gezegd tot wie ik me gewend heb?' vraag ik hoopvol.

'Misschien wel, maar wie weet zoiets nog!' antwoordt Sylvia spijtig. 'Wie kon vermoeden dat dat op een dag zo belangrijk zou worden!'

'Maar het lijkt me onmogelijk dat jullie in Kanku-Shi iets overkomen is!' zegt Jack met nadruk.

Ik moet er meer over weten, ik heb een beeld nodig dat mijn geheugen prikkelt.

'Jullie zijn er toch geweest, probeer het me te beschrijven.'

'Toen we daar waren, was Kanku-Shi nog volslagen onbekend,' begint Sylvia. 'Wij hebben het bij toeval ontdekt. Destijds waren we Mount Tamalpais zat en zijn we naar de Oriënt vertrokken. Aanvankelijk zoals zo veel hippies naar India: liftend door Europa naar Istanboel, toen met de trein door Turkije naar Erzurum en vervolgens met de bus door Iran naar Mashad. Vandaar zijn we bij Herat over de Afghaanse grens gegaan en toen omlaag naar Kandahar, Kaboel, Khyber-pas, Pakistan...'

'Hou het kort, Sylvia!' zegt Jack lachend. 'Demian wil wat over Kanku-Shi weten!'

'Daar kom ik zo op. Nou ja, toen we er eindelijk waren, waren we Kathmandu en de stranden van Goa allang zat. Te overlopen. Dus verlieten we India en zijn we op zoek naar nieuwe indrukken naar het Verre Oosten getrokken. We belandden in Taiwan. Daar zijn we verscheidene maanden neergestreken in een commune aan de oostkust die in een verlaten legerbasis gevestigd was. Een bonte mix van kunstenaars, surfers, aanhangers van oosterse religies en figuren op zoek naar nieuwe drugs. Ze noemden zich The Soul Travellers. Ons strand lag recht tegenover de archipel van Kanku-Shi, slechts een paar honderd mijl verder. Mijn god, wat was dat geweldig! Het is nu zo lang geleden...'

Geboeid hoor ik Sylvia aan, maar haar woorden maken niets in me los, de amnesie wijkt niet. Intussen is het donker geworden. Ik besluit naar huis te gaan en sla haar uitnodiging voor het avondeten af. We nemen met een hartelijke omhelzing afscheid en ik zie dat hun ogen vochtig zijn.

'Wat ga je nu doen?' vraagt Sylvia.

Ik schud mijn hoofd en staar naar de nu inktzwarte zee. Ik weet het nog steeds niet.

'En... Demian?' Jack boort zijn piratenblik in mij. 'Ben je de Stille Oceaan echt met een kano overgestoken?'

Ik knik en mijn zeilinstructeurs kijken me ernstig en respectvol aan. Maar ik heb het akelige gevoel alsof ik doorzichtig ben en dat hun blikken dwars door me heen gaan als was ik een spook.

'Dat is ongelooflijk,' zegt Jack hoofdschuddend. 'En zou je nog kunnen zeggen welke route je gevolgd hebt? Herinner je je waar het eiland ligt waarop je bent aangespoeld?'

'Helaas niet. Toen ik daar vertrok, schonk de hoofdman me een re'wellib... Weten jullie wat dat is?' Jack knikt met grote ogen. 'Deze re'wellib bevatte een kaart om naar het eiland terug te keren, maar hij is kapotgegaan. Ik denk niet dat ik het eiland ooit nog terug zal zien.'

50

EEN NIEUW VERTREK

San Francisco
15 november 2009

Toen ik vanmorgen het politiebericht over onze verdwijning las,
vond ik een verwijzing naar onze reis naar Kanku-Shi. Uit mijn
creditcardafrekeningen blijkt dat ik twee vliegtickets naar Taipei
heb gekocht: geplande aankomst op luchthaven Chiang Kai-shek:
16 maart 2009 om 13.20 uur.
Na deze datum volgen er geen betalingen meer, kennelijk hebben
we vanaf dat moment alles contant betaald. Ik heb het hele huis
overhoop gehaald, maar verder niets gevonden. Geen reisdocu-
menten, geen tickets, zelfs geen reserveringsbewijs of kwitantie.
Niets.
Er zijn een paar vage herinneringen aan onze aankomst in Tai-
pei naar boven gekomen. Maar inmiddels weet ik het zeker: dat
zullen de laatste herinneringen zijn, althans, als ik thuisblijf. In
San Francisco valt er niets meer te ontdekken...

De verschrikkelijke hoofdpijn waarmee ik wakker geworden ben, belet
me verder te schrijven. Ik heb een pil ingenomen, maar die doet nog
niets. Mijn hoofd bonst alsof het op springen staat. Ik druk mijn handen
tegen mijn slapen en hoor een stem.
Wacht, het is nog niet te laat.
In feite is het een heel koor van stemmen. Ik herken die van mijn ouders en die van Chris. Misschien is jouw stem er ook bij.
Wacht, het is nog niet te laat.
Of misschien is het gewoon de stem van mijn angst. De angst te ontdekken wat zich achter mijn amnesie verbergt. Massa's vragen spoken
door mijn hoofd. Hoe groot is de kans dat je nog leeft? Hoe groot de
kans dat ik je vind? En dat alles goed afloopt? Een deel van me kent het
antwoord al. En nog veel meer vragen, wreed en absurd, vragen waar

ik niet aan wil, die zich zeurend gehoor verschaffen: wat voor zin kan het hebben om zo verbeten naar een dode te zoeken? De geschiedenis te reconstrueren van een pijn die zo onverdraaglijk is dat je hem maar beter kunt vergeten?

Wacht, het is nog niet te laat.

Misschien moet ik proberen om naar mijn vorige leven terug te keren: in onze woning blijven wonen, mijn dagelijks werk weer oppakken, gaan hardlopen, vrienden ontmoeten, naar de film gaan, nieuwe mensen leren kennen, met vakantie gaan, van de zonsondergang genieten, eten, ademhalen.

Wacht, het is nog niet te laat.

Maar ik kan er niet naar luisteren.

De telefoon rinkelt. Het is Chris. Hij belt me elke dag om dezelfde tijd. En zoals elke dag duurt ons gesprek ook nu niet langer dan enkele seconden. Chris wil me ervan overtuigen dat ik weer naar kantoor moet komen en, al is het maar even, een blik op mijn spullen te werpen. Ik ken hem goed genoeg om te weten dat hij het niet uit eigenbelang doet, ook al heeft mijn lange afwezigheid onze jonge onderneming beslist geen goed gedaan. Misschien hoopt hij me zo af te leiden en geleidelijk weer naar mijn oude leven terug te loodsen. Maar ik maak hem steeds op niet mis te verstane manier duidelijk dat ik me verre wil houden van alles wat naar routine en het normale leven, naar mijn *oude* leven riekt. Als ik het probeerde, zou ik misschien echt gek worden.

Wacht, het is nog niet te laat.

Ook mijn ouders bellen me op, komen langs, ze maken zich zorgen over mij. Ik probeer hen uit de weg te gaan en als dat niet kan, praat ik zo weinig mogelijk en antwoord heel kort. Mijn woede laait elke keer weer op, ik merk dat ik hen nog niet vergeven kan. Ik zou het wel willen, maar iets in mij verhindert dat. Als ik hen zou aanhoren en liet uitpraten, weet ik dat ze dingen zouden zeggen als: 'Demian, je moet het achter je laten, je moet proberen weer een normaal leven te leiden, wij hebben al uitputtend onderzoek gedaan, je kunt niet eeuwig zo doorgaan.' Ze zouden de zinnigheid van hun absurde leugen opnieuw bevestigen: dat jouw verdwijning in wezen minder belangrijk is dan het feit dat ik weer terugkeer naar het leven. Dat jouw redding achter de mijne moet terugtreden.

Op 17 november krijg ik een telefoontje van de politie: mijn nieuwe paspoort ligt klaar, vanaf morgen kan ik het afhalen. De wachttijd voor het rijbewijs is langer. Omdat ik niet zelf mag rijden, moet ik mijn ouders vragen me te brengen. Onderweg is de sfeer in de auto om te snijden, niemand zegt een woord. Eindelijk verbreekt mijn vader het stilzwijgen en begrijp ik de reden voor hun gespannenheid.

'Wat ben je van plan...' zegt hij aarzelend, 'nu je weer een pas hebt?'

Ik blijf zwijgen. Ik geloof niet dat ik die vraag met een antwoord moet verwaardigen.

'Demian,' zegt mijn moeder. 'Doe het niet. Het is te gevaarlijk.'

'Maak je geen zorgen,' antwoord ik bits, 'ik heb weer een pas, maar op het visum moet ik nog minstens een maand wachten.'

Wacht, het is nog niet te laat.

In de dagen daarna gaan mijn gedachten vaak uit naar Balth. Ik denk aan zijn vreemde woorden, de laatste die hij tegen me zei voor ik mijn geheugen terugkreeg. '*Voor ieder van ons is er een speciale plek, uniek op de hele wereld, waar we de mensen kunnen terugvinden van wie we in ons leven het meest gehouden hebben.*'

Wat wilde hij daarmee zeggen? Ik had geen gelegenheid meer om het hem te vragen. Om de waarheid te zeggen, ik heb niet eens afscheid van hem kunnen nemen of hem kunnen bedanken, en dat spijt me, na alles wat hij voor me gedaan heeft. Ik voel ineens het verlangen hem te spreken, dus besluit ik hem op te bellen. Ik weet het nog niet, maar deze wens zal nooit meer in vervulling gaan.

Twee dagen lang neemt er in de Dylan Thomas' Inn niemand de telefoon op. Heel vreemd. Zou Balth met vakantie zijn? Dat lijkt me hoogst onwaarschijnlijk. Op 20 november, nieuw paspoort op zak, ben ik al op weg naar Laugharne. Ik moet Balth terugzien, maar tot nu toe is het me nog niet gelukt contact met hem te krijgen. Aangekomen in Cardiff loop ik regelrecht naar het busstation en schep er een genoegen in Sullivan Dodger, chauffeur van de Dylan Thomas-tour, van achter te verrassen.

'Pardon, kunt u mij misschien iets over dit boek vertellen?' vraag ik, en ik houd hem de door de zee verwoeste dichtbundel voor zijn neus.

Met een ijzige blik draait Sullivan zich om, maar amper ziet hij me, of zijn ogen lichten op.

303

'Krijg nou wat... Sebastian Haller! Of hoe je nu ook maar heten mag!'
Tot mijn verrassing sluit hij me in zijn armen.

'Demian... Sideheart...' antwoord ik, half stikkend.

'O ja, o ja. Kom, stap in, ik moet vertrekken.'

'Hoe staan de zaken in Laugharne?' vraag ik, terwijl we de touringcar in klimmen.

'Nou, je hebt ons flink door elkaar geschud, en dat hadden we hard nodig. Al een maand wordt hier alleen nog maar over jou gesproken: de knaap die met behulp van de gedichten van Dylan Thomas zowel Balths verloren zoon als zijn geheugen terugvond. Je bent nu een beroemdheid! Menigeen wil je zelfs druïde noemen, mijn jongen. Ben je bereid bij de volgende vollemaan een maagd te offeren?'

Lachend om mijn verbijsterde gezicht start hij de motor.

'Jammer dat je zo halsoverkop verdween,' roept hij, om boven het geluid van de motor uit te komen. 'Welke gunstige wind heeft je hierheen gevoerd?'

'Ik wilde Balth terugzien.'

'Ah, natuurlijk.' Sullivans gezicht betrekt. 'Je weet er niets van.'

'Waarvan?' Mijn hart klopt in mijn keel.

'Kijk, Balth is...' Sullivan aarzelt, dan schraapt hij zijn keel, alsof hij iets delicaats te zeggen heeft. 'Zie je, dankzij jou vond Balth een rust terug waarop hij niet meer gerekend had. Meer dan rust, ik zou zeggen vreugde, een gegeven de omstandigheden zelfs merkwaardige vreugde. Alsof daaronder iets ánders schuilging.' Sullivan draait zich om en kijkt me in de ogen. 'In elk geval is hij in zijn laatste dagen gelukkig geweest. Hij is met een glimlach op zijn lippen heengegaan.'

'Maar wat...'

De woorden blijven me in de keel steken.

'Balth is tien dagen geleden gestorven.'

Het is te veel. Ik kan me niet meer goedhouden, tranen en snikken breken in een hete golf uit me los. De passagiers aan de andere kant van het gangpad kijken me nieuwsgierig en bezorgd aan. Ik begraaf mijn gezicht in mijn handen.

'Hij is gelukkig gestorven,' herhaalt Sullivan, in een poging me te troosten.

Ik bekijk de Dylan Thomas' Inn van buiten, loop eromheen. De deur is gebarricadeerd, alle vensters gesloten. Er hangt al een 'TE KOOP'-bord boven de ingang. Het komt me heel onwerkelijk voor: nog maar een maand geleden was deze plek mijn thuis.

Op het kerkhof van Laugharne leg ik een bloem op zijn graf. Op de grafsteen staan drie namen:

BALTHASAR, AERONWY & LLYWELYN LLANWYMMYR

Nu zijn ze eindelijk weer samen.

Sullivan legt een hand op mijn schouder en biedt aan me naar het zandloperstrand te vergezellen.

'Wil je er nog een keer heen?'

'Ik dacht dat het verboden was.'

'Dat is het ook. Maar niet voor jou. Niet meer, in elk geval.'

Dus keer ik, vergezeld van Sullivan, voor de derde keer naar deze dromerige plek terug. Ik trek mijn schoenen uit en zink weg in het ijzige zand.

'Wat is dit eigenlijk voor een plek?' Aanvankelijk begrijp ik mijn eigen vraag niet.

'Een symbool,' antwoordt Sullivan. Zijn stem klinkt even oeroud als de zwarte rotsen om ons heen. 'En om het met Dylan Thomas te zeggen: "Symbolen worden gekozen uit de langzame rondgang van het jaar langs de kusten der vier seizoenen."'

Hij glimlacht naar me, zijn spierwitte haar verwaaid in de wind. Een moment lang heb ik het gevoel of alles wat ik zie onwerkelijk is. Alsof het alleen in mijn hoofd bestaat.

'Er is iets wat je moet weten.' Sullivans stem haalt me net op tijd terug naar de werkelijkheid. 'Balth is gevonden in zijn kantoortje, voorovergezakt over zijn schrijftafel. Het leek of hij sliep: hoofd op de arm, pen nog in de hand, een glimlach op de lippen. Hij was in één keer weg en heeft niet geleden. Hij was een brief aan het schrijven, die hij niet meer heeft kunnen voltooien.'

Sullivan zucht.

'Hij was aan jou gericht. Of beter, aan Sebastian Haller.'

Ik schrik op.

'En waar is die brief nu?'

'Pater Wynngid heeft zich erover ontfermd. Ik geloof dat hij bij de politie van Cardiff je adres heeft opgevraagd om hem naar je toe te sturen.

Afgaande op hoe ik hem ken, op kosten van de geadresseerde.'

'Weet je wat erin staat?'

'Ik heb hem niet gelezen. Ook pater Wynngid beweert dat hij dat niet heeft gedaan, maar de afgelopen dagen, sinds de begrafenis, gaan er geruchten over de vermeende inhoud. Vreemde dingen, volgens die geruchten schreef Balth over een paar "dromen met open ogen" waarover hij je beslist wilde vertellen.'

Sullivan kan of wil niet op mijn vragen antwoorden, en uiteindelijk doen we er het zwijgen toe. Ik loop naar het water en laat mijn enkels omspoelen tot mijn voeten gevoelloos zijn van de kou. Als ik me omdraai, ben ik alleen.

Wankel ter been beklim ik de vuurtoren die zich achter het strand verheft. Aangekomen in het ronde, naar de zee geopende vertrek loop ik naar het stenen altaar en open de houten kist. Het boek van Dylan Thomas, het laatste intacte exemplaar van de Bryn Coedwyg-editie van 1951, is nog aanwezig. Ik pak het op, blader het door, streel het omslag en leg het dan weer terug. Ik haal mijn eigen, door de oceaan gewiste exemplaar tevoorschijn, ga aan de open kant van het vertrek op de vloer zitten, met mijn benen bungelend over de rand, en kijk uit over zee. Langzaam verdwijnt haar eeuwige beweging, als een hypnotiserende dans, uit mijn gezichtsveld, de wind houdt op te fluiten. Als in trance haal ik een pen uit mijn rugzak. Zet hem op een lege bladzijde. De woorden borrelen vanzelf omhoog, als een automatische stroom die aan een geheimzinnige bron ontspringt. Het schrijven leidt mijn hand.

Kan ik met je praten? Dat is de enige gedachte die ik op dit moment weet te formuleren. Voor de eerste keer sinds mijn tienertijd schep ik een gedicht dat ik zelf nog niet begrijp. Ik schrijf het voor jou.

Of misschien schrijf jíj het voor mij?

Als de zon ondergaat, keer ik naar Laugharne terug en zoek pater Wynngid op. Hij is verrast en opgelaten als hij me ziet, wat niet vreemd is gegeven onze laatste ontmoeting. Excuses stamelend nodigt hij me uit binnen te komen in zijn sobere behuizing achter de kerk.

'Ik heb de brief enkele dagen geleden verstuurd. Je zult hem op een gegeven moment vanzelf ontvangen,' zegt hij laconiek.

'Hebt u niet toevallig een kopie gemaakt?'

'Natuurlijk niet! Waar zie je me voor aan, jongen? Ik heb hem niet eens gelezen! Alleen de aanhef, "Beste Sebastian", heb ik gezien, toen wist ik dat hij voor jou was. De rest is iets tussen jou en Balthasar, vrede hebbe zijn ziel.'

De hele volgende dag dwaal ik door de straatjes en velden van Laugharne en kan alleen aan Balth denken. Ik denk aan de pijn die hem zijn hele leven lang vergezeld heeft, en die zo lijkt op de mijne. Toen ik zijn dagboek las, leken zijn eindeloze inspanningen en jaren van zoeken, alleen om een dode te kunnen begraven, absurd. Maar nu begin ik er de zin van in te zien. Sommige dingen kun je niet zomaar achter je laten.

En wat was die overweldigende vreugde die zijn gezicht verlichtte toen hij op de ochtend van 26 oktober het lichaam van zijn zoon terugvond? Was het einde van de kwelling, de gedachte dat hoopje knekels een graf te kunnen geven, het ontdekken van de waarheid na vijfentwintig jaar van twijfel, voldoende geweest om hem zo gelukkig te maken? En hoe had hij me gevonden, hoe had hij geweten dat ik daar onder in die aardscheur zat?

Maar nu zijn Balths geheimen met zijn lichaam begraven. Of misschien zal zijn brief me antwoorden geven. Er zit niets anders op dan daarop te wachten.

Terug in San Francisco word ik ontvangen door een grijze, eeuwig miezerende hemel. Ik doe weinig anders dan op bed liggen of in de keuken zitten. Ik doe het licht niet meer aan. Met de dag wordt de pijn zwaarder, groter en bitterder. Waarom heb ik de weg naar huis gevonden, nu dit niet meer als thuis aanvoelt?

Vaak grijp ik naar het boek, lees de woorden die ik boven in de vuurtoren heb neergepend. Ik herhaal ze eindeloos vaak, laat ze in me naklinken. Het is een brief die ik naar elke hoek van de wereld zou willen sturen, gericht aan jou, in de hoop dat hij je ergens bereikt. Een gedicht dat ik rennend door elke straat van de wereld zou willen uitbrullen, nadat ik de tijd heb stilgezet om de tijd te hebben om je terug te vinden.

Dan, op een middag, begrijp ik het. Jij bent het die me roept. De stem die me deze woorden heeft ingefluisterd ben jij. Ik weet niet vanwaar hij gekomen is, door welke lange corridor van pijn. Het leven dat we met elkaar opgebouwd hebben, en dat me nog steeds omringt, het leven dat aan jouw zijde zo fantastisch was, is zonder jou onverdraaglijk geworden. Het gedicht spreekt mij toe en vertelt me dat alles. Het zegt dat ik meteen weer vertrekken moet, naar de plek waar ik dacht dat de reis ten einde was. Ik moet – ik voel het als een vitale noodzaak – weer op reis gaan. Ook als dat betekent dat ik ondraaglijke pijn tegemoet ga. Ik kom je zoeken.

Op 16 december zijn mijn visa gereed. Nu houdt niets me meer hier. Eindelijk kan ik weg.

Het liefst zou ik zonder een woord vertrekken, spoorloos verdwijnen, zonder dat iemand het merkt. Maar ik weet dat dat onmogelijk en ook niet juist zou zijn. Op de avond voor mijn vertrek is de enige mens van wie ik afscheid wil nemen, Chris. Hij reageert precies zoals ik verwachtte.

'Dat kun je niet maken, Demian!' Hij is helemaal hyper, eigenlijk ziet hij er nog steeds uit als de zestienjarige die mijn beste vriend zou worden. 'Je hebt werk, ons bedrijf. Je kunt een nieuw leven beginnen. Denk je niet dat Karin dat zou willen? Je moet weer aan de slag!'

'Maar dat is precies wat ik doe, Chris. Ik ga haar zoeken.'

'Dat is geen adequate reactie... dat is complete waanzin!'

'Chris...' Mijn stem is verbazingwekkend rustig. 'Je herinnert je toch wat vijftien jaar geleden in Seattle is gebeurd? Ik zal dat nooit vergeten, en ik weet dat dat ook voor jou geldt. Jij weet wie me daaruit heeft gehaald en me naar dit leven heeft geleid, toch? Ik kan zo niet verder leven, de tanden op elkaar zetten en de pijn verdragen. Zonder Karin ís het mijn leven niet meer.'

'Maar dat was vijftien jaar geleden! Je bent nu een ander mens. Je kunt niet alles weggooien. Samuel en je vader hadden niet veel te verliezen, maar jij hebt...'

Plotseling begrijpt hij het. De tranen schieten hem in de ogen.

'Je komt niet terug, hè? Dáárom begon je over die nacht in Seattle. Maar ik wil niet dat je gaat. Ik ga mee! Laat me met je meegaan!'

'Je weet dat dat niet gaat.'

'Je weet niet half hoe erg ik in de rats heb gezeten in de maanden dat jullie verdwenen waren. Maar ik heb me sterk gemaakt, ik vertikte het te geloven dat mijn beste vriend me in de steek gelaten had. En net nu ik je teruggevonden heb, laat je me opnieuw zitten? Dat kan ik niet toelaten. Het zal worden als vroeger: *on the road together.*'

'Nee, Chris.' Zijn oprechte vriendschapsaanbod ontroert me meer dan ik wil toegeven. 'Jij moet ons bedrijf op de rails houden. Als ik Karin terugvind en met haar naar huis kom, zal ik meteen weer aan de slag gaan. Ik moet er nu wel tussenuit knijpen, maar ik hoop dat je me ooit weer als partner terug wilt. Niet meteen al je zooi op mijn bureau dumpen, begrepen?'

'Oké, oké.' Chris lacht door zijn tranen heen. 'Maar we hebben altijd alles samen gedaan.'

'Deze reis kunnen we niet samen maken. Dat zou niet fair zijn tegenover jou.'

'Ik ben bang dat ik je nooit terugzie.'

'Ik ben ook bang, mijn vriend.'

Ons afscheid is een omhelzing als die van jaren geleden, toen we leefden alsof elke dag, elk afscheid, elke lach de laatste kon zijn.

Mijn familie verlaten is nog zwaarder. Dit afscheid doet pijn en is daarom vanzelfsprekend afstandelijker, verliest zich in overbodige organisatorische details. Mijn ouders staan erop dat ik kerst afwacht, wat nog maar een week weg is, en smeken me het met hen te vieren. Als ik koppig weiger, willen ze me op z'n minst een termijn ontlokken waarbinnen ik naar huis terugkeer en ondanks alles probeer naar mijn leven terug te keren. Uiteindelijk laat ik me een halve belofte afdwingen, want mijn visum verloopt sowieso over drie maanden.

Het is 21 december. Terwijl het vliegtuig zich gereedmaakt voor vertrek, vergiet ik bittere tranen. Ik voel me schuldig dat ik ga, stel me vragen over de zin van wat ik achter me laat en van wat er voor me ligt. Ik herinner me dat ik in een boek dat me na aan het hart ligt heb gelezen dat dat alles slechts de keerzijde van een medaille is waarop aan de andere kant de liefde staat. Maar de enige zin die ik nu in de liefde zie, is dat ik niet mag opgeven. Ik mag niet geloven dat je er niet meer bent.

Het vliegtuig taxiet naar de startbaan, dan brullen de motoren en kriebelt de hevige versnelling in mijn maag.

Als je ergens op deze wereld bent, dan zal ik je spoedig vinden. Als je ergens aan gene zijde bent, zal ik me spoedig, heel spoedig bij je voegen. Het zal niet nodig zijn om iets te zeggen of te raden, ik zal het voelen als het moment gekomen is. Dat is de zin van de belofte die we elkaar jaren geleden gedaan hebben, weet je nog?

Als betoverd staar ik door het vliegtuigraampje en zie jou, ons, onze reflecties op die blauwe spiegel van licht, ons tere kielzog, tot een golf het uitwist en ons wegvaagt.

DEEL IV

OP ZOEK NAAR DE LIEFDE

51

HET IS EEN STRAND,
OF MISSCHIEN EEN WOESTIJN

Alleen het zand en ik.
Verblindend witte duinen rondom, tot in het oneindige.
De zandkorrels glijden door mijn vingers. Het stof ligt als een sluier op mijn schouders. Windvlagen die in mijn ogen prikken.

Ik ben heel erg moe.
Hoe lang loop ik al te sjokken door het mulle zand? En waarheen?
De wind blaast heftig, hij rukt aan mijn witte kleren, doet ze opbollen als een zeil, vertraagt mijn bewegingen, kleedt me uit. Soms heb ik hem in mijn rug en geeft hij me het gevoel dat ik vlieg.
Stof en zweet hebben mijn haar zwaar gemaakt, het trekt pijnlijk aan de wortels en jeukt onverdraaglijk.
Ik had het voor de reis moeten afknippen, denk ik. *Maar dat zou jij nooit hebben gewild.*
Ik glimlach. De gedachte is zinloos. Ik probeer hem vast te houden, maar hij verdampt in de glasachtige lucht. Alles is zo onwerkelijk...

Het is een strand, of misschien een woestijn.
Maar ik weet dat ik zilte zeelucht heb opgesnoven. Als ik blijf staan en luister, meen ik het verre ruisen van de golven te horen. Heel even maar, maar lang genoeg om te hopen.
Ja, nu.
Ik zou kunnen zweren dat ik in het gefluit van de wind een stem hoorde.
Een stem riep me zojuist.
Jouw stem.
Ik weet ook dat ik van je gedroomd heb, lang geleden.
Maar wie ben je? En hoe heet je?
Ik zei net dat je me geroepen hebt, maar hoe heet ik dan?

Het is een strand, of misschien een woestijn.
Maar wat is een woestijn? Niets anders dan een strand dat niet meer bij zijn water kan. Dor zand, dat alleen maar wacht op de golf die erover uitvloeit en er diep in doordringt.
De ene golf na de andere. Een ritmische beweging.
Ik en jij. Zee en strand.

Maar nu kan ik slechts door deze eindeloze uitgestrektheid dwalen.
Ik ben bang. Je kunt je niet voorstellen hoe bang ik wel ben.
Zal ik de zee vinden, zal ik jóú vinden, achter het laatste duin?

52

TERUGKEER NAAR TAIPEI

Ik stap uit het vliegtuig en steek het winderige platform over, met mijn rugzak op mijn rug, alle zintuigen op scherp zodat geen enkele hint of aanwijzing me ontgaat.

De automatische deuren glijden open. CHIANG KAI-SHEK INTERNATIONAL AIRPORT, knippert het reusachtige lichtbord me tegemoet. Een deel van mij weet dat ik al eens door deze deur gekomen ben, deze zelfde weg gelopen ben. Nog maar negen maanden geleden. Met jou aan mijn zijde.

De rolpaden vervoeren me door een zwevende tunnel, ik glijd langs holografische reclameborden, daal vier roltrappen af en bereik het perron van de metrolijn die naar Taipei gaat. Met rode, gezwollen ogen laat ik me door de mensenstroom meevoeren, stemmen en onbegrijpelijke karakters bestoken me, rinkelende mobieltjes, piepende remmen, flikkerende video's en logo's, een perfect georganiseerde chaos. Taipei is als een fluorescerende kwal, haar glibberige tentakels slingeren zich om mijn polsen en enkels, snijden mijn adem af, willen me opzuigen, en ik ben te zwak om me te verweren.

Hier zal ik de sporen van onze doorreis moeten vinden.

De eerste twee dagen dwaal ik doelloos door het centrum, zoek een onderdak, pieker over wat me te doen staat. Ik loop in de schaduw van reusachtige wolkenkrabbers van staal en glas, langs verstopte verkeersaders. Ik vlucht in een kleine, achter een boeddhistische tempel verscholen tuin en ga zitten om de *kimchi* op te eten die ik in een pittoresk steegje tussen de souvenirwinkels heb gekocht.

Tot nu toe is er geen nieuwe herinnering naar boven gekomen. Maar ik zou zweren dat we hier al eens geweest zijn. Het moet slechts een korte tussenstop zijn geweest: vliegveld, hotel, twee snelle taxiritten door de city, misschien 's nachts. Niets memorabels dat zou blijven hangen.

Pas nu wordt me duidelijk dat ik zomaar, zonder een duidelijk plan, ben vertrokken. Zonder het flauwste benul van wat me te doen staat.

Mijn doel is de laatste ontbrekende puzzelstukjes van ons verleden te reconstrueren, de weken vóór de amnesie, te beginnen bij onze bezigheden hier in Taiwan. Mijn huidige aanwijzingen pleiten ervoor dat we op 16 maart in Taipei zijn aangekomen en van hieruit naar Kanku-Shi zijn vertrokken. Maar tot wie hebben we ons gewend? En vooral, hebben we die archipel ook bereikt?

Urenlang zit ik in een internetcafé om alle in Taiwan actieve touroperators op te sporen. Het zijn er meer dan zestig. Na een afmattende belronde heb ik er tien die zeiltochten naar Kanku-Shi organiseren. Ik print de lijst uit en verlaat het café tevreden: onder hen moet de juiste gewoon te vinden zijn.

Kerstmis komt en gaat zonder dat ik het merk, afgezien van de telefoontjes van mijn ouders, mijn zus, Chris en Samuel, met wie het gelukkig een beetje beter gaat. Ik vraag hun om elke dag mijn post door te kijken en me meteen te waarschuwen als Balths brief uit Wales is aangekomen. Ze moeten hem doorsturen naar een postbus die ik in een FedEx-filiaal in Taipei heb geopend. Ik heb het gevoel dat deze brief van doorslaggevende betekenis zou kunnen zijn.

Het eerste reisbureau dat ik betreed is Taiwan Luxury Sailing & Tour in het centrum. Een Chinese vrouw in een zwart mantelpakje ontvangt me en laat me plaatsnemen in een kantoor dat wemelt van tropische planten en affiches van Europese hoofdsteden.

'Waarmee kan ik u van dienst zijn?' vraagt ze in onberispelijk Engels. Ik kies voor de eerlijke en directe weg.

'In maart van dit jaar hebben mijn vrouw en ik tijdens een vakantie in Kanku-Shi een zeilongeluk gehad.' Ik doe mijn best om zakelijk te klinken, alsof het om iets gaat waar ik buiten sta. 'Mijn vrouw is nog steeds zoek. Door het ongeval heb ik mijn geheugen verloren, daarom probeer ik nu de gang van zaken te reconstrueren. Ik kan me de naam van de reisorganisatie die ons daarheen heeft geëscorteerd niet meer herinneren, maar het zou uw bedrijf geweest kunnen zijn. Misschien kunt u me helpen. Mijn naam is Demian Sideheart, mijn vrouw heet Karin Weiland.'

Onvermoeibaar glimlachend vraagt de vrouw me de namen te herhalen, dan zoekt ze kort in haar computer.

'Het spijt me.' Ze kijkt op van het beeldscherm. 'Ik heb niets. waarschijnlijk hebt u zich tot een andere operator gewend. Ik kan u niet verder helpen.'

Bij de volgende agentschappen krijg ik hetzelfde antwoord. Maar ik verdenk ze ervan dat ze iets voor me verbergen, hun zoekwerk komt te gehaast over om waarachtig te zijn. Misschien word ik paranoïde. Bij de zesde 'het spijt ons, we kunnen u niet verder helpen' stijgt het bloed me naar het hoofd en ontplof ik.

'Hoe kan het dat niemand iets weet?' brul ik, terwijl ik met mijn vuist op tafel sla. Pennenbak, telefoon en muis springen rammelend omhoog. 'Er is een schipbreuk geweest, een zeilboot naar de kelder gegaan! Op een of ander huurcontract, een of ander verzekeringsformulier moeten toch onze namen opduiken!'

'Kalmeert u alstublieft, meneer.'

'Ik geef jullie aan! Ik schakel de Amerikaanse regering in.'

Ach ja, waarom niet, de Marine en de CIA. Een gorilla van de beveiliging pakt me bij de arm en duwt me de straat op.

Na een week ben ik terug bij af, verstoken van nieuwe ideeën. Ik besluit naar de politie te stappen, maar merk al spoedig dat het onmogelijk is daar gehoor te vinden. Uiteindelijk dwing ik mezelf mijn vader om hulp te vragen, en krijg een afspraak bij de politiechef van Taipei, generaal Kasumi.

Op 9 januari dien ik me bij hem aan en doe mijn verhaal. Als hij begrijpt wie ik ben en zich het bezoek van mijn vader herinnert, verschijnt er verbluffing op zijn kille, uitdrukkingsloze gezicht.

'Werkelijk ongelooflijk wat u doorgemaakt hebt, meneer Sideheart. Dit is stof voor literatuur, of beter nog, legendes. Toch begrijp ik niet waarom u hier bent. Uw ouders hebben reeds al het mogelijke ondernomen en ook wij hebben gedaan wat in onze macht ligt. Wat wilt u nog meer?'

'Het geval weer opnemen!' Ik schuif op mijn stoel heen en weer. 'Het dossier dat mijn vader heeft opgesteld is onnauwkeurig, het zoekgebied is geografisch veel te ruim bemeten. Maar nu heb ik serieuze redenen om aan te nemen dat we ons op het moment van het ongeval met onze zeilboot in de omgeving van Kanku-Shi bevonden.'

Bij het horen van die naam schudt Kasumi mompelend zijn hoofd. Ik schenk er geen aandacht aan.

'Ik heb al geïnformeerd bij alle touroperators die reizen in die omgeving organiseren. Allemaal tevergeefs. Hoe is het mogelijk dat er bij niemand sporen zijn achtergebleven van wat ons overkomen is? Er is een zeilboot verloren gegaan, er zal toch op z'n minst aangifte bij de verzekering zijn gedaan!'

'Kanku-Shi ressorteert onder internationale militaire jurisdictie,' valt Kasumi me in de rede. 'Het is een betwist gebied, dat wordt opgeëist door China, Taiwan en Japan. Wij hebben daar geen bevoegdheid en dus ook geen informatie over.'

Mijn slapen kloppen van woede.

'En tot wie moet ik me dan wenden?' roep ik boos.

'Geen idee. Ik herhaal: over dat soort informatie beschikt de politie niet. De militaire instanties regelen hun zaken in het diepste geheim en staan niet toe dat er iets naar buiten komt.'

Ik haal diep adem om kalm te worden. De woede die Kasumi's uitgestreken gezicht in mij ontsteekt, maakt me het denken onmogelijk, en hij maakt er gebruik van om het gesprek een andere kant op te sturen.

'Weest u toch realistisch, meneer Sideheart. De kans op het vinden van een vermiste persoon daalt met de tijd exponentieel. Na een jaar is hij vrijwel nihil. U hebt al uitzonderlijk geluk gehad. Maar als u nu op zoek bent naar een tweede *wonder*' – zijn ogen vernauwen zich tot smalle spleetjes – 'dan vindt u het niet door detective te gaan spelen of een beroep te doen op de politie. Bid liever tot uw god, als u er een heeft. En als u er geen heeft, is dit een goed moment om er een te zoeken. Vraag hem uw vrouw terug te vinden. En als dat niet mogelijk is, u op zijn minst een beetje vrede te schenken.'

Met deze woorden staat Kasumi op en wenkt me mee. Hij wil me de deur uit zetten. Ik protesteer, probeer tijd te winnen.

'Maar hebt u dan geen enkele informatie over natuurrampen in dat gebied? Een tyfoon, een zeebeving? Een zeilboot verdwijnt toch niet zomaar!'

Kasumi poeiert me af met een ironisch antwoord.

'Wendt u zich tot het meteorologisch instituut. Het is niet ver van hier.'

Ik staar hem aan. Kasumi weerstaat mijn blik met ijzige kalmte, hij is niet gewend om weerwerk te krijgen. Juist als ik het wil opgeven, verandert er iets in zijn ogen. Ze lijken zich in mijn blik te verliezen, alsof hij in de beelden van verre herinnering verzonken is. Met een zucht van berusting begint Kasumi me een verhaal te vertellen.

'Op 12 augustus 1979 is het schip waarop ik mijn dienstplicht vervulde tijdens een als oefening gecamoufleerde militaire operatie gezonken. De oorzaak is tot op heden onopgehelderd, maar ik weet zeker dat we door een Chinees projectiel getroffen waren. Dagenlang dobberde ik vastgeklemd aan een wrakstuk op zee, ik weet niet hoe lang. Ik herinner me alleen dat een oceaanstroming me als een onstuimige rivier honderden mijlen met zich mee voerde. Van de bemanning was ik de enige overlevende. Er werd slecht één lijk teruggevonden, bijna achtduizend mijl van de plek waar ik gered was.'

Kasumi's ogen staan wijd open. Zelfs na dertig jaar slaat het verhaal hem nog altijd met stomheid.

'Een enorme afstand. Dit feit maakte zo'n indruk op me dat ik een passie voor zeestromingen ontwikkelde en een ware expert ben geworden. Ik heb in marineverband verscheidene experimenten met flessenpost verricht. Maar ik ben ermee gestopt toen ik op een – inmiddels breed aanvaarde – wetenschappelijke theorie stuitte die de bodem onder mijn pogingen uit haalde: de chaostheorie. In sterke termen uitgedrukt, zou de staartslag van een sardine voldoende geweest kunnen zijn om het lijk van mijn kameraad achtduizend mijlen ver te laten afdrijven. Wat, in het licht van deze wetenschappelijke feiten, kan het voor zin hebben om de exacte plek van uw ongeval te kennen? Om daar met uw onderzoek te beginnen? Dat zou volstrekt nutteloos zijn. Ons leven is onderworpen aan de wetten van de *chaos*, meneer Sideheart!'

Terwijl ik het hoofdbureau van politie verlaat, denk ik aan de waarschuwing van mijn vader: Kasumi is een man die de hoop van mensen kan vermorzelen. Nu weet ik wat hij bedoelde.

Na nog geen drie weken zit mijn onderzoek op een dood spoor. Ik ben moe, gefrustreerd, maar ik geef het nog niet op. Ik zal wel op een nieuw idee komen. Tot het zover is besluit ik de metropool Taipei te verlaten. Ik huur een motorfiets en rijd naar de oostkust, de kant van Taiwan die naar de oceaan is gekeerd.

De kustweg biedt compleet andere panorama's dan de stedelijke jungle. De tropische vegetatie is weelderig en achter de dichte opstanden van palmen en wilde bananen gaan dorpen schuil waarin het leven honderd jaar stil lijkt te zijn blijven staan. Drie dagen lang zwerf ik doelloos rond en verlies me, onder de soms nieuwsgierige, soms vijandige blikken van de inheemse Taiwanezen, in het labyrint van onverharde wegen. In elk dorp houd ik halt om je foto te laten zien. Het antwoord is slechts een hulpeloos hoofdschudden. Ik weet niet waarom ik ermee doorga, nog maar een paar maanden geleden heeft mijn vader op dezelfde plekken dezelfde vragen gesteld en niets bereikt. Een donkere schaduw daalt op me neer, de angst dat alles voor niets is, dat het geen zin heeft om nu hier te zijn.

Taiwan

15 januari 2010

Ik heb de motorfiets tussen de braamstruiken verborgen en ben te voet het pad langs de oceaankust afgelopen. De zon gaat juist onder achter de bergen en er ligt een roze licht op het kalme water. Alleen het rustige klotsen van de golven en de verre kreten van de vissers zijn te horen. De sfeer heeft iets onwerkelijks, zo vredig is het. Uiteindelijk zal ik de belabberde, onbekende wegen nog in het donker moeten afrijden, maar dat kan me niet schelen. Ik heb mijn rugzak afgedaan en ben op een klip dicht bij het water gaan zitten.
Zolang het nog licht is, zal ik je schrijven.
De balans van deze weken is zonder meer negatief. Geen enkele nieuwe herinnering. Geen spoor van onze doortocht. Het lijkt bijna wel alsof iemand ons is gevolgd om elk spoor uit te wissen. Waarom lijk je zo ver weg, Karin? Je voelt verder weg dan toen ik je dood waande.
Maar als ik je niet kan vinden...

Een ver, zacht gerinkel, als van bellen, doet me opveren. Dan gedempte kreten.

Ik krijg een een akelig voorgevoel.

Ik spring op, ren naar de plek waar ik de motorfiets heb verstopt, worstel me door de doornige struiken. De ketting die ik rond de velgen heb vastgemaakt, is verschoven. Het metaal vertoont de sporen van een mislukte poging hem door te knippen.

Dan val ik op mijn knieën.

'Klootzakken!'

Iemand heeft een gat in de tank geboord en de benzine afgetapt. Een paar druppels sijpelen nog uit het blik en vormen een kleine plas waarin een troebele regenboog glinstert.

'Vuile klootzakken!' Ik smijt de helm op de grond.

Ik haal mijn mobiel tevoorschijn: accu helemaal leeg. Waarom ben ik nog verbaasd, het is een vingerwijzing van het lot.

En nu?

Er blijft me niets anders over dan de motor in de bosjes te laten staan en te voet verder te gaan. De nacht valt nu snel en even later zie ik geen hand meer voor ogen. Ik beweeg me op de tast, struikelend over gaten, en hoor de lugubere geluiden die opklinken uit het tropische woud. Om de paar meter blijft er iets kleverigs in mijn gezicht hangen... spinrag? Ik heb het gevoel alsof er iets in mijn hals kruipt. Puur suggestie, houd ik mezelf voor. Ik vecht tegen de impuls het op een rennen te zetten, toe te geven aan de primitieve angst voor het donker.

Ik bereik een geasfalteerde weg. Niemand te zien, alleen in de verte op de bergen pinkelen een paar lichtjes. Minstens een uur lang loop ik in noordelijke richting, zonder een levende ziel te ontmoeten. Ik ben aan het eind van mijn Latijn en leg me al neer bij de gedachte dat ik de nacht in de openlucht door moet brengen. Ik verwijder me van de weg en rol me op onder een paar struiken, op een open plek.

Achter je, fluistert een stem. Ik draai me om. Niets.

Dan duiken aan het eind van de weg twee bundels licht uit het donker op.

Dat is een streekbus. Houd hem aan.

Weer die stem. Ditmaal heb ik hem helder en duidelijk gehoord.

Het is jouw stem.

Ik storm de weg op, verblindend licht schijnt in mijn ogen. Ik schreeuw. Zwaai met mijn armen. *Nu stopt hij of rijdt hij over me heen,* denk ik in paniek. Een ijselijk gepiep van remmen weerklinkt, de bus mindert vaart, maar stopt niet volledig. Ik spring opzij en laat hem langs me heen gaan.

Stap in. Ik wacht op je.

Met een metalig gesnuif klapt het portier open. Ik omklem de verticale stang en spring de rijdende bus in. Nog voor ik goed en wel binnen ben, geeft de buschauffeur gas. De deuren klappen achter me dicht.

53

GIGI

De bus stopte abrupt. Het meisje sloeg met haar hoofd tegen het raam en schrok wakker. Ze was ongemerkt ingeslapen, opgerold op de smoezelige bank. Ze sperde haar katachtig groene, door mascara en donkere kringen beschaduwde ogen open.

'*Merde!*' vloekte ze boven het bezorgde gefluister van de andere passagiers uit. Buiten inktzwarte duisternis. De ruit toonde haar alleen haar eigen spiegelbeeld: fijne trekken, wipneus, superkort, steil zwart haar. Het gezicht van een te snel opgegroeid kind. Piercings en oorringen die glommen in het halfdonker.

Toen klapte het portier met een metalig geluid open. Het meisje kwam overeind op haar plaats en boog zich nieuwsgierig naar voren. De andere passagiers, allemaal Taiwanezen, wierpen elkaar bezorgde blikken toe.

Ah, oké, dacht ze. *We zijn gestopt om een rover op te pikken.* Zuchtend liet ze zich weer onderuitzakken in haar stoel, sloeg haar bleke benen over elkaar en kruiste haar armen voor haar borst. *Wat zou het, ik heb toch geen geld.*

Een man sprong behendig de rijdende bus in. Het portier sloot zich achter hem.

Wacht eens, wacht eens, dacht het meisje. *Deze rover lijkt zo kwaad nog niet.*

Voor haar stond een westers uitziende man van rond de dertig. Groot, warrige haardos, minstens een maand niet geschoren. Hij droeg gekreukte jeans en een bruinleren jack. Hij zag er niet uit als een toerist, daarvoor was hij te onverzorgd, maar ook niet als een landloper. Zulke dingen zag ze meteen.

De man keek nerveus en verloren om zich heen, alsof hij iets zocht.

'Verstaat iemand mijn taal? Spreekt u Engels?' vroeg hij aan een oude Taiwanese vrouw, die verlegen het hoofd schudde.

'Ik spreek Engels, *un peu.*' Het meisje ging rechtop zitten en haar gezicht kwam achter een hoofdsteun vandaan.

'O, dat is boffen. Weet u waar we heen rijden?'

'Natuurlijk. Naar de eindhalte, Su Hua. In het complete, absolute kosmische niets.'

'Dank je,' zei hij met een flauwe glimlach.

Wat een trieste glimlach, dacht ze. *Mooi, maar erg droevig.*

Ze namen elkaar een paar seconden op. Zijn blik bezorgde haar ineens een rilling over de rug. Alsof samen met hem een koude luchtstroom de bus in was gekomen.

***

Stap in. Ik wacht op je.

Dat heb ik niet gedroomd, ik heb deze woorden heel duidelijk gehoord. Ik begrijp het niet... Waar ben je?

Na vijftien minuten gehotsebots over de hobbelige weg komt de bus tot stilstand. Het is bijna elf uur en we hebben de eindhalte bereikt. Zoals het meisje al zei, is hier niets: een groot, onverlicht terrein, omgeven door weelderige vegetatie, en een paar eveneens onverlichte hutten.

'Waar zijn we?' vraag ik hardop. Ik draai me om, maar de weinige andere passagiers, het meisje inbegrepen, lijken in het niets verdwenen te zijn.

Ik kniel neer en graaf in mijn rugzak. Vreemd, de ritssluiting is open.

Een moment van paniek.

Het boek is weg.

Dat is onmogelijk. In paniek doorzoek ik alle vakken, zelfs die, die te klein zijn voor het boek. *Is het gestolen? Misschien is het in de bus uit de rugzak gevallen. Ik heb het in een onbewaakt moment op de stoel gelegd.*

Het portier van de bus staat nog open, de lichten zijn aan, maar de buschauffeur is er niet. Ik spring naar binnen en storm naar mijn plaats. Ik kijk onder de stoelen, dan kam ik de hele bus uit. Niets. Een brok in mijn keel snijdt me de adem af. *Dom, dom! Hoe kon ik het boek nou verliezen?* Ik spring naar buiten en loop om de bus heen.

Ons boek. Het voorwerp dat me meer dan wat ook met jou verbindt.

Misschien heeft de buschauffeur het gevonden en meegenomen, of...

'Zoek je iets?'

Het meisje van net zit in kleermakerszit op de grond naast de bus. Legerkistjes, een gescheurd zwart jurkje dat door ontelbare veiligheidsspelden bijeen wordt gehouden. Daar is mijn boek, het ligt open op haar knie. In het licht van een aansteker bladert ze erin.

'Weet je wel dat deze shit hier helemaal niet slecht is?' zegt ze alsof er niets aan de hand is, met een zwaar Frans accent. 'Ben je schrijver?'

'Geef dat alsjeblieft onmiddellijk terug.'

'Niet zo haastig!' Ze glimlacht onschuldig. 'Alles op deze wereld heeft zijn prijs.'

'Hoe heb je het weten te pikken?'

'Pikken! Wat een groot woord. Laten we zeggen dat ik het geleend heb. Een trucje om een interessante man te leren kennen.' Ze lacht schalks. 'Ik ben een beetje verlegen, weet je.'

'Oké, heel grappig, geef het meteen terug.' Ik verhef mijn stem. Die heeft ze beslist niet meer allemaal op een rijtje.

'Oké, oké, wind je niet op! Maar is er niet op z'n minst een kleine beloning voor de vinder van zo'n kostbaar kleinood?'

'Wat? Jij durft!' Ik word woedend. 'Maar je hebt pech, ik heb geen cent.'

'Wie heeft het over geld?' Ze geeft me een knipoog. 'Misschien heb je nog wat interessanters in de aanbieding...'

Ik voel dat ik bloos.

'O, misschien ben jij ook verlegen, *excuse-moi*!' Lachend werpt ze haar hoofd naar achter, zodat haar slanke, witte hals bloot komt. 'Dat was maar een grapje... Hier is je boek. *Et voilà!*'

Ze steekt het me toe en ik ruk het woedend uit haar hand. Vloekend kniel ik neer en stop het in de rugzak. Als ik opsta, zie ik haar kattenogen, die me in het donker monsteren.

'Weet je al waar je vannacht slaapt?' vraagt ze me, plotseling serieus.

'Ja. Ik heb een hotel in Taipei. Maar ik regel wel wat.'

'Taipei is te ver weg, dat red je nu niet meer. Als je geen plek voor de nacht hebt, kun je met mij mee, ik ga naar huis... nou ja, "huis" is een groot woord.'

'Nee, dank je, ik wil je niet ontrieven.'

'Ontrieven?' Ze lacht. 'Hoe kom je erop.'

Ze krabbelt op, grijpt haar schoudertas en trekt haar jurkje recht. Ze is bijna even lang als ik. Ondanks haar nonchalante uiterlijk heeft ze iets elegants over zich, en ze beweegt zich gracieus. De schouderbandjes van haar jurk laten haar rug vrij en terwijl ik haar zie weglopen, vraag ik me af waarom ze niet bevriest. Ze verdwijnt in het geboomte.

'Kom op dan!' roept ze vanuit het donker.

Hoe riskant het ook is, er zit weinig anders op. Hoewel het stikkedonker is, glipt ze behendig tussen de lianen en struiken door, alsof ze elke kei op dit pad kent. Ik haast me achter haar aan en volg de schemerende vorm van haar bleke rug.

'Best een beetje eng, hè?' zegt ze hijgend. 'Je begrijpt wel dat ik het, als ik hier alleen loop, op een zingen zet! Hier in het bos klinken stemmen eigenaardig, maar ze houden de dieren op afstand en overstemmen bepaalde geluiden. Je hebt me nog helemaal niet verteld hoe je heet!'

'Demian,' antwoord ik, een beetje buiten adem van het lopen.

'Ik Gigi. Je bent Amerikaans, niet? Je hoort het aan je accent.'

'Heet je echt Gigi?'

'Mijn echte naam is Geneviève, maar voor jou ben ik Gigi. Geneviève vind ik niks.'

'Oké, begrepen, Gigi.'

'Heb je een peuk?'

'Nee, sorry.'

'Geeft niet, ik heb zelf.'

Zonder te stoppen graaft Gigi in haar tas. Ik zie hoe ze in het donker een shagje draait en opsteekt. Een kort moment verlicht de vlam haar gezicht en werpt lugubere schaduwen in de groene tunnel boven ons.

'Wil jij er een?'

'Nee, dank je. Ik ben al een tijd geleden gestopt.'

'Hoe dan ook, wat dat boek betreft,' zei ze, alsof ze een hangende kwestie wil afsluiten, 'je had het op de stoel laten liggen. Ik dacht dat het een "ruilboek" was en heb het meegenomen. Sorry.'

'Mmm... eigenaardig. Ik kan me helemaal niet herinneren dat ik het eruit gehaald heb. Maar de laatste tijd ben ik een beetje verstrooid. Geen probleem, al goed.'

'Oké, *peace*. Maar waarom lach je?'

'Ik bedacht net dat ik mijn lievelingsschrijver Dylan Thomas uitgerekend door een boekenruil heb leren kennen. Een van zijn bundels, *Achttien gedichten*, lag in een kabeltram in San Francisco. En geloof het of niet, maar dat boek heeft mijn leven veranderd.'

Plotseling eindigt de weelderige vegetatie, en het pad zet zich slingerend voort door een zandig, met kreupelhout en braamstruiken begroeid duingebied. We bereiken de top van een duin en zien de oceaan direct onder ons liggen. De maan komt op en dompelt het landschap in roodachtig licht. Er staat een licht, zoel landbriesje. We blijven staan om op adem te komen.

'Het is niet waar, hoor.'

Gigi verbreekt de stilte die ons omgeeft.

'Ik heb je boek wel gepikt. Ik heb het uit je rugzak gevist en je hebt er niets van gemerkt! Maar ik heb het alleen maar gedaan om je te leren kennen. En om je te helpen, precies zoals ik nu doe.'

Gigi barst in een vreemde lach uit.

Me helpen? Dat staat te bezien. Maar ik zeg niets meer. Er zit een steekje los aan dit meisje.

Na een half uur lopen duikt dicht bij zee een vreemd ogend gebouw op. In het donker duurt het even voor ik besef dat het om een ruïne gaat, om een verlaten boothuis misschien. Rondom alleen zandduinen en doornig struikgewas.

Een déja vu. Ik heb plotseling het gevoel dat ik deze plek al ken, hoewel het landschap me absoluut niet vertrouwd is.

Langs de weg staat een in de grond geslagen, in flower power-stijl beschilderde surfplank met een tekst erop:

The Soul Travellers

In de verte klinkt een geroezemoes dat zich met de wind en het geruis van de golven vermengt: gelach, stemmen, trommelklanken.

'Hartelijk welkom bij de legendarische crew van The Soul Travellers!'

Gigi maakt een theatrale buiging als een jonkvrouw die je in haar kasteel uitnodigt. 'Vannacht is er in de duinen een party, zoals trouwens elke nacht. Maar je bent moe, hè? Ik zie het aan je ogen. Misschien kan ik je maar beter naar de grot brengen, daar kun je rustig slapen. Het voorstellen komt morgen wel.'

Ik weet niet wat 'de grot' is, maar ik knik instemmend. We lopen langs de duinrand naar de klippen tot we een opening in de rots bereiken.

'Geen zorgen, de golven komen niet tot hier!' verzekert Gigi me, als ze mijn weifelende blik ziet. De grot bevat een verroest veldbed, dekens, de resten van een kampvuur en een paar stenen vuurbekkens. Gigi probeert er een aan te steken. De vlammen flakkeren een paar seconden en doven dan in een rookspiraal.

'Mmm, *ça va bien*, dan moet de maan maar voldoende zijn.'

Met een kinderlijke zucht ploft Gigi in kleermakerszit op de grond. In het maanlicht ziet haar huid er vochtig en blauwachtig uit.

'Nu kun je me alles vertellen,' fluistert ze. 'Vertel me over dat vreemde, voddige boek waaraan je zo verknocht bent.'

Verrast en wantrouwig kijk ik haar aan. Ik begrijp niet wat ze van me wil.

'*Mais tu es stupide?*' Haar ogen fonkelen in het donker. 'Vertel me over de vrouw die je geïnspireerd heeft tot *ces merveilleuses pièces d'amour!*'

54

THE SOUL TRAVELLERS

Stap in... Ik wacht op je...
Een zonnestraal schijnt hardnekkig in mijn gezicht en wekt me. Dan wordt het in de grot zo licht alsof iemand een flitslicht heeft ontstoken. De zon komt direct voor de ingang op, een reusachtige gouden schijf die mijn hele gezichtsveld in beslag neemt, optisch bedrog van de Chinese zonsopgang.

Langzaam richt ik me op van mijn slaapplaats. Mijn hele lichaam is bedekt met een zoutlaag en ik voel mijn gewrichten knarsen van de klamheid. Dat krijg je als je de nacht in een grot doorbrengt. Ik kan me niet eens herinneren dat ik ingeslapen ben. Ik had met het Franse meisje gepraat en toen ze maar niet wilde opgeven, heb ik haar mijn wederwaardigheden van de afgelopen maanden verteld. Dat denk ik tenminste. Ik weet niet meer precies tot waar ik gekomen ben.

Nu is Gigi er niet meer. Ze zal zijn weggegaan toen ik ingedut ben. Ik controleer de rugzak en de portemonnee, maar alles is er nog, ook het boek.

Ik moet aan de motorfiets denken, die ik ergens in het tropisch woud heb achtergelaten.

Waar ben ik eigenlijk, verdorie?

Het landschap voor de grot ziet er heel anders uit dan gisternacht bij maanlicht. Voor me ligt een grote, ronde, ultramarijnblauwe baai omgeven door duinen. Aan de noordkant, waar ik ben, verheft zich een groot, donker rotsrif, dat rijk is aan grotten. Op de tegenovergelegen zijde steekt een landtong als een natuurlijke brug pakweg een kilometer in zee.

Ik slenter over het strand. Het okerkleurige zand is bezaaid met resten van kampvuren. Overal verheffen zich vreemde stenen altaren, het moeten er honderden zijn, vlakke, op elkaar gestapelde stenen.

De betonnen ruïne schittert in het ochtendlicht, je zou zeggen een oude, verlaten kazerne. Het dak van de tweede verdieping is ingestort, alleen de eerste verdieping en de benedenverdieping zijn nog bruikbaar. De met graffiti bedekte gevel heeft talloze kleine raampjes, waaruit handdoeken en ondergoed hangen. Het gebouw ziet er bewoond uit, ondanks het overduidelijke gevaar dat het elk moment kan instorten.

Voorzichtig nader ik. Rondom staan volgepakte oude auto's waarvan de half geopende raampjes uitpuilen van zooi. Er zijn ook een paar oude woonwagens bij, en een met bloemen beschilderd Volkswagenbusje, dat me aan dat van Sylvia en Jack doet denken. Een stuk of tien, twaalf kampeertenten staan in de bosjes. Ik kom uit San Francisco en heb een heleboel van dat soort plekken gezien: kennelijk ben ik in een hippie-*backpacker*-commune beland. Een schurftige hond komt kwispelend op me toe, besnuffelt mijn benen en likt aan mijn handen. Dan zwerft hij verder tussen de tenten en auto's door, die er in ochtendlijke slaperigheid bij staan.

Wie weet waar Gigi slaapt... Maakt ook niet uit, ik denk niet dat zij en haar vrienden me verder kunnen helpen. Desondanks laat dit déjà-vu-gevoel me niet los. Het gevoel dat ik deze plek al eens eerder gezien heb...

...maar vanuit een andere gezichtshoek.

Ik neem weer de weg langs de duinen. Als ik het surfplankbord passeer, prikkelt iets me tot stilstaan. Ik staar ernaar en monster het stoffige opschrift:

The Soul Travellers

Sylvia's stem galmt door mijn hoofd.

'*... we zijn bijna drie jaar in Taiwan gebleven... neergestreken in een commune aan de oostkust die in een verlaten legerbasis gevestigd was. Een bonte mix van kunstenaars, surfers, aanhangers van oosterse religies en figuren op zoek naar nieuwe drugs. Ze noemden zich...*'

'Maar natuurlijk!' mompel ik. Ik sla met mijn vlakke hand tegen mijn voorhoofd. 'The Soul Travellers! Hier zijn Sylvia en Jack bijna dertig jaar geleden geweest.'

Ik strijk over de surfplank en veeg het stof weg.

'*... in die tijd ontdekten we bijna bij toeval Kanku-Shi. Vanaf het strand van de Soul Travellers kon je een ontzettend lange, rotsachtige landtong zien liggen. Van daar vertrokken alle schepen naar de eilandgroepen...*'

'En wie ben jij dan?'

Ik draai me om en sta tegenover een vent die een halve kop groter is dan ik. Hij heeft een bruingebrand gezicht dat schuilgaat achter een donkere zonnebril, en een gespierd, van boven tot onder getatoeëerd bovenlichaam. Onder zijn arm heeft hij een beschadigde surfplank.

'Wat doe je hier?' vraagt hij nogmaals met een merkwaardig accent, dat ik niet kan thuisbrengen. 'Hé, versta je wat ik zeg?'

'Ja, ja. Ik ben gisteravond aangekomen. Ik heb in de grot geslapen,' verklaar ik confuus. De vent kijkt me wantrouwend aan.

'Ik ben meegekomen met Gigi, dat Franse meisje,' voeg ik er haastig aan toe. Geërgerd perst hij zijn lippen op elkaar. Ik maak gebruik van zijn verwarring en ga in de aanval.

'Gaan er van hieruit boten naar Kanku-Shi?'

Hij knikt zonder zijn blik van me af te wenden.

'Zie je die landtong daar? Wie naar de archipel wil, vertrekt vandaar af, het is een soort Taiwanese traditie.'

Ja. Alles klopt met Sylvia's beschrijvingen.

'Maar nu is niet het seizoen, er is daar nu niemand!' roept hij me na. 'Tot maart zul je daar niemand vinden!'

Maar ik ren al op de landtong af en hoor hem bijna niet meer.

De wind joelt om mijn oren en remt me af. Ik bereik de uiterste punt van de door golven omspatte klippen.

Hier ben ik al eens geweest.

Er is een aanlegplaats en een boothuis voor kleinere boten, maar zoals de surfer zei, is alles gebarricadeerd. Een windstoot vlaagt over de weg en doet een enorme stofwolk opwervelen. Twee schaduwen bewegen zich erin.

Ze naderen langzaam en stappen uit de okergele wolk. Een man en een vrouw in lichte reiskleding. Ze zeulen twee enorme rolkoffers achter zich aan, die rammelend over de oneffen grond hobbelen.

Ik moet mijn ogen uitwrijven voor ik kan geloven wat ik zie.

Dat zijn wij tweeën.

We lopen over de landtong. Hoestend stappen we uit de zandwolk en schudden het stof uit onze kleren.

Is dit een hallucinatie?

Nee. Misschien is het méér dan dat: een herinnering.

Als een fantoom schuift het verleden over het heden. Ik beleef ons vertrek naar Kanku-Shi opnieuw.

***

'Kon die stomme taxi ons niet een beetje verder naar voren afzetten?' snauw je, als je weer kunt praten zonder al te veel stof te happen.
'Kennelijk wilde hij zijn banden er niet aan wagen. Moet je die kuilen zien! Kom, geef me je trolley.'
De lucht is zwaar van het vocht, de zon brandt. Je bent helemaal bezweet, wat heel zelden het geval is.
Het okerkleurige wegstof bedekt je huid.
'Hé, je bent al helemaal bruin!'
Met een zure glimlach druk je me je rolkoffer in de hand. Dan draai je je om en je gezicht klaart op.
'Kijk eens, daar achter is een vlooienmarkt!'
'O hemel, nee! Niet ook nog hier...'
Verder naar voren wijst de open buik van onze veerboot naar de kade. Met lieren en heftrucks laden een paar Chinese matrozen kisten aan boord. Rondom de veerboot liggen zeilboten. Licht en breekbaar wiegen ze in de wind, zo te zien popelend om in zee te steken.
En inderdaad is de hele kade bezoomd met stalletjes en flowerpowerbusjes. Een hippievlooienmarkt is neergestreken langs de oprit naar het veer en maakt de kade nog smaller en chaotischer. Een meisje met gitaar zingt oude Franse chansons. Als we haar passeren, herken ik een nummer van Georges Brassens. Af en toe brullen de Chinese matrozen de hippies iets toe en gebaren dat ze op moeten duvelen.

Trots laat de veerboot zijn scheepshoorn loeien en vaart uit. Met de ellebogen op de reling van het achterdek zien we Taiwan wegglijden en in de mist verdwijnen.
'Wat voor boot hebben wij gehuurd? Net zo een als die van de zeilcursus?'
'Ja hoor. Dat hoop ik tenminste,' zeg ik schouderophalend.

'Wat moet dat betekenen: "Hoop ik tenminste"?'

'Je zult het wel zien als we er aankomen. Het is een Aloha 27.'

Je kijkt me met grote ogen aan en zegt niets. De wind huilt oorverdovend.

'Ik ben een beetje geëmotioneerd, weet je.'

Je nestelt je in mijn arm en legt je hoofd tegen mijn borst.

'Het idee dat we binnenkort over de Grote Oceaan varen... Voel je dat? Mijn knieën knikken...'

***

Ik sta op het uiterste puntje van de landtong en kijk het schip na dat ons wegvoert. Het liefst zou ik met mijn armen zwaaien, ons toebrullen dat we moeten terugkomen, maar dat zou niets uithalen. Ik kan niet ingrijpen, je kunt het verleden niet veranderen.

De veerboot verdwijnt aan de horizon. In de lage ochtendzon lijkt het bijna of hij zweeft.

Als een monstergolf verheft zich een zwarte muur aan de horizon. Nietsvermoedend koerst het schip eropaf. Dan wordt het door de schaduw van de vergetelheid verzwolgen. En daarmee ook mijn herinneringen, jij en ik.

Zal dit schip ons naar Kanku-Shi brengen? En zullen we de wateren van de archipel met de zeilboot bevaren? Wat gaat er achter die muur van duisternis met ons gebeuren?

Ik weet het niet meer. Ik kan mijn herinneringen niet over dit punt heen dwingen. De horizon die ik voor me zie is de nieuwe grens van mijn amnesie.

Een hand wordt luchtig op mijn arm gelegd.

'Demian.'

Het is Gigi.

'Hé... je leek wel in trance. Alles in orde?'

Ik kan niet antwoorden.

'Ik kwam langs de grot en zag je niet. Toen heb ik het Stefano gevraagd.' Ze wijst met een duim naar de surfer, die achter haar staat. 'Hij vertelde me dat je hier was.'

Stefano komt dichterbij.

'Alles oké? Kunnen we gaan?' vraagt hij bars.

'Ga maar rustig,' antwoordt Gigi bits.

Hij zucht geërgerd en werpt me een vijandige blik toe. Maar hij verzet geen stap.

'Stond je aan háár te denken?' vraagt Gigi na een korte aarzeling.

Wat heb ik dit meisje gisternacht verteld? Wat weet ze van mij? Opnieuw geef ik geen antwoord en onttrek me aan haar hand. Ik staar naar de oceaan.

'Ik moet naar Kanku-Shi.'

Mijn stem komt amper boven het gehuil van de wind uit.

'Dan zul je een hele tijd moeten wachten, vrees ik,' antwoordt Gigi.

'Wachten? Waarop?' Ik draai me om. 'Ken je die plek? Ben je er geweest?'

Ik pak haar arm.

'Hé, kalm aan!' Ze maakt zich los uit mijn greep. 'Ik weet er niet veel van. Je hoort ongelooflijke dingen, enkelen van de oude garde zijn er jaren geleden geweest. Maar inmiddels is het meer iets voor rijke patsers met een zeilboot. Ik weet alleen dat we op de vertrek- en aankomstdagen een ambachtelijke markt en wat spektakel voor de toeristen organiseren. Voor ons is Kanku-Shi puur een manier om wat poen te verdienen.'

'Wanneer zijn de afvaarten?'

'Eind maart. Dat is de enige tijd van het jaar dat de overtocht veilig is. De stilte voor de storm, want daarna begint de moesson. Maar Stefano kan het je beter uitleggen.'

Ik kijk de surfer aan.

'Ach.' Hij haalt zijn schouders op. 'Dat is niet het enige beletsel. Je zou er nu niet eens per helikopter naartoe kunnen. Er is ook een politiek probleem: Kanku-Shi wordt door China, Japan en Taiwan opgeëist. De hele omgeving is gesloten voor het vlieg- en scheepsverkeer, de verzorging van de dorpen en het toerisme uitgezonderd, maar dat is slechts toegestaan tussen maart en april. Je zou dus gevaar lopen getorpedeerd te worden.'

Eind maart. Twee maanden. Ik moet twee maanden wachten.

Ik moet aan Kasumi's woorden denken: *De kans op het vinden van een vermiste persoon daalt met de tijd exponentieel. Na een jaar is hij vrijwel nihil.*

Eind maart is het precies een jaar geleden dat we verdwenen.

55

OP DE GRENS

'Waarom blijf je niet hier bij ons? Twee maanden zijn zo om...'
Gigi's stem komt van ver.

Van deze zelfde landtong zijn wij tien maanden geleden samen vertrokken, hand in hand.

Dit is de enige weg die me overblijft: naar Kanku-Shi terugkeren. Onze reis herhalen, hem stap voor stap opnieuw beleven. Alleen zo zal ik me de dingen kunnen herinneren en de zoektocht naar jou kunnen voortzetten.

Dit is het dichtst bij jou liggende punt dat ik tot nu toe gevonden heb. Precies hier, waar mijn voeten staan, voel ik een strakgespannen koord dat ons verbindt. Als ik weg zou gaan, zou het voor altijd kunnen scheuren.

'Ja, ik blijf,' antwoord ik. 'Voorlopig althans.'

'*Très bien!*' Gigi slaat haar armen om mijn nek en drukt een kus op mijn wang. 'Leuk! Daar krijg je geen spijt van, je zult het zien. Ik geef je alleen één raad: graaf een gat, als niemand kijkt, en verstop daarin je geld en je pas. Het is hier een drukte van belang, je weet nooit.'

Ik knik.

'Gigi... dank voor je hulp. Nu zou ik graag alleen zijn.'

Ik breng de hele dag door met op de kade heen en weer te lopen en me steeds opnieuw onze laatste schreden in herinnering te roepen. Als het donker wordt, drijft de honger me naar de kampvuren in de duinen.

Een klein groepje mensen heeft zich verspreid over het strand. *Dat zijn dus de fameuze Soul Travellers*, denk ik. Van top tot teen getatoeëerde lijven, dreadlocks, psychedelische sarongs, ravenzwarte gewaden die tot op de enkels reiken, honden die opgewonden rondrennen, flessen die van hand tot hand gaan. Het vibrato van een sitar en het ritme van een djembé vermengen zich met gepraat en gelach. Een jongen staat bij het water en laat bola's rondzwieren, ik hoor het sissen van de touwen.

'Wah! *Que chulo*, Pedro!' roept een donkerharige vrouw met twee enorme ringen in haar oren hem toe.

Niemand let op mij en ik ga wat afzijdig, bij een klein kampvuur, naast een groep afgetrainde, met tatoeages bedekte jongelui zitten. Ze discussiëren geanimeerd over golven en branding, een interessant onderwerp. Onder hen is Stefano, de surfer van vanmorgen. Een topless vrouw van rond de zestig stopt me een dampend pakketje in de hand dat naar geroosterde vis ruikt. Sinds pakweg vierentwintig uur heb ik niets gegeten, en het water loopt me in de mond. Ik bedank haar verlegen, wikkel de aluminiumfolie open en verslind de hele inhoud, met graten en al. Naast me zit een lange slungel met zomersproeten en kuitlange dreadlocks. Een sterke geur van hasjiesj prikt in mijn neus. De jongen grijnst naar me en houdt me een rokende *chillum* voor.

'Nee, dank je,' zeg ik glimlachend, en in plaats daarvan reik ik naar een legerveldfles die van hand tot hand gaat. Ik sterf van de dorst en neem een diepe teug: gelukkig is het gewoon fris water. Ik ben zo zwak dat de rook in de lucht al naar mijn hoofd stijgt. De duisternis verdiept zich en de trommels worden luider. Iemand begint op het ritme te dansen. Gigi duikt op uit het niets en ploft naast mij neer.

'Hoe is het, Dem? Alles oké?'

Haar ogen en haar opgewonden stem verraden dat ze de een of andere drug heeft gebruikt.

Twee jongens springen op en putten zich uit in een soort gesimuleerd gevecht. Een van hen maakt een spectaculaire achterwaartse salto. Applaus en aanmoedigende kreten klinken op.

'Heb je het naar je zin? Die doen aan Chinese kempo. Ze oefenen voor het Koh Ley Reh-feest.'

'Wie zijn die twee?'

'Jyu en Chimte. Twee Gaoshan, Taiwanese aboriginals. Een uitstervend ras. Hé, Bethel!' gilt Gigi. 'Kom eens hier! Mag ik je voorstellen: Bethel, Israëlisch deserteur en allerliefste vriendin van me. Ze maakt schelpensieraden.'

Een knokig meisje gehuld in een verbleekte doek komt op me toe en drukt me slapjes de hand. Ik glimlach naar haar. Opnieuw klinkt er applaus en gelach op.

'Gezellig zootje hier,' zeg ik.

'Zo is het. Er heerst een voortdurend komen en gaan. Weinig mensen

335

blijven langer dan een maand, afgezien van ons, vaste bewoners, wij zijn met pakweg dertig. Ik was twintig toen ik hier kwam. Ben hier nu bijna drie jaar.'

'Ach, kom! Heb je dan geen thuis, geen familie?'

Gigi negeert mijn vraag. 'Heb je gegeten?'

'Ja. Die... eh, vrouw daar heeft me gebraden vis gegeven.'

'Ah, dat is Mamma Daria. Weet je, die is bijna zeventig! Ongelooflijk, toch? Een dinosauriër uit het hippietijdperk!'

Gigi strekt haar benen uit en dekt zich toe met een deken die met korsten van zand is bedekt.

'Brrr, het begint koud te worden! Wat het eten aangaat, komen we rond, zoals je ziet. We delen alles, en wie komt brengt altijd iets mee. Zolang je hier bent, zul je geen geld nodig hebben.'

Gigi's laatste zin zet me een moment lang met beide voeten op de grond. Ik denk aan de achtergelaten motorfiets en aan het feit dat ik nog contact moet opnemen met het verhuurbedrijf. Aan het lege mobieltje, het gereserveerde hotel in Taipei. Ik denk aan mijn ouders, die al dagen niets meer van me gehoord hebben.

'Hoor eens, ik moet een paar dringende telefoontjes plegen. Hoe kan ik mijn mobiel opladen?'

'Niks aan te doen, *mon doux garçon*. Er is hier geen elektriciteit. We leven hier zoals in de negentiende eeuw. *Hobo*-filosofie.'

'Dan heb ik een probleempje. Ik moet een paar dingen in Taipei regelen. Morgen moet ik daar hoe dan ook naartoe.'

'Ik ook, morgenvroeg. Ik breng je er wel heen!' Gigi pakt mijn hand in beide handen. 'Ik zal je een paar dingen laten zien die gewone toeristen nooit te zien krijgen!'

Het contact met haar ijzige hand bezorgt me een onaangename rilling. Ik merk dat sommigen ons gadeslaan.

'Ik moet je om een gunst vragen,' fluister ik, terwijl ik mijn hand wegtrek. 'Zeg alsjeblieft tegen niemand wat ik je verteld heb.'

'Ah... oké.' Ze knikt teleurgesteld. 'Jammer. De anderen zouden je verhaal vast te gek vinden. Die zouden je meteen tot hun broeder maken.'

'Geeft niet.'

De maan verschijnt aan de horizon en de stemming wordt steeds opgewondener. Gigi verdwijnt weer en ik kan ongestoord om me heen kijken. Ik ga naar de grot, werp me op het veldbed en slaap in, ondanks de muziek en de kreten die naar me overwaaien. In mijn halfslaap vervormen de klanken: de stemmen worden tot lustvol gehijg, de trommels tot ritmisch stotende bekkens. Ik zou mijn leven geven om je nu bij me te hebben. Om je te kunnen omhelzen, je op dit zand te kunnen drukken... bij je binnen te dringen, je te beminnen, voor een laatste keer.

De volgende morgen leent Gigi een gammel, naar verkoolde olie stinkend Volkswagenbusje en brengt me naar Taipei. Bij het autoverhuurbedrijf meld ik de diefstal van de motorfiets. Geen probleem, wordt me gezegd, de verzekering bekommert zich erom. Ik betaal de hotelrekening en maak de kamer vrij. Dan bezoek ik het FedEx-kantoor om mijn postbus te controleren, maar van Balths brief geen spoor. Het is nu bijna een maand geleden dat hij verstuurd werd, en ik begin langzamerhand te vrezen dat hij zoekgeraakt is. In plaats daarvan is er een door Jackie geschilderde kerstkaart met de beste wensen van de hele familie, Samuel en Chris bijgesloten.

Ik loop een telefoonwinkel in en bel naar mijn ouders. Na een paar oproeptonen hoor ik, ver en hakkelig, de stem van mijn vader.

'Hallo?'

'Ha die pa.'

'Demian! Hoe...'

'Papa, ik heb niet veel tijd. Zeg tegen mama dat we nu een tijd niets van elkaar horen.'

'Wat? Ik heb je niet verstaan.'

'We horen een poos niets van elkaar! Ik zal geen telefoon hebben.'

'Ah! En waarom? Weet je zeker dat alles in orde is? Laat ons niet te lang in het ongewisse, ik smeek je!'

'Geen zorgen. Dag, pa. Tot gauw.'

'Wacht! Ik geef je mama...'

Maar ik heb al opgehangen, met zwetende handen en bonkend hart. Het spijt me enorm, maar ik krijg het niet voor elkaar. Ik breng het nog steeds niet op hen te vergeven.

Ik verlaat de telefoonwinkel. Gigi ziet mijn bedrukte gezicht en weet meteen wat er mis is.

'Je hebt een slecht geweten, hè?' fluistert ze zachtjes terwijl ze me door het haar strijkt. 'Dat is normaal, als je iemand achter je laat. Heb je je portemonnee al verstopt?'

'Nog niet. Als het aan mij lag, zou ik mijn geld en mijn pas het liefst verbranden.'

'Dat begrijp ik. Maar dat kun je beter niet doen.'

Ik weet het. Ik moet nu doorzetten. Ik moet hopen dat geld en papieren me nog van nut zullen zijn, dat ik op een nieuw spoor stuit, dat ik vroeg of laat iets van je hoor. Ik moet elk moment klaar zijn om te vertrekken. Daarom bevalt het idee een gat te graven me niet. In plaats daarvan besluit ik een kluisje te huren. Hier in Taipei zijn er installaties zonder sleutel, die met een vingerafdruk functioneren. Ik laat er alles achter, houd geen cent op zak.

Zo, nu bezit ik niets meer. Ik heb geen identiteit meer.

Ik grijns. Een verlangen me aan de wereld en haar regels te onttrekken, laait woest in me op. Waarom heb ik niet de kracht me ertegen te verzetten? Er is niets meer wat ik echt nodig zou hebben, en dus kan ik er alleen maar aan toegeven, aan dat verlangen. Ik verander het in een belofte.

Zolang ik niet weet waar je bent, zal ik geen cent meer uitgeven. Ik zal mijn geld alleen uitgeven aan de reis die me naar jou toe brengt.

'Je zult het zien, hier heb je geen geld nodig,' piept Gigi vrolijk. 'En nu zal ik je laten zien waarom niet!'

Ze haakt haar arm in de mijne en trekt me tussen de marktkraampjes door die zich in de schaduw van de wolkenkrabbers van de city in de stegen van Songshou verdringen.

'Open je rugzak.'

'Maar wat...'

Ik kan de zin niet afmaken: Gigi trekt de ritssluiting open, stopt er een tros bananen in en sluit hem weer. Het bloed gonst in mijn oren. Het wemelt van de mensen, stel dat iemand ons gezien heeft? De gezichten om ons heen monsteren ons argwanend, een tandeloze mond opent zich om 'houd de dief' te roepen, wijsvingers richten zich op ons. Prompt verjaagt Gigi's schallende lach mijn aanval van paranoia.

'Heb je het gezien? Geen poen, bananen gratis!'

'Ja, hé, maar je hebt ze gestolen!'

'*Wie* hier *wat* van *wie* steelt, staat nog te bezien. En nu wegwezen hier!'

Ze pakt mijn hand en sleurt me door de smalle marktpaden. Na een poosje heeft ze een worstketting om haar nek hangen.

'Nu laat ik je een paar parels van Taipei zien die je niet in de Lonely Planet vindt!'

We dompelen ons onder in de labyrintische voorsteden van de stad, te midden van oriëntaalse visioenen, die ons als in een droom achtervolgen, en bedwelmende geuren van specerijen.

Onvermoeibaar – likkend aan mijn blote voeten – slaan de golven stuk op dit okergele strand. De dagen verstrijken in uniforme vluchtigheid. Rusteloos dool ik door deze gevangenis van zand en water. Ik staar naar de horizon, waar de muur van de amnesie zich verheft en de zonnestralen opslokt. Ik blijf waakzaam, als zou ons schip van het ene moment op het andere kunnen opduiken en ons levend en wel naar ons leven terugbrengen.

Maar het komt nooit.

Er zijn twee weken verstreken sinds mijn aankomst bij de Soul Travellers. Het leven in de openlucht is al met al heel aangenaam, de winterse lucht van Taiwan fris en droog. Ik houd me afzijdig, praat met niemand en slaap 's nachts alleen in de grot.

'Ze hebben je de bijnaam "holenmens" gegeven,' zegt Gigi geamuseerd. 'Ze denken allemaal dat je een beetje koekoek bent!'

Ik voel het wantrouwen van de anderen, ze vragen zich af wie ik ben en wat ik hier te zoeken heb. Gigi houdt het geheim van mijn geschiedenis voor zich, zij het met tegenzin. Maar het wantrouwen is wederzijds: ik laat de rugzak geen moment uit mijn ogen, de inhoud is te waardevol om hem te laten stelen. Hij is de sterkste band die me met jou verbindt, de reden waarom ik hier ben.

Ten langen leste geef ik toe aan Gigi's aandrang en lever mijn bijdrage aan de gemeenschap. Met Horu's techniek vervaardig ik netten en breng mijn tijd door met vissen. 's Avonds breng ik de vangst naar Mamma Daria, die hem voor iedereen toebereidt. Afgezien van haar woeste, vuurrode kop met haar ziet ze eruit als Sylvia's tweelingzuster. Terwijl ik met haar babbel, hoor ik dat ze Sylvia en Jack goed heeft gekend, ze behoorden allemaal tot het groepje dat de Soul Travellers dertig jaar geleden oprichtte. Maar anders dan zij is Daria nooit meer weggegaan.

Een stroom van gezichten passeert deze stranden, in twee weken tijd komen en gaan er niet minder dan tweehonderd mensen. In de permanente chaos val ik niet op, en dat is goed zo. Gigi is de enige tegenover wie ik me kan openstellen, misschien omdat ze mijn verhaal kent. In zekere zin zorgt ze voor me, ze komt me opzoeken, vergewist zich ervan dat het goed met me gaat, en brengt me op avonden dat ik geen zin heb om in de duinen te zijn iets te eten in de grot. We praten niet veel, van haar weet ik zo goed als niets. Ik vraag niets en zij respecteert mijn stilzwijgen. Ondanks alles voel ik dat Gigi zich tot mij aangetrokken voelt, en ik vrees dat dat niets goeds voorspelt.

Het wordt 31 januari. Ik heb niets meer in mijn dagboek geschreven.

Dat heeft zijn reden. Als ik het opensla, ontkom ik er niet aan de laatste bladzijde te herlezen. De onafgemaakte zin.

'Maar als ik je niet kan vinden...'

Ik ben als verlamd. Ik kan niets anders schrijven zolang deze zin niet af is. Mijn lot ligt in de woorden die ik zal moeten gebruiken.

Maar hoe zal ik de moed vinden?

Een hardnekkige stem dringt aan: probeer op z'n minst *rekening* te houden met die mogelijkheid. Maar hoe kan ik aan een ander leven denken, een leven zonder jou? Hoe zou ik naar huis kunnen gaan en je proberen te vergeten?

Nee. Er is nog een andere weg, hier, direct voor me. Ik ben hem ingeslagen, zonder het zelfs maar te merken. Ik ren er halsoverkop opaf. Ik kan niet stoppen. Ik kan niet terug.

56

VER VAN KARIN

SAN FRANCISCO, 2 JUNI 1994
DE DAG NA HET SCHOOLFEEST
(DEMIAN IS ZEVENTIEN)

Ik lig op bed, ogen star naar het plafond gericht, stralen ochtendlicht wekken het stof. Gekrijs van meeuwen, de vuilniswagen komt voorbij. Het is de eerste vakantiedag, maar ik kom niet in slaap. Ik kan niet ophouden aan gisteravond te denken. Het is een zalig gevoel, dat me tegelijkertijd bang maakt.

De morgen gaat oneindig langzaam voorbij, de minuten kruipen en rekken zich op door het wachten.

Elf uur. De telefoon gaat. Ik stort me erop en ben slechts een seconde sneller dan mijn azende zus. Jij bent het.

'Over twee uur vertrekken we naar de camping...' Je stem lijkt van gene zijde te komen.

Ik wist het. Ik wist het. Ik probeer mijn teleurstelling te onderdrukken, maar dat valt niet mee. In mijn borst opent zich een smartelijke leegte.

'Dem...?'

'Wat moet ik zeggen? Jammer. Ook al had ik er eerlijk gezegd rekening mee gehouden. Ik had niet gedacht dat je je vader zou kunnen overtuigen dat je inmiddels te oud bent om te kamperen. Maar ik dacht dat je het op z'n minst nog een paar dagen zou kunnen uitstellen...'

'Ik weet het. Maar papa was vanmorgen zo vrolijk bij het idee, ik kon het gewoon niet over mijn hart verkrijgen. Het is zo belangrijk voor hem, sinds de dood van mijn moeder is het een soort traditie.'

'Tuurlijk, dat snap ik. Geen probleem.'

'Ik vind het ook jammer. Heel erg jammer.'

We zwijgen.

'En jij? Ben je er nog altijd van overtuigd dat je de vakantie thuis doorbrengt?'

'Absoluut. Je gelooft niet hoe lang ik op mijn ouders heb moeten inpraten tot ze het goed vonden. Over een week vertrekken ze, mijn zus over een paar dagen. En dan... twee maanden het huis voor mezelf!'

'Als ik hen was, zou ik allesbehalve gerustgesteld zijn jou alleen thuis te weten.'

'Maar ik zal niet alleen zijn. Chris, Gaz, Jay en de anderen zijn er ook.'

'Nog erger. Haal geen onzin uit, oké?'

'Hé, je praat alsof we...'

'Alsof jullie wat?'

'Niets. Dat vertel ik je als je terug bent.'

'Precies. Twee maanden...'

Je slikt je tranen weg.

'Sorry, Dem. Ik bel je elke dag!'

'Ja ja, en dat geloof ik! Je gaat toch naar het Yosemite? Dat is een plek voor hardcore-kampeerders, er is geen telefoon.'

'Waar wij heen gaan wel. Bij het kampeerterrein is een soort blokhut. Elke avond om negen uur bel ik je op. Met ingang van vanavond, als we aangekomen zijn. Zorg dat je thuis bent. Maar als je het één keer laat afweten, is het uit met het bellen, begrepen?'

'Oké. Ik zal mijn dagen slijten door met kloppend hart de klok van negen af te wachten.'

'Neem je me in de maling?'

'Nee. Ik meen het doodserieus.'

Je zwijgt een moment, je weet niet wat je geloven moet.

'Het zou mooi zijn als je met ons mee kon. Maar papa zou een beroerte krijgen.'

'Hmmm... Ik heb zitten denken. Ik zou wat geld opzij kunnen leggen en je komen opzoeken. Als ik een vakantiebaantje vind, kan ik genoeg voor de reis en wat uitrusting bij elkaar schrapen. Je vader kan me tenslotte niet verbieden om in Yosemite te kamperen, wat jou?'

'Natuurlijk niet. Maar als er zomaar een boom op je tent valt, heb ik je gewaarschuwd...'

We barsten in lachen uit. Hoe vaag het ook is, het idee dat we elkaar zouden kunnen zien, stelt ons gerust.

'Nu moet ik er een eind aan breien. JA, IK KOM AL! Papa roept me. We kunnen niet eens meer fatsoenlijk afscheid nemen.'

'Is al goed. We zien elkaar snel, ik beloof het je. En tot dan vliegen de dagen.'

Maar hoe lang kunnen een paar zomerdagen worden, als je zeventien bent?

Je telefoontje om negen uur blijft uit. De volgende dagen ook. Mijn teleurstelling verandert in de irrationele angst dat je iets overkomen kan zijn. Op de vierde avond om exact negen uur rinkelt eindelijk de telefoon.

'Een telefoonmast is omgevallen... is dat niet balen?! Drie dagen hebben ze nodig gehad om hem te repareren, het huilen stond me nader dan het lachen.'

'Het voornaamste is dat alles weer in orde is. Ik maakte me al zorgen, ik dacht dat Yogi Beer je had opgegeten.'

'Yogi woont in Yellowstone,' zeg je bloedserieus. 'Dem, dat is nog niet alles. Mijn vader heeft besloten dit jaar ergens anders heen te rijden, we zitten hier in the middle of nowhere. Die blokhut is heel ver weg en hij durft me er niet alleen naartoe te laten gaan. Ik kan mijn belofte je elke avond te bellen niet nakomen...'

Je stem trilt. Een tomeloze woede stijgt in me op: heb je bij deze beslissingen dan helemaal geen inspraak? Zou je je vader niet op z'n minst een béétje weerwerk kunnen geven?

'Geeft niet. Bel me maar wanneer je kunt, maakt niet uit.'

Er verstrijken drie dagen. Haarfijn vertel je me van je eerste week, over de wandelingen, zwemmen in een ijskoud meer, vissen in de bergbeek. Een beetje benijd ik je wel – hier in San Francisco heeft het alleen maar geregend.

'En jij? Hoe gaat het bij jou?'

'Ik heb een vakantiebaantje bij Pier 47 gevonden. Viskratten uitladen, containers schoonspuiten, dat werk. Ik ben vanmorgen begonnen, om zes uur moest ik eruit, verdomme nog aan toe.'

'Je laadt viskratten uit? O god, wat zal dat stinken! Was je maar goed voor je hierheen komt!'

'Heel grappig. Gelukkig is Chris er ook bij, met zijn tweeën is het beter uit te houden.'

'Ah, je onafscheidelijke partner. Ik kan nog niet eens ophouden me zorgen te maken als je tussen de paling zit...'

Drie dagen later reken ik weer op een belletje, maar de telefoon blijft een week lang stom.

'Verdikkie, het spijt me, papa kwam ineens op het geweldige idee van een zesdaagse excursie naar het McGee Lake. We vertrokken voor dag en dauw, ik kon je niet waarschuwen. Je kunt je niet voorstellen hoe rot ik me voelde.'

'Maak je geen zorgen, ik vermoedde al zoiets. Hoe was het?'

'Verschrikkelijk! Maar de berglucht heeft papa duidelijk goed gedaan, hij was veel relaxter dan anders. En trouwens, ik heb eindelijk goed nieuws!'

'En dat is?'

'Ik heb papa over jou verteld... Over ons... Nou ja, niets wereldschokkends, ik heb alleen gezegd dat je een goede vriend bent. Ik weet niet hoe, maar ik heb hem kunnen overhalen je uit te nodigen! Je zou meteen kunnen komen, we nodigen je uit!'

'Maar dan zouden jullie alles moeten betalen. De tent en de hele mikmak.'

'Nou en? Wat is het probleem?'

'Nee, Karin, daar zou ik me niet goed bij voelen. Ik ben liever zelfstandig.'

'Maar Dem...'

'Ik heb bijna genoeg bij elkaar.'

'Oké, ik begrijp het.' Maar je klinkt diep teleurgesteld. Haastig hang je op. 'Ik bel je zondag.'

De zondag komt, en ditmaal zonder onprettige verrassingen. Maar je bent onderkoeld. Lusteloos vertel je me wat je gedaan hebt en geeft korte antwoorden op mijn vragen.

'Helaas kan ik je vóór volgende week niet meer opbellen. Een paar oud-collega's van papa zijn met hun kinderen deze kant op gekomen, enkelen zijn van onze leeftijd, en hij heeft gelijk nog een zesdaagse excursie georganiseerd.'

'Geeft niet. Ik ben deze week ook weg. We hebben met Chris en de anderen een reisje gepland. In Vallejo is een rave.'

'Ah, een rave.'

En prompt zijn de rapen gaar en onze eerste ruzie brandt los.

'En het baantje laat je schieten?'

'Nou ja... ik breek er een weekje tussenuit.'

'Dus moet ik nog een week langer wachten.'

Stilte.

344

'Weet je wat ík denk? Dat je niet op mijn uitnodiging bent ingegaan omdat je naar die stomme rave wilde. Je wist het al, hè? Ik heb de strijd aangebonden met mijn vader, heb echt m'n best gedaan om hem om te praten. Allemaal voor niets!'

Je scherpe toon brengt de frustratie die zich de laatste dagen in mij opgebouwd heeft tot ontploffing.

'Ach ja, je grote gevecht, de grote strijd om onafhankelijkheid die je geleverd hebt!'

Ik zou het liefst op mijn tong bijten, maar ik kan het niet. Zoals altijd krijgt mijn vernietigingsinstinct de overhand.

'Hoor eens hier, papa's lieveling, ik ploeter tussen de stinkende vis en sta midden in de nacht op om jou naar de bergen te volgen, terwijl ik geen bal met kamperen heb, en jij windt je op omdat ik mezelf vier dagen pauze gun? Snap je niet dat ik ook wel eens iets leuks wil doen, met mijn vrienden optrekken, de stekker eruit trekken?'

Wat volgt is een ijzige pauze.

'Oké. Dan ga je je maar amuseren. Ik bel je als ik terug ben van de excursie.'

Je smijt de hoorn op de haak. Ik blijf met de telefoon in de hand en bonkend hart achter. Nou ja, dan ga je toch lekker op je excursie, voor mijn part kun je meteen naar de duivel lopen.

De week vliegt om. Tijdens de rave in de woestijn vind ik genoeg afleiding, en misschien vergaat het jou net zo met je nieuwe vrienden. Als ik weer thuiskom en de trap op loop, hoor ik de telefoon rinkelen. Het zou iedereen kunnen wezen, maar mijn zesde zintuig zegt dat jij het bent. Als een gek race ik naar boven, maar net als ik de hoorn wil opnemen, stopt het rinkelen.

'Shit! Shit, shit!' roep ik, en ik smijt de stoffige rugzak op de grond. Een kleine wolk woestijnzand verspreidt zich in de gang.

Nog zeven dagen stilte. Een belachelijk schuldgevoel dringt zich aan me op, vanwege de dingen die ik tegen je gezegd heb, omdat ik weg ben geweest, zelfs omdat ik niet op tijd bij de telefoon was. Ondertussen maak ik meer werkuren en stel opgelucht vast dat ik met het volgende loonzakje erbij genoeg bij elkaar heb om naar je toe te komen.

Op de avond van de derde juli bel je me op. Je vrolijke, onbezwaarde stem is als een stomp in mijn maag.

'En, hoe was de rave?'

'Super. We hebben het leuk gehad.'

'Ik ook! Ik heb een paar nieuwe mensen leren kennen. Hartstikke aardige lui, jij zou ze ook aardig vinden.'

'Vast en zeker,' zeg ik knarsetandend. 'Hoor eens, ik ben bijna klaar met dat baantje...'

'Ik moet je wat...'

We praten door elkaar, vallen dan tegelijk stil.

'Ga je gang, na jou.'

'Ik heb geweldig nieuws. Vanaf morgen logeer ik bij Mark.'

'En wie is Mark, als ik vragen mag?'

'Heb ik je niet over hem verteld? Hij is een van de mensen die ik hier heb leren kennen. Ik zou hem zo graag aan je voorstellen. Een ontzettend invoelend iemand, het is te gek om met hem te praten! Hij begreep meteen hoe ik in elkaar zit.'

'Ja ja, vanzelf.' Zonder het te merken bijt ik op mijn lippen tot ik de metalige smaak van bloed in mijn mond heb.

'Hij heeft een prachtig chalet in de buurt van Mammoth Lakes. Helemaal van hout, met geraniums voor de ramen, verwarmd zwembad, geweldig! Alleen jammer dat papa liever in de tent slaapt, dus zal ik er alleen heen moeten.'

En al mijn moeite om naar je toe te komen? Ben je vergeten dat ik als een idioot gebuffeld heb? Laat je dat inmiddels koud?

Maar waarom kan ik niets meer uitbrengen?

'Maar het heeft ook een positieve kant. In Marks chalet is telefoon, ik kan je dus vaker opbellen. Of bel jij mij maar, ik zou hem niet graag op kosten jagen. 's Avonds zijn we altijd thuis.'

'Oké. Ik bel je. Maar ik krijg het vrij druk. Misschien ben ik ook een poosje weg.'

Ik krijg wat in me borrelt gewoon niet over mijn lippen. Mijn enige reactie is ijzige, bittere afstandelijkheid.

Uiteraard laat ik het baantje meteen schieten. De dagen komen me oneindig leeg en zinloos voor. Ik dwing me om niet meer aan je te denken. Maar ik schijn je in mijn bloed te hebben, als een gif dat door mijn aderen stroomt. Ik houd het maar vier dagen vol. Als ik je op de avond van 7 juli opbel, antwoordt een mannenstem van onbestemde leeftijd.

'Karin is er niet. Met wie spreek ik?'

'Met Demian, een vriend. Kunt u aan haar doorgeven dat ik gebeld heb? Bedankt.'

Er gaan nog meer dagen voorbij, ik weet niet meer hoeveel. Dan laat je eindelijk van je horen. Op de achtergrond hoor ik stemmen.

'Wie heb je daar bij je?'

'Hier? Niemand!'

Ik hoor het gesnuif van een onderdrukte lach op de achtergrond, dan proest je het uit. Ik hoor geluk in je stem, en je hebt geen idee hoezeer me dat kwetst. Maar ik doe net alsof ik even onbezwaard ben. Ik wil sterk overkomen. Je laten weten dat je me in wezen volkomen onverschillig laat.

Dat is het laatste telefoontje. Je vergeet zelfs mijn verjaardag op 21 juli.

Er blijft me niets anders over dan het einde van deze vervloekte zomer af te wachten. Maar hoe lang kan een zomer werkelijk duren, als je zeventien bent?

Op de eerste schooldag zie ik je weer. Ik sta op het drukke schoolplein bij de uitgang en laat mijn blik nerveus over het gewemel glijden, ik zoek je, zonder het aan mezelf toe te geven. En daar ben je: samen met Chrystal en je andere vriendinnen kom je door het oude smeedijzeren hek. Je draagt een blauwe minirok en een wit t-shirt, dat straalt in de zon. Je hebt je haar tot een lang ponykapsel in Cleopatrastijl laten knippen. Je bent gebruind, stralend, en een ogenblik lang beneemt je schoonheid me de adem.

Maar dat voelt alleen maar rot.

Ik zoek je met mijn blik tot je me ziet.

'Demian!' roep je met al te schrille stem. Je rent op me toe en slaat je armen om mijn nek. 'Wat heb jij uitgespookt? Hoe is het met je?'

'Nou,' zeg ik met opeengeklemde tanden, 'beetje druk geweest.'

'Dat dacht ik al. Nou ja, nu zijn we weer hier.' Je lacht gekunsteld. Alles aan je, van je gelaatsuitdrukking tot je stem, komt onnatuurlijk en geforceerd op me over. Mijn reactie is het exacte tegendeel: ik blijf ijzig en afstandelijk, misschien meer dan ik zou willen.

'Ja, helaas gaat het allemaal weer beginnen,' zeg ik kortaf. 'Ik zie je nog wel.'

In de volgende dagen doen we alles om elkaar uit de weg te gaan. Wanneer dat niet mogelijk is, doen we alsof we elkaar niet zien: ik frunnik aan het snoer van mijn walkman of steek een sigaret op, jij giechelt gemaakt met je vriendinnen of maakt gekheid met je klasgenootjes.

'Soms moet een mens zich gewonnen geven, mijn vriend,' zegt Chris. Hij klopt me op de schouder. Dat is zijn manier om met het probleem om te gaan. Ik doe alsof ik hem niet begrijp en negeer het. Is sowieso weer een van zijn tegeltjeswijsheden.

Op een dag, eind september, lopen we elkaar in het park tegen het lijf, precies voor ons bankje. We zijn allebei alleen, doen alsof we elkaar niet zien is ditmaal onmogelijk. We groeten elkaar. Onze blikken ontwijken elkaar, het gesprek is kil en formeel, de opgelatenheid is tastbaar. Als je wegloopt, ben ik bijna opgelucht. En tegelijk opent zich een afgrond.

Het is dus echt uit.

Ik kan niet zeggen wat er gebeurd is. In mij, in jou. Is er een reden voor dit alles? Is er een verklaring voor deze ondraaglijke pijn?

De hasj die de dagen daarna rondgaat, helpt me om me een beetje te verdoven. Maar tegelijk maakt de stuff me verwarder, hij maakt een brij van mijn dromen en herinneringen. Het schoolfeest, de vakantie, het werk op de visafslag, onze ruzie, alles lijkt oneindig ver weg en soms vraag ik me af of het werkelijk gebeurd is of dat het zich alleen in mijn hoofd heeft afgespeeld.

Oké, oké. Het leven gaat door. Nu moet ik de kracht vinden om uit mezelf los te rukken wat van jou nog in me is. Waar was ik gebleven voordat ik jou ontmoette?

Ik lig op bed, luister naar Mr. Bungle en blader lusteloos door een paar tijdschriften, als er plotseling een met tekst volgekrabbeld papieren servet in mijn handen valt. Het is de tekst die je de eerste keer dat we met elkaar praatten uit mijn vingers plukte. Jouw manier om het ijs te breken. Ik lees hem. De laatste regels lees ik meerdere malen. De laatste woorden die ik schreef voordat ik verliefd op je werd. Dit lied ging over een jongen die er niet in slaagt zijn eigen leven te leven. Dat ben ik. En jij hebt hem enkele ogenblikken in een vreemde, prachtige droom van licht ondergedompeld.

Ja, precies daar was ik gebleven. Ik spoel mijn leven terug.

Ik ga terug om je uit te wissen.

57

EEN VERHAAL ALS EEN SPIEGEL

De slaapverwekkend drukkende middaglucht wordt verscheurd door kreten. Ik herken Gigi's stem. Met kloppend hart kijk ik op van mijn dagboek.

'Mensen, Jacques komt eraan!'

De opgewonden kreten verwijderen zich.

'Jacques! *Bienvenue!*'

Een half uur later duikt Gigi ademloos in de ingang van de grot op. De lucht achter haar is ongewoon donker, het ziet ernaar uit dat het gaat regenen.

'Dem, kom! Je moet iemand leren kennen...'

Ik lig met mijn handen gevouwen achter mijn nek op het veldbed en trek een wenkbrauw op.

'Ene Jacques, misschien?'

'Ja, je moet hem absoluut leren kennen!'

'Oké, oké, rustig maar. En wie mag dat dan wel wezen?'

'Een landgenoot van me. Hij reist om de wereld en zet zich in voor verscheidene hulporganisaties. Twaalf jaar geleden heeft hij...'

Een oorverdovende donderslag weerklinkt.

'Kom mee!' roept Gigi, en ze trekt me de grot uit. 'Dadelijk gaat het hozen!'

Inderdaad komt de regen even later met bakken uit de hemel. We steken hollend het strand over en worden nat tot op het bot. We bereiken de vervallen kazerne en glippen onder de folie door, die de ingang markeert.

De grote ruimte stinkt naar tabak en schimmel. Iedereen is al binnen om voor het onweer te schuilen. De regen dringt door de kapotte ramen en druipt omlaag over de met graffiti en posters bedekte muren. De complete 'vaste bewoners'-groep staat te lachen en geiten met een type dat op een ijzeren tafel zit. Dat moet de fameuze Jacques zijn. Hij ziet eruit alsof hij net een tienduizend mijl lange voettocht heeft gelopen. Hij is mager, ziet er oud uit voor iemand van halverwege de veertig, heeft een bruingebrand, verweerd gezicht, een hoog voorhoofd en lang blond haar, dat eruitziet als stro. Hij draagt legerkistjes, een spijkerbroek en een tot de hals dichtgeknoopt legerhemd. Hij doet een beetje denken aan Crocodile Dundee.

Jacques knikt groetend naar Gigi en beantwoordt mijn blik. Afwezig kijkt hij me aan, dan vertrekt zijn rimpelige mond zich tot een grimas van verbazing.

'Hé, maar jou ken ik!' roept hij met een nasaal Frans accent. Hij springt van de tafel. Het kringetje mensen om hem heen opent zich.

'Nee, dat geloof ik niet,' antwoord ik stomverbaasd over zijn reactie.

'Ik vergeet geen gezicht, *jamais!*'

Hij bukt zich naar zijn rugzak, haalt er een ringband uit en bladert die haastig door. Dan haalt hij triomfantelijk een verkreukeld stuk papier tevoorschijn en wappert ermee voor mijn neus.

'Kijk maar!'

Het is het opsporingsbiljet dat mijn vader en Samuel hadden laten drukken. Onze lachende gezichten, wang aan wang, kijken me aan vanaf een enkele jaren oude portretfoto.

'Ik heb hem van je vader,' zegt Jacques. 'Ik heb hem een paar maanden geleden in Taipei leren kennen. Een geweldige man, je vader!'

Hij monstert me een paar seconden met een verstrooide blik.

'*Mon Dieu!*' roept hij dan en hij schudt me aan de schouders. 'Je moet contact met hem opnemen! Meteen!'

Ik kijk hem beduusd aan, niet in staat te reageren. Deze man spoort niet helemaal.

'Kalm aan, Jacques,' mengt Gigi zich in het gesprek. 'Je bent niet meer helemaal up-to-date. Demian is al thuis geweest en heeft zijn ouders gezien. Hij is nu in Taiwan om zijn vrouw te zoeken.'

Gigi trekt het opsporingsbiljet uit mijn vingers. Lang bekijkt ze je gezicht, bestudeert je nieuwsgierig.

'Ah! Gigi,' antwoordt Jacques met een glimlach. '*J'ai quelque chose pour toi, ici.*' Hij klopt op zijn rugzak en knipoogt naar haar. Ze zet grote ogen op.

'*Vraiment? Que tu es grand, Jacques! Merci!*'

Het onweer trekt even plotseling weg als het gekomen is. De namiddaghemel is weer blauw. Ik installeer me voor de grot op het koude, cementharde zand. Woeste golven slaan stuk op de klippen.

'Alleen, zoals altijd, *quoi*?'

Gigi's silhouet tekent zich af tegen de avondhemel, haar dunne benen vallen samen met hun eigen, langgerekte schaduwen. Ze komt naast me zitten.

'En waarom ben je niet bij Jacques?'

Mijn stem klinkt onnatuurlijk scherp. Ik ben zelf nog het meest verrast.

'Je bent toch niet jaloers?' Ze schiet in de lach en werpt haar hoofd naar achteren, zodat haar blanke halslijn zichtbaar wordt.

Als enig antwoord werp ik haar een ijzige blik toe.

'Sorry, was maar een grapje! Ik zal je het grote geheim onthullen. Ik heb een passie waarover ik je nog niet heb verteld. Ik verzamel flessenpost.'

Haar woorden doen een belletje bij me rinkelen.

'Verwacht nu niet te veel. Meestal zijn het boodschappen die in overdrachtelijke zin aan de zee zijn toevertrouwd. Ik ben vooral uit op brieven, bij voorkeur liefdesbrieven, of brieven waaraan een mysterie kleeft. Zo nu en dan vindt Jacques iets interessants en dan brengt hij het voor me mee, dat is alles.'

Ik zeg niets. Voor mijn innerlijk oog verrijst het beeld van een boodschap die over de oceaan drijft en mij vergeefs probeert te bereiken. Gigi lijkt mijn gedachten te hebben geraden. Ze steekt een sigaret op en rookt hem zwijgend op.

'Waarom praat je niet met Jacques?' zegt ze ten slotte, na een lange stilte. 'Waarom vertel je hem niet wat je mij verteld hebt?'

Ik schud mijn hoofd. Gigi's koude vingers sluiten zich om mijn pols.

'Ik wil je alleen maar helpen, Dem. Ik wil je vriendin zijn. Echt waar.'

'Laat maar,' antwoord ik stug. 'Je kunt me niet helpen. Maar dat is jouw schuld niet. Je doet al veel te veel.'

Ik sta op en maak aanstalten om weg te lopen. Alleen het gedaver van de golven is in het donker te horen. Maar ik voel dat Gigi haar adem inhoudt. Iets maakt haar onrustig.

'Dem... kom, ga zitten. Ik wil dat je me het verhaal van het eiland nog eens vertelt, van toen je onder de wilden leefde.'

'Het zijn geen wilden,' antwoord ik bars.

'Je hebt gelijk, sorry. Je zei: als er al wilden zijn, dan zijn wij dat.'

Ze bedelt net zo lang tot ik toegeef. Vooral het deel over de zwarte parel interesseert haar, en ze stelt massa's vragen. Ik beschrijf haar alles heel precies, van mijn eerste duikpogingen tot de vondst van de Onderwatermaan. Als ik deze naam laat vallen, krimpt Gigi ineen. Ze vraagt me hem te herhalen, dan springt ze overeind.

'Sorry, Dem...' Ze knippert nerveus met haar ogen, het lijkt alsof ze moet huilen. 'Ik...'

Ze rent weg, zonder de zin af te maken.

De volgende morgen trek ik me terug op het uiterste puntje van de landtong. De stormgolven zijn nog niet tot bedaren gekomen, ze slaan woest tegen de rotsen en het ijskoude schuim bevochtigt mijn huid. Plotseling staat Jacques achter me.

'Het uitzicht is hier geweldig, nietwaar?' schreeuwt hij, om boven de wind uit te komen.

'Voor mij niet.' Geërgerd over zijn aanwezigheid draai ik hem weer de rug toe. Hij incasseert mijn reactie met een glimlach en zwijgt. Misschien ben ik te bruusk geweest.

'Ik hoor dat je veel reist.' Ik begin het gesprek opnieuw. 'Dan ken je misschien Kanku-Shi.'

'Ik ben er nooit geweest, maar ik heb ervan gehoord. Het moet een soort paradijs op aarde zijn. En God weet dat ik maar beter met een grote boog om zulke plekken heen kan gaan.'

Die laatste zin verrast me. Pas nu merk ik dat een bijna tastbare aura van lijden deze verder zo ongedwongen man omgeeft.

'Gigi heeft me je verhaal verteld.'

'Ik had haar gezegd het voor zich te houden,' grom ik.

'Misschien heeft ze het gedaan omdat ze denkt dat ik je zou kunnen helpen. Ik kom veel in Azië, in ziekenhuizen en vluchtelingenkampen. Ik heb het gezicht van je vrouw haarscherp op mijn netvlies. Voor zover ik iets kan bijdragen, heb je dus mijn volle steun.'

Ik knik dankbaar.

'*Et toi?*' vraagt Jacques. 'Ben je opgehouden haar te zoeken?'

'Ik kan het niet meer. Ik ben de gevangene van deze strook zand.'

Ik spreid mijn armen uit in de richting van de landtong en de duinen. Jacques reageert met een wrange glimlach.

'Ik begrijp je, weet je? Mij vergaat het net zo, al is mijn zandpiste inmiddels zo groot als de halve planeet. Ik zwerf al twaalf jaar rond, *mon cher Démian*, en vind geen rust.'

We kijken elkaar in de ogen. Ik weet niet waarom, maar ik voel een diepe verbondenheid met deze man. Hij haalt twee filterloze Gitanes uit een verkreukeld pakje en houdt me er een voor.

'Nee, dank je. Ik rook al een tijd niet meer.'

'*C'est un bon moment* om weer te beginnen.'

Hij beweegt de sigaret heen en weer voor mijn neus. Na lang aarzelen pak ik hem aan, beweeg hem nerveus heen weer tussen wijs- en middelvinger en neem hem dan tussen mijn lippen. Met een snel gebaar steekt Jacques beide sigaretten aan, met een oude, bekraste zippo.

Ik neem een diepe teug, de rook daalt af in mijn keel. Het is vreemd. Na zo veel jaren had ik iets anders verwacht. Ik voel helemaal niets.

'Soms, als ik eventjes pas op de plaats maak,' vervolgt Jacques, 'besef ik dat ik, hoeveel ik ook rondtrek, nooit meer zal kunnen vinden wat ik zoek. En dan heb ik het gevoel dat me nog maar één weg openstaat.'

Langzaam brengt hij zijn hand naar zijn slaap. Strekt zijn wijsvinger. Doet alsof hij zichzelf doodschiet, doet *pang* met zijn lippen. Ik ben als versteend.

'Maar weet je, Demian... ik ben al dood.' Zijn stem trilt. 'Twaalf jaar geleden ben ik gestorven, samen met mijn vrouw en mijn kind. In tegenstelling tot jou heb ik nooit de hoop gehad hen levend terug te vinden: ik heb hen voor mijn ogen zien sterven. En toch heb ik lang naar hen moeten zoeken. Onze paden lopen dus helemaal niet zo ver uiteen. Je zult in jezelf moeten zoeken, iets moeten vinden wat je een reden geeft om weer naar het leven terug te keren. Je wilt je vrouw Karin terug, dat begrijp ik. Maar *je moet haar eerst in jezelf herkennen*. Haar liefde terugvinden, in jezelf. Dat voor elkaar krijgen' – hij pakt mijn hand en geeft er een kneepje in – 'wat mij niet gelukt is.'

Met open mond sta ik daar, een kreun ontsnapt aan mijn keel zonder dat ik het kan tegenhouden. Ik kan de aanwezigheid van deze man niet langer verdragen.

Ik wend me af en sla op de vlucht, verlaat de landtong, klauter de duinen op en ren het bos in. Maar Jacques' woorden volgen me, ik kan er niet voor vluchten. Ze halen me in en omsingelen me. Ze zijn als spiegels.

Maar als ik je niet hier kan hebben, in de realiteit waarin ik je heb gevonden, je niet kan aankijken, kan aanraken, kan horen lachen, huilen en kreunen wanneer we de liefde bedrijven...

Jacques heeft gelijk. Dan is er nog maar één weg.

58

HET ZELFVERNIETIGINGSINSTINCT

Opnieuw komt Gigi me zoeken.

'Vooruit, kom mee. Ik maak een *tie guan yin* voor je, dan kom je weer een beetje tot jezelf.'

'Wat is dat voor spul?' vraag ik wantrouwig. Ze lacht.

'Dat is een thee! Heel lekker, hij wordt hier in Natou verbouwd. Vrij van toegevoegde geur- en smaakstoffen, ik zweer het.'

Gigi's 'huis' is een oude, onbeheerde woonwagen, waarvan ze iets behoorlijk indrukwekkends gemaakt heeft. Voor de uit de hengsels gerukte deur heeft ze een soort veranda gecreëerd: boven een vloer van houten pallets heeft ze een buitentent opgezet en die als een Arabische harem ingericht, met oosterse tapijten, enorme bloedrode ligkussens en paarse gordijnen als wanden. In het midden een lage tafel en een grote zilveren waterpijp, die ze in Andalusië gestolen zegt te hebben.

'Maak het je gemakkelijk.'

Ik laat me op een van de kussens vallen en Gigi verdwijnt in de woonwagen. Ik hoor hoe ze de waterketel vult en op het vuur zet. Dan verschijnt ze weer in de deuropening.

'Probeer er eens even niet aan te denken. Wat heeft het voor zin om jezelf zo te kwellen?'

Ze komt het trapje af en zet twee lege kopjes op het tafeltje. Dan verrast ze me door me over mijn wang te aaien.

'Geloof me, ik weet wat je doormaakt. Je lijkt erg op Jacques.' Ze vorst me met haar kattenogen. 'Dezelfde gekwelde liefde... op jullie manier zijn jullie heel romantisch.'

De ketel fluit. Gigi gaat hem halen, komt terug en giet kokend water in de kopjes. Haar gezicht verdwijnt in een wolk van damp.

'Jullie hebben dezelfde destructieve kracht in je. Jullie vechten ertegen, maar tegelijkertijd voeden jullie hem.'

'Dat is normaal. We hebben mensen verloren van wie we houden.'

'Ik ben noch bijzonder invoelend, noch een psycholoog, Dem. Maar in jou zit nog iets anders. Ik zou het...' – ze speelt nerveus met haar tong-piercing – 'een zelfvernietigingsinstinct noemen. Iets wat al vóór deze gebeurtenis in je leven was.'

Gigi onderbreekt zichzelf en nipt aan haar thee. Met ingehouden adem kijk ik haar aan.

'In jouw verleden, in je jeugd misschien, heeft dit instinct de boven-hand gekregen. Toen leerde je Karin kennen en wist zij het zo ver te neutraliseren dat je het vergeten bent. En nu ze er niet meer is, ben je...'

'Hoogst interessant,' val ik haar nerveus in de rede. 'Maar ik weet niet waar je het over hebt. Bovendien heb ik geen zin erover te praten.'

'Oké, ik hoor je. Blijf maar rustig achter je muur van pijn.'

Gigi zet de kop met een klap op tafel en verdwijnt in de woonwagen. Ik blijf zeker een kwartier lang roerloos zitten. Net als ik wil opstappen, hoor ik zachte gitaarklanken. Ik loop het trapje op en steek mijn hoofd naar binnen. Gigi ligt met een gitaar op haar buik op bed en plukt aan de snaren.

'Ik wist niet dat je speelde.'

Ze lijkt helemaal in de muziek op te gaan en keurt me geen blik waar-dig.

'Je bent heel goed.'

'Ik moet wel. Ik verdien er mijn brood mee. Ik zing en speel al sinds mijn zevende. Je hebt me nooit gehoord, maar ik heb een mooie stem.'

'Eigenlijk weet ik vrijwel niets van je.'

'Ik praat ook niet graag over mezelf. Maar jij verstaat de kunst door mijn weerstand heen te breken. Wil je naar me luisteren?'

Zonder op te houden met tokkelen, begint Gigi met haar verhaal, alsof het een lied was.

Als kind woonde Gigi in Parijs. Haar ouders waren gescheiden en te veel met hun carrière bezig om zich om haar te bekommeren. Dus had ze haar kindertijd doorgebracht bij haar grootvader aan moederskant, die Georges heette. Van hem kreeg ze de bijnaam Gigi. Tijdens hun ein-deloze omzwervingen door het steile labyrint van Montmartre had hij naast zijn anarchistische kijk op de wereld ook zijn liefde voor de gitaar en voor de Franse chansonniers aan haar overgedragen, die de basis zijn van haar huidige repertoire.

Op 10 oktober 2003, Gigi was zeventien, overleed haar geliefde grootvader. Eenzaam in zijn woning, geveld door een hartinfarct. Hij werd pas drie dagen later gevonden. Gigi was degene die hem vond, nadat ze huilend de brandweer had gebeld en de deur had laten openbreken. Ze zou het zichzelf nooit vergeven, en haar ouders evenmin, die haar uitgerekend dat weekend gedwongen hadden tot een van die onuitstaanbare gezinsuitstapjes die hun door hun scheidingspsycholoog waren aanbevolen. 'Maak je geen zorgen, opa is een beetje doof', had haar moeder gezegd, toen de grootvader ook op de vijfde poging tot telefonisch contact in twee dagen nog steeds niet reageerde.

Van wroeging kon ze niet meer slapen. *Heeft hij geleden?* vroeg ze zich af. *Heeft hij naar me geroepen? Was hij treurig omdat hij alleen was?*

Een maand later was Gigi weg van huis weggelopen. Al met al leek het de impulsieve daad van een verwend meisje dat een pijnlijke worsteling niet accepteerde. Hoe dan ook, sinds die tijd had ze aldoor op straat geleefd. Zeven lange jaren, waarin ze was uitgegroeid tot de perfecte landloopster-annex-globetrotster. De eerste drie jaar had ze in Andalusië doorgebracht, in Granada, Malaga en Sevilla. Vervolgens had ze de grote sprong gemaakt: het Verre Oosten, Taiwan en het avontuur met de Soul Travellers. Zonder over het leven dat ze achter zich gelaten had ook maar één traan te laten.

'Waarom zou ik naar Parijs teruggaan?' zegt Gigi. 'Het bevalt me hier prima. Een pijnlijk verlies heeft me het zwerversbestaan in gedreven, maar ik heb me steeds door mijn levenslust laten leiden. Volledig leven, de schoonheid van een heel leven in een enkel ogenblik concentreren. Dat heeft mijn grootvader me geleerd: beter opbranden dan wegkwijnen! Precies zoals, hmmm... wie heeft dat ook al weer gezegd?'

'Neil Young. *It's better to burn out than to fade away.*'

'O ja, Neil Young!'

Dan doet ze er het zwijgen toe, ze heeft haar blik neergeslagen, haar handen beven licht. Het vertellen was pijnlijk voor haar. Ze is het niet gewend om terug te keren naar haar verleden. Ze heeft me een klein privilege toegestaan.

'Sorry van zonet', zeg ik na een poosje. 'Ik geef het niet graag toe, maar je hebt gelijk. Je hebt wat ik meedraag heel raak getypeerd.'

Ze tilt haar hoofd op en kijkt me afwachtend aan.

'Als tiener droomde ik ook van een zwervend bestaan. Maar ik was anders dan jij. Ik was anders dan die vrolijke, onbezorgde mensen om me heen. Ik droeg een schaduw in me, precies zoals je zei, een kracht die me ertoe dwong mezelf te vernietigen, en die langzaam terrein won. Een tijdbom die in mijn puberteit was gaan tikken en iets aftelde wat ik niet kende en niet begreep. Toen kwam Karin. Maar dat was niet voldoende... En toen was er die nacht... Ik was achttien en met mijn vrienden in Seattle... met Karin was het uit... een *bad trip*... de vlucht... en toen... het ongeluk... Chris' ouders...'

Ik stamel verward voor me uit. Ik ben nog niet klaar om over dat alles te spreken, de woorden besterven in mijn keel. Gigi komt me te hulp.

'Ik weet het. Nu Karin er niet meer is, zijn de demonen terug.'

'Ja. Het is allemaal weer als in die nacht in Seattle, vijftien jaar geleden. Maar ditmaal zal ze niet komen om me te redden.'

'Nee, ze zal niet komen.' Gigi schudt treurig haar hoofd. 'Maar weet je, Dem, je kunt twee verschillende wegen bewandelen. De ene is licht, de andere donker. En de donkere heeft iets te maken met het voortdurende verlangen jezelf te willen vernietigen. Mensen die hun Karin hebben verloren of nooit ontmoet hebben. Die op hun pijn reageren door zichzelf nieuwe, zelf opgelegde pijn aan te doen. Die zich voor de wereld verbergen, hun geest en hun lichaam tot een vat van symbolen transformeren, maar toch verder leven.' Ze glimlacht ontwapenend.

'Ik weet het niet. Dat red ik niet. Misschien...' – mijn stem trilt – 'heb ik hulp nodig.'

'Ja, Dem. Nu heb je het eindelijk begrepen. Je redt het niet alleen.'

Gigi legt de gitaar op het bed.

'Hier, kom bij me zitten.'

Ze steekt haar hand naar me uit.

'Vertrouw me. Ik help je te vergeten.'

59

HET ZELFVERNIETIGINGSINSTINCT (2)

Elke dag ontmoet ik nieuwe angsten
en verneder ik me met beslissingen die me naar de drempel
van mijn persoonlijke hel voeren
Angst je pijn te doen
– ik wou dat ik nooit geboren was
toen ik het zag gebeuren
– heb ik dat al gezegd? Ik wou dat ik nooit geboren was,
maar het zou voor iedereen beter zijn geweest te sterven
dan de eigen onschuld te verliezen

Hand in hand stappen we uit de woonwagen en nemen plaats op het grote bloedrode kussen. Gigi buigt zich naar de kleine tafel en vist een zakje hasjiesj uit een kistje.

'*Orange bud*, regelrecht uit Amsterdam,' fluistert ze me in het oor. Alleen de naam al maakt verre herinneringen aan bedwelmende geuren en zoete aroma's in me wakker. Met plechtige gebaren vult Gigi de waterpijp; een priesteres die een inwijdingsrite celebreert. Ze steekt hem aan en reikt me een slang aan. Ik leun ernaartoe en inhaleer de rook, hij kriebelt een beetje in mijn keel. Al bij de derde teug trekt er een golf van welbehagen door elke cel van mijn lichaam, een vergeten vrede, een gevoel van gewichtloosheid. Gigi observeert me glimlachend, met een licht versufte blik.

'En, is het zoals je het je herinnert?'

'Kort gezegd... de laatste keer is lang geleden.'

Krampachtig probeer ik een lach te onderdrukken. Het lijkt Gigi net zo te vergaan. Plotseling voel ik een diepe harmonie tussen haar en mij, het voelt heel close.

'Hé,' zegt ze, 'ik hoop dat je me je boek een keer uitleent.'

'Geen denken aan.' Haar verzoek klinkt op een of andere manier grappig, en uiteindelijk proest ik het uit. Het is heel vreemd om dit geluid te horen, ik was het helemaal vergeten.

'Ah, toe nou! Heel even maar!'

'Hé!' Ik kijk haar achterdochtig aan. 'Wat ben jij van plan?'

De blauwachtige rook van de waterpijp omhult ons, de tijd vertraagt. Veel dingen die ik voor onmogelijk hield, lijken plotseling eenvoudig en heel dichtbij. Als de pijp uit is gebrand, nestelt Gigi zich tegen me aan, en ik voel hoe de warmte van haar lichaam zich aan mijn huid mededeelt.

'Vertel me iets uit je verleden,' murmelt ze. 'Maakt niet uit wat. Bijvoorbeeld over de avond toen wij elkaar voor het eerst ontmoetten...'

'De avond waarop je het boek stal, bedoel je.'

'Stal! Als ik het initiatief niet had genomen, hadden we elkaar nooit leren kennen en was je nu niet hier... Wat ben jij ondankbaar! Die avond vertelde je over je passie voor Dylan Thomas en hoe het zover was gekomen. Weet je nog? Een toevallig ontdekt boek dat je leven veranderde.'

'O ja. Maar dat is zo'n lang en deprimerend verhaal.'

'Kom, doe nou niet zo geheimzinnig! We hebben alle tijd van de wereld. Dat is het mooie van het zwerversbestaan, toch? We zijn zo vrij als een vogel.'

'Oké, zoals je wilt. Het was toen ik mijn beste vriend Chris leerde kennen. Of wacht, eerst kwam mijn eerste reis naar Seattle, en mijn eerste joint. Maar daar nog voor is alles met Dylan Thomas begonnen. En met Karin gestopt. Waar zal ik beginnen?'

'Bij het begin, lijkt me.'

Ik merk dat de hasj mijn tong losser maakt, en terwijl ik praat, komen allerlei verloren gewaande details en gevoelens levendiger dan ooit bij me terug.

'Oké... Het was 1991, ik was veertien. Karin en Chris kende ik nog niet. Om eerlijk te zijn kende ik zo goed als niemand. Ik was erg gesloten en vluchtte nog in mijn kinderlijke fantasieën. De puberteit diende zich aan in de vorm van een vage onrust, die ik probeerde te bezweren door in mijn eentje urenlang rond te zwerven, op zoek naar ik wist niet wat. Tijdens een van die omzwervingen vond ik op een bank in de kabeltram van San Francisco een verfomfaaid boekje. Op het omslag:

Dylan Thomas
Achttien gedichten.

In de greep van een onverklaarbare opwinding pakte ik het op, sloeg het lukraak open en begon te lezen.

In het bijzonder wanneer de oktoberwind
met vorstige vingers mijn haar kastijdt,
ik betrapt door de visser-zon over vuur loop...

Het was een goddelijke openbaring! Die woorden openden voor mijn ogen een nieuwe werkelijkheid. Naakt, duizelingwekkend. De *ware* werkelijkheid. Plotseling was me duidelijk waarnaar ik zo wanhopig op zoek was. In extase keerde ik terug naar huis, in de ban van die nieuwe koorts die me vanbinnen verteerde. Ik begon te schrijven en schrijven, pagina's vol.

Twee of drie dagen lang waande ik me een dichter, alles wat uit mijn pen vloeide vond ik even fantastisch. Toen doofde het heilig vuur, de wereld werd weer even grauw en onbegrijpelijk als ervoor, erger nog dan ervoor. Ik las al mijn verzen nog eens door en besefte dat het gewoon troep was. De teleurstelling was onverdraaglijk, ik huilde tranen met tuiten, wilde dood.

Maar ik gaf me nog niet gewonnen. Ik begon weer te zwerven, op zoek naar een manier om te leven zoals Dylan Thomas had geleefd, zo te schrijven als hij had geschreven, om de deuren te openen van de enige dimensie die echt als de mijne aanvoelde. In de bibliotheek vond ik nog meer materiaal, ik ontdekte dat hij aan de drank was geweest en aan delirium tremens was overleden. Ik begon te drinken. De eerste keer was walgelijk. Ik was alleen, zonder vrienden, vanuit de kindertijd op goed geluk de kwellingen van de adolescentie in gekatapulteerd. Ik kreeg mijn eerste kater en de magie van dit boek kreeg me opnieuw te pakken. Stomdronken en kletsnat van de regen zwierf ik over straat, declameerde luidkeels dichtregels van Dylan Thomas terwijl ik als een koorddanser over de muurtjes van de metro balanceerde. Ik zat in een achtbaan die me naar de toppen van de extase en de afgronden van de wanhoop voerde.

De enige bij ons thuis die mijn veranderingen leek op te merken, was mijn zus Rebecca. Ze gaf me een zelf opgenomen cassettebandje met muziek die ze de Seattle Sound noemde. "Misschien is dit iets voor jou," zei ze met een knipoog. 'Nevermind' van Nirvana en 'Facelift' van Alice in Chains stonden erop.

Deze muziek was de tweede openbaring. Seattle, dacht ik. Daar gebeurde het nu, daar waren mensen die net zo leefden als Dylan Thomas vijftig jaar geleden. Maar ditmaal waren het echte, levende mensen. Daar moest ik heen.

Ik moet nu lachen als ik denk aan de veertienjarige jongen die ik was, die van huis wegloopt, zich moed indrinkt en geld voor een kaartje naar Seattle achteroverdrukt. Het geld bleek niet voldoende en vanaf Portland moest ik liftend verder. Toen ik er eindelijk aankwam, zag ik een shabby geklede jongen met een gitaar lopen. Hij droeg een Bleach-T-shirt van Nirvana: ik had mijn "witte konijn" gevonden en ik volgde hem heimelijk. Gaandeweg zwol de stroom alternatieve figuren aan, allemaal met hetzelfde doel: een soort vuilnisbelt, aan een kanaal in het industriegebied. Op de oever, tussen de bergen afval en het struikgewas, hurkten groepen zwervers, dronken jongeren met gitaren, junks, dealers.

Ik was op de juiste plek. Ik ervoer de perverse fascinatie van de plek, maar voelde ook de sfeer van gevaar die er hing. Twee figuren begroeven iets onder een boom. Ik wist het nog niet, maar die twee waren dealers, die zojuist drugs hadden verstopt. Argeloos liep ik erheen en snuffelde rond tussen de wortels.

"Wat doe je daar, verdomme?" Een van de twee schoot op me toe, de andere pakte me bij de schouders. Ze wilden me een lesje leren. *Straks tremmen ze me nog helemaal in mekaar*, dacht ik. "Het heeft geen zin om te piepen, hier komt niemand je helpen!" blafte de dealer me toe en hij liet een stiletto openflitsen. Met de kracht der wanhoop wist ik me los te rukken en klom als een gek een berg met verroest blik en verpakkingsafval op. Eenmaal boven keek ik achterom. Mijn hoofd bonkte alsof het op barsten stond. Ik kon geen kant op.

Toen kreeg ik een idee. Ik haalde *Achttien gedichten* van Dylan Thomas uit mijn zak en begon ze uit volle borst voor te dragen. Het werkte: iedereen om me heen spitste zijn oren. Het was ongelooflijk. Iedereen viel stil en luisterde naar me, er heerste een onwerkelijke stilte waarin mijn stem nog luider leek. Toen ik klaar was, had zich aan de voet van de heuvel een kleine mensenmenigte verzameld. Sommigen applaudisseerden, anderen joelden, velen leken diep ontroerd. Ik was stomverbaasd. Maar ik had bereikt wat ik wilde: de beide dealers waren verdwenen. Ik klom van de berg afval af en maakte gebruik van de verwarring om me uit de voeten te maken.

Op dat moment kwam ik Chris tegen.

"Hé, jou ken ik!" zei hij. "Jij zit bij mij op school, ik heb je wel eens gezien."

"Ja, jij komt me ook bekend voor."

"Je bent zo gek als een deur! Maar: petje af, je wordt beslist ooit acteur of dichter. Ik heet Chris, en jij?" Hij stak me zijn hand toe en ik drukte die hartelijk.

"Demian. Wat doe jij hier zo alleen in Seattle?"

"Hetzelfde als jij, niet?"

Hij toonde me een miserabel gedraaide joint. We schoten in de lach en rookten hem samen op. Het was voor ons allebei de eerste keer. Vanaf die dag waren we onafscheidelijk.

Chris was toen net doende om een rockband op te richten en vroeg me of ik de tekst voor hun nummers wilde schrijven. Ik hapte meteen toe. De ongelooflijke ervaring van die nacht, die in onze herinnering de "eerste nacht van Seattle" zou worden, had een hechte band tussen ons gesmeed. En mijn band met de dichtkunst nog eens extra versterkt. Ik had het gevoel dat ik iets pas echt had doorleefd als ik het in woorden had gegoten. De werkelijkheid bereikte mij – vertekend? gezuiverd? – door de lens van de taal. Voor een deel lag dat aan de hasj: die maakte alles intenser, al moet ik zeggen dat mijn herinneringen er ook warriger van werden, door elkaar gingen lopen, zodat ze amper van dromen verschilden.

Zo bracht ik twee jaar in een soort chaos door.

Toen leerde ik Karin kennen. Ik zag haar toevallig, op school. Met één simpele glimlach, met één enkele blik liet ze me zien wat werkelijkheid en materie waren. Plotseling voelde ik dat ik uit vlees en bloed bestond. Tot dat moment kwam mijn leven me als een illusie voor.'

'Zoals in dat oude nummer van de Doors,' oppert Gigi. "'You make me real".

'Precies. Net als in dat nummer. Maar toen, nadat we elkaar hadden leren kennen en verliefd waren geworden, gingen Karin en ik uit elkaar. Ik zou nog steeds niet kunnen zeggen waarom. Een jaar lang gingen we elkaar uit de weg, een eindeloze tijd. Ik begon mijn "zelfvernietigings-instinct" op te merken, zoals jij het noemde. Ik begon erg te haken naar een zwervend bestaan. Maar niet op een positieve manier, zoals bij jou, want jij voelt je levend, vrij, gelukkig. Ik wilde mezelf alleen maar uitwissen. De drugs, die in het begin gewoon lollig en inspirerend waren geweest, werden een experiment in vervreemding. Vanaf dat moment donderde ik in de verticale labyrinten van de paranoia. In een schier bodemloze afgrond. Maar die bodem was er wel, en op een nacht bereikte ik hem met een klap. En Karin is degene die me toen heeft gered.'

'"Gered", dat is een groot woord. Hoe dan?'

'Zoals je al aan voelde komen. Die nacht gebeurde er een soort wonder. Ik vond Karin terug en zij kwam weer in mijn leven, om er nooit meer uit te verdwijnen. Dat dacht ik althans tot tien maanden terug. Alles stond ineens in een nieuw licht: in het hare. Zij graviteerde zogezegd om een stabiel punt en ik voelde me haar satelliet. Het *normale* leven, dat ik zozeer geminacht had, werd het hoogste ideaal om na te streven, omdat ik het met háár zou delen.'

'En uit was het met het bohemienbestaan.'

'Klopt. Karin was daar absoluut niet het type voor. Maar begrijp me niet verkeerd, voor mij was dat beslist geen inperking. De wensen die ik had, of vanbinnen koester nu ze niet meer bij me is, zijn allemaal destructief. Als ik aan mezelf ben overgeleverd, heb ik geen respect voor mezelf, noch voor wat ik ben, noch voor wat ik heb.'

'"Elke dag ontmoet ik nieuwe angsten", prevelt Gigi, "en verneder ik me met beslissingen die me naar de drempel van mijn persoonlijke hel voeren." Dat is uit een gedicht van jou. Ik las het op de avond toen ik je boek pikte. Ik ben het niet meer vergeten. Meende je dat, toen je het schreef?'

Ik knik.

'En alleen dankzij Karin heb ik gezegevierd over de kracht die me wilde uitwissen. Ook dáárom hield en houd ik zo van Karin. Al spoedig werd zij mijn schrijn, die al mijn hoop en geloof borg. Ze zoog de donkere energie uit me weg en transformeerde die in iets positiefs, in een kracht die onze liefde voedde. En nu ze er niet meer is...' – een brok in mijn keel belet me te spreken – 'is alles weer...'

Ik kan niet verder spreken. Hete tranen lopen over mijn wangen. Ik begraaf mijn gezicht in mijn handen.

'Laat alles er maar uit komen, Dem,' fluistert Gigi zacht in mijn oor. Haar hand streelt mijn nek. 'Zolang je nog huilen kunt, ben je levend.'

Dan slaat ze haar armen om me heen. Ik voel haar versnelde hartslag.

'We moeten echt wat bedenken om je een beetje op andere gedachten te brengen.' Haar lippen beroeren mijn oorlelletje. 'Misschien het Koh Ley Reh-feest...'

Ik maak me los uit haar omhelzing en kijk haar aan.

'Het Koh Ley Reh-feest?'

'Feest van de Schaduwmaan. Heb ik je daar niet over verteld?'

Ik schud mijn hoofd.

'Het is een Chinese traditie. Het wordt aan het begin van het nieuwe maanjaar gevierd, dat dit jaar op 14 februari valt. De legende wil dat op die dagen de maan groter en mooier lijkt dan anders. Dat klopt natuurlijk niet, maar met een beetje suggestie van de traditie en geholpen door een paar drugs, *voilà*, hebben we hier de adembenemendste maan van de wereld! In de komende dagen komen er veel *ravers*, mensen met geld, en die gaan we een beetje uitmelken.'

'En weg is de magie van de maan.'

'Een mens moet uiteindelijk ook wat eten, *mon doux garçon*. Ik bijvoorbeeld speel gitaar en exposeer mijn flessenpostverzameling.'

'Ah ja, je fameuze verzameling. Nog een van je mysteries.'

'Wil je ze zien?'

'Graag.'

Gigi verdwijnt in de woonwagen en komt na een korte tijd weer naar buiten met een oude koffer. Ze zet hem op de grond en opent hem: hij zit barstensvol papier.

'Ik zou het eens een keer moeten ordenen. Sommige zijn echte rariteiten.'

Ze toont me een bonte mengeling van brieven en papiertjes uit uiteenlopende perioden: hulpkreten, schatkaarten, liefdesbrieven, raadsels en gecodeerde boodschappen. Zonder dat ik het merk verstrijken er uren.

'Ah, deze is een van mijn favoriete: een liefdesbrief van vijfenzestig jaar geleden, midden in de oorlog geschreven.'

'Aha,' geeuw ik, moe van het vele lezen.

'En welke boodschap heeft Jacques voor je meegebracht?'

'Ah, die...' Gigi speelt nerveus met haar tongpiercing, het metaal klikt tegen haar tanden. 'Die heb ik weggegooid, het was een fake. Maar tussen haakjes... waarom bereid je ook niet wat voor voor het feest? Je zou je gedichten kunnen voordragen. Ik vind ze prachtig.'

In de volgende dagen vullen de duinen zich met auto's, woonwagens en tenten. Een stroom van mensen vult het kleine kamp en de sfeer wordt steeds elektrischer. Gigi heeft zich in de chaos van de voorbereidingen gestort, maar houdt altijd wat tijd voor mij vrij. Vaak spreken we af in haar tent, lurken aan de waterpijp en praten onvermoeibaar.

Op een middag kan ik haar nergens vinden en ga ik haar zoeken. Ik wil net haar voortent betreden, als ik gedempte stemmen hoor. Stilletjes steek ik mijn hoofd naar binnen.

Gigi ligt naakt, wasbleek, op haar enorme bloedrode kussen. Naast haar Stefano, hij houdt haar bij haar polsen vast en buigt zich over haar heen.

'Nee, vandaag heb ik geen zin,' murmelt ze, en ze duwt hem zachtjes van zich af.

'Waarom niet?'

'Omdat ik geen zin heb!'

'Ben je verliefd geworden?'

'Hou eens op!'

'Ik ken je al jaren, maar zo ben je nog nooit geweest. Waarom geef je het niet toe? Ik heb het heus wel gemerkt. Je bent verliefd... op hém.'

Terwijl ik me behoedzaam terugtrek, heb ik het gevoel dat de grond onder mijn voeten wegzakt. Mijn instinct zegt me de benen te nemen. Maar misschien heeft deze hele verwarring ook zijn goede kant. Misschien kan ik echt proberen om niet aan je te denken. Even maar. Een kleine vakantie nemen van jou.

'Hoe lang is het geleden dat je de liefde hebt bedreven?' vraagt Gigi me onverwacht.

'Wat?'

'De liefde bedreven, geneukt, heb je 'm?'

Het geval komt me ongelooflijk grappig voor en ik schater het uit.

'Hé, is het nog niet tot je doorgedrongen dat ik aan geheugenverlies lijd? Ik herinner me niets!'

We grinniken allebei, steken elkaar aan en het loopt uit op een regelrechte hysterische lachbui. Maar het is helemaal niet grappig. Ik sluit mijn ogen.

Ik zie dezelfde verticale tunnel voor me waar ik vijftien jaar geleden in tuimelde, tijdens die nacht in Seattle. Net als toen flitsen de beelden in duizelingwekkend tempo aan me voorbij, zonder enig houvast of referentie. Wat is boven? Wat onder? Wat staat stil en wat beweegt? Alles is relatief en verandert onophoudelijk. Er is slechts één vast punt waar ik me aan vast kan houden.

Dat ben jij.

Maar te midden van deze chaos is het uitgerekend dit vaste punt dat me duizelig maakt.

'Jij... Dit is heel merkwaardig,' mompel ik, terwijl ik Gigi in de ogen kijk. 'Het is alsof jij een deel van Karin bent. Haar meest ongebonden en wildste deel. Ik heb het altijd in haar gevoeld, ook al liet ze het niet graag zien en liet ze het nooit de bovenhand krijgen. Toch kende ik die kant van haar goed. Ik was de enige die die kant kende, en dat was een privilege voor me, een eer die me oneindig gelukkig maakte. Ik heb waanzinnig van die verborgen kant van haar gehouden.'

60

CHRIS EN DE BRIEF

SAN FRANCISCO, 24 FEBRUARI 2010

Chris staarde door de panoramische glaswand van zijn kantoor, op de zevenentwintigste etage van een prestigieuze wolkenkrabber in *downtown* San Francisco. Het uitzicht was inderdaad adembenemend, met de spits van de Transamerica Pyramid die schitterde in de zon. Hij drukte zijn voorhoofd tegen het koude glas en slaakte een zucht. Hij had altijd van dit uitzicht gehouden, maar inmiddels betekende het niets meer voor hem. *De huur voor dit kantoor kost een vermogen,* dacht hij. *Nu Demian het bedrijf heeft verlaten, zal ik hem niet lang meer kunnen betalen. Misschien moet ik wat anders zoeken, iets kleiners, goedkopers.*

Chris dacht aan de huur, maar zijn gevoel was met iets heel anders bezig. Op de radio speelde 'Monkey Gone to Heaven' van de Pixies. Elk akkoord riep een jeugdherinnering en een gevoel van diepe melancholie op.

Waarom heb ik ook die ellendige indierockzender opgezet?

Zijn blik dwaalde door het kantoor dat hij jarenlang met Demian had gedeeld. Jaren van hard werken, met successen en nederlagen, triomfen en problemen. De aanblik van Demians lege bureau vervulde hem met angst. Hij voelde de afwezigheid van zijn vriend en maakte zich ongerust over hem.

Het was al een maand geleden dat ze elkaar voor het laatst aan de telefoon hadden gehad. Sindsdien was Demians mobiel steeds onbereikbaar. Chris vond geen rust.

Van jongs af aan hadden ze alles samen gedaan: hun garage-grungeband, de nummers, het eerste baantje, de eerste sigaret, de eerste existentiële twijfels, de eerste katers, de eerste vakantie alleen.

Toen was hun beider leven met een klap veranderd.

Er was een duidelijk keerpunt geweest, een scherpe grens tussen deze fasen van hun leven. Alles was in één nacht gebeurd, die ze 'de tweede nacht van Seattle' waren gaan noemen. Want ze spraken vaak over die nacht. Ze herinnerden zich hem als was het de dag van gisteren. Het was 15 mei 1995, een jaar na het schoolfeest. Chris en Demian waren achttien. Ze waren samen met de beide andere bandleden, Gaz en Jay, met de trein naar Seattle gereisd. Daar volgden de gebeurtenissen elkaar in snel tempo op. Hun wegen scheidden zich. Demian nam het belangrijkste besluit van zijn leven, dat over hem en Karin ging, en ging ervandoor, naar een plaats die Cottage Grove heette.

Voor Chris lag het anders, hij had niets te besluiten. Diezelfde nacht stierven zijn ouders honderden mijlen verderop bij een auto-ongeluk.

De pijn was onverdraaglijk. Snikkend herhaalde hij steeds opnieuw dat hij niet eens afscheid van hen had kunnen nemen. Zijn laatste herinnering aan hen was een hevige ruzie, de laatste woorden die hij tegen zijn ouders gezegd had waren van haat vervuld geweest en zouden hem zijn leven lang achtervolgen.

Chris moest ineens behalve zijn eigen leven ook dat van zijn jongere broer op zijn zwakke schouders dragen. Van de ene dag op de andere werd hij volwassen en verantwoordelijk en onderwierp hij zich aan alle regels waartegen hij zich steeds had verzet. Dankzij de erfenis van zijn ouders kon hij op dezelfde universiteit afstuderen als Demian, waarna ze samen hun bedrijf oprichtten en zij aan zij werkten.

De jaren verstreken en een nieuw evenwicht en een nieuwe rust leken te zijn ingetreden. Zo was het althans een paar maanden.

***

Het gerinkel van de telefoon haalde hem uit zijn gedachten. Een paar minuten stond hij een klant te woord, vervolgens nam hij afwezig de post door. Toen hij een rood-blauw omrande luchtpostenvelop in handen kreeg, begonnen zijn vingers te trillen. Haastig draaide hij de envelop om en las de afzender:

Demian Sideheart

De envelop viel uit zijn hand. Hij raapte hem op, opende hem behoedzaam, haalde de brief tevoorschijn en begon te lezen.

Taiwan,
12 februari 2010

Beste Chris,

Je raadt nooit waar ik nu ben! Ik geef je een hint: het is een plek waar wij graag hadden geleefd toen we zeventien waren... een commune van backpackers, punks, hippies en meer van dat soort doorgetripte figuren. Ironie van het lot? Sinds drie weken slaap ik in een grot, er is elektriciteit noch stromend water, 's avonds eten we zelf gevangen vis en het is hier een voortdurend komen en gaan van zweverige figuren.

Ik denk de laatste dagen veel aan je, Chris. Was jij maar hier! Of nog beter, waren we vijftien jaar geleden hier maar samen naartoe gegaan!

Vijftien jaar geleden...

De laatste tijd denk ik vaak terug aan die zorgeloze tijd. Ik vlucht in mijn herinneringen, op zoek naar een sprankje licht. Maar dan gaan mijn gedachten onophoudelijk verder, naar onze 'tweede nacht van Seattle', en denk ik aan wat me daarheen voerde. En hoe het lot van drie mensen onlosmakelijk met elkaar verweven raakte. Aan de betekenis van wat er destijds gebeurd is, en aan wat er nu gebeurt.

Maar ik schrijf je niet om over het verleden te praten. Er is een belangrijke reden, iets wat ik alleen aan jou kan vragen.

In de envelop vind je een fotokopie van mijn paspoort en een ondertekende volmacht. Vouw hem open en lees hem. Ik weet dat je je ogen niet zult geloven, maar het klopt allemaal en wees verzekerd dat ik bij mijn volle verstand ben. Je moet mijn volledige bezit aan een goed doel geven. De begunstigde is de instelling waarvan ik de gegevens hierbij voeg. Je moet ook mijn aandeel in het bedrijf liquideren, ik hoop dat dat je niet al te grote problemen oplevert.

Je vraagt je vast af: waarom dit alles? Maar je kent me als geen ander, en als je er een beetje over nadenkt, kom je er vanzelf achter. Ik vertrouw je en weet dat je zult doen wat ik je vraag.

We zullen een hele tijd niets van elkaar horen. Vergeet nooit dat je een geweldig mens bent en de beste vriend die ik ooit heb gehad! Bedankt voor alles, Chris!

Demian

Ongelovig las Chris de brief en de volmacht meerdere malen door. Toen liet hij zich in zijn stoel vallen.

Ik weet dat je dit allemaal voor Karin doet, dacht hij. *Andere mensen zouden het misschien niet begrijpen. Maar ik weet wat jullie verbindt. Ik herinner me nog goed hoe je op je achttiende was, toen het uit was met Karin. Zelfs mijn vriendschap was niet genoeg. En ik weet nog hoe in die vervloekte nacht de destructieve kracht die jou beheerste getransformeerd werd. Een wonder heeft je gered. Je was als herboren, je nieuwe energie heeft ook mij gered, op het donkerste uur van mijn leven.*

Nu was alles weer zoals toen. Maar ditmaal was de kans dat Demian Karin terugvond oneindig veel kleiner.

Chris' ogen vulden zich met tranen. Nu was hij er zeker van. Het was alsof er een stuk uit zijn ziel was gerukt.

Hij zou zijn vriend niet meer terugzien.

***

TAIWAN, 12 FEBRUARI 2010
TWAALF DAGEN EERDER

Het boek ligt gesloten voor me. Met een scherp mes snijd ik de rand van de dikke boekband open.

'Vergeef me, Dylan,' mompel ik met opeengeklemde tanden. 'Een laatste heiligschennis van je werk. En ook u, Sir Llendebux, ik weet dat u zich omdraait in uw bed.'

Ik schiet in de lach, steek het lemmet in de boekband en beweeg het voorzichtig heen en weer tot er een smalle opening ontstaat. Dan begin ik met het mes de kartonvezels eruit te krabben.

Gisteren ben ik in Taipei geweest. Ik heb de brief aan Chris verstuurd. Daarna ben ik naar de bank gegaan om mijn kluisje op te heffen. De bankbediende bekeek me met enige walging, waarschijnlijk omdat ik ontzettend stink. Ik heb de creditcard in stukken geknipt en mijn portemonnee weggegooid. Ik heb ze geen van beide meer nodig. Alles wat ik op de wereld bezit, draag ik bij me.

Alleen jij ontbreekt.

Ik pak het paspoort en duw het in de uitgeholde boekband. Dan schuif ik er tien honderddollarbiljetten bij in. Het enige geld dat ik nog heb. Ik had mezelf gezworen dat ik het alleen voor de reis naar jou zou uitgeven.

En dat doe ik nu.

Met lijm en een beetje papier maak ik de boekband weer dicht. Het is goed gelukt, je ziet er niets van. Ik wikkel het boek in de twee witte plastic tassen en stop het terug in de rugzak.

Ik ben zover.

Langzaam slenter ik naar de punt van de kaap. Het is een zonnige maar koude en winderige dag. Ik zet de kraag van mijn jack op. Er ligt iets lachwekkends in dit niet klein te krijgen instinct van zelfbehoud. Ik heb een fles whisky uit Stefano's voorraad gepikt en drink er al lopend van. Dat zal alles makkelijker maken.

Wat had ik Balths brief graag gelezen. Maar intussen ben ik er zeker van dat die samen met zijn geheimen verloren is gegaan. Wat wilde Dylan Thomas hem zeggen, toen hij nog een jongen was? Wat is het zandloperstrand werkelijk?

Mijn demonen achtervolgen me. Hun voortdurende gejammer drijft me tot waanzin. Ze hebben de stemmen van Kasumi, Jacques en Gigi.

Ze hebben jouw stem.

Op een dag zul je me niet meer kunnen zoeken... Zoek Karin in jezelf... Dan zul je moeten accepteren dat wat je je hele leven lang gezocht hebt... niet te vinden is...

Om me heen is alles roerloos. Zelfs de golven lijken versteend, bevroren beelden van water, zeeschuimsculpturen. De meeuwen krijsen niet meer.

Ik heb je verloren en er is geen weg meer waarlangs ik je zou kunnen vinden. En het interesseert me niet 'jou in mezelf te zoeken'. Wat moet dat eigenlijk betekenen?

Maar als ik je niet vinden kan...

Ik ben als een slaapwandelaar die over een smalle strook zand balanceert. Rechts en links de afgrond. Boven me, als in kristal gegoten, reusachtige cumuluswolken, bergen op de drempel van een verstarde catastrofe. De hemel zweeft in het niets, en het niets eist mij op. Het is lauw en uitnodigend. De kou van het water zal slechts even duren.

   ... zul jij mij moeten vinden.

Ik spring.
   Een stem schreeuwt in het donker.
   Het koord spant zich.
   Het is flinterdun, maar sterker dan ik me had voorgesteld.
   Er was nog een detail dat ik alsmaar niet scherp in beeld kreeg. Een deur die opengebleven was.
   Er is nog iets wat je me moet zeggen, hier, in deze wereld.
   Er is nog een hoop je terug te zien, al is het maar even. Ook al zal het pijnlijk zijn en me angst aanjagen.
   Nu weet ik dat ik je nog een keer zal terugzien. En wel vannacht.

61

DE TERUGKERENDE NACHTMERRIE (2)

Het plassen van voeten die door water rennen.
'Brrr! Het is ijskoud!'
Die stem...
'Karin!' roep ik stomverbaasd, als je voor me staat. Je naam galmt overdreven hard in de absolute stilte die ons omgeeft. Je draagt een vuurrode bikini die optisch flikkert tegen het azuurblauwe water en de spierwitte rotsen. Je bruingebrande lijf is met kippenvel overdekt, rillend trek je je schouders naar achteren, zodat je rug en je achterwerk een verleidelijke S vormen.
'Wat schreeuw je toch, suffie?' Je lacht en spat me met een voet ijskoud water in het gezicht.
Je lach en het opspetterende water versmelten tot eenzelfde kristallijnen melodie. Je gezicht heeft iets bitters, je blik doet me met weemoed aan onze tienerjaren denken.
Je waadt door een beek, over keien die onder het wateroppervlak liggen. Achter je rijzen reusachtige mammoetbomen op. Er hangt een tinteling in de lucht, het ruikt naar regen en hars. Berglucht.

Is dit een herinnering? Nee, dit gebeurt allemaal op dit moment.
Maar dan... ben je werkelijk hier bij mij?
Hier bij mij, maar hoe is dat mogelijk?
Ik heb je teruggevonden! En wanneer?
Of misschien herinner ik het me gewoon niet goed. We zijn elkaar nooit kwijt geweest, we zijn aldoor samen geweest.
Een overweldigende vreugde doorstroomt mijn hart en elke porie van mijn lichaam. Maar wacht, wacht even... Er zit me nog iets dwars. Een kleinigheid die ik niet duidelijk benoemen kan.
Waar zijn we hier?

Een lommerrijke open plek in de bocht van een bruisende beek. Plotseling weet ik zeker dat we in het Yosemite Park zijn. Maar dat is raar... ik ben nog nooit van mijn leven in het Yosemite geweest!

Of misschien toch?

'Hé, zenuwpees!' roep ik je grijnzend toe. 'Zie je dat ik je ben komen opzoeken?'

'Nee, je vergist je. Dit hier is niet meer dan een...'

Dan leidt iets je af.

'Hè bah!' je snuift geërgerd. 'Wat moeten die nu hier?'

Je wijst naar iets achter mijn rug.

Als ik me omdraai, is het net alsof het landschap opzij wijkt als een draaipodium dat een nieuw decor vrijgeeft, met enkele figuren die het toneel verlaten en andere die het betreden. Achter ons is nu een door hoge rotswanden omgeven bergmeer. Het oppervlak is glashelder en roerloos, wolken en bergen spiegelen zich er scherp in, zozeer dat ik moeite heb om de echte van de gespiegelde te onderscheiden: de hemel is zowel boven als onder, het duizelt me.

Iets prikt onder mijn blote voeten. Het is grind. We zijn op een smal, wit kiezelstrand dat het meer omgeeft en zacht naar het water afdaalt. Een massa mensen vermeit zich op de oever. Sommigen hebben zich erop neergevlijd als fakirs, anderen staan, weer anderen zijn in het water. Mensen van alle leeftijden, ieder met zijn eigen bijzondere kenmerk: lang haar, dreadlocks, hanekam, tatoeages, piercings. Maar dat het vreemden zijn leid ik niet af aan hun kleding, want ze zijn allemaal spiernaakt.

Een naturistenstrand midden in het Yosemite Park?

Hun huid, bleek of bruin, strak of slap, straalt in de zon, de donkere schaambeharing steekt af tegen de rozige lichamen. Pas nu hoor ik het geluid van hun stemmen: ze roepen, schreeuwen, lachen. Zonet was het nog doodstil... Wat gebeurt hier?

'Gatsie!' roep je uit. 'Zijn die daar vooraan niet veel te oud om... zich zo te vertonen?'

'Nou, dat is iets wat niets met leeftijd te maken heeft,' stamel ik weinig overtuigd. 'Als je je er comfortabel bij voelt...'

Ook Sylvia en Jack zijn er. Ze praten met iemand die ik niet goed kan zien. Dan doet Sylvia een stap opzij.

Het is Jacques. Ik ken hem amper terug. Zijn hele lichaam is met littekens en brandplekken overdekt. Zelfs zijn gezicht is er niet vrij van. Zijn blonde haar ontspruit aan een rode, kloppende wond waaruit twee reusachtige, witte, verwarde ogen opflitsen.

De aanblik is zo afstotend dat ik moet wegkijken. Een eind verderop blijft mijn blik opnieuw ergens hangen: Gigi ligt ontspannen achterover op de kiezels. Een moment lang monster ik haar naakte lichaam. Ze heeft zich licht opgericht op haar ellebogen: haar rug is licht gekromd, haar hoofd hangt naar achteren, haar borsten wijzen omhoog, haar bekkenbeenderen werpen schaduwen op haar vlakke buik. Ik voel dat ik rood word.

'En wie is dat daar?' vraag je geërgerd.

'Een vriendin...' zeg ik kuchend. 'Ik heb haar leren kennen toen ik naar jou zocht.'

'En waar heb je me gezocht?'

'Ik ben in het bos geweest... en daarna... in Seattle, geloof ik.'

'Ja ja, je hebt je vast ontzettend uitgesloofd, want je herinnert je niets! Maar kom mee. Laten we hier weggaan, het bevalt me hier niet.'

Je pakt mijn hand en we volgen een bergpad, dat door dicht bos voert. Je beweegt je zeker, alsof je deze weg al vaak bent gegaan.

Je leidt me door het bos.

Het pad komt uit op een open plek, waar een klein kampeertentje staat.

'Dat is de tent waarin ik mijn liefde verberg,' zeg je heel ernstig, terwijl je me in de ogen kijkt. Met één hand open je de ritssluiting, met de andere schuif je de tentflap opzij.

Dat is de tent waarin ik mijn liefde verberg, herhaal ik inwendig, terwijl ik me buk en je het donker in volg.

De tent is veel groter dan ik verwachtte. Veel te groot. We kunnen zelfs rechtop staan, je ziet het dak amper. En hij is leeg: geen slaapzakken, rugzakken of wandelschoenen. In het midden verheft zich een soort wit altaar in de vorm van een omgekeerde halve notendop. In precaire balans op het gebogen oppervlak liggen verscheidene voorwerpen. Een boek, de Bryn Coedwyg-editie van de Dylan Thomas-gedichten uit 1951. Dan een enorme zwarte parel en daarnaast een vreemd vlechtwerk van draden, stokjes en schelpen. Ook twee trouwringen liggen er, wit en glanzend, de een binnen de andere, twee perfect concentrische cirkels.

'Wat is dat?' vraag ik, ietwat verontrust.

'Het wrakstuk van onze boot.'

Pas nu kan ik het goed onderscheiden. Het vreemde altaar is niets anders dan het ondersteboven gezette brokstuk van een bootromp.

'Over welke boot heb je het?' Ik hoor de angst in mijn stem.

'Wat stel je toch voor een vragen?' Je kijkt me aan alsof ik niet goed wijs ben. 'Over deze boot!'

Met een weids gebaar nodig je me uit mijn ogen op te slaan.

Wat ik zie brengt me hevig aan het duizelen.

De tent schommelt angstwekkend, maar het is geen tent meer. We zijn benedendeks in een verwoeste zeilboot. Het achterdek achter ons ligt open. Door het gat zie ik het hypnotische wisselen van zee en loodkleurige hemel, immense golven die in de verte opduiken en weer verdwijnen.

'Karin!' roep ik, terwijl mijn hart als een razende tekeergaat.

Maar je bent er niet meer.

Mijn hand beroert een koud voorwerp: de metalen sport van de ladder die naar het dek voert.

Je opgewonden stem roept naar me.

Met een sprong ben ik boven.

Ik hoor je gillen.

Maar ik zie niets meer, ik ben blind.

Nu begrijp ik het. Het is maar een droom. Een nachtmerrie die ik al eens eerder gehad heb. *God, ik smeek U, maak dat ik wakker word. Ik verdraag het niet. Ik wil dit niet nogmaals meemaken.*

Maar ik word niet wakker. Dat red ik niet alleen.

Je stem vult mijn oren. Ik voel je angst op mijn trommelvliezen. Je bent vlak naast me, heel dichtbij, en toch kan ik niet verstaan wat je zegt.

Dan slaak je een ijselijke kreet. Mijn god, wat is er aan de hand?

In de volslagen duisternis voel ik de aanwezigheid van je handen die me vertwijfeld zoeken. Je nagels krabben over mijn arm.

Ik daarentegen grijp panisch in de leegte, ik kan je niet vinden, krijg je niet te pakken.

Ik schreeuw het uit en merk dat ik rechtop op het veldbed zit. Mijn pols schrijnt, er zit een bloedende schram op, zo sterk was de suggestie die van de droom uitging. Buiten miezert het, alles in de grot is klam van het vocht. Zelf ben ik kletsnat van het zweet, ril over mijn hele lijf en ik kan niet ophouden met klappertanden.

Ik hoor voetstappen over het zand. Donkere schaduwen duiken op in de ingang van de grot.

'Alles oké, maat?'

Dat is Stefano.

'Ja, ja, geen zorgen,' antwoord ik, maar mijn stem beeft.

'Je hebt geschreeuwd als een waanzinnige, ik dacht dat je jezelf overhoop stak.'

'Het was gewoon een nare droom.'

'We maakten ons zorgen en zijn meteen hierheen gerend.' Dat is Gigi's stem. Ik denk aan haar in mijn droom en ben opgelucht dat de duisternis haar verhult.

'Hoe dan ook,' zegt Stefano, 'hier haal je de dood op je lijf. Het is koud geworden vannacht. Het is beter als je in de kazerne slaapt, iedereen is daar al.'

Ik volg hen naar de eerste verdieping. In de ruimte zijn minstens dertig personen, zo'n beetje overal in het donker zie ik liggende gestalten. Ik hoor het zware ademen van degenen die al slapen, iemand mompelt en snurkt in zijn alcoholische slaap. De lucht is muf en stinkt, maar het is hier tenminste warm. Stefano wijst me een lege matras naast een raam dat met een plastic zeil is afgedicht. Voorzichtig stap ik over een paar liggende gestalten heen, ga liggen en probeer vergeefs de slaap te vatten.

De volgende dag voel ik me niet goed. In de greep van een vreemde koorts breng ik de dag in de kazerne door. Gigi bekommert zich om me, ze dwingt me te blijven liggen, brengt me eten en drinken en legt vochtige kompressen op mijn voorhoofd.

Die nacht keert de nachtmerrie terug.

Ditmaal kan ik me alleen het einde herinneren, dat zich identiek herhaalt. De leegte die me omgeeft. Je wanhopige kreten die overgaan in mijn kreet als ik overeind schiet op het matras.

'Hé, kerel!'

Hijgend blijf ik zitten en ik heb even nodig om te beseffen waar ik ben.

'Om een hartverlamming te krijgen, verdomme!'

Schimmen roeren zich in het halfdonker. Iedereen is wakker geworden, sommigen zijn gaan zitten, een zaklamp gaat aan en schijnt onaangenaam in mijn ogen.

'Hé, ben je van plan elke nacht te gillen als een varken dat wordt geslacht?'

'Net zoals gisternacht. Wat voor spul gebruik jij eigenlijk?'

Iemand lacht. Stefano hurkt bij mijn matras.

'Was dat weer je nachtmerrie?'

'Ja... Sorry... Sorry,' mompel ik, terwijl ik tot mezelf probeer te komen. 'Het gaat al weer.'

Vijf minuten lang krijg ik een hoop vragen. Ik geef ontwijkende antwoorden. Dan ebt de nieuwsgierigheid langzaam weg, iedereen vertrekt weer en slaapt verder, het gefluister verstomt, het snurken wordt veelstemmiger. Maar ik blijf wakker.

Ik moet nadenken.

Het is de vierde keer dat ik deze nachtmerrie heb. De eerste keer was in de Pacific, toen ik aan *tara'wanay*, de parelduikerskoorts leed. De tweede keer was in San Francisco, in de nacht toen ik geloofde dat je dood was. En nu hier, twee nachten achtereen. Afgezien van kleine verschillen eindigt hij steeds op dezelfde verschrikkelijke manier. En nu ben ik bijna bang om weer in slaap te vallen.

Toch is dit het laatste aanknopingspunt dat ik nog heb. Hoe afschuwelijk het ook is, het is de laatste link die ik met je beeld heb. De laatste plek op de wereld waar ik je nog kan ontmoeten, je stem nog kan horen.

Dan begrijp ik het eindelijk.

Maar natuurlijk!

Ik sla me met de vuist in de hand, in de nachtelijke stilte klinkt het als een plens water.

Waarom ben ik daar niet eerder op gekomen?

De woorden die je aan het eind van de nachtmerrie schreeuwt!

'Psst! Stefano! Ben je wakker,' fluister ik naar het matras naast me.

'Nu wel, ja,' mompelt hij.

'Hoor eens,' fluister ik opgewonden, 'heb je me horen roepen?'

'Dat hebben ze tot in Taipei gehoord, maat.'

'Ik bedoel, heb je verstáán wat ik zei?'

'Hmmm... Shit, nee, dat ook weer niet.'

'Probeer na te denken, het is belangrijk!'

'Ik weet niet, het was gewoon gebrabbel. Of het waren woorden uit een andere taal.'

'Wat voor woorden?'

Stefano denkt even na, dan schudt hij zijn hoofd.

'Het spijt me, maar ik weet het echt niet meer. Het leek me niet belangrijk.'

Als Stefano weer ligt te ronken, sta ik geluidloos op en kleed me aan.

'Sigaret?'

Een stem achter me doet me ineenkrimpen. Het silhouet van Jacques tekent zich af in het maanlicht, hij zit op de vensterbank met de gebruikelijke Gitane tussen de lippen.

'Ik kan ook niet slapen. Zullen we even onze benen gaan strekken?'

We dalen op de tast de trap af en lopen de heldere sterrennacht in. Hij zegt niets, alleen het gehijg van zijn rokerslongen is te horen. Er hangt een spanning in de lucht, ik voel dat hij me iets te zeggen heeft en naar de juiste woorden zoekt. Dan breekt zijn stem het stilzwijgen.

'Heb je er nooit aan gedacht dat er... middelen zijn die je zouden kunnen helpen? Dan zou die gruwelijke nachtmerrie ophouden. Zulk spul vind je hier zonder problemen.'

Ik blijf staan en kijk hem aan.

'Wil je me drugs aansmeren?'

Grijnzend steekt Jacques de volgende Gitane op en biedt mij er ook een aan. Ditmaal sla ik energiek af.

'Demian, er zijn maar weinig uitwegen voor mensen zoals wij, die vergeten moeten.'

'Maar ik wil niets vergeten! Ik moet me juist *herinneren*. Ik heb deze nachtmerrie nodig. Je begrijpt het niet, er ligt een boodschap van mijn vrouw in besloten.'

Jacques schudt zijn hoofd.

'Je begaat een grote vergissing, Demian. Kijk naar me.'

Langzaam opent hij zijn overhemd, knoop voor knoop, en ontbloot zijn bovenlichaam.

Ondanks de afschuw die me bevangt, kan ik mijn blik niet losmaken. Het is als in de droom: elke centimeter van zijn huid is door diepe littekens ontsierd.

'Brandwonden op negentig procent van mijn lichaam. Door een wonder heb ik het overleefd. En God weet hoe vaak ik dit ongevraagde wonder heb vervloekt.'

Het was 20 juli 1998. Om precies tien uur 's morgens zette Jacques' vliegtuig de landing op het vliegveld van Seoul in. Hij reisde met zijn vrouw Amélie en zijn zoon André, die pas vier jaar oud was. Door een fout bij het inchecken kregen zij plaatsen bij de rechtervleugel toegewezen, terwijl Jacques in het middendeel terechtkwam. Het vliegtuig, een oeroude

Boeing 747, die zich, zoals Jacques later hoorde, op haar laatste geplande vlucht bevond, maakte een lange aanvliegmanoeuvre. Het was een mooie, zonnige dag; na een nachtelijke wolkbreuk was de hemel stralend blauw. Het vliegtuig daalde snel, de landingsbaan schoot onder hen weg, er ontbraken nog slechts enkele meters.

Een explosie.

Een zware luchtstoot, een kolk van hitte gevolgd door een oorverdovend gebrul. De wolk van brandend gas is enorm en verslindt de rijen stoelen aan de rechterkant. Ik zie mijn vrouw en mijn zoon levend omkomen, het vuur is hun in luttele ogenblikken fataal.

Jacques kwam bij in het ziekenhuis. Geconfronteerd met de dubbele beproeving van zijn brandwonden en de pijn om de vernietiging van zijn gezin. Alle passagiers aan de rechterkant van het vliegtuig waren op slag dood, door de vuurbal verkoold. De andere honderdzeventig waren gestikt in de gasdampen of na een lange lijdensweg aan hun verwondingen bezweken. Zes overleefden.

Jarenlang droomde Jacques elke nacht van de explosie. Hij beleefde elk moment ervan opnieuw, zag zelfs de banaalste kleinigheid met ontstellende helderheid voor zich.

Ik zie de drie donkere vlekken op de stoelbekleding voor me, die door de golf van hitte plotseling weggevreten worden. Om me heen is de hel; de hitte en de geur van verbrand vlees zijn overweldigend. 'Papa! Papa!' 'Jacques! Help ons!' gillen mijn vrouw en mijn zoon. Met een bovenmenselijke inspanning probeer ik me in het inferno te storten om ze uit de vlammen te rukken. Maar mijn vel lost op, huid, spieren en vet smelten weg als gelatine, veranderen in lijm die me aan mijn stoel gekluisterd houdt. De veiligheidsgordel dringt in mijn lichaam, versmelt met mijn half opgeloste vlees. Ik kan me niet verroeren. Machteloos hoor ik hun kreten, die tot de mijne worden.

'Jarenlang ben ik elke nacht gillend wakker geworden, net als jij. Op den duur is de nachtmerrie minder frequent geworden en de pijn wat milder, maar niet minder afschuwelijk.'

Jacques valt stil. Dan is het mijn beurt om mijn nachtmerrie te beschrijven. Als ik klaar ben, vervallen we tot een lang stilzwijgen.

'In mijn nachtmerrie,' zegt Jacques nadenkend, 'zie ik alles onbarmhartig helder voor me. Jij daarentegen ziet niets: een donkere golf maakt je blind. Ik denk dat die golf geen echte herinnering is, maar een symbool van je onderbewuste. Het is een sluier die de waarheid voor je verbergt. Je probeert die sluier uit alle macht te verscheuren, maar dat moet je niet doen. Kap ermee, zolang het nog kan.'

Ongelovig staar ik hem aan, terwijl hij de zoveelste sigaret opsteekt.

'Ik zou er alles voor hebben gegeven om mijn herinnering uit te wissen. Mijn hele leven heb ik geprobeerd te vergeten. Maar het is me nooit gelukt, nog geen seconde. Demian, die zwarte golf verbergt een waarheid voor je waar je beter niet achter komt. Het is een genadig geschenk van je brein en misschien wel van God, als er zoiets bestaat. Een uitgestoken hand die je naar het leven wil terughalen. Waarom probeer je zo wanhopig om je alles te herinneren? Weet je zeker dat je dat echt wilt?'

Opnieuw kwetsen Jacques' woorden me. Ik wil iets terugzeggen, maar ik kan niet. Opeens verandert mijn woede in zelfmedelijden en oneindige uitputting. Ik sta op het punt van instorten.

'Ik heb je nergens om gevraagd!' brul ik met tranen in mijn ogen. 'Waarom laat je me niet met rust?'

Jacques blijft doodstil staan, hij monstert me geschokt.

'Omdat er iets is wat ik je zou kunnen zeggen. Maar je moet heel zeker zijn dat je het wilt.'

Een flits van angst licht op in zijn blauwe ogen.

'Ik weet wat jij roept op het eind van je nachtmerrie.'

'Je...' stamel ik.

Jacques knikt veelbetekenend.

'Nou? Waar wacht je op? Ik wil het weten!'

'Je hebt er niets van begrepen!' roept Jacques wanhopig. '*Non, mon Dieu*, ik heb tegen een muur gepraat!'

'Als je iets weet, moet je het me zeggen!'

Jacques spuugt op de grond en steekt een nieuwe Gitane op.

'Zeg het me, ik ben niet bang!'

'Hoor eens, Demian,' zegt hij met een zucht, 'ik ben doodop. Laten we ten minste tot morgenochtend wachten. Ga terug naar het kamp en slaap er een nachtje over. Doe op zijn minst dat, *d'accord*? Over een paar uur vertel ik je alles, als je het dan echt wilt.'

Ik weet niet wat er over me komt. Ik stomp hem met volle kracht recht in het gezicht.

'*Merde!*' brult hij. 'Je hebt mijn neus gebroken, verdomme nog aan toe!'

Dan begint hij hysterisch te lachen. Ik weet niet wie van ons tweeën de gekste is. Met beide handen om zijn neus laat hij zich naar de grond zakken. Na een poosje stopt het bloeden.

'O, we zijn ongeduldig, hè? *Ça va bien, alors.* Tot uw dienst.' Hij strekt zijn benen uit en haalt diep adem.

'Ik zal bij het begin beginnen. Bij een legende uit de Pacific die ik jaren geleden van een oude visser heb gehoord, die, welk een toeval, uitgerekend afkomstig was van Kanku-Shi. Erg geloofwaardig was hij niet, want hij was straalbezopen. Maar zijn maffe verhaal was uiterst fascinerend en heeft me diep geraakt. Het ging over een vreemd strand, wonderbaarlijk mooi en onbereikbaar, ergens midden in de oceaan. Ik geloof niet dat het echt bestaat, *mon ami*, het is louter Pacifische mythologie, net als de god Qat en prinses Airaro. Nu vraag je je natuurlijk af waarom ik je dat allemaal vertel.'

Jacques laat een theatrale stilte vallen.

'Omdat je, voor je uit je nachtmerrie opschrok, de naam van die plek riep: Poy'Atewa.'

Poy'Atewa.

Ik voel een duizeling.

Ja. Deze woorden klinken als iets wat ik al eens gehoord heb. Misschien... op Horu's eiland? Nee, het was eerder.

'Vraag me niet wat het te betekenen heeft en waar Poy'Atewa ligt, want meer weet ik niet!'

Poy'Atewa... Roze parel...

'Roze parel,' zeg ik ijzig. 'In de oude taal van de Pacific betekent Poy'Atewa roze parel.'

Ik heb alles verkeerd gedaan.

Bij het wakker worden heb ik niet uitgeroepen wat jij riep. Nee, jij riep niet Poy'Atewa.

Nu hoor ik je stem heel duidelijk.

Je woorden verschijnen op het zwarte scherm van mijn oogleden, ze ontstaan uit en verdwijnen in een wirwar van duizenden knipperende lichtpuntjes. Dan voegen de puntjes zich aaneen, worden groter, groeien uit tot een onstuitbare lichtgolf, het licht giet zich uit in de duisternis en bereikt me als een vlam.

Een nieuwe herinnering scheurt de schaduwkegel.

62

POY'ATEWA

Je kunt zeggen dat je iets hebt beleefd wat in de buurt komt van het volmaakte geluk. De Aloha 27 schommelt vredig op het water.

'Moet je horen. Uit *Reisgids voor Kanku-Shi: de ontdekking van het laatste paradijs,* door kapitein Awame Toruiki:

"De Kanku-Shi-archipel bestaat uit dertien grote lagunes die in een ver verleden zijn ontstaan uit de kraters van uitgebluste en in de Pacific verzonken vulkanen. Ze vormen een door lange koraalriffen en zandbanken omgeven snoer dat zich van oost naar west uitstrekt over een afstand van circa honderd zeemijl. Op de hoofdeilanden bevinden zich twee dorpen die beschikken over de meest basale voorzieningen (elektriciteit, drinkwater). Daarnaast is er een twaalftal kleine vissersnederzettingen."'

Het water voegt zich in twee perfecte kringen rond je dijen. Je bent lauwwarm en azuurblauw.

Je lokken dansen in de wind, als natte Medusatentakels. Ze beroeren mijn gezicht, kietelen me.

Roerloos blijven we zitten. Na amper een minuut nadert geluidloos een school trompetvissen. De vissen zwermen om ons heen en beroeren ons met hun lange gele snuiten. Het lijkt bijna alsof ze ons kussen.

'Hoezo kussen, ze hebben honger!'

Je lach galmt ten hemel.

Al negentien dagen zijn verstreken. Doelloos dwalend laten we ons door de dertien lagunes drijven, ploegend door de vloeibare hemel, de blauwe ruimte tussen de planeten, de schaduw van een waterdruppel, de drie kleuren waaruit het universum bestaat.

Er ligt iets oerachtigs in dit soort leven. Alles is zo begonnen, exact zo, miljoenen jaren geleden. Een man en een vrouw. Een spiegel in een spiegel, een dubbele helix. De reflectie van elke verborgen schoonheid op de wereld.

'Nog even en de vakantie is voorbij, Dem... ik kan wel janken.'

We zien de maan verduisteren en de hemel oplichten. Een fijne regen van eindeloos verre sterren daalt op ons neer, licht van het een of andere geëxplodeerde melkwegstelsel. Je ontketent getijden voorbij alle veilige grenzen.

'Ja... nog maar vier dagen en dan gaan we weer op huis aan. Is je verjaarscadeau je een beetje bevallen?'

Ik kijk je aan. Je bent een immense zee in een stille storm, een oceaan van kostbaar iridium. Je bent een niet te vullen stilte, een sterrenexplosie in het luchtledige. Je laat me zwemmen en verdrinken in je duisternis.

'Dit is het mooiste wat ik ooit heb beleefd. En jij?'

Als je je ogen sluit, klappen werelden in, de ruimtetijdcurve sluit zich, het universum heft elke afstand op. Als jij je niet beweegt en ik me niet beweeg, voegt alles zich weer samen. Kijk, zie ons daar zitten, van ver boven. Wij beiden. De eerste vrouw en de eerste man, hier zijn ze weer samen.

***

ARCHIPEL VAN KANKU-SHI, 7 APRIL 2009
– NOG ACHTENVEERTIG UUR TOT DE AMNESIE –

Tegen elf uur 's ochtends zeilen we langs een tong van wit zand die straalt in de zon, achter de barrière van Wuz Mana, het grootste koraalrif van Kanku-Shi, dat zich over een afstand van dertig mijl van het noordoosten naar het zuidwesten uitstrekt. Op het ongerepte zand is een roze vlek te onderscheiden. Met een behendige manoeuvre varen we er dichter naartoe, inmiddels zijn we behoorlijk ervaren zeilers.

De roze vlek ontpopt zich als het roerloze lichaam van een kleine jongen die in een onnatuurlijke houding op het zand ligt. We reppen ons naar hem toe.

'Lieve hemel... Is hij dood?' roep ik ontzet.

Het kind is helemaal stijf, zijn handen en vingers zijn naar binnen gekromd, alsof hij zijn eigen polsen wilde openkrabben. Zijn ogen zijn wijd opengesperd en zo verdraaid dat alleen het bloeddoorlopen oogwit te zien is. Uit zijn half geopende mond is schuim gekomen, dat nu opgedroogd aan zijn kin kleeft. Aan zijn gelaatstrekken te zien is hij een oorspronkelijke bewoner van de Pacific. Jij buigt je over hem en voelt zijn pols.

'Hij leeft nog. Misschien... een epileptische aanval?'

We dragen hem de boot op en wikkelen hem in een deken. Na een poosje komt de jongen langzaam bij kennis. We geven hem water, dat hij gulzig opdrinkt. Hij is doodsbang, lijkt in shock.

'Hoe heet je?' vraag ik hem. 'Kun je me verstaan?'

Hij staart me verward aan en begint te huilen.

'*Taravana! Taravana!*'

Steeds opnieuw herhaalt hij dit woord, aan één stuk door. Als hij rustig is geworden, brengen we hem naar huis, een kleine vissersnederzetting in een mangrovebos slechts een paar mijl verderop. Op het strand staan de ouders wanhopig de horizon af te speuren. Als ze ons zien, stormen ze ons tegemoet. Huilend sluiten ze hun zoon in de armen en houden niet op ons te bedanken en onze handen te schudden. Opgewonden praten ze op ons in en stellen ons vragen. We begrijpen er geen woord van en schudden het hoofd met hulpeloze gebaren. Dan bevragen ze de jongen. Aanvankelijk zegt hij niets, maar dan barst hij in snikken uit en stamelt door zijn tranen heen: '*Taravana...*'

Bij dat woord slaakt de moeder een gil en de vader wordt krijtbleek. Ondertussen heeft het strand zich met nieuwsgierigen gevuld. Een groep kleine jongens staat een beetje afzijdig schuldbewust naar de grond te staren. Onder de toeschouwers bevindt zich gelukkig een man die uitstekend Engels spreekt.

'De jongen was met zijn vrienden naar parels aan het vissen,' legt hij ons uit. 'Na de laatste duik is hij in handen gevallen van de *taravana*-demon. Zijn vrienden hebben hem zien rondwankelen, dansen als een bezetene, met verdraaide ogen en schuim op de mond. Ze kennen de demon, van kindsbeen af is hun over hem verteld: hij komt uit de diepten en maakt zich meester van het lichaam van de een of andere arme parelduiker. Daarom zijn ze in paniek weggerend en hebben hun vriend alleen achtergelaten.'

'De *taravana*-demon?' vraag je sceptisch. 'En wat moet dat voorstellen?'

'Tja, we mogen in Kanku-Shi inmiddels elektriciteit en satelliettelevisie hebben, maar sommige bijgelovige ideeën zijn diep in onze traditie geworteld en houden hardnekkig stand. Er bestaat voor dit alles vast een wetenschappelijke verklaring.'

'Zoals u het beschrijft, lijkt het iets met ontoereikende drukcompensatie te maken te hebben,' opper ik. 'Dat gebeurt bij het duiken vrij vaak, ik heb ervan gehoord.'

De man glimlacht.

'Precies.'

De kreten van de moeder verscheuren de lucht. Met smekende blik wendt ze zich tot de aanwezigen en snikt steeds opnieuw: Poy'Atewa? Poy'Atewa? Alle omstanders kijken haar medelijdend aan en knikken. De vader staat er roerloos en met gebalde vuisten bij. Hij staart naar de grond en zegt niets. De jongen zit ineengedoken op het zand en verbergt zijn gezicht in zijn handen.

'Wat is er aan de hand?'

'De dorpsraad heeft zijn oordeel geveld.'

'Wat voor oordeel?'

'Wie door de *taravana*-demon overvallen wordt, kan daar maar op één manier van genezen en weer in de dorpsgemeenschap opgenomen worden. Hij moet Poy'Atewa vinden,' fluistert de man.

'Poy'Atewa, dat riep die vrouw ook al,' zeg jij.

'Precies. In onze taal betekent dat roze parel. Het is een geheime plek van zo'n pure en absolute schoonheid dat de demon ervoor op de vlucht slaat en het lichaam van zijn rampzalige slachtoffer vrijgeeft. Maar Poy'Atewa is heel, héél moeilijk te vinden. Daarom wordt een slachtoffer van de *taravana* vaak aan zijn lot overgelaten en genadeloos aan de dood uitgeleverd, zoals de vrienden van deze jongen hebben gedaan. Hij is alleen dankzij jullie nog in leven.'

'Fraaie vrienden, moet ik zeggen,' merk ik op. 'En waar moet deze arme jongen nu precies naartoe?'

'Daarover verschillen de meningen. Het is geen...'

'Het is maar een legende!' interrumpeert een oude man, die mee heeft geluisterd met ons hele gesprek. 'Poy'Atewa bestaat niet, en je mag niet met vreemden over deze dingen praten! Jullie kunnen niet hier blijven,' zegt hij tegen ons. 'Bedankt dat jullie de jongen teruggebracht hebben, maar nu moeten jullie gaan!'

Dan bromt hij: 'Voor hem was het beter geweest als jullie hem hadden laten sterven!'

De volgende dag blijf ik, tot jouw groeiende ergernis, naar informatie zoeken over Poy'Atewa. Helaas kom ik niet veel meer te weten.

Sommigen beweren dat de plek niet bestaat, anderen doen alsof ze niet weten waarover ik het heb. Menigeen kijkt mij vijandig aan, anderen lijkt het beeld dat deze twee simpele en fascinerende woorden wekken angst aan te jagen. Een paar oudjes sluiten hun ogen en lijken zich aan verre herinneringen over te geven. Maar slechts weinigen zijn bereid erover te praten.

's Avonds bereiken we een ander dorp. In een vervallen strandtentje onder de palmen beginnen twee stomdronken oude mannen te bekvechten.

'Ik ben er geweest, jazeker wel! Het is de mooiste plek in de Pacific en de hele wereld. Maar opgepast: wie op Poy'Atewa komt, wordt gek! Die wil er niet meer weg, het is alsof...'

'Dat verklaart dan je stompzinnigheid!' kapt de ander hem af. 'Poy'Atewa is gewoon een roze zandstrand zo'n honderd zeemijlen ten oostnoordoosten van hier.'

'Je hebt het mis! Het is een heuvel waarop honderden vreemde roze vogels slapen. Je bent er nog nooit geweest!'

'Nee, jij bent degene die liegt!'

'Stilte!' Een vuist landt op de tafel en brengt beiden tot zwijgen. 'Jullie liegen allebei. Poy'Atewa bestaat niet!' De man, misschien het dorpshoofd, maakt een eind aan de discussie.

***

388

Poy'Atewa, het *geheime strand*.

Zo hebben we het genoemd toen we in het maanlicht op het dek van onze zeilboot lagen te kletsen.

'Oké, laten we even recapituleren. Aangenomen dat het geen verzinsel is, moet Poy'Atewa een klein eiland voorbij de Kanku Shi-archipel zijn, ergens in de richting oostnoordoost. De mensen die het gezien hebben spreken van een magisch oord waarvan de schoonheid een mens in delirium brengt: sommigen hebben er hemelse stemmen gehoord, anderen kregen er vreemde visioenen. Over aanblik en positie zegt iedereen iets anders. Het lijkt wel alsof het opduikt en weer verdwijnt, misschien heeft het iets met de getijden te maken of met vreemde bewegingen van de zeebodem. Maar over één ding is iedereen het eens: niemand is er een tweede keer geweest, en van fanatieke zoekers die niet van ophouden wisten, is nooit iemand teruggekeerd.'

'Wauw, ik heb het gevoel dat ik naar Discovery Channel kijk! Je moet documentairemaker worden, weet je dat?'

'Er valt niets te lachen! Weet je nog hoe jij me vorig jaar in Wales hebt gepest? En...'

Poy'Atewa. Nóg een geheim strand, zoals het zandloperstrand in Laugharne. Weet je nog?

Ik voel dat er een verband is. Er hangt iets in de lucht, er wacht ons een vreemd lot.

***

In de lauwe stralen van de ochtendzon lig je op de voorplecht. Je lange, door zon en zout gebleekte haar golft over je gebruinde huid. Je bent magnifiek.

'Ik weet waaraan je nu denkt,' zeg je met een schuinse blik.

Zonder er iets van te zeggen vaar ik in de richting oostnoordoost. Maar mijn manoeuvre is je waakzame ogen niet ontgaan.

'Dat is niets voor ons, Dem. Wij zijn groentjes.'

'Precies. En ik ben niet Jacques Cousteau.'

'Is het je hier niet paradijselijk genoeg?' Je gebaart naar het panorama om ons heen.

Ik geef geen antwoord.

'Leg me één ding uit... heb jij ook een demon die je op de vlucht wil jagen?'

'Nee, geen demon.'

Ik glimlach naar je.

'Kom op, één poging maar. Vanavond zijn we weer terug. Misschien kunnen we die arme jongen helpen.'

Witte wolken trekken langs het hemelgewelf.

'Bovendien is het ook een beetje jouw schuld,' zeg ik na een lange stilte. 'Als ik hier alleen was, zou het me weinig interesseren. Maar jij bent hier bij me. En als er echt zoiets moois op de wereld bestaat, dan wil ik het vinden. Om het samen met jou te bewonderen.'

Na een paar uur laat de Aloha 27 het laatste koraalrif achter zich. We verwijderen ons snel van de oostelijke buitengrenzen van Kanku-Shi, voorbij de dertiende lagune, en koersen af op de verre oceaan.

Een plotseling rollen van de boot, het donkere sissen van het zeil.

Nu varen we door onpeilbare wateren en onder een duizelingwekkende diepe hemel.

63

DE KUS

'Dat is alles. De herinnering is nog incompleet, maar...'

'Ben je tevreden nu je iets méér weet?'

Met een geforceerd verveelde blik blaast Gigi de geïnhaleerde rook uit.

'Maar begrijp je het dan niet? De geheugenlacune die mijn leven in tweeën deelt, wordt steeds kleiner, ik ben er bijna!'

Het rozige avondlicht dringt door het tentzeil en schept een onwerkelijke, monochrome sfeer. Gigi heeft zich in een met parelsnoeren behangen bikini op het grote ligkussen neergevlijd. Haar vingers spelen met de pareltjes en doen ze glinsteren.

'Vind je het wat?' vraagt ze koket. 'Dit is mijn podiumoutfit. Ik draag hem vanavond, als ik op het feest optreed. Maar misschien is het een beetje te veel buikdanseres, wat zeg jij?'

'Luister je eigenlijk wel naar me?' vraag ik, geïrriteerd door haar aanstellerige gedrag. 'Ik weet nu wat er in Kanku-Shi gebeurd is!'

'Ja, ja, maar doe eens rustig, oké? Je nieuwe herinneringen veranderen niet veel aan de feiten.'

'Wat bedoel je daarmee?'

Ze glimlacht alleen maar en klopt uitnodigend op het kussen.

'Kom bij me zitten,' fluistert ze op zwoele toon. Dan houdt ze me de slang van de waterpijp voor. 'Neem een trekje, dan ontspan je je een beetje.'

'Ben je niet goed wijs geworden?' roep ik woedend. 'Ik wil die troep niet meer zien! Al maanden roept Karin me met deze droom, en het enige wat jij te zeggen hebt is: doe eens rustig en rook hasjiesj!'

Boos gooi ik de waterpijp op de grond. De roodachtige houtskool verspreidt zich over het tapijt.

'*Merde!*' Gigi springt op en dooft de gloeiende kooltjes met haar vuisten. Er blijven zwarte brandvlekken op het tapijt achter.

'Wat doe je? Wil je ons roosteren?' Haar stem beeft nu.

'Sorry,' is het enige wat ik uitbreng. Met neergeslagen blik en gebalde vuisten sta ik erbij.

Met een zucht werpt Gigi zich weer op het kussen en plooit haar gezicht tot een glimlach.

'Demian, zo gaat het niet langer. Je jaagt een waanidee na. Je Kunt Niet Bij Haar Komen!'

Ze beklemtoont elk afzonderlijk woord, alsof ze messen slijpt.

'Je hebt weer een stukje van je verleden ontdekt, *d'accord*. Maar wat heb je eraan? Weet je nu waar je je vrouw vindt?'

Ik ben als verlamd, weet niet wat ik zeggen moet. Bijna een minuut lang is alleen mijn nerveuze adem te horen.

'Ergens benijd ik haar waanzinnig,' murmelt Gigi. 'Ik wil ook bemind worden zoals jij haar bemint. Daar zou ik mijn leven voor geven.'

'Je weet niet wat je zegt, Gigi.' Ik schud mijn hoofd. 'Als het zo was als jij zegt, was Karin nu bij mij. Het was allemaal mijn schuld.'

'Waar ze nu ook is, de liefde die jij haar betoont zal haar voor elke pijn schadeloos stellen.'

Plotseling komt Gigi met een ernstige blik overeind.

'Dem, doe me een lol: vergeet het allemaal even. Alleen voor vanavond. Ik beloof je: daarna praten we verder. Maar er is iets belangrijkers wat ik je beslist moet laten zien. Je bent de eerste aan wie ik het vraag.'

***

IN DE TREIN VAN SAN FRANCISCO NAAR SEATTLE, 14 MEI 1995
(DEMIAN IS ACHTTIEN)

Laatste wagon van de Coast Starlight van 10.00 uur van San Francisco naar Seattle.

Ik staar uit het raam. De wereld vliegt voorbij. Bomen, huizen, wolken, alles op zijn eigen snelheid. Curieus: hoe verder weg de dingen zijn, hoe langer ze nodig hebben om uit mijn blikveld te verdwijnen. Uit mijn leven te verdwijnen.

Het is heel vreemd... het gevoel wordt sterker naarmate ik me verder weg bevind.

Het is precies een jaar geleden dat ik je heb leren kennen.

Ik dacht dat je uit mijn gedachten verdwenen was.

Hoe graag zou ik tegen mezelf kunnen zeggen: ik denk niet meer aan je. Maar zo is het niet.

'Hé, Sid, ben je daar?'

Vanaf de zitplaats tegenover mij kijkt Chris me fronsend aan.

In onze kleine zespersoonscoupé zit onze hele band: Gaz zang en bas-gitaar, Chris gitaar, Jay drums. En ik zei de gek: het vierde, onzichtbare lid, dat de teksten van hun nummers schrijft.

'Kom, steek deze maar eens aan, dan relax je een beetje.'

Chris buigt zich over zijn rugzak en haalt er een reeds gestopte *chillum* uit. In een mum van tijd staat de coupé blauw van de tabaks- en hasjrook.

'Ben je gek geworden?' snauw ik hem toe.

'Ach wat,' bemoeit Gaz zich ertegenaan, 'de conducteur is net geweest, de ramen staan open en de coupédeur is dicht. *No problema*.'

'Ik heb nu geen zin,' zeg ik kortaf, en ik draai mijn hoofd weer naar het raam.

'Wauw, Sid, wat is er met je?'

'Oké, de reis is nog lang,' zegt Chris. 'Dan bewaren we hem wel voor later.'

We zijn vanochtend uit San Francisco vertrokken, vanaf station Emery-ville. Een reis van vierentwintig uur wacht ons, twintig stops en drie staten. Morgenvroeg om acht uur zullen we in Seattle zijn.

'Wat een gedoe,' zegt Gaz geeuwend. 'Achthonderd mijl met de trein, en dat alles om Alice in Chains te zien.'

'Dit is de enige gelegenheid.'

'Layne Staley heeft ze niet allemaal op een rijtje. Het is het enige concert dit jaar.'

'Maar zingt Layne nu niet bij de Mad Season?'

'*Leaving... on a southern train...*' zingt Jay zachtjes, terwijl hij de akkoorden van 'Interstate Love Song' op zijn gitaar tokkelt.

'Hé, sufferd, speel wat van Alice!' Chris geeft Jay een zachte stomp tegen zijn hoofd. 'Dan komt Sid misschien weer tot zichzelf!'

De trein vertraagt en komt met krijsende remmen tot stilstand. Station Sacramento. Het is middag. Een paar mensen stappen uit, een paar mensen stappen in. Dan gaat het verder.

Mijn ongezelligheid heeft een concrete reden. Twee dagen geleden kwam ik toevallig Chrystal tegen en hebben we een half uur lang over koetjes en kalfjes staan kletsen. Pas op het laatst trok ik de stoute schoenen aan. 'En hoe gaat het met Karin?' vroeg ik gespeeld onverschillig. Mijn stem trilde maar een heel klein beetje. 'Heeft ze het nog wel eens over mij?'

'Als je het echt wilt weten: een hele tijd lang praatte ze nergens anders over. Maar toen is ze bij zinnen gekomen.'

Toen vertelde Chrystal het. En mijn hart begon te bonken.

Ze heeft nu praktisch een ander.

Een zekere Mark, de naam ken ik al: de zak bij wie je afgelopen zomer in het Yosemite hebt gelogeerd. Het nieuws raakt me dieper dan verwacht. Veel dieper.

'Maar echt overtuigd lijkt ze niet,' zei Chrystal nog. 'Ik denk dat dit weekend beslissend wordt.'

'Ah... en waarom?'

'We gaan naar Cottage Grove, naar een party van het footballteam. Een goeie gelegenheid om spijkers met koppen te slaan. Maar ik neem aan dat jij er niet bij bent.'

'Nee. Wij gaan naar Seattle, voor het enige concert van Alice in Chains.'

En dus zit ik hier in een trein die me ver weg voert.

Ik vlucht naar Seattle. Net als de van Dylan Thomas' gedichten bezeten vijftienjarige die ik drie jaar geleden was. Net als toen zoek ik naar iets wat me redden kan. Ik glimlach bitter: er is niet veel aan mijn situatie veranderd.

'Hé, Dem, ben je nog wel eens in Seattle geweest, na die ene keer?' vraagt Chris mij met een schelmse grijns. 'Herinner je je die maffe plek?'

'Nou en of! Wie zou dat kunnen vergeten,' antwoord ik. Mijn lippen plooien zich tot de eerste glimlach van die dag. 'Die van dealers vergeven vuilnisbelt aan het kanaal!'

'We zouden er even langs kunnen gaan, om herinneringen op te halen.'

'Niet nodig,' werpt Gaz laconiek in het midden. 'Ik heb al een kleine verrassing voor jullie.'

Met theatrale gebaren trekt hij zijn portemonnee uit de zak van zijn spijkerbroek.

'Hier is het nieuws,' zegt hij. Hij opent een plat pakje van aluminiumfolie en toont ons kleurige kartonsnippers waarop delen van Bart Simpson te zien zijn. Het is een zogenaamde SuperSimpson, een trip van lsd en amfetamines.

'Je bent niet... Dat spul wil ik niet!' protesteert Jay zwakjes, half opkijkend van zijn gitaar.

'Hé, we moeten een tekst van onze Sid eren: "*SuperSimpson onder de tong, weet je nog*"!'

'Maar dat was toch maar om te dollen!' Ook Chris windt zich nu op. 'Een willekeurige woordenbrij – niets ten nadele van jou, Dem – om onze muziek op te enten!'

'Jongens, willen jullie dat onze band als een stelletje bluffers de geschiedenis in gaat? Nu is het moment gekomen om het spul waarover we zingen te testen!'

'Ja, Gaz heeft gelijk,' zeg ik rustig, terwijl ik wat rechterop ga zitten. Zwijgend staren ze me alle drie aan. 'Ik doe mee.'

'Dat is mannentaal, Sid! Dat wordt kicken in Seattle, jongens!'

Hij steekt zijn kleine schat weer in zijn zak.

De reis lijkt eeuwig te duren en te vliegen tegelijk. Ik observeer het hier en nu, dat voor mijn ogen tot een herinnering kristalliseert. Ik ben dol op dit gevoel. Dat heb ik alleen als ik reis.

De trein stopt in Dunsmuir en Klamath Falls. Het wordt donker.

De nacht verstrijkt met lange perioden van slapeloosheid en korte dutjes, Mike Pattons stem schalt uit de koptelefoon, *Preludes & Nocturnes* wordt voor de honderdste keer doorgebladerd, bier, sigaretten en heimelijk gerookte joints. Het krijsen van de remmen van de trein is de wekker die elke halte aankondigt: we komen door Albany, Salem, Portland. Achter het stationscomplex van Vancouver zien we de zon opgaan.

Iets voor achten onderbreekt de Coast Starlight zijn lange reis.

King Street Station.

Seattle, eindelijk.

Met onze rugzakken om en joelend als kinderen op schoolreisje springen we uit de trein. De hele morgen dwalen we doelloos rond, pelgrims op zoek naar de plekken van onze muzikale idolen. Om drie uur 's middags zijn we in de wijk Capitol Hill, passeren het standbeeld van Jimi Hendrix en duiken in de bosjes van Volunteer Park.

... we zijn naakt en staan te kijk, we hebben een gehoor, een publiek nodig...

Een soort goeroe met jezusbaard en een smoezelige witte tuniek brult vanaf een geïmproviseerd podium, waarvoor slechts vier afgestompte stadsduiven zitten.

... iemand zal ons te hulp komen...

Uitgeteld laten we ons op het gras vallen.
'Mannen, het moment is aangebroken,' kondigt Gaz plechtig aan. 'Het is voor iedereen de eerste keer. Zijn we er allemaal?'

... we zijn weerloos en hebben een redder nodig, een leraar, een weldoener, een leidsman, een meester, een heer...

De aluminiumfolie gaat van hand tot hand. Sceptisch steken we allemaal een stukje karton met de afbeelding van Bart Simpson in de mond en leggen het onder onze tong. Jay heeft de korte broek gekregen.
'Misschien zegt Bart dáárom: *Eat my shorts,*' giechelt hij nerveus.

... is niet zijn reflectie!

Nu komt het spul in het bloed. In de loop van een half uur begint het te werken, een golf van lysergisch zuur slaat door ons brein.

***

Gigi hult zich in een nauwsluitend squawtuniekje en trekt de glitterbikini eronder uit. Dan pakt ze haar gitaar, haakt haar arm in de mijne en troont me de tent uit. Het Koh Ley Reh-feest is al in volle gang en in het kamp heerst een nooit vertoonde drukte. De geur van geroosterd vlees dringt in mijn neus en herinnert me eraan dat ik al uren niets gegeten heb. We haasten ons naar het geïmproviseerde podium aan de achterkant van de kazerne. Je hoort het brommen van de generator die de versterkers voedt.
'Wanneer treed jij op?'
'Later, zo tegen middernacht. Ik heb nog tijd. Volg me.'
We maken gebruik van de verwarring om stiekem in de bosjes te verdwijnen, en worstelen ons het pad op dat naar de rotsen aan de noordkant van de baai leidt.

'Kijk uit waar je loopt!' roept Gigi, terwijl we in het donker over het losse gruis strompelen. 'We zijn er!'

We staan stil voor een klein, rond gat in de grond dat eruitziet als een put zonder muurtje eromheen. Gigi drukt me de gitaar in de hand, knipt een zaklamp aan en neemt hem tussen haar tanden. Dan klautert ze, steun zoekend met haar handen, naar beneden. Ik zie haar omgeven door het onzekere gele schijnsel verdwijnen.

'Geef me de gitaar aan!' roept ze uit het donker omhoog. 'Oké, kom nu maar naar beneden!' Met de zaklamp schijnt ze op een soort natuurlijke stenen trap. Stap voor stap klim ik omlaag.

Op de bodem van de put opent zich een grot die zo rond is alsof iemand een luchtbel in de rots heeft geblazen. Op één plek is de wand ervan ingestort en heb je uitzicht op de zwarte golven van de oceaan. De lucht heeft een zacht, blauwachtig waas. Het is heel koud.

Gigi knielt neer en steekt een kaars aan.

'*Très charmant, n'est-ce pas?*' zegt ze glimlachend. Door de lichte echo lijkt haar stem dieper. 'Verder kent niemand deze plek. Jij bent de eerste aan wie ik hem laat zien.'

Ze nodigt me uit om naast haar te komen zitten.

'Als ik alleen wil zijn, kom ik hier spelen. De akoestiek is sensationeel. Hoor maar: OEAAAAAAAAAAHH!'

De echo vermenigvuldigt de kreet, hij lijkt overal vandaan te komen.

'Hallo... Ik krijg bijna een hartklap!' protesteer ik. We schieten allebei in de lach.

Dan pakt Gigi mijn hand en geeft er een kneepje in.

'Ik weet dat je binnenkort weggaat.'

'Klopt.'

Ze kan de teleurstelling op haar gezicht niet verbergen.

'Oké. Prima. Ga maar. Maar wacht op z'n minst het eind van het feest af! Ik heb een verrassing voor je. Ik ga een nieuw nummer zingen. Een eigen nummer. Eerst wilde ik dat je het pas op het feest hoorde. Maar toen... nou ja, toen dacht ik: misschien moet ik het hem toch maar eerder voorspelen. De muziek is van mij, maar de tekst...'

Gigi haalt de gitaar uit de koffer, gaat zitten, neemt hem op haar knie en stemt hem. Dan speelt ze een vreemde melodie. De stijl herinnert aan de Franse chansonniers uit haar repertoire, maar met iets extra's. Een prachtig, bijna hypnotisch terugkerend motief.

Ze begint te zingen, haar zachte, warme stem vlecht zich rond de muziek. Het duurt even voor het tot me doordringt wat ze zingt. Zodra ik de woorden herken, probeer ik op te springen. Ik ben hier niet klaar voor. *Alsjeblieft, hou op.* Maar de wereld begint om me heen te draaien. Roerloos zit ik daar terwijl de muziek me meesleept en me verblindt.

***

SEATTLE, 15 MEI 1995
(DEMIAN IS ACHTTIEN)

Eerst is het net alsof ik dronken ben. De eerste golf komt als we in de bus naar Ballard Avenue zitten. We kijken elkaar aan en krijgen zomaar de slappe lach, slaan dubbel in zo'n lachkramp dat het bijna pijn doet. De andere passagiers werpen ons verstoorde blikken toe, een vrouw beklaagt zich, de chauffeur verzoekt ons uit te stappen.

Dan word ik me bewust van straling.

Ja, de dingen geven straling af. Terwijl ik de bus uit stap, besef ik deze absolute waarheid: de dingen bestaan niet werkelijk, het zijn slechts stralingen, trillingen die we op het scherm van onze ogen opvangen. Ze treffen me met kracht, benemen me de adem. Ik ben gevangen in iets ongrijpbaars, ik beroer geen materie, maar de straling ervan, het 'niets' ervan, dat golven uitzendt.

'Sid, kijk me eens aan!' Jays stem klinkt vervormd en vertraagd. Hij beweegt zijn magere armen, wappert ermee voor mijn ogen. Ze lijken van rubber, zijn vingers en ledematen rekken zich op en breiden zich uit tot buiten mijn gezichtsveld. Jay lacht.

'Zie jij het ook? Zie je mij?'

En of ik het zie.

Het effect bereikt zijn hoogtepunt als we een supermarkt binnengaan. De kleuren bestormen me. De geluiden zijn hakkelig, zoals wanneer je heel snel achter elkaar je oren dichthoudt. De dingen bewegen zich schokkerig.

Of nee, niet de dingen – de tijd beweegt zich schokkerig. Hij blijft stilstaan en versnelt dan weer om de gemiste secondes in te halen. De werkelijkheid bestaat uit flitsen en sprongetjes. Ertussen is er niets.

Mijn hersens zinderen, ik ben klaarwakker en ontvankelijk. De wereld heeft een overweldigende diepte, een oneindig aantal dimensies gaat schuil achter de dunne sluier die onze zintuigen scheppen.

'Hé! Waar is Gaz gebleven? Ik heb hem al een hele tijd niet meer gezien!'

'Jij bent Gaz, idioot!'

We lachen. De visioenen volgen elkaar op.

'Is het niet net alsof we in onze hersenen ronddwalen?'

Nee, het is niet 'net alsof'. Ik beweeg me daadwerkelijk door dat wat mijn brein me voorschotelt terwijl het de vormeloze massa aan prikkels, golven en ruimtetijdkrommingen interpreteert. En het mooie is dat dat *altijd* zo is. Alleen zit ik vandaag met Stanley Kubrick in de regiekamer. We monteren de film steeds anders, veranderen het verloop, creëren flashbacks en flashforwards. We verliezen ons in de kronkels van de tijd.

Vertolkers: Jay, Gaz, Chris en Demian.

Gevieren dwalen we erin rond, gaan uiteen, verliezen elkaar, vinden elkaar terug, komen samen. Zonder te weten hoe, staan we opeens voor The Vogue. Hoewel het concert pas over een paar uur begint, staan er al massa's mensen te wachten en we sluiten achter aan. De rij schuift langzaam op, op een gegeven moment zijn we in een tunnel. Aan de wanden spiegels, oude concertposters, graffiti. Stroboscopische lichten flitsen door het donker, uit de luidsprekers aan het plafond dreunt New Wave.

'Laten we proberen om backstage te komen!' brult Gaz.

Langzamerhand doorboren de stemmen mijn brein, scherp als zwaarden. Onsamenhangende flarden van zinnen waarvan ik de betekenis niet begrijp.

Shit, ik geloof het niet! Die zeggen het concert af? Wie zegt dat? Wie speelt er nu? The Mudhoney... Het gaat slecht met Layne! Layne Staley, de zanger van Alice!

Een meisje barst in tranen uit. *Zo maken ze hem kapot... die klootzakken! Net als Kurt... tot het eind... Te gevoelig... Wat een bullshit, zijn probleem is de horse! Die jaagt zo veel dope naar binnen... Oké, en het geld van... Speedball in z'n aderen... Voor Alice betaald... Voor dat stomme rotgeld...*

Op dat moment begin ik te vallen.

De tunnel helt naar voren en verandert in een schacht.

Ik stort erin, kan me niet vasthouden, probeer me aan de wanden vast te klemmen, roetsj naar beneden. Mijn gedachten vallen over elkaar heen, dwarrelen door elkaar, spiegels doemen op als nieuwe afgronden, spiegelbeelden in spiegelbeelden. Ik zoek naar Chris, zijn glimlachende gezicht, maar alles draait met adembenemende snelheid om me heen, vervormt, ik weet niet meer wat boven en onder is.

Dem... Demian...

Chris' stem komt van ver... Ik probeer me aan de klank vast te klampen, me erop te concentreren. Ik verlies hem weer. Val.

Ik schreeuw, maar uit mijn uitgedroogde mond komt geen geluid.

Help me! Wat gebeurt er verdomme met me?

Een miljoen naalden prikken gaten in mijn huid.

De beelden gaan zo snel dat er een nieuw, onbeweeglijk beeld uit ontstaat.

Stop.

Mijn ogen in de spiegel. Het zwart van de pupillen slokt de hele iris op, overschrijdt het bloeddoorlopen wit. Alsof ze in een zwart gat zijn gevallen.

'ik was het zelf, gespiegeld in de ondergrondse etalages
tussen Broadway en Bowery, met ogen rood & groot
op z'n Hofmanniaans, SuperSimpson onder de tong, weet je nog?'

Mijn profetische gedicht wordt waarheid, Sir Dylan Thomas.

Ik lach. Val opnieuw.

'Nee! Stop!' brul ik. Maar in de chaos van de tunnel hoort niemand mij. Ik krijg te weinig zuurstof. Mijn hart gaat zo tekeer dat het in mijn borst lijkt te vibreren. Het kruipt naar mijn keel. Ik val echt, straks sla ik nog te pletter.

De muziek van 'Still Remains' dreunt door de tunnel. De vervormde gitaarriff, dan het refrein.

Pick a song and sing
a yellow nectarine

Een valscherm opent zich. Wazig, als in een droom, verschijnt je gezicht. Het is vlak voor me.

Take a bath, I'll
drink the water that you leave

Ik beantwoord je glimlach. Steek mijn hand uit, beroer je lippen. Ben je hier om me te redden?

Een zekerheid breekt zich baan.

Ik zal me nooit kunnen afwennen om bij alles wat ik doe te denken: jij slaat me gade. Om me in gedachten naar je om te draaien alsof je me hoort en begrijpt. Je te vertellen wat ik beleef. Ik zeg: Zie je? Deze dingen zul je nooit begrijpen. Het valt me zo moeilijk om iets te vinden wat de moeite waard is om voor te leven.

Ook nu sla je me gade, nietwaar?

Een heldere, warme lichtstraal raakt me. Hij remt mijn val, vangt me op. Zacht zet hij me met de voeten op de grond. De tunnel wordt weer horizontaal en onbeweeglijk.

Ben ik gered?

Ik blijf met mijn ogen dicht tegen de muur leunen. Hijgend laat ik me naar de grond glijden.

Wat was die lichtstraal?

Het is zo simpel. Ik moest in een *bad trip* zonder uitgang terechtkomen om te begrijpen wat ik al lang wist.

Ik zal het van mijn levensdagen niet vergeten. Dat alleen jij me kon redden.

Chrystals stem.

Dit weekend gaan we naar Cottage Grove. Naar de party van het foot-ballteam. Ze is nu praktisch met een ander.

Ja, ik herinner het me. Jij bent nu op die party in Cottage Grove. En daar is ook Mark, die zak van die zomer.

Ik kan niet werkeloos hier blijven.

Ik pak Chris bij zijn schouder.

'Ik moet hier weg, Chris!' schreeuw ik hem in het oor.

'Wat klets je nou? Voel je je niet goed? Even volhouden, we staan verdomme al twee uur in de rij om bij het podium te komen, we kunnen het nu niet opgeven!'

'Ik leg het je later wel uit. Ajuus, Chris. Bedankt.'

Ik maak rechtsomkeert en baan me een weg door de protesterende, vloekende massa. Chris volgt me een eind. 'Verdomme... Dem!' Maar de menigte is al minder dicht en ik begin te rennen. Ik struikel over de voeten van twee meisjes, val op de grond, weet nog net te voorkomen dat ik over hun voeten kots. Op handen en voeten bereik ik de uitgang, en als ik eindelijk de tunnel uit ben, maakte de frisse avondlucht me een beetje nuchter.

In het oranje licht van de straatlantaarns struin ik steels tussen de auto's op de parkeerplaats achter The Vogue door. Met door de amfetamine dubbel gescherpte zintuigen voel ik aan alle portieren. Bij minstens twintig gebeurt er niets, maar dan laat tot mijn grote verwondering een witte Mustang coupé zich openen.

Ik glip naar binnen.

'Wauw, te gek!' roep ik vrolijk, als mijn vingers voelen dat de onnadenkende bestuurder zelfs zijn sleutels in het contact heeft gelaten. Ik draai de contactsleutel om en de Mustang komt tot leven. Ik zet hem in zijn achteruit en het janken van de koppeling klinkt als een hulpkreet. Een koude zweetdruppel loopt over mijn slapen.

Ik ben high.

Heb geen rijbewijs bij me.

Ik heb zojuist een auto gepikt.

Maar ik moet je vinden, nu meteen, ongeacht waar je bent.

Dan een laatste aarzeling.

Een pluchen Mickey Mouse zit op de passagiersstoel. Ik pak hem, stap uit en zet hem op de plek waar zojuist nog de Mustang stond. Stop toch maar een briefje tussen zijn beentjes: '*De wagen is niet gestolen, maar voor een nobel doel geleend. Morgen zal ik je laten weten waar je hem kunt ophalen. Ik weet dat ik je problemen bezorg, maar je moet weten dat je misschien een leven redt. Bedankt!*'

Je begaat de grootste stommiteit van je leven.

Ik weet het. Maar ik besef het tenminste. Intussen is het effect van de lsd bijna uitgewerkt, de amfetamine daarentegen werkt op volle toeren. Als een waanzinnige scheur ik over de I-5, de wegverlichting schiet als pijlen in mijn ogen. Ik heb nog ongeveer vier uur voordat de eigenaar van de auto uit het concert komt, de diefstal ontdekt en aangifte doet. Mijn reis naar Cottage Grove duurt minstens een uur langer. Maar ik moet geloven dat ik het kan klaarspelen.

Ik zet de radio aan en duw de cassette erin.

'What I see is unreal... I've written my own part...'
Dat is Alice!
'Eat of the apple so young... I'm crawling back to start...'
Ze begeleiden me in deze waanzin. Bijna beter dan het concert. Laten we alleen hopen dat het wat oplevert.

Na twee uur laten de wegwijzers me weten dat ik Longview passeer. Ook het effect van de amfetamine neemt af. Opwinding maakt plaats voor uitputting. Ik voel de last van de wereld op mijn schouders. De volslagen stupiditeit van mijn gedrag wordt me duidelijk. Ik stel me voor hoe je op dit moment lacht, met die klootzak van een Mark danst, hem omhelst, hem kust.

'Shit, shit...' mompel ik, en ik sla met mijn voorhoofd tegen het stuurwiel van de voortrazende Mustang.

Nee, kom op, nu niet opgeven.

Ik zal het niet opgeven. Uit een onbekende bron put ik nieuwe energie. Wat ik voor je voel is de brandstof die in me gloeit en me oppept, meer nog dan de sterkste drug.

***

Gigi's handen dansen over de snaren van de gitaar. De metalige klank van de frets, haar warme, licht nasale stem. En die woorden...

je weet niet veel van de liefde, clair-obscur van juni door een venster
ik zocht een hoek waaronder ik je kussen kon
een ijspegel gelikt van het duin van je rug

vaak stokte mijn adem, maar dood ging ik niet
jouw stem zo zoet en slaperig, ik kwam terug uit het paradijs
onze benen droegen ons niet meer in onze gang over het water

– in de gangen van de school en de verwikkelingen en inwijdingen
honderd dagen verwarring toen alle gezichten marmelade waren en
elke melodie me tot tranen toe bewoog wanneer ik alleen was

nu zijn we in een rijk van schaduw en licht
twee blinde monden, vier bevende handen, ogen vochtig en hol

vakantiedagen in de regen, de halslijn van je T-shirt
opgerekt door mijn kussen

Die woorden. Aangewaaid van een vreemde plek, gefluisterd door jouw verre stem. Ik was in Wales, boven op de vuurtoren bij het strand, toen we het samen schreven... Ons laatste gedicht.

Na een lang arpeggio houdt Gigi op met spelen. Nu kijkt ze me aan en probeert in het halfdonker vergeefs mijn gezicht te lezen. De muziek kaatst terug van de rotswanden.

'Ik weet wat je denkt,' zegt ze bevend. 'Je hebt me het verhaal achter dit gedicht verteld. Ik weet waar en hoe het ontstaan is. Misschien wilde ik het daarom op muziek zetten.'

'Het is zo vreemd,' mompel ik. 'Misschien had je het beter niet kunnen doen.'

'Vind je het niks?' Haar stem breekt, het huilen staat haar nader dan het lachen.

'Begrijp me niet verkeerd, de melodie is prachtig. Alleen...'

'Alleen denk jij dat je deze woorden voor háár hebt geschreven!' barst Gigi gefrustreerd los. 'Voor háár, die ze nooit lezen of horen kan! Maar ik denk dat je ze voor míj hebt geschreven. Omdat ze mij betoverden toen ik ze las. Omdat ik er een melodie voor wilde schrijven, er een lied van wilde maken. Óns lied.'

In Gigi's ogen branden blauwe tranen.

'Omdat ik door deze woorden... verliefd op je ben geworden.'

***

COTTAGE GROVE, 16 MEI 1995
(DEMIAN IS ACHTTIEN, KARIN ZESTIEN)

Het is half drie in de nacht als ik door het centrum van Cottage Grove rijd. Ik sla af naar Shoreview Drive, de oeverweg langs Dorena Lake, en parkeer de Mustang achter een paar struiken. Dan volg ik de promenade langs het meer. Twee jongelui wankelen arm in arm de weg af. Ik krijg bijna een beroerte: in het donker lijkt het meisje op jou. Maar het is gewoon een restje drugsparanoia. Ik laat me uitleggen waar het feest is: een klein wit huis aan de overkant van het meer, met een lange aanlegsteiger voor de boten, ik kan het van hier af zien liggen.

'Maar je bent een beetje aan de late kant!'

Je weet niet half hoe laat, denk ik. Ik ren op het huis af, maar dan blijf ik staan, verstop me in de bosjes en blijf daar meer dan een uur zitten, tot de laatste lichten in het huis uitgaan. Er zijn vijf uur verstreken als ik besluit om naar binnen te gaan.

Overal liggen slapende mensen, bier- en rumflessen, borden en omgevallen glazen, etensresten en andere zaken die ik liever niet nauwkeuriger bekijk. Een jongen zit met zijn rug naar me toe op de sofa te roken en merkt me niet op.

Ik heb al een idee waar ik je zou kunnen vinden; beslist niet in deze chaos. Ik loop de trap naar de eerste verdieping op, waar de slaapkamers zijn. Geluidloos open ik deuren tot ik een kamer met vier opgemaakte bedden vind, die als enige niet naar rook en alcohol stinkt. Ik loop op mijn tenen naar binnen.

Ondanks de duisternis herken ik je direct. Je ontspannen, slapende gezicht, je hoofd op het kussen in een wolk van zachtbruin haar.

Iets in mij glimlacht.

Ik loop naar je bed en buig me over je heen.

Mijn hand beeft als ik je aanraak.

***

Omdat ik door deze woorden verliefd op je ben geworden. Zonder haar blik van me los te maken legt Gigi de gitaar op de grond. Ze staat op en komt voor me staan. Ze pakt mijn handen en trekt me omhoog. Dan doet ze een stap terug. Met oneindig langzame bewegingen strijkt ze de smalle schouderbandjes van haar schouders. Met een zucht glijdt de lichte, zandkleurige stof samen met de indiaanse franjes op de grond.

Gigi is poedelnaakt. Haar buik beweegt op het snelle ritme van haar ademhaling, daaronder de donzige blonde beharing, die naar haar schede toe donkerder wordt. Bevend komt ze dichterbij. Ik voel hoe haar lichaam zich tegen het mijne vlijt. Haar heupen dringen zich in mijn handpalmen, haar gladde huid legt zich onder mijn vingers. Koortsachtige rillingen trekken door ons heen.

Nu zie ik alleen nog haar witte hals. Haar haar beroert mijn oor. Haar wang streelt mijn wang.

Dan voel ik haar lippen op de mijne. Haar blinde, van begeerte vochtige mond.

***

Ik streel je hand, fluister je naam.

Je oogleden trillen. Nu kijk je me aan, maar je ziet me niet echt, alsof ik doorzichtig ben.

Dan begrijp je het eindelijk, je wenkbrauwen gaan licht omhoog. Ik leg een vinger op je lippen. *Ga alsjeblieft niet gillen*, fluistert mijn smekende blik je toe.

Maar ik zie dat je dat helemaal niet van plan bent.

'Hallo,' fluister je zacht. Je kijkt om je heen. Niemand lijkt ons op te merken, alleen de rustige adem van de nacht is te horen.

'Hoi. Sorry, als ik je heb laten schrikken.'

'Je hebt me niet aan het schrikken gemaakt. Sterker nog, ik lag net van je te dromen.'

Je komt een beetje overeind en haalt je armen onder de deken vandaan. Je hand tast naar de mijne. Knijpt erin.

'Ben je niet verrast?'

'Nee, absoluut niet. Het is net... ja... alsof ik je verwachtte.'

Ik verzamel moed en neem je in mijn armen. Je warme armen leggen zich om mijn hals. Ik voel je hart. Het klopt ongelooflijk snel. *Voorzichtig, rustig aan maar*, wil ik zeggen, maar ik weet dat alleen ik het hoor. Iets in mij zendt een helder licht uit, dat het duister om ons heen verjaagt.

'Man, je stinkt een uur in de wind!' Je lacht zachtjes en doet alsof je me wilt wegduwen. 'Nou heb je zo lang gewacht, had je je op z'n minst kunnen douchen!'

'Ik heb gewoon veel avonturen doorstaan om bij je te komen,' kaats ik terug, en ik moet me inhouden om het niet uit te schateren.

'Ja, dat moet haast wel...'

Plotseling word je ernstig.

'Je ogen, Dem. Je pupillen zijn...' Je maakt je zin niet af.

'En jij?' fluister ik ongeduldig. 'Zijn er misschien avonturen die jij mij vertellen wilt?' Ik probeer nonchalant te klinken, maar de angst dat ik misschien te laat gekomen ben maakt mijn stem hard.

Een eeuwigdurende minuut zeg je niets.

'Wil je weten of ik sinds vanavond met Mark ga?'

***

Week en rusteloos glijdt haar tong in mijn mond. Haar handen omklemmen mijn gespannen nekspieren.

De grot draait als een kolk, een centrifuge van rots en zoute druppels, lege holtes, holle lijven. Rollende golven. Koude rillingen.

Instinct en verlangen, stromingen die duizenden mijlen overbruggen. Branding, kanalen, pulseringen.

Als we elkaar nu beminden, schelpsplinters op de rug
stortten we op de donkerste plek ter wereld
en zou ik voor jou geen naam meer hebben, alleen bittere smaken, geuren
de namen van de dagen en steden zouden geen zin meer hebben

Als ik mijn ogen sluit, als ik niet nadenk, is het alsof je hier in mijn armen bent.

Nu ben ik in Cottage Grove.

Als je nu in leven was, kon ik je terugzien.

En als ik tot de dood zou moeten wachten om je terug te zien...

Er is een grote tederheid waaraan ik me zou kunnen overgeven om de pijn een moment lang te vergeten. Misschien heeft Gigi gelijk. Misschien hebben haar dorst, haar begerigheid, haar onder mijn nog roerloze vingers bevende lichaam dat mijn nog gepantserde huid zoekt, het bij het rechte eind. Speelsheid en lichtheid, zuiverheid en geweld.

De gevangenis van het instinct.

Het zuiverste geluid dat bestaat.

Een enkele waarheid tegen duizend mogelijke leugens.

Welke andere kostbaarheid is zo makkelijk te vernietigen?

***

Wil je weten of ik sinds vanavond met Mark ga?

Ik verroer geen vin. Wacht af.

'Ik kan me wel voorstellen wie je dat verteld heeft.' Je werpt een blik op Chrystal, die nietsvermoedend in het bed ernaast ligt te slapen. 'Nou ja, Mark is een aardige vent, hij is zachtaardig, invoelend, maar...'

Nu kijk je me recht in de ogen.

'Misschien heb ik daarom over je gedroomd. Misschien ben je daarom hier: je hebt gehoord dat ik je geroepen heb.'

Opnieuw val je in mijn armen. Ik druk je dicht tegen me aan. Ondanks je bemoedigende woorden word ik overvallen door een plotselinge angst.

'En hoe zit het met die Mark?'

'Geen zorgen, het is niets serieus, voor hem ook niet. Hij kan het wel aan. En bovendien wist hij het. Ik heb de hele tijd alleen maar over jou gepraat!'

Slechts met moeite onderdruk ik een opgeluchte lach.

'Ik heb zo lang op dit moment gewacht,' fluister je. 'Ik heb tot op het laatst gehoopt. Ik heb zelfs gebeden dat dit alles zou gebeuren en dat ik je zou terugzien, weet je?'

'Gebeden?' brom ik sarcastisch. 'Maar goed dat ik het initiatief genomen heb...'

'Hou op.'

Je omhelst me zo stevig dat ik geen adem krijg.

'Ik vind je zo leuk, Dem.'

'Ik jou ook.'

Je verbergt je gezicht in mijn hals.

'Maar... ik ben bang om mijn hart aan je te geven.' Je stem is een gedempte fluistering. 'Herinner je je het nummer dat je op het schoolfeest voor me liet draaien? Ik heb er zo vaak naar geluisterd dat mijn stereo bijna ontploft is. Je moet me beloven dat het bij ons niet zo zal zijn.'

'Wat bedoel je?'

'*If you should die before me...*'

Ongemerkt haal je adem. De tijd lijkt heel even stil te staan.

'*... ask if you can bring a friend.*'

'En ik zou macaber zijn!'

Je kijkt me met vlammende ogen aan. Het is me op slag duidelijk dat mijn spot totaal misplaatst is.

'Het is geen grapje. Ik ben bang dat als ik verliefd op je word... Dem, je mag me nooit meer verlaten.'

'Begrepen. In orde. Dat is ons pact.'

'Laten we hier weggaan. Nu meteen. Neem me mee.'

'Dat is niet zo'n goed idee. Omdat... ik een gepikte auto terug moet geven.'

'Wat?' Je slaat je hand voor je mond. 'Je bent gek!'

'Anders had ik niet naar je toe kunnen komen! Ik moet die wagen op een andere plek neerzetten en de eigenaar opbellen. Dat zou riskant kunnen worden en daar wil ik jou niet bij betrekken, voor het geval er problemen van komen. En als je zomaar verdwijnt, maken de anderen zich morgen zorgen.'

'Dat kan me niet schelen. Laten we die autotoestand regelen en de trein pakken. Laten we samen naar San Francisco terugreizen.'

In je ogen brandt een wild vuur. Langzaam nadert je mond de mijne. Eindelijk, na maanden van wachten, beroeren onze lippen elkaar. We kussen elkaar en opnieuw voel ik dat ik val. Maar ditmaal naar boven.

***

Ik leg mijn handen op haar schouders.

'Het spijt me, Gigi... Ik kan het niet.'

Ik duw haar zachtjes van me af. Dan buk ik me naar het jurkje. Als ik opkijk, staan haar ogen vol tranen.

'Gigi... vergeef me, maar...'

'Nee, Demian, je hoeft je niet te verontschuldigen. Wat je voelt is prachtig. Ik had het nog niet begrepen. Maar nu heb ik het duidelijk gevoeld.'

Gigi doet een stap achteruit en trekt haar jurk aan.

'Jij moet míj vergeven.'

Dan draait ze zich om en rent weg. Met een galmende dreun valt haar gitaar op de grond. Ik blijf als aan de grond genageld staan, ik weet niet hoe lang. Een manestraal valt in de grot en vult hem met blauwachtig licht. Het duurt slechts enkele ogenblikken, dan keert de duisternis terug.

Het is vreemd. Toen Gigi me in haar armen hield, beleefde ik onze nacht in Cottage Grove nogmaals. Die nacht waarin jij me redde en alles opnieuw begon.

In mijn hoofd hoorde ik de woorden van 'Still Remains'. Nooit had ik gedacht dat dit nummer ooit zo belangrijk zou worden. Nu zijn de woorden de talisman die me de zekerheid geeft dat *je niet dood bent*.

Pas nu begin ik de werkelijke betekenis te begrijpen van wat Jacques zei. De ware betekenis van mijn zoektocht.

Je zit in mij. Nooit zul je kunnen sterven.

DEEL V

HET GESCHENK

64

HET IS EEN STRAND, OF MISSCHIEN EEN WOESTIJN (2)

Ik ben een mier, verloren tussen gigantische voetsporen.

Om mij heen niets dan zand. De duinen dansen onder mijn voeten, trekken me omlaag en tillen me weer op – verstikkende, schaduwloze, spiegelgladde muren, zo ver het oog reikt. Een duivels wit, dat me uit-wist.

Verbleekte beelden tuimelen door het licht. Ik probeer ze vast te hou-den, te herkennen. Het zijn *herinneringen*.

Iets, iemand, achter en voor dit onveranderlijke landschap.

Achter het laatste duin.

Maar is er eigenlijk wel een laatste duin? Of ben ik de gevangene van een kringvormige hel, gedoemd om eeuwig rond te dolen?

Ik reik voor me uit, zoek met mijn handen naar zuurstof.

Blijf staan.

Haal diep adem. Je moet op adem komen.

Ik adem hete wind en stof in. Gloeiend zand dat de huid schuurt, elk lichaamsvocht uitdroogt, lippen en slijmvliezen doet barsten. Mijn keel-gat is een in leem gegraven tunnel.

Ik heb hulp nodig, maar er is hier niemand. Intussen praat ik met mezelf, ik ben advocaat en rechter, aanklager en verdediger, ik slinger mezelf oordelen naar het hoofd. Misschien ben ik gek aan het worden.

Ik heb zijn stem in de wind niet meer gehoord.

Toch is hij de enige reden waarom ik verderga.

Voor hém druk ik deze sporen in het zand. Het zijn met de voet ge-schreven letters. Stap voor stap ontstaan er woorden uit, zinnen in een vreemde taal, die me volgen als een heel lange schaduw.

Kun je ze zien van daarboven?

Als ik in slaap val, krijg ik een vreemde droom.

Ik vlieg als een vogel. Zachtjes zweef ik over een klein meer, in het heldere water spiegelen zich de bomen rondom. Alles is ongelooflijk levend en sprankelend. Piepkleine waterdruppeltjes bedekken mijn huid en doen me in verrukt gejubel uitbarsten, ze geven me een welhaast overweldigend gevoel van frisheid.

Op de andere oever duikt een huis met een wit dak op. Ik scheer dicht over het water, zwenk dan omhoog en vlieg door een open raam op de tweede verdieping het huis binnen.

Er is daar een enorme zaal met lange rijen bedden in het halfdonker. In een ervan ligt een slapend meisje.

Dat ben ik, denk ik. Ik weet niet hoe mijn gezicht eruitziet, maar het lijdt geen twijfel: ik zie mezelf slapen.

Aan het voeteneind van het bed zit jij.

Je houdt mijn hand vast. Onze vingers zijn in elkaar verstrengeld als wortels in de aarde.

Weet je, zeg je me, bij alles wat ik doe, stel ik me voor dat jij me gadeslaat. Elke gedachte die door mijn hoofd gaat, spreek ik hardop uit, zodat jij hem kunt horen. Ik praat met mezelf en heb het gevoel dat ik met jou praat. Ik beschrijf je wat ik zie, vertel je wat ik voel. Ik weet dat je mij ziet, mij hoort, altijd.

Ik houd mijn adem in om de andere geheimzinnige kamerbewoners niet te wekken. Plotseling schiet de naam van deze plek me te binnen: Cottage Grove. We zijn daar samen geweest. We waren tieners.

... Het is een strand, of misschien een woestijn...

Als ik wakker word, vervagen de contouren van de droom onmiddellijk. Alleen het brandende verlangen naar iets verlorens blijft achter. Flarden van je stem galmen na als de echo van een kreet.

Nee. Zo is het helaas niet meer. Van hieruit kan ik je niet meer zien of horen.

Maar ik moet geloven dat jij het nu in mijn plaats doet.

Ik roep je naam, die ik niet ken.

Kun je mij zien, achter de duinen?

Kun je mijn stem horen?

65

ONDERWATERMAAN (2)

TOKASHIKI-JIMA, OKINAWA, 19 NOVEMBER 2009
DRIE MAANDEN EERDER

Het opsporingsbiljet was lange tijd opgevouwen geweest. In het midden, op het kruispunt van de twee vouwen, was de foto verbleekt, bijna versleten, maar de twee gezichten waren nog goed herkenbaar. Een man en een vrouw, glimlachend, als busteportret gefotografeerd. De man was zonder twijfel Mauke Nuha: zonder baard, met kort haar en wat jonger dan Aruke hem kende. Naast hem het stralende gezicht van een mooie jonge vrouw.

Dat is Mauke Nuha's vrouw, dacht Aruke. *De vrouw die hij in zijn droom heeft gezien... en naar wie hij misschien nog altijd zoekt.*

Onder de foto stond een tekst in een taal die Aruke niet kende.

Man en vrouw vermist.
Hoge beloning voor informatie.

Dan het nummer van Ian Sidehearts satellietmobiel en daar weer onder, met de hand toegevoegd, een soort adres:

Tokashiki Bungalows nr. 97
Tokashiki – Okinawa.

Aruke leunde tegen de hut van zijn oom Waremu en liet zich omlaag glijden in het zand.

'Wil je daarmee zeggen...' stamelde hij ongelovig.

'... dat Mauke Nuha's vader hier is geweest? Ja! En ik heb met hem gesproken!' zei Yukiko. Ze herhaalde de zin al voor de derde keer.

'Maar hoe...'

'... ik hem gevonden heb?' vulde ze ongeduldig aan. 'Toen jullie naar de tempel waren vertrokken, ontdekte ik boven in het vakantiedorp die flyer?' Yukiko wapperde met het verkreukelde papier. 'Ik kreeg bijna een hartaanval: iemand zocht Mauke Nuha! Dus ben ik naar de Tokashiki Bungalows gerend en ben als een gek op deur nummer 97 gaan bonzen, maar niemand deed open! Toen heb ik die flyer genomen, erop getekend hoe je bij ons strand komt en er een pasfoto van Mauke Nuha op geplakt, als bewijs van mijn goede trouw. Toen heb ik de boodschap onder de bungalowdeur door geschoven, ben naar huis gegaan en heb toen drie dagen gewacht.'

Bedaard telde Yukiko het na op haar vingers. Aruke en Waremu gebaarden haar ongeduldig verder te vertellen.

'Na drie dagen is er een Amerikaanse man opgedoken.'

'Een Amerikaan?'

'Ja, een Amerikaan! Eerst stelde hij me een hoop vragen en toen zei hij me dat hij Mauke Nuha's vader was. Ik heb hem alles verteld wat ik wist. Dat het goed ging met Mauke Nuha en dat hij dertig dagen tevoren naar Wales was vertrokken. Hij huilde van vreugde en bood me vervolgens een beloning aan, die ik natuurlijk afsloeg.'

'Maar dat is een teken!' Aruke sprong op. 'Nu kunnen we Mauke Nuha vinden en hem alles vertellen! Het is eenvoudiger dan we dachten.'

Waremu knikte glimlachend.

'Hoe heette die man?' vroegen ze tegelijk.

Yukiko werd rood en liet haar hoofd hangen.

'Ik... Dat heeft hij niet gezegd,' stamelde ze. 'Of misschien... ben ik het vergeten.'

'Domme vrouw!' blafte Waremu. 'En wat moeten we nu doen?'

'Je bent zelf dom! En een onwetende wilde bovendien!' snauwde Yukiko terug. 'Zie je niet dat hier een telefoonnummer staat? Te-le-foon, begrijp je?'

Ze haastten zich naar het vakantiedorp en vroegen of ze mochten bellen. Yukiko koos het nummer, bracht de hoorn naar haar oor en gebood Aruke, die onophoudelijk over haar schouder tegen haar praatte, zijn mond te houden.

Maar een metalige stem aan de andere kant van de lijn liet haar weten dat het nummer op dat moment niet bereikbaar was.

'We proberen het morgen nog eens,' zuchtte Yukiko.

De volgende dag keerden ze terug, en ook in de dagen daarna, maar steeds met hetzelfde resultaat: de telefoon was uitgeschakeld.

Want de satelliettelefoon van Ian Sideheart lag in het struikgewas van de Tokashiki Bungalows, pal voor bungalow nr. 97, onder een dikke, vochtige laag bladeren. Al bijna een maand lag het toestel daar: sinds de avond waarop Ian een hartinfarct kreeg en buiten westen van de verandatrap gevallen was.

Toen hij zijn zoon teruggevonden had en naar San Francisco was teruggekeerd, had Ian de telefoon als gestolen aangegeven en alles in het werk gesteld om het nummer te behouden. Maar vanwege de gecompliceerde regels van de internationale mobiele telefonie was hem dat niet toegestaan.

'Ellendige bureaucraten!' had Ian woedend gefoeterd. Het was van cruciaal belang dat hij het nummer terugkreeg. Er waren op de hele wereld nog honderden opsporingsbiljetten in omloop. Mocht iemand informatie over Karin hebben, dan zou die geen contact met hem kunnen opnemen.

Na twee weken van onvermoeibare pogingen gaven Aruke en Waremu de hoop op. Yukiko probeerde achter de eigenaar van het telefoonnummer te komen, maar die informatie werd haar geweigerd. Bescherming van persoonlijke gegevens na aangifte van diefstal, had de politie verklaard.

'En hoe moeten we het hem nu laten weten?' vroeg Aruke wanhopig.

'We bedenken wel iets,' sprak Waremu bezwerend. Hij legde een hand op Arukes schouder. 'Er is vast wel een manier te vinden.'

'Maar onze tijd is om! We moeten terug naar huis!'

Was Horu maar bij ons, dacht Waremu. *Hij zou vast wel raad weten.*

Maar om Aruke niet nog wanhopiger te maken hield Waremu zijn gedachten voor zich.

Twee maanden later, op 14 januari 2010, kreeg Ian eindelijk beschikking over het nummer. Hij bracht de simkaart aan in zijn nieuwe satelliettelefoon, laadde de accu 's nachts op en zette het toestel de volgende morgen aan. Maar de telefoon ging nooit over. Ian zou van alle wanhopige pogingen om contact met hem op te nemen nooit iets vernemen.

66

DE LAATSTE NACHT BIJ
DE SOUL TRAVELLERS

TAIWAN, HET STRAND VAN DE SOUL TRAVELLERS, 14 FEBRUARI 2010

Roerloos blijf ik wachten tot mijn ogen aan het donker gewend zijn. Dan verzet ik een paar stappen. Ik tast de bodem van de grot af tot ik op Gigi's gitaar stuit. Ik raap hem op en leg hem terug in de gitaarkoffer. Ook de zaklamp ligt op de grond. Ik raap hem op en probeer hem aan te doen, maar hij weigert dienst. Ik zoek me op de tast een weg uit de grot tot ik het maanlicht weer zie.

Ondanks het gebrul van de golven die stukslaan op de rotsen, hoor ik het oorverdovende kabaal van de rave helemaal hier. Achter de duinen stijgt een lichtgevende rookkolom op.

Ik keer terug naar het feestgewoel en dompel me onder in de chaos van provisorische stalletjes, straatartiesten, wankelende mensen die in koor zingen of met verwijde pupillen en zwetende lijven in het zand dansen, barbecuegeuren en zoetige marihuanawalmen. Een gevecht van talloze vervormde realiteiten die tegen elkaar opbieden.

'Lsd? Mescaline?' vraagt een oude man met een Mexicaanse hoed.

'Nee, bedankt.'

In een kring van pafferige gezichten zit een meisje. Kort zwart haar, een gitaar op haar schoot. Ik ren naar haar toe.

Ik roep: 'Gigi!' en leg mijn hand op haar schouder.

Ze draait zich om.

'O, nee... Sorry,' stamel ik. Het meisje kijkt me aan en lacht, dan speelt ze verder.

Aan het water draaien een paar vrouwen in lange zwarte gewaden met naar de maan geheven armen als derwisjen in het rond om het een of andere wiccaritueel te celebreren. Ik meng me onder hen, kijk ze een voor een in het gezicht of pak ze bij de schouders. Ze kijken me boos aan, iemand zegt me op te duvelen, maar Gigi is er niet bij.

Een uur lang zwerf ik rond, ik zoek haar in haar woonwagen, in mijn grot, in de kazerne, maar ze is nergens te bekennen. En niemand is nuchter genoeg om me verder te helpen.

'Stefano! Heb jij Gigi gezien?'

'Nee,' blaft hij geërgerd.

'Miguel, heb jij haar gezien?'

'Al een hele tijd niet. Ze is vast met een of andere kerel de bosjes in gedoken, ze is vast zo weer terug. Om middernacht treedt ze op.'

Ja, alleen jammer dat ik haar gitaar heb. Ik ga voor het podium zitten en wacht. Middernacht komt en gaat, maar Gigi laat zich niet zien. In plaats daarvan betreedt een excentrieke groep violisten van de Balkan het podium, die zichzelf God Plays Punk Tzigano noemen. Het opzwepende ritme van hun muziek jaagt me angst aan en ik ruim het veld.

Nu ik erover nadenk, heb ik ook Jacques niet gezien. Zouden ze samen zijn vertrokken?

Maar daar klinkt een onmiskenbare lach uit het feestgedruis op. Ik draai me om en zie Jacques, die bij een kraampje zit waar stinkende pannenkoeken worden gebakken. Grappend en druk gebarend zit hij bij twee hoogblonde Scandinavische meiden. Als hij me ziet, houdt hij op met lachen, springt van tafel en haast zich naar mij toe.

'Demian!'

'Hallo, Jacques.'

'Ik wist dat je haar hart zou breken. Maar ze wilde niet naar me luisteren.'

'Heb je haar gezien?'

'Ja, een paar uur geleden is ze in tranen naar me toe gekomen. Daarna is ze vertrokken.'

'Weet je waarheen?'

Jacques haalt zijn schouders op.

'Ik heb geen flauw idee. Misschien naar Taipei. Ze zal Taiwan vast niet verlaten, haar visum is verlopen. Geen zorgen, over een paar dagen is ze eroverheen.'

Jacques kijkt me vorsend aan.

'Maar jij zult niet hier zijn om op haar te wachten – heb ik het goed?'

Ik knik langzaam.

'Dus je hebt je besluit genomen.'

'Ja. Ik kan niet langer blijven. Ik zou haar graag gedag hebben gezegd, maar daar is nu geen tijd meer voor.'

Jacques steekt een sigaret op en inhaleert diep.

'En waar wil je heen?'

'Ik weet het nog niet. Ik ben nog steeds op hetzelfde punt: ik moet naar Kanku-Shi, maar ik weet nog niet hoe.'

'Heb je geld nodig?'

'Nee. Ik heb mijn laatste duizend dollar bij me.'

We kijken elkaar in de ogen en zoeken in de blik van de ander het antwoord op onze kwalen. Ik heb deze man pas een paar weken geleden ontmoet, maar het voelt alsof ik hem al een leven lang ken.

'Hier.' Ik overhandig hem Gigi's gitaar. 'Pas er goed op, hij is van haar grootvader en ze is er erg aan gehecht. Geef hem aan haar terug en zeg haar dat ik haar graag mag.'

Jacques gezicht versombert.

'Gigi heeft dit bij mij achtergelaten.'

Hij drukt me een envelop in de hand. Ik houd hem nerveus tussen mijn vingers, heb de moed niet ernaar te kijken.

'Ze gaf hem aan mij voordat ze ervandoor ging. Zei dat hij voor jou was, verder niets. Het zou belangrijk kunnen zijn.'

Dan omhelst hij me ten afscheid.

'Denk aan wat ik je gezegd heb.'

'Doe ik. Hoe zou ik het kunnen vergeten? Ik moet het goed onthouden om precies het tegenovergestelde te kunnen doen.'

We moeten allebei lachen, voor de eerste en laatste keer.

'Ik weet dat het misschien merkwaardig klinkt, Dem, maar denk eraan: de levenden zijn belangrijker dan de doden.'

'Bye, Jacques.'

'Adieu, Demian.'

Mijn afscheid van de Soul Travellers kan alleen aan de punt van de landtong plaatshebben. Ik onttrek me onopvallend aan de feestelijkheden en sluip langs de onzichtbare liefdespaartjes die hijgend en steunend in het donker liggen. Dan zet ik voor de laatste keer voet op het smalle pad dat dapper de oceaan in voert.

Eindelijk ben ik alleen. De muziek en het gejoel bereiken me gedempt, gefilterd door de zwarte sluier van de nacht. Ik ga zitten, laat mijn benen boven de golven bungelen en draai Gigi's brief om en om in mijn handen. Dan vat ik moed, scheur de envelop open en haal een opgevouwen vel papier tevoorschijn.

Ik knip mijn aansteker aan en begin bij het zwakke licht van de vlam haar brief te lezen.

67

ONDERWATERMAAN (3)

Hallo Dem...
Ik ben nog helemaal buiten adem en mijn hart gaat tekeer... maar
ik heb nog maar twee minuten om je te schrijven en daarom doe
ik het met trillende handen. Daarna ga ik weg, zo ver mogelijk
weg van jou als ik kan.
Begrijp me niet verkeerd: ik doe het niet omdat je me afgewezen
hebt of omdat ik je wilde verleiden, al was dat reden genoeg. Nee,
Dem. De reden is een andere. En hij is veel ernstiger.
Er is iets wat ik je al veel eerder had moeten vertellen en geheim
voor je heb gehouden.
Herinner je je het cadeau dat Jacques bij zijn aankomst voor me
meebracht? Zoals je weet, was het een verfomfaaide boodschap
voor mijn flessenpostverzameling. Ik zei je ook dat het om een
fake ging en dat ik het weggegooid had.
Ik heb je voorgelogen. De sybillijnse zinnen in de boodschap de-
den bij mij meteen een belletje rinkelen: op een of andere manier
hielden ze verband met jouw verhalen. Die avond bestookte ik je
met vragen over je avonturen in de Pacific, weet je nog? Vooral
over de kostbare zwarte parel die je gevonden had. Ik vroeg je of
hij een naam had, en jij noemde hem 'Warama'ay'mitwy', 'On-
derwatermaan'. Dat was het bewijs dat de boodschap voor jou
bestemd was.
Maar ik besloot het voor me te houden. Waarom? Omdat ik toen
al verliefd op je was en bang was je te verliezen.
Ik wil me niet rechtvaardigen. Ik besef de ernst van mijn fout nu
volledig. Het is alsof ik plotseling uit een mooie droom ben ont-
waakt. Wat ben ik egoïstisch en dom geweest! Te geloven dat je
van mij zou kunnen houden als ik de waarheid voor je verborg!
Ik walg van mezelf, van mijn onuitsprekelijke daad, en kan niet
meer ophouden met huilen.
De boodschap zit in de envelop.

Ik weet dat je me zult haten. Maar ik hoop dat je me ooit zult kunnen vergeven en weer mijn vriend kan zijn. Maar ik hoop vooral dat je de vrouw zult terugvinden die je zo wanhopig liefhebt.
Met affectie en – beslist nog lange tijd – liefde,
Je Gigi

Met ingehouden adem voel ik in de envelop. Er zit nog een velletje in. Gejaagd trek ik het eruit. Het is een klein stuk verkreukeld papier. Als ik de aansteker erbij houd om te lezen wat erop staat, valt het bijna uit mijn klamme hand.

Op het eerste gezicht ziet het eruit als een reclamefolder met Chinese of Japanse karakters, zoals ik ze al ontelbare malen op etalageruiten en buiten bij supermarkten heb gezien.

Dan zie ik dat er tussen de regels en aan de randen iets bij geschreven is, in verschillende handschriften en talen.

Zijn het vertalingen van de karakters?

Ik vind de Engelse versie en begin met kloppend hart te lezen.

***

TOKASHIKI-IJMA, OKINAWA, 3 DECEMBER 2009
TWEEËNHALVE MAAND EERDER

'Al twee weken bellen we naar dat vervloekte nummer,' gromde Aruke, terwijl hij zijn vermoeide gezicht in zijn handen begroef. 'Dit kan niet de goede manier zijn!'

'We zouden ergens een boodschap kunnen achterlaten, in de hoop dat Mauke Nuha hem vindt,' stelde Waremu voor, die voor de deur van zijn hut zat.

'Dat gaat nooit werken.'

Waremu antwoordde niet.

'En waar zou je die boodschap dan willen achterlaten?'

'Geen idee. Misschien hier in Tokashiki.'

'En waarom zou Mauke Nuha hier terugkeren? Wie weet waar hij nu is! Bovendien zou zo'n boodschap kwaadwilligen kunnen aantrekken. Riyoko was heel duidelijk: de ligging van de tempel mag niet bekend worden!'

423

'Weet ik, weet ik. We mogen haar vertrouwen niet beschamen. Het zou een boodschap moeten zijn die alleen Mauke Nuha begrijpt.'

'Iets wat om de wereld kan gaan,' dacht Aruke hardop, 'iets wat mensen in de hele wereld interessant vinden en aan elkaar doorgeven. Een boodschap die je niet weggooit, maar verder de wereld in stuurt. Dan zou er hoop zijn dat hij Mauke Nuha bereikt!'

'Maar tegelijkertijd mag alleen hij hem begrijpen!'

Lange tijd zaten ze zwijgend en verslagen bij elkaar. Ze voelden zich machteloos, als twee kinderen voor een veel te moeilijke rekensom.

'Wacht!' Aruke sprong op. 'Misschien heb ik iets wat kan werken!'

Met opgewonden gebaren lichtte hij zijn idee toe.

'Ja, ja! Natuurlijk!' riep Waremu. 'Dat zou de oplossing zijn: simpel, maar geniaal! Aruke, je vader zou trots op je zijn!'

Waremu perste meteen zijn lippen op elkaar, hij had te veel gezegd. Toen voegde hij er zachtjes aan toe: 'Je zult een geweldige hoofdman voor je dorp zijn, als je weer terug bent.'

Aruke voelde zich gevleid, maar hij moest zich tot het uiterste vermannen om niet in tranen uit te barsten. Hij gaf zijn kleine broer Iruie, die sinds de jongste tragedie die hun overvallen had niet meer van zijn zijde week, een kneepje in de hand en trok hem mee.

Ze holden naar de haven en betraden schuchter het postkantoor. Yukiko dicteerde de boodschap in het Japans en liet er tweehonderd kopieën van maken. Toen verspreidden ze de flyers over het hele eiland, legden ze in hotels en cafés, in het volste vertrouwen dat ze de verbeelding en begerigheid van de zeelui zouden prikkelen.

In hun harten gloorde één hoop: dat een van deze flyers ergens in Mauke Nuha's handen zou vallen.

Vijfenzeventig dagen later zou die hoop in vervulling gaan.

68

DE OPROEP

'Opdat de kring van de Ceremonie der Geschenken zich sluite.
De rechtmatige bezitter van de Warama'ay'mitwy, de Onderwa-
termaan, legendarisch kleinood van onschatbare waarde, wordt
opgeroepen dit wederom in bezit te nemen. Laat hem naar het
Eiland van het Laatste Afscheid terugkeren, waar hij al spoedig
niemand meer zal aantreffen, en zich vandaar op weg begeven
naar het strand waar de schat op hem wacht.'

Ik sluit de aansteker, kijk op naar de hemel en slik galbitter speeksel weg.

Een moment lang geloofde ik dat dit papier een boodschap van jou zou kunnen bevatten, dat het me zou vertellen dat je in leven bent, of me zou wijzen hoe ik bij je kan komen. Een volkomen dwaze hoop. Tot zoiets zou Gigi niet in staat zijn geweest. Maar de werkelijkheid is een koude douche die me de adem beneemt.

Ik sluit mijn ogen en haal diep adem.

De woorden van het papier galmen door mijn hoofd.

De ceremonie der geschenken. De Warama'ay'mitwy.

Een beeld verrijst voor mijn ogen. De enorme zwarte parel die ik aan de bodem van de oceaan heb ontrukt.

Is deze boodschap voor mij bestemd?

Ik open mijn ogen en houd de vlam nogmaals bij de cryptische zinnen, maar zonder ze te begrijpen.

Eén ding verbaast me. Aan de randen van het vel zijn twee lange, zwarte strepen te zien, typerend voor fotokopieën. En daarvan zijn er vele, ze overlappen en kruisen elkaar; kennelijk is dit de zoveelste kopie van een origineel bericht dat ergens in omloop is gebracht.

'Maar natuurlijk,' mompel ik. 'Het papier stelt een geheimzinnige schat in het vooruitzicht. Daarom heeft het zich als een virus onder de zeelui verspreid. Kopie op kopie, vertaling na vertaling, tot het in Jacques' handen terechtkwam, vervolgens bij Gigi en uiteindelijk bij mij!'

Ik barst in lachen uit.

Wat een geniaal idee! De bedenker heeft het voor elkaar gekregen om mij zijn boodschap over te brengen zonder te weten hoe ik heet of waar ik ben!

Is dit Horu's werk?

Dan ontdek ik nog een vreemd detail. Een vage tekening onder de tekst, een soort gecompliceerd diagram, een beetje zoals die puzzels waarbij je punten met elkaar moet verbinden. Het bestaat uit strepen, bogen en kleine cirkels. Het beeld is amper te zien, het ziet eruit als een carbondoorslag, maar misschien is het gewoon willekeurig gekrabbel.

Mijn koortsig brein is veel te verward om dat alles nuchter te analyseren. Ik blaas de vlam uit en stop de boodschap in de envelop terug. De betekenis is een raadsel, maar de hoop, hoe vaag ook, om Horu en Aruke terug te zien, geeft me nieuw vertrouwen. Naast de liefde die ons verbindt is er nóg een reden waarom ik hen dringend zou willen terugzien: met hen zou ik eindelijk naar Kanku-Shi kunnen varen. Samen zouden we elke militaire barrière kunnen omzeilen. We zouden zelfs Poy'Atewa kunnen vinden. Met hen erbij zou ik de zoektocht naar mijn verleden kunnen voortzetten. Dieper in mijn herinnering duiken.

Ik weet niet zeker of Horu en Aruke me zoeken, noch of het bericht werkelijk van hen afkomstig is. Maar nu wil ik niets liever dan het geloven. Het teken waarop ik heb gewacht om mijn reis voort te zetten is eindelijk gekomen.

***

Nadat ze Jacques de envelop had gegeven, was Gigi weggerend, zonder acht te slaan op de scherpe rotsen die in haar voeten sneden, haar blik versluierd door maanlicht en tranen. Ze holde door de duinen, doorkruiste het bos en bereikte de kustweg die naar Taipei leidde. Een stroompje warm bloed biggelde over haar wang: ze was zonder het te merken gewond geraakt aan een wenkbrauw.

De schaamte voor wat ze had gedaan, volgde haar. Hoe snel ze ook liep, die kon ze niet afschudden. Ze rende verscheidene kilometers, tot ze uitgeput struikelde en ten val kwam. Ze haalde haar knieën en ellebogen open aan het ruwe, verwaarloosde asfalt, maar voor ze de pijn kon voelen, werd ze al overmand door de slaap. De kreten van de nachtdieren klonken schel in haar oren, en toch sliep Gigi urenlang diep en vast aan de kant van de weg.

Ze droomde van Demian.

Het was een vreemde droom: Demian was samen met haar grootvader Georges op een reusachtig strand.

In het oosten ging de nacht reeds in ochtendschemering over.

Gigi opende haar betraande ogen. Maar ditmaal waren het zoete, in de droom geweende tranen, tranen van geluk.

Ze sloot haar ogen en bleef roerloos liggen. Ze was bang dat het levendige beeld zou vervagen als ze volledig wakker werd. Ze wilde het niet vergeten.

Ze moest terug. Al haar schuld en schaamte verdwenen naar de achtergrond. Nu had zij Demian nodig. Ze zou hem op haar knieën om vergeving smeken, maar ze had nu een vraag die de belangrijkste van haar leven was. En alleen hij kon het antwoord kennen.

Ze krabbelde op en begaf zich weer op weg, vervuld van de plotselinge angst dat hij al weg zou kunnen zijn.

***

De zonsopgang vindt mij aan de punt van de kaap, met mijn voeten bungelend in de leegte en met mijn ellebogen op de ruwe rotsen gesteund. De rave is nog steeds niet helemaal voorbij: op het strand is een kleine groep mensen nog altijd aan het dansen en joelen, tussen de slapende lichamen, in afwachting van de verlossende eerste zonnestralen.

En daar is de zon, rood en reusachtig rijst hij op uit het kalme water. De onbewolkte hemel licht roze op. Geen schaduw verduistert meer de horizon: intussen zijn mijn herinneringen honderden mijlen verder: voorbij Kanku-Shi, voorbij onze zalige vakantie, onderweg naar het geheimzinnige Poy'Atewa.

Het is tijd om deze plek te verlaten.

Met pijnlijk stramme ledematen kom ik overeind en hijs de rugzak naar mijn schouders. Op het strand zie ik Stefano, Daria en de andere vaste bewoners, die aan het opruimen zijn. Ik neem afscheid met een blik vanuit de verte. Graag zou ik blijven om afscheid van hen te nemen, met een omhelzing, maar daar is geen tijd meer voor.

Ik loop over de landtong terug. Ik maak me uit de voeten als een dief en laat de vervallen kazerne en het strand van de Soul Travellers achter me. Zonder me nog een keer om te draaien klim ik de duinen in en zoek me een weg door het bos. Ik ga dezelfde weg terug die Gigi me op de avond van onze ontmoeting getoond heeft.

Ik zie haar glimlachende gezicht voor me.

Hoe kon ze?

Hoe kon ze zo ongelooflijk egoïstisch zijn? Een maand. Een kostbare maand van zinloos wachten, en alleen door haar.

Ik kom uit het bos en sta op het kleine geasfalteerde terrein, de eindhalte Su-Hua. De bus staat er met draaiende motor, klaar voor vertrek. Het komt me voor alsof hij er nooit weg is geweest, alsof hij sinds de nacht van mijn aankomst op me heeft gewacht. Ook de chauffeur is dezelfde.

'Naar Taipei?' vraag ik gebarend. Hij knikt.

Het is zeven uur in de ochtend. Behalve ik zijn nog slechts vier anderen aan boord, ik zou kunnen zweren dat het dezelfde mensen zijn als op de heenreis. Met een mechanisch gekuch slaat het portier dicht en de bus vertrekt voor zijn eerste rit naar Taipei.

***

Gigi holde. Hoewel alles haar pijn deed, rende ze zo snel als ze kon terug naar het strand van de Soul Travellers.

'*Merde, merde!* Welke weg heb ik gisteren genomen?'

Ze bleef rennen tot ze geen adem meer kreeg. Met bonkend hart hijgde ze uit met haar handen op haar knieën. Toen vermande ze zich en wankelde verder, met haar handen op de milt gedrukt.

Een dof geronk vervulde de lucht. Uit een bocht achter de bomen dook de ochtendbus op en kwam haar tegemoet.

***

Aan de kant van de weg tekent een silhouet zich af tegen de laagstaande zon. De gedaante beweegt zich koortsachtig op ons af, stort zich midden op de weg, zwaait schreeuwend met de armen, om de bus te laten stoppen.

Het is Gigi.

Haar vertrokken gezicht met de behuilde ogen is het laatste wat ik door het raam zie.

Ik zak diep onderuit in mijn stoel. Ik wil niet door haar gezien worden, niet tegenover haar staan.

Ik weet niet hoe ik zou reageren.

***

'*Merde!* Stop, ellendige buschauffeur!' gilde Gigi, toen ze zag dat de bus niet de geringste aanstalten maakte om te remmen. Ze sprong opzij en het scheelde maar een haar of ze was overreden. Terwijl de bus langs haar heen raasde, probeerde Gigi naar binnen te kijken, maar als lachspiegels kaatsten de ramen slechts een wazig beeld van haarzelf, de weg en het geboomte terug.

Lieve God, maak dat Demian niet in de bus zit. Maak dat hij nog niet weg is.

Ze rende verder en bleef pas staan toen ze het strand bereikt had. De sporen van de nachtelijke euforie waren overduidelijk, overal sliepen mensen, het strand lag vol afval, urine en braaksel. Ze betrad de kazerne en liet haar blik zoekend over de bleke, pafferige gezichten dwalen, stormde naar de grot en haar woonwagen, maar van Demian geen spoor. Uiteindelijk liep ze naar de punt van de landtong.

Daar vond ze Jacques. Hij had haar gitaar in zijn hand.

'Hij is weg,' riep hij ter begroeting, door de huilende wind. 'Hij heeft dit hier voor je achtergelaten.' Hij drukte Gigi de gitaar in de hand.

Kapot van het lange rennen en de bevestiging dat Demian er niet meer was, stond Gigi op het punt flauw te vallen. Jacques greep haar pols en hield haar op de been. Gigi drukte haar gezicht tegen zijn schouder en barstte in huilen uit.

'Ik voel me zo schuldig,' stamelde ze in tranen. Toen ze een beetje gekalmeerd was, vertelde ze Jacques wat er de avond tevoren gebeurd was: over het lied, de kus, de brief. En vooral over de boodschap die ze Demian onthouden had.

'*Mon Dieu!*' riep Jacques met grote ogen van verbazing. 'Bedoel je dat die flyer die ik voor je meegebracht had... voor Demian bestemd is? Weet je dat zeker?'

Gigi knikte.

'Ditmaal ben je echt te ver gegaan, *ma chérie*.'

'Ik weet het. Ik voel me zo kleingeestig. En helemaal na gisternacht. Luister naar me, Jacques, en verklaar me alsjeblieft niet voor gek.'

Starend naar de horizon vertelde Gigi geagiteerd van haar droom van de afgelopen nacht. Toen ze Jacques aankeek, stelde ze verrast vast dat er ook in zijn ogen tranen stonden.

'Twee nachten geleden is mij hetzelfde overkomen,' fluisterde hij. 'Een soort droom met open ogen. Ik wilde Demian naar de betekenis vragen, ik wilde weten of het louter om een waanbeeld van een alcoholist ging of dat het echt waar was. Maar uiteindelijk ben ik er toch voor terug-geschrokken.'

Jacques kruiste zijn armen voor zijn borst.

'Als het erop aankomt weet ik helemaal niet zo zeker of ik de waarheid wel wil kennen.'

Zwijgend gaven ze zich over aan hun gedachten. Beiden wisten dat alleen Demian het antwoord kende. Maar beiden beseften ook dat ze hem nooit terug zouden zien.

'Maar waar is het allemaal goed voor?' flapte Gigi er opstandig uit. 'Wat heeft het voor zin? En ik... heb hem niet verdiend!'

'Ik soms wel? Misschien gaat het er helemaal niet om wie hem verdient of niet verdient. Misschien hoeven we hem gewoon alleen maar dankbaar te zijn. En voor hem te bidden.'

Jacques had gelijk, en Gigi wist het. Maar ze had nog nooit in haar leven gebeden en had geen idee hoe dat moest.

Ze wierp haar hoofd in haar nek en liet zich door de zonnestralen strelen.

God... wie je ook bent, dacht ze verward, *maak dat het nog niet te laat is. Maak dat Demian vindt wat hij zoekt. Ongeacht wat dat betekent.*

Toen gaf ze zich over aan dit nieuwe, vluchtige, onverwachte vertrouwen.

69

DE KAART

Als ik er zeker van ben dat Gigi ver weg is, ga ik weer rechtop zitten. Vol woede omklem ik de hoofdsteun van de stoel voor mij en knijp er zo heftig in dat de overtrek scheurt.

Ik moet Gigi's gezicht uit mijn gedachten wissen, ik mag er niet aan denken welke gevolgen haar handelen had kunnen hebben. Nu moet ik me louter en alleen op het papier concentreren. Ik haal het tevoorschijn en lees het nog tien, twintig keer. Maar de euforie van de afgelopen nacht lijkt bij daglicht vervlogen te zijn. Wat geeft me de zekerheid dat deze boodschap echt voor mij bestemd is? Stel dat het gewoon een grap is?

Ondertussen heeft de bus via het stadscentrum de wijk Xin Yi bereikt. Ik schenk de buschauffeur een verlegen glimlach en stap uit, zonder voor de rit te betalen. We staan aan de voet van de Taipei 101 en ik kan niet anders dan omhoog staren: tot een paar jaar geleden was dit de hoogste wolkenkrabber ter wereld. Je in zijn schaduw bewegen is een indrukwekkende ervaring.

Te voet bereik ik het FedEx-filiaal. Ik stap naar binnen en loop naar de wand met de postbussen. De mijne is nummer 897. Ik tik de geheime code in. Met een elektrisch gezoem gaat er een gleuf open die net breed genoeg is om een hand in te steken.

Hij is leeg.

Een medewerker legt me uit dat mijn postbus op 1 februari is opgeheven.

'De betaling was over tijd, meneer,' verontschuldigt hij zich met oprechte spijt.

'En de post die na 1 februari is aangekomen is?'

'Die is retour afzender gestuurd.'

'Maar weet u óf ik post gekregen heb?'

'Dat kan ik u niet zeggen, meneer.'

Ik ben perplex. De laatste hoop Balths brief te krijgen is naar de filistijnen.

'Wilt u telefoneren, meneer? We hebben zeer goede buitenlandtarieven.'

Ik verlaat het koerierskantoor en ga in een rustig park in de schaduw van een kleine shintotempel zitten. Ik neem plaats op een zonnig bankje en begraaf mijn hoofd in mijn handen. Alleen het ruisen van de wind in de bladeren en een over het gras huppelende bal zijn te horen.

Mijn handen, die koortsachtig in de klei wroeten.
De botjes van de kleine Llywelyn in mijn armen.
Het aardedonker op de bodem van de spleet.
De verre stem van Balth die me komt redden.

Ik sluit mijn ogen.

Ik dwaal over de kruimelige vlakte bij de kust van Laugharne.

Een plotselinge duizeligheid, ik voel mijn hart naar mijn keel schieten. De herinnering aan mijn val in die aardscheur overvalt me met een overrompelende kracht. Nogmaals beleef ik de val in het niets, proef de aarde die in mijn mond en neus dringt, voel hoe mijn adem stokt. De rugzak dempt mijn val, beschermt mijn rug en redt mijn leven. Horu's *re'wellib* die breekt door de klap waarmee ik de bodem raak.

Dan verknopen zich de draden van mijn vluchtige gedachten, de synapsen sluiten het circuit.

De kapotte re'wellib.

Ik open de rugzak. Heel behoedzaam, bang dat een onverwachte beweging mijn intuïtie kan verjagen.

Ik haal de flyer tevoorschijn en zie de vreemde schets van lijnen en kringen die, tegen de zon in, iets van een watermerk hebben. Dan, ineens, heb ik de oplossing van het raadsel.

De tekening is een gestileerde *re'wellib*!

Precies zo'n *re'wellib* als Horu me leerde lezen en me bij ons afscheid cadeau deed. Met dit verschil dat deze niet uit stokjes en schelpen bestaat, maar getekend is.

'... *Laat hem naar het Eiland van het Laatste Afscheid terugkeren, waar hij al spoedig niemand meer zal aantreffen, en zich vandaar op weg begeven naar het strand waar de schat op hem wacht.*'

Re'wellib zijn zeekaarten, aan de hand van precieze vertrek- en aankomstpunten geven ze een route over de oceaan aan. Vaak wordt daarbij

bepaalde informatie als vanzelfsprekend beschouwd, zodat alleen inge-
wijden ze correct kunnen lezen. De eerste stap om het te lezen is dus het
vertrekpunt vast te stellen:

'...*het Eiland van het Laatste Afscheid...*'

De meest voor de hand liggende verklaring is het eiland Tokashiki in
Okinawa. Daar heb ik afscheid genomen van Horu en mijn reisgezellen.
Hoe meer ik erover nadenk, hoe meer ik ervan overtuigd raak. *Het laatste afscheid.* Maar er is één ding dat ik niet kan verklaren. Op Tokashiki
wonen Waremu en Yukiko. Waarom dus moeite doen om een *re'wellib*
te tekenen? Zou het niet simpeler zijn geweest om de informatie bij hen
achter te laten, zodat zij die bij mijn terugkeer aan mij zouden kunnen
overbrengen?

'... *waar hij al spoedig niemand meer zal aantreffen...*'

Is dat het antwoord? Wonen Waremu en Yukiko misschien niet meer in
de strandhut? Opnieuw slaan mijn gedachten op hol.

Ik moet het stap voor stap aanpakken. En de eerste stap zal zijn dat
ik naar Tokashiki terugkeer. Het wordt vast duidelijker als ik daar ben.

Ik neem het boek ter hand. Onopvallend rits ik met mijn duimnagel
de rand van de boekband open en peuter het paspoort en de laatste duizend dollar eruit.

Weet je nog? Ik had je beloofd dit geld slechts voor één enkel doel te
gebruiken.

Voor de reis die me naar jou terug zou brengen.

Ik zal beginnen het uit te geven. Aan een vliegticket naar Okinawa.

70

TERUGKEER NAAR TOKASHIKI

Op 16 februari om zes uur in de ochtend vertrekt het vliegtuig van Chi-ang-Kai-shek Airport in Taipei – om twee uur later in Naha, in de prefectuur Okinawa, te landen.

Van hieruit ken ik de weg. Haastig verlaat ik de luchthaven, neem een bus en twee veerboten en leg dezelfde weg omgekeerd af die ik vijf maanden geleden genomen heb, toen mijn naam nog Sebastian Haller was en ik nietsvermoedend op weg ging naar Wales.

Het loopt tegen het – zwoele – middaguur als ik in de kleine haven van Tokashiki aan land stap. In de windstille lucht zindert alles als een fata morgana. Ik duik een taveerne in om een kom *ramen* te eten, met een biertje erbij, en ontdek een van Horu's flyers, die tussen massa's andere toeristische info achter de voordeur hangt. Ik sta op en bekijk hem aandachtiger. Het is geen fotokopie zoals de mijne, maar moet een van de alleen in het Japans geproduceerde originelen zijn, zonder de met de hand toegevoegde vertaling. De tekening van de *re'wellib* is er veel duidelijker op te herkennen. Onopvallend verwijder ik het papier en stop het weg.

Vanaf de haven zet ik koers naar Waremu's hut. Ik passeer de kiosk waarin ik vijf maanden geleden de foto voor het valse paspoort heb laten maken en de westerse kleding en de rugzak heb gekocht, die ik nog steeds om mijn schouders heb hangen. Even later ben ik bij het vakantie-dorp, doorkruis het bos en bereik tegen drie uur 's middags het strand.

Of beter gezegd, wat ervan over is.

Voor mij heb ik een bouwplaats in vol bedrijf. Op de plek waar ooit Waremu's hut stond heeft een graafmachine een diep gat gegraven. De hut is samen met zand, aarde en wortels tot een hoop puin bijeengeschoven.

Ontzet loop ik op een van de arbeiders af en vraag om uitleg.

'Wat doet u hier? De toegang tot de bouwplaats is verboden!' brult een Japanner die met stropdas, gele helm en opgerolde bouwtekeningen onder de arm komt aanlopen.

'Wat heeft dit allemaal te betekenen?'

'Ziet u dat niet? Hier wordt gewerkt,' zegt de man grijnzend. 'We breiden het resort uit. We bouwen strandhuisjes en daarginds op het water komen chique paalwoningen.'

'Maar hier hebben vrienden van mij gewoond! Dat daar vooraan was hun huis!' Ik wijs naar de resten van Waremu's hut.

'Ah, ja.' Meteen wordt de man weer ernstig. 'Het spijt me bijzonder. Ik heb Waremu en Yukiko goed gekend, twee geweldige mensen. Ik ben Oishikawa, de eigenaar van het resort.'

De man steekt me de hand toe, maar ik negeer hem.

'Maar ja, zaken zijn nu eenmaal zaken,' vervolgt hij gepikeerd over mijn gedrag. 'De regering heeft ons een vergunning gegeven om het strand te bebouwen en we werken op volle toeren om op tijd voor het volgende seizoen klaar te zijn.' Oishikawa opende zijn armen breeduit. 'Uw vrienden woonden hier nu eenmaal illegaal, vroeg of laat had de politie zich over hen ontfermd. En bovendien is Waremu beslist gelukkiger op zijn geboorte-eiland, en Yukiko zal er vast wel wennen.'

Ik kan geen woord uitbrengen, zo moet ik me inhouden om hem niet een vuist in het gezicht te rammen.

'Enige tijd geleden hebben hier nog andere vreemde figuren gewoond, een groep wilden. Waremu en Yukiko zijn samen met hen per kano vertrokken. Wie zal zeggen waar ze nu uithangen!'

Enkele bouwvakkers barsten in lachen uit.

'Waar hij al spoedig niemand meer zal aantreffen.'

Nu heb ik de bevestiging: Waremu en Yukiko hebben hun woning moeten opgeven. Nu is me duidelijk waarom de *re'wellib* op de flyer is afgebeeld: als plek voor onze afspraak, als je het zo noemen kan, moet er een ander, mij onbekend eiland zijn uitgekozen.

Een zware moedeloosheid overvalt me.

'Uw vrienden hebben een paar zaken achtergelaten,' zegt Oishikawa. 'Als u wilt, kunt u ze meenemen. Ze liggen daarginds, achter de bomen.'

Nieuwsgierig baan ik me een weg door takken en lianen. Wat ik ontdek doet me verrast opveren.

Uit het dichte struikgewas doemt een *wa'hay* op.

Hij ligt in verscheidene onderdelen uiteen. Bootromp, uitleggers, zeilmast, alles is samengepakt en tussen de struiken geschoven. Moeizaam trek ik de afzonderlijke onderdelen tevoorschijn en sleep ze het strand op onder het gelach van de arbeiders, die hun werk hebben onderbroken om toe te kijken. Ik wed dat die stomme zakken de kano zo hebben toegetakeld.

Hij is er werkelijk beroerd aan toe. Vooral het zeil is op een paar plekken gescheurd en zo goed als onbruikbaar. Ondanks alle schade herken ik hem: het is de *wa'hay* waarop ik samen met Aruke gevaren heb.

De herinnering aan onze dramatische overtocht over de oceaan overvalt me met onverwachte kracht. Mijn zwakheid en breekbaarheid komen me weer helder voor de geest, zo scherp dat het me angst aanjaagt.

Toch weet ik dat deze *wa'hay* speciaal voor mij hier is, en wel met een heel speciale reden. De tranen schieten me in de ogen: de hulp van die buitengewone mannen, onverwacht en onbetaalbaar, komt precies op het juiste moment om een enorm probleem op te lossen waarmee ik me in mijn naïviteit nog helemaal niet bezig had gehouden. Met deze *wa'hay* ben ik weer in staat om nogmaals de oceaan te trotseren.

Ik moet hem alleen repareren. Dat is niet moeilijk. Aruke heeft me geleerd hoe het moet. Ik keer terug naar de haven en geef de rest van mijn duizend dollar uit aan een nieuw zeil en alle benodigde materiaal: hout, touw, afdichtmiddel. Gereedschap leen ik van de bouwvakkers, die mijn dagelijkse vorderingen geamuseerd gadeslaan en een rustig plekje voor mijn werk inruimen. Ze behandelen me als een halve gare en misschien hebben ze niet helemaal ongelijk.

's Nachts slaap ik op het strand en de avonden breng ik door bij het kampvuur met het bestuderen van de gestileerde *re'wellib* aan de hand van enkele zeekaarten. Ik probeer hem te ontcijferen en begin verschillende hypotheses op te stellen. Aanvankelijk bijt ik mijn tanden erop stuk: met een echte *re'wellib* van stokjes en touw zou ik al moeite hebben, maar het ontcijferen van deze getekende *re'wellib*, zonder de derde dimensie, lukt me slechts met een grote marge van onzekerheid. Nadat ik de minst waarschijnlijke hypotheses heb uitgesloten, blijven er nog vijf interpretaties over die potentieel valide zijn. Elk volgt een andere route, maar gelukkig liggen ze geen van alle ver van de Okinawa-eilanden. Ik slaak een zucht van verlichting: de tocht hoeft in elk geval niet al te lang of gevaarlijk te zijn. Maar ze hebben allemaal één verontrustend aspect gemeen, dat ik tot nu toe heb proberen te negeren: volgens de zeekaarten eindigen ze allemaal in het niets.

Overdag, terwijl ik aan de kano werk, denk ik na over de betekenis van de boodschap op de flyer. Niet alleen weet ik niet waar deze reis me zal brengen, ik heb ook geen flauw idee waarom ik er eigenlijk aan begin. Zelfs als het zo is dat Horu en Aruke me hebben geprobeerd te bereiken, blijft de vraag waarom.

Zullen we elkaar terugzien op het eind van een van deze routes? Ik betwijfel het sterk. Het lijkt me zeer onwaarschijnlijk dat ze nog steeds in Okinawa zijn. Temeer daar Aruke de geboorte van zijn kind amper kon afwachten. Is er een reden die voldoende zwaarwegend is om hun terugkeer te verhinderen en hen ertoe noopt daar te blijven?

En waarom zouden ze me willen ontmoeten? Beslist niet om me de parel terug te geven: ik weet nog dat Horu hem voor ons vertrek aan de bodes van het eiland Mahana'mo geschonken had.

Ik denk aan de inleidende tekst op de flyer: '*Opdat de kring van de Ceremonie der Geschenken zich sluite.*'

Aruke heeft me ooit over deze 'Ceremonie der Geschenken' verteld, die ook wel *Kula* wordt genoemd. Het is een gebruik dat onder de Pacifische volken nog springlevend is en dat stamt uit de grijze prehistorie. Een uitwisseling van geschenken met symbolische, soms magische of religieuze waarde tussen de volken van verschillende eilanden, bedoeld om elkaar voor het wederzijds verleende vertrouwen te bedanken. De zeevaarders ondernamen honderden mijlen lange reizen, alleen om elkaar deze geschenken te brengen – die ze overigens niet zelf mochten houden, maar dienden door te geven en voortdurend in omloop moesten houden. Zodoende ontstonden ware ceremoniële routes waarlangs de geschenken onvermoeibaar heen en weer reisden. Aruke had me een van deze geschenken laten zien: een halssnoer waaraan macht over de oceaangeesten werd toegeschreven.

Om welk geschenk kon het in mijn geval gaan? Het mysterie dat deze boodschap omgeeft, doet iets geheims en zeer waardevols vermoeden.

Als ik op een nacht opkijk naar de duizelingwekkende, met sterren bezaaide nachthemel, overpeins ik een andere mogelijke betekenis. *Horu toont me helemaal geen reisdoel dat ik moet zien te halen. Misschien is de reis zelf het doel. Een inwijdingsreis, ter loutering. Hij reikt me daarmee de helpende hand.*

Na een week van noeste arbeid is de *wa'hay* als nieuw. 's Middags maak ik een proefvaart rond het eiland en het resultaat stemt me meer dan tevreden. Ook de weersvooruitzichten zijn bemoedigend.

Op de avond voor mijn vertrek besluit ik mijn ouders te schrijven. Ik weet niet waar ik zal eindigen, waar deze laatste daad van waanzin mij zal brengen, maar ik zal beslist lange tijd geen contact met hen kunnen opnemen. Ik scheur een witte pagina uit het boek en begin te schrijven. Ik moet er nog veel meer uit scheuren, en als ik de brief eindelijk afheb, is het bijna ochtend. De stille nachturen vliegen om terwijl ik naar de juiste woorden zoek, niet wetend wat ik eigenlijk wil zeggen. Terwijl de woorden op het papier uitstromen en de verfrommelde vellen in het kampvuur belanden en kort oplaaien, begint er zich langzaam iets in mij te roeren.

Het zijn de brandende, trekkende randen van de wond die zich sluit.

De eerste zonnestralen zien me glimlachen. Ja, ik kan weer vol liefde aan mijn ouders denken. Eindelijk voel ik geen wrok meer om wat er gebeurd is. Ik voel dat ik hen vergeven heb. Dat ik het achter me heb gelaten.

Hallo ma, hallo pa!
Allereerst moeten jullie weten dat het goed met me gaat. Met jullie hopelijk ook. Jullie maken je vast al zorgen. Ik heb een hele tijd niets van me laten horen, even afgezien van de brief aan Chris, die jullie vast nog grotere zorgen heeft gebaard. Ik weet het, die klonk als de laatste boodschap van een terdoodveroordeelde en ik wil jullie niet verzwijgen dat ik heel, heel moeilijke momenten heb doorgemaakt.
Maar nu heb ik een nieuw spoor. Mijn zoektocht zal me naar een ver afgelegen plek voeren, vanwaar ik jullie vermoedelijk niet kan schrijven of opbellen. Meer details kan ik jullie niet geven, ik vraag jullie alleen je geen zorgen te maken, ik kan goed voor mezelf zorgen.
Ik heb veel nagedacht over wat er tussen ons is voorgevallen, en uiteindelijk heb ik jullie begrepen. Het is moeilijk om snel te moeten beslissen, vooral als het om mensen gaat van wie we houden. Ik ben niet boos meer, integendeel, ik dank jullie voor wat jullie voor mij en Karin gedaan hebben, voor het zoeken en al het andere, en jullie moeten weten dat ik van jullie houd.

Ik heb een zekere Jacques ontmoet, die jij, papa, kent en die je de groeten doet. Hij bewondert je zeer voor wat je gedaan hebt. En ik ook.
Ik weet dat deze brief als een afscheidsbrief klinkt, maar dat is hij niet! Zodra ik kan, bel ik jullie op. Geef die kleine rakker van een Jackie een kus van mij en doe Rebecca, Chris en Samuel de groeten. Ik zou nu wat graag bij jullie zijn.
Liefs,
Demian

***

Ik loop naar het vakantiedorp en doe de brief op de post. Dan keer ik terug naar het strand en duw de *wa'hay* het water in.

Zo begint mijn laatste reis.

71

HORU EN DE BODHISATTVA

EEN NAAMLOOS EILANDJE VOORBIJ
DE OOSTPUNT VAN OKINAWA, 20 OKTOBER 2009
VIER MAANDEN EERDER

De hoge rots verhief zich steil boven de junglevegetatie. Van daarboven leek het donkere groen zo dicht en weelderig dat het zelfs het geluid van de branding absorbeerde.

Langzaam beklom Horu de in de rots uitgehouwen treden. Zo voorovergebogen en buiten adem leek hij plotseling jaren ouder. Toen hij bijna boven was, bleef hij stilstaan om op adem te komen.

'Horu!'

Boven aan de trap tekende een silhouet zich af in het tegenlicht.

'Riyoko!'

Horu sleepte zich de laatste treden op en stapte het stralende licht in. De beide gestalten sloten elkaar innig in de armen.

'Ik heb het gehoord, van Same. Het spijt me verschrikkelijk.'

Horu knikte moeizaam.

'De reis was een wanhoopspoging. Ze...' Zijn stem liet hem in de steek. De twee omhelsden elkaar nogmaals.

'Volg me. De eerwaardige moeder is zeer zwak, maar ze zal je ontvangen.'

Ingesloten of wellicht beschermd door de donkere wanden van het woeste oerwoud lag de tuin daar als een edelsteen van licht. De tegenstelling tussen deze beide aangrenzende, elkaar doordringende en toch zo verschillende werelden van kleur en schaduw, harmonie en chaos, schiep een onwerkelijke atmosfeer. De bloemen verspreidden een bedwelmende geur, duizenden vlinders tuimelden geluidloos door het gebladerte.

Wat is het hier vredig, dacht Horu. *Zelfs de pijn die ik in me voel, lijkt pas op de plaats te maken.*

Een vlinder landde op zijn gerimpelde neus en toverde een kinderlijke glimlach op zijn gezicht.

Wat een verrukkelijke plek... jammer dat Mauke Nuha niet mee kon komen.

Pas twintig dagen geleden hadden ze op Tokashiki afscheid van elkaar genomen. De jongen was onwrikbaar geweest in zijn besluit om naar Wales te reizen, en Horu had hem niet kunnen tegenhouden.

Maar het was goed zo, hij heeft de weg gevolgd die zijn hart hem ingaf.

Geraakt door de fragiele schoonheid van de plek volgde hij het witte kiezelpad.

Kom dichterbij. Ben jij Horu?

De stem die schuilging in het spel van licht en schaduw onder het baldakijn van vervlochten groen, leek slechts in zijn hoofd te bestaan, alsof de communicatie telepathisch verliep.

'Ja, dat ben ik,' antwoordde hij. Zijn benen lieten hem in de steek en hij viel op zijn knieën. 'Maar ik ben te laat gekomen.'

Sta op, Horu. Je bent niet te laat. Ik had toch niets doen kunnen: wat jij nodig had, had ik je niet kunnen geven.

'Ja, ik begrijp het. Maar dat is van geen belang, ik ben hier nu niet voor mijzelf. Misschien kunt u mijn *fa'wa'amu* helpen: ik heb een pleegzoon die de oceaan me geschonken heeft, hij heet Mauke Nuha. Hoe graag had ik hem naar u gebracht, eerwaardige moeder, maar hij liet zich niet overhalen. Hij moest een andere weg volgen.'

Vertel me over hem.

Horu vertelde. Toen volgde een stilte, die als een oorverdovend gebrul in zijn oren klonk.

De vrouw boog zich naar voren en haar bleke tijdloze gelaat dook op uit de schaduw. Ze hield haar ogen gesloten en ademde langzaam en gelijkmatig, alsof ze diep in slaap was. Toch maakte ze een geagiteerde indruk, alsof ze een verbitterde strijd leverde.

Heb je hem meegebracht?

Horu schudde zijn hoofd.

'Ik ben hem kwijtgeraakt. Ik weet niet waar hij nu is. En bovendien...' stamelde Horu, 'breng ik het niet op. Spoedig zal ik me bij Same voegen.'

Horu staarde naar zijn handpalm.

'Ik moet naar haar toe. Kunt u mij helpen? Kunt u dat voor me doen?'

Hij barstte in tranen uit en werd door hevige snikken overmand.

De bodhisattva van Okinawa glimlachte treurig. Toen hief ze haar doorschijnende hand, waaraan drie vingers ontbraken, en beroerde Horu's gezicht. Toen hij het tedere gebaar voelde, kwam de onthutsende waarheid met een rilling bij hem binnen.

Wist hij dat maar... Mauke Nuha... het is niet mogelijk...

Als Horu dit eiland had kunnen verlaten, dan had hij bevestiging van zijn openbaring kunnen vinden. Maar het geschenk dat hij de bodhisatt-va had afgesmeekt, zou hem spoedig ten deel vallen en Horu zou nooit meer naar huis terugkeren.

72

OP DE ROUTE VAN DE RE'WELLIB

ARCHIPEL VAN OKINAWA, 21 MAART 2010

Traag deint de *wa'hay* door de duisternis en doet zwart water opspatten. Ik buig me naar voren en tuur de in duister verzonken horizon af. Bijna een maand nu zwerf ik over de Zee van Okinawa. De condities zijn steeds goed geweest: bestendige wind van rond de vijftien knopen, uitstekend zicht, slechts nu en dan een beetje regen. Ik heb vaak langs de kust gezeild en nu en dan op onbewoonde strandjes of in kleine vissersnederzettingen geslapen. Maar tot nu toe is mijn interpretatie van de *re'wellib* helaas verkeerd gebleken: zoals de zeekaarten al voorspelden vind ik aan het eind van de beide eerste routes... niets. Alleen het eeuwige blauw en mijlen in het rond niet de kleinste rots.

Vannacht behoor ik het eind van de derde route te bereiken. Maar de wind is gaan liggen en de *wa'hay* dobbert richtingsloos rond. Ik tuur door mijn oogharen en bid dat er een vaag profiel van vast land voor me zal opdoemen.

Ik veer op.

'Land! Ja! Ja! Land!'

Daar, voor me uit, tekent zich een amper waarneembare schim tegen de sterrenloze hemel af: de smalle lijn van een zandige kust die naar het midden toe een beetje stijgt, de donkerder vlekken van de tropische vegetatie, er dringt geen licht door de duisternis. Ik grijp mijn peddel.

'Vervloekte windstilte,' brom ik. 'Dan pagaai ik wel naar de oever.'

Maar ik ben zo uitgeput dat ik naar de bodem van de kano glijd en onmiddellijk in slaap val.

Een eindeloze stenen trap die zich tussen donkere stukken vegetatie en een wirwar van lianen omhoog slingert naar de façade van een kleine oosterse tempel. De witgelakte pagodedaken werpen hun schaduw op de grond.

Voor me zie ik een man. Langzaam en plechtig bestijgt hij de treden.

*Het is Horu. Ik probeer te schreeuwen, hem te roepen, maar er komt
geen geluid uit mijn mond. Ik volg hem, maar mijn voeten zijn zwaar als
lood. Ik word bang.*

*Dan verdwijnt Horu. Boven aan de trap duikt een oude kerk op. Met
een strenge stenen gevel, bekroond door een kruis, en een machtig, in
smeedijzer gevat venster. Het is de kerk van Laugharne.*

Een dichte nevel stijgt op, zo snel alsof het rook was.

De aarde begint te bewegen, eerst nog zwak, dan steeds sterker.

Een aardbeving?

Ik schrik wakker en sper mijn ogen open.

Dezelfde dichte nevel als in mijn droom omgeeft me.

Hoe lang heb ik geslapen? Een bleek licht lost het donker op tot
een melkwitte schemering waarin zee en lucht vervloeien. De boot
beweegt lichtjes, maar ik heb geen flauw idee waarheen. Ik wapper
met mijn handen voor mijn gezicht. Deze kleverige mist heeft iets
onnatuurlijks. Hij is zo dicht dat ik amper de boeg van de *wa'hay* kan
onderscheiden.

Er bekruipt me een verontrustend onwerkelijk gevoel. Droom ik nog?

Een vreemd geluid onder de boot doet me opschrikken. Een slijpend,
krassend geluid dat van het hout op mijn rug overgaat en door mijn
borst trilt. Eerst schrik ik, maar dan laat ik het serene schuren van zand
dat de *wa'hay* ontvangt door me heen gaan.

Ik heb geluk gehad: terwijl ik sliep heeft een lichte stroming de kano
naar het eiland gedreven. Nu ben ik aan de grond gelopen.

Ik spring uit de boot en zak tot aan mijn middel in het ijskoude water.
De omtrek van het eiland is weinig meer dan een grijze vlek in de lichtende nevel. Ik grijp een touw, trek de *wa'hay* in de richting van de oever
en sleep hem het zand op.

In het tegenlicht ontwaar ik het silhouet van een man: roerloos, met
de handen in de zij, staat hij bij de waterlijn alsof hij al een eeuwigheid
op me wacht. Gedrongen lichaam, rond hoofd. Ik meen dit geliefde profiel te herkennen.

'Horu!' roep ik, terwijl ik het strand op ren, of liever struikel.

Als ik me opricht, kijk ik in twee langwerpige ogen die me monsteren
vanuit een diep gegroefd masker van rimpels. Het is Horu niet.

Het is niet eens een man.

Een oude Japanse vrouw grijnst schaapachtig naar me met een lege, waterige blik in haar ogen. Ze heeft een rond, goedig gezicht, dun wit haar en twee gaten waar ooit tanden zaten. Ze moet minstens tachtig jaar oud zijn, maar het kan evengoed meer dan honderd zijn.

'Goedendag!' roep ik. 'Verstaat u mijn taal?'

De oude vrouw antwoordt niet en lijkt zelfs niet de geringste neiging tot spreken te hebben. Ik probeer me met gebaren verstaanbaar te maken, waarop ze met een verzaligde glimlach reageert, maar ze verwaardigt zich niet om zelfs maar een wenkbrauw op te trekken.

'Verdomme!' mompel ik geërgerd. 'Een demente bejaarde, dat ontbrak er nog aan!'

'Maak je niet zo druk, ik versta je perfect,' antwoordt ze rustig.

'O! Eh... ja... Oké.'

'Ik ken je taal heel goed.'

'Sorry, maar ik...'

'Vertel me wat je op mijn eiland komt doen.'

'Uw eiland? Nou, eh...'

Ik haal de flyer tevoorschijn en laat hem aan haar zien. De Japanse leest de tekst in stilte, dan vouwt ze hem op en barst in lachen uit.

'Wat vindt u daar zo grappig aan?' vraag ik geïrriteerd.

De oude vrouw geeft geen antwoord. Ze draait zich om en loopt giechelend weg.

'Hier bij mij is er geen "kleinood van onschatbare waarde",' roept ze van boven aan het lange, grijze strand.

Ik blijf stomverbaasd staan. Plotseling voel ik alle vermoeidheid van de eindeloze zeilmaand op me neerdalen.

'Hé, maar... is er dan niemand anders op dit eiland?'

De vrouw negeert mijn vraag en ik loop haar achterna. Het zand gaat over in vochtig terrein dat ruimte biedt aan een weelderige tropische vegetatie. Pal voor de dichte, donkere muur van groen, bijna alsof het op het punt staat door palmen en lianen te worden verzwolgen, staat op korte palen een schattig Japans huisje, inclusief pagodedak en een houten veranda rondom.

Ik heb de oude vrouw bijna ingehaald als ik iets zie waar mijn mond van openvalt.

Naast het huis staat een grote open schuur, zij het dat hij aan drie kanten met stevige, aan elkaar geregen zeilen is afgesloten. Aan de open kant piept de neus van een klein legervliegtuigje naar buiten. Een zonnestraal doet de propeller en de blanke romp opblinken. Het toestel ziet er heel oud uit, het stamt op zijn laatst uit de Tweede Wereldoorlog. Naast het huis van de oude vrouw staat, alles welbeschouwd, een kleine hangaar van bamboe en lianen met een vliegtuig uit de kamikazetijd!

Ik dwing mezelf om niet verder acht te slaan op dit surrealistische uitzicht.

'Bij het kleinood moet het om een parel gaan. Weet u zeker dat u daar niets van weet? Of is er misschien al iemand anders hier geweest?'

'Geef me eerst antwoord: ben je hier vanwege een parel of voor iets anders?'

Ik val stil. Wie is dit stugge oude mens, verdomme? Ik wil al over Horu beginnen, maar dan bijt ik op mijn tong. Hij heeft alles gedaan om ervoor te zorgen dat alleen ik deze boodschap begrijp, het is beter als ik het geheim voorlopig voor me houd: eerst moet ik weten of ik haar kan vertrouwen.

'Nou goed, wat zou het ook,' verzucht ik. 'Misschien ben ik weer eens verdwaald.'

Ze haalt haar schouders op.

'Ik geloof niet dat er hier iets voor je is. Maar er is plaats genoeg voor ons beiden en je maakt een uitgeputte indruk. Als je wilt, kun je hier blijven tot je weer op krachten bent.'

Ik knik en mompel een verlegen dank u wel.

'Maar als je blijft, moet je me eerst iets beloven.' De glimlach van de vrouw verdwijnt. 'Als je denkt dat je die belofte niet kunt houden, verzoek ik je het eiland onmiddellijk te verlaten.'

Ik knik nieuwsgierig.

'Je moet me beloven nooit het bos achter mijn huis te betreden. In geen geval. Verder mag je je overal vrij bewegen, maar alleen bij de kust.'

'En waarom?'

'Het is gevaarlijk. Er leven daar dieren, je zou gewond kunnen raken of zelfs gedood kunnen worden. En ik zou je niet te hulp kunnen komen, ik ben te oud!'

Ik knik weinig overtuigd. Maar van hier uit ziet de jungle er inderdaad niet bijster vertrouwenwekkend uit: donkere muren van dichte begroeiing, slechts hier en daar onderbroken door een stroompje dat door het zand naar zee kabbelt, verstrengelde mangroves die eruitzien als gekromde klauwen.

'Oké. U hebt mijn woord. Ik zal sowieso niet lang blijven.'

'Heb je iets te eten bij je?'

'Nee, ik heb al mijn voorraden opgemaakt.'

'Hmmm... Laten we eens zien hoe je je erkentelijk kunt tonen voor mijn gastvrijheid. Wat kun je zoal?'

'Tja... Ik kan visnetten weven en repareren. Ik kan met de speer vissen en met de kano op open zee varen.'

'Mooi zo! Vissen!' zegt ze, klappend in haar handen. 'Is dat je werk? Ben je visser?'

Is dat mijn werk? Goede vraag! De stem van de vrouw heeft iets hypnotisch en een moment lang drijven mijn gedachten af naar de tijd toen ik met Chris in ons kantoor zat en uitkeek op de Golden Gate. Ik voel een steek van weemoed. Maar er is me van die tijd niets concreets bijgebleven, niets wat me nu zou kunnen helpen om te overleven.

'Nee, ik ben geen visser. Maar mijn vroegere werk zou me hier niet van nut zijn, ik heb niets gedaan wat zinvol zou zijn op een tropisch eiland.'

De oude vrouw lijkt mijn antwoord niet te horen. Ze grijpt een groot kapmes, dat in de grond steekt, en loopt op de bosrand af.

'Maar was het niet verboden de jungle te betreden?' roep ik haar na.

'Alleen voor jou!' Het geboomte waarin ze verdwenen is dempt haar stem. 'Ik ga vruchten verzamelen! Al dagen heb ik alleen bananen gegeten. Maar vanavond is er vis! Wat een heuglijke dag!'

Intussen is de nevel opgetrokken en de zon straalt. De ruige kust van het eiland is een opeenvolging van klippen en zanderige baaien. Van hieruit ziet het er veel groter uit dan ik gisterennacht had gedacht. Heel vreemd dat het op geen kaart is aangegeven.

De zee is ongelooflijk visrijk. Bij zonsondergang kom ik met twee volle manden terug, ik heb zelfs krabben en een grote octopus gevangen. De oude vrouw zit voor haar deur op me te wachten. Ze is blij als een klein kind en zingt met haar oude, kelige stem vreemde melodieën voor zich uit. Als het donker is geworden, eten we zwijgend op de houten veranda. Daarna bereidt ze een kan kokend hete sake, die we uit twee kleine, lichtblauwe aardewerken kommetjes nippen. De alcohol stijgt meteen

447

naar mijn hoofd en ik voel me aangenaam licht. Mijn tong komt los en ik begin te praten.

'Het is eigenaardig, weet u. Toen u me vandaag vroeg wat voor werk ik doe, ontdekte ik dat ik van alles wat ik in het leven geleerd heb, niets heb overgehouden, niets wat me werkelijk van nut kan zijn.'

'O ja? Wat heb je dan gedaan? Heb je gediend of gecreëerd?'

'Pardon?'

De vrouw lacht.

'Toen ik een klein meisje was, heeft mijn vader me iets heel wijs geleerd. "Er zijn twee *do*, twee wegen," zei hij, "waarlangs we alle daden van de mensen kunnen indelen. Allemaal, geen uitgezonderd. De mens kan *dienen* of *scheppen*. Sommigen doen werk waarmee ze problemen oplossen, anderen verrichten taken waarmee dingen vervaardigd worden. Vaak overlappen deze wegen elkaar en verenigen zich. Schept de kok een gerecht of verzadigt hij de honger van zijn gasten? Beide zienswijzen kloppen, de wereld gooit de dingen nu eenmaal graag door elkaar."'

Ze slaat haar sake in één teug achterover.

'"Maar er zijn twee ideale extremen," zei mijn vader. "De kunst, die zuiver scheppen is, en de religie, die zuiver dienen is. En er is een schakel die deze beide uitersten perfect in zich verenigt: God, die tegelijk volkomen creativiteit en de oplossing zelf van de grootste menselijke problemen is."'

Weer is het even stil.

'"Maar," besloot mijn vader, terwijl hij me recht aankeek, "ook al zijn deze twee wegen nooit helemaal helder van elkaar te scheiden, toch moet je uitmaken aan welke kant je wilt staan: scheppen of dienen. Wij mensen moeten een keuze maken om ons aan een van de twee uitersten te houden. Kies of je je wilt blootstellen aan de vormende wind – de heftige, vermoeiende adem uit Gods mond – of dat je je door de branding naar Hem wilt laten dragen. Hoe eerder je dit dilemma oplost, hoe sneller je een echte vrouw wordt!"'

De oude Japanse glimlacht me verrukt toe. Ik weet niet zeker of ik alles begrepen heb, maar haar woorden fascineren me. Of misschien is het eerder haar stemgeluid, waarvan de vibraties een mysterieuze, sonore kracht uitstralen. Prompt schud ik deze vervreemdende indruk af.

'Uw vader was zeker een soort Japanse Kahlil Gibran,' merk ik ironisch op.

'Mijn vader was heel wijs. Maar toen kwam de oorlog en heb ik hem nooit weer gezien.'

Ze zucht diep.

'En,' vervolgt ze uiteindelijk opgewekt, 'is er echt niets anders wat je in de vingers hebt? Heb je verder niets achtergelaten op je weg?'

'Nou... eigenlijk was er nog wel iets,' zeg ik schuchter. 'Ik heb gedichten geschreven. Of beter gezegd liedteksten.'

'Mooi!' Ze klapt geamuseerd in haar handen. 'Dat is geweldig!'

'Ja... tenminste... Ik heb er een paar overgeschreven in een dagboek dat ik altijd bij me draag.'

'Waarom laat je ze me niet zien?'

Ik open de rugzak en haal het boek eruit. Ze bladert het langzaam door en beweegt al lezend haar lippen. Ik sla haar ongelooflijk expressieve mimiek gade: ze fronst haar voorhoofd, ontspant het weer, knijpt haar ogen samen, ontbloot haar tanden, lijkt ten prooi aan duizend nuances van pijn en vreugde.

'*Hai*, mooi, mooi,' merkt ze ten slotte op. 'Dat denk ik tenminste. Ik heb veel westerse literatuur leren kennen toen ik Engels leerde, maar ik vrees dat jullie poëzie niets voor mij is.'

Ze slaat het boek open op een blanco pagina.

'Mag ik?' Ze maakt een beweging alsof ze schrijft.

'Hier.' Ik haal een potlood uit de rugzak en reik het haar aan. Met rappe bewegingen zet ze een aantal karakters op papier en houdt me het vel voor.

只 居 れ ば
居 る と て
雪 の 降 に け り

'*Tada oreba, oru tote yuki, furi ni keri*,' verklankt ze plechtig de voor mij onleesbare tekens.

'En wat betekent dat?'

'*Ik was alleen.*

Was.

De sneeuw viel.'

449

Haar schorre stem katapulteert me in een klankdimensie waarin slechts het verre ruisen van de oceaan bestaat. Een ongelooflijke ervaring, ik vraag me af of deze vrouw hypnotische krachten bezit.

'Hebt u dit vers geschreven?'

'Kobayashi Issa!' antwoordt ze lachend. Met een zijden geritsel staat ze op en verdwijnt onder de sterrenhemel.

73

DEMIAN EN SIDDHARTHA

Ik slaap die hele nacht diep, uitgestrekt in mijn op het strand getrokken *wa'hay*. Als ik wakker word, keer ik terug naar het huis van de oude Japanse vrouw om afscheid te nemen en haar voor haar gastvrijheid te bedanken. Ik heb haar nog niet eens naar haar naam gevraagd, maar dat is nu niet belangrijk meer: nog even en ik ben vertrokken. Het is tijd om me weer op weg te begeven en de laatste twee routes uit te proberen.

Ik spring de veranda op en steek mijn hoofd om de open deur. Het zonlicht valt door de ramen en de spleten tussen de wanden en doet alles stralen. Ik zie een kleine woonkamer met niets dan een lage kleine tafel met de resten van wat een ontbijt is geweest: een inmiddels koude kom thee en een bord met zwarte, niet bijster appetijtelijk uitziende sliertjes, misschien gedroogd zeewier.

Van mijn bejaarde gastvrouw geen spoor.

Ik wil me juist weer terugtrekken om haar buiten te zoeken, als ik de onweerstaanbare drang voel van haar afwezigheid gebruik te maken om alles wat van dichterbij te bekijken.

De ruimte wordt in het midden verdeeld door een dunne schuifwand van rijstpapier. Daarachter bevindt zich een klein slaapvertrek: een op-gerolde futon op de vloer en een half geopende kist, waaruit een zorg-vuldig opgevouwen kimono naar buiten golft. Dan kijk ik op en blijft mijn mond openstaan.

De raamloze wand die op het bos uitkijkt bestaat uit een enorme, van glazen deuren voorziene boekenkast van massief hout. Het is een uiterst elegant en zonder twijfel uiterst kostbaar meubelstuk, dat sterk contras-teert met de soberheid van het huis. De schappen zijn afgeladen met honderden boeken. Ik laat mijn blik snel langs de boekruggen glijden en stel verbluft vast dat het bijna zonder uitzondering om klassiekers uit de westerse literatuur en dichtkunst gaat: Huxley, Salinger, Poe, Rimbaud, Kafka, Saint-Exupéry, Pavese en... Dylan Thomas.

Een vreemd gevoel van vertraging overvalt me. Mijn oog heeft een detail waargenomen, maar mijn brein heeft het nog niet geregistreerd.

Ik laat mijn blik terugdwalen tot ik twee boeken van Hermann Hesse zie, naast elkaar. Het eerste heeft een smalle, witte rug en heet *Demian*. Het boek ernaast is wat dikker en lichtblauw en heet *Siddhartha*.

Demian en *Siddhartha*.

Ik open de vitrinekast en haal de beide boeken eruit. Ik bekijk ze en weeg ze bedachtzaam op mijn handen.

Dan ontdek ik dat achter in de ruimte waar de twee boeken van Hesse stonden, nog een boekje staat.

Misschien is het van een hogere schap omlaag gegleden. Of is het met opzet daar verborgen?

Om door jou te worden gevonden, zegt een stem.

Ik schud mijn hoofd en probeer enkele absurde gedachten in de kiem te smoren.

Ik steek mijn hand uit en haal het tevoorschijn. Het is in leer gebonden,maar draagt geen titel. Ik sla het open en blader het door. Het is met de hand geschreven, in het Engels, in een sierlijk handschrift. Op het eerste gezicht ziet het eruit als een dagboek. Op de tweede bladzijde lees ik:

Een samoerai van het luchtruim.
(Notities over een vrouw op zoek naar de laatste herinnering)

Ernaast staat een opdracht:

Voor Riyoko Nagai.
Met genegenheid en respect.
Dr. Clive Sammington

Een scherp geluid maakt me aan het schrikken.

Een klap, dan nog een, en nog een. Achter het huis. Holle, doffe slagen, als een scherpe bijl die hout raakt.

Vliegensvlug zet ik alles weer op zijn plek en storm naar buiten. Het geluid lijkt uit het bos te komen. Ik aarzel een moment, dan dring ik ondanks mijn belofte in het vochtige, donkere gebladerte door.

Maar ik kom slechts een paar meter, dan ben ik al op een kleine open plek, waar de oude vrouw met de rug naar me toe voor een boom staat. Het lijkt erop dat ze me niet heeft opgemerkt. Haar vlakke hand rust op een klein, op een stronk gebonden houten kistje dat is bekleed met een witte, met karakters versierde stof.

De vrouw ademt diep in en zwaait haar arm hoog op.

Als ik begrijp wat er aan de hand is, moet ik grijnzen. De situatie heeft iets komisch: de oude beoefent de een of andere vechtsport!

Op slag sterft mijn grijns weg. Er lijkt uit het terrein een vibratie als een elektrische stroom op te stijgen die haar lichaam van de hielen opwaarts doorloopt, de zijde van haar kimono doet ritselen en haar ledematen spant. Dan, begeleid door een felle ademstoot, ontlaadt de stroom zich door haar rechterarm. Met de vlakke hand slaat ze op het houten kistje. De droge, oorverdovend harde klap galmt als een hulpkreet door het bos. Dan daalt er een diepe stilte neer.

Roerloos en zonder te ademen sta ik daar, beduusd van de snelheid en energie die aan haar oude lichaam ontsnapt zijn.

'Kom gerust dichterbij.'

Autoritair en zonder zich om te draaien roept de Japanse vrouw me bij zich. Betrapt zet ik een paar passen in haar richting. Ze draait zich naar me om, kruist haar onderarmen en maakt een plechtige buiging.

'Wil je leren de *makiwara* te treffen?'

'Wat? O... Dank u, heel graag. Maar ik weet niet of er genoeg tijd voor is.'

'Ah! Aha!' Ze lacht hartelijk. 'Natuurlijk! Of er genoeg tijd voor is! Je hebt groot gelijk.'

'Uw beweging is zo... perfect. Ik geloof niet dat ik dat van vandaag op morgen kan leren. Het zou te veel tijd kosten, en die heb ik niet. Ik zal niet lang meer blijven.'

De vrouw lijkt helemaal niet te luisteren.

'Er is altijd tijd om te leren. Zo moeilijk is het niet. Je schrijft gedichten, toch? Dan begrijp je ook *karate-do*. Het is een levenlange studie om bewegingen uit te kunnen voeren die op elke buitenstaander heel natuurlijk overkomen. Hetzelfde geldt voor schrijven: duizendmaal hetzelfde woord schrijven, steeds opnieuw, tot het er heel makkelijk uitziet. Hoe natuurlijker het resultaat van je handelen lijkt, of het nu een vechttechniek of een dichtregel is, des te harder heb je ervoor moeten werken om het aan te scherpen, corrigeren, perfectioneren. De perfectie van de vorm leidt tot de zuiverheid van de substantie, de zuiverheid toont de diepte. Opdat vorm en substantie versmelten. Het gebruikte medium, het omhulsel, verdwijnt, alleen de essentie blijft over.'

Het lijdt geen twijfel: deze vrouw bezit de gave me met haar woorden te verwarren. Maar ditmaal dwing ik me om haar tegen te spreken.

'Hmmm... U kunt gelijk hebben, maar wat mij betreft is schrijven iets instinctiefs en geen kunstmatig proces. Maar het is heel fascinerend u bij het karate te aanschouwen. Doet u het al lang?'

'Ik ben ermee begonnen nog voor ik lopen kon! Mijn vader deed aan karate, mijn grootvader deed aan karate. Hier in Okinawa doet ieder-een aan karate! Als vrouw was het moeilijk voor mij om in die kunst ingewijd te worden. Maar ik heb net zo lang gebedeld tot de mannen toegaven en ik mijn zin kreeg.'

De oude vrouw fronst haar voorhoofd alsof ze juist iets vergeten was. Dan plooit haar gezicht zich tot een glimlach.

'*Hai.* Ik heet Nagai Riyoko.' Ze maakt een beleefde buiging. 'En jij, jongen?'

'Demian Sideheart.' Een beetje onhandig beantwoord ik haar buiging.

'Demian Sideheart.' Ze knikt nadenkend. Misschien is het maar in-beelding, maar in haar ogen lijkt iets van medelijden op te lichten. 'Laten we gaan, Demian-*kun*.'

Ze haakt haar arm in de mijne en we lopen naar de plek op het strand waar mijn *wa'hay* ligt. Dan verbreekt ze haar lange stilzwijgen.

'Zie je die rotsen daarginds?'

Ze wijst naar indrukwekkende, door wind en water gevormde kalk-steenformaties. Ze doen me denken aan de rotsen in de film *Zabriskie Point.*

'Een onzichtbare druppel heeft ze uitgehold en in de loop der tijd naar zijn wil gevormd. Jij bent als die rotsen. En weet je wat de druppel is?'

Ik schud nieuwsgierig mijn hoofd.

'Je naam. Deze combinatie van letters, deze klanken waarmee je elke dag van je leven geroepen bent, hebben je getekend en naar hun beeld gevormd. In elke naam ligt een verborgen zin, een dicht web van kleine en grote verhalen. Verhalen die inmiddels uit de herinnering van de mensen verdwenen zijn, maar die de naam allemaal in zich draagt. Geen betekenis gaat verloren. Ieder mens voegt zijn verhaal aan zijn eigen naam toe en schept een omen voor hen die hem volgen.'

'*Nomen est omen*, de naam is veelzeggend. U verrast me, mevrouw Nagai, u kent de spreuken van de oude Latijnen!'

'Latijnen! Wat hebben die ermee te maken? Jij hebt er iets mee te maken, Demian Sideheart. Ken je Hermann Hesse?'

Ik voel de grond onder mijn voeten verdwijnen.

'Ik begrijp niet waar u naartoe wilt, mevrouw Nagai.'

'Nee? Het is wel een heel merkwaardige samenloop van omstandigheden dat jij nu hier bent, aan het eind van jouw queeste, Demian Sideheart. Ken je het verhaal niet? De zoon van de brahmaan, de jonge *samana*, de liederlijke koopman, de ijdele speler, de geraffineerde, onvermoeibare minnaar, die, als hij zijn Kamala en de vrucht van hun liefde verliest, zijn vrede aan de oever van de rivier vindt, in het gezelschap van een kindse oude man.'

'U bent heel kien, mevrouw Nagai,' onderbreek ik haar bruusk. 'Maar ik ben niet van plan de rest van mijn leven hier door te brengen! We zijn niet in India, we zijn niet aan een rivier, en u bent wel oud, maar vast niet zo kinds als u zich wilt voordoen!'

'*Hai! Arigato!* Dank je wel, Demian-*kun!*'

Ze maakt een buiging en schatert het uit. Uiteindelijk laat ik me aansteken door haar onweerstaanbare lach.

'Maar in één ding moet ik u gelijk geven. U moet een soort boeddha zijn, zoals de oude Vasuveda aan het eind van *Siddhartha*.'

De Japanse vrouw lacht nog harder. De energie die ze uitstraalt maakt dat ik me vreemd licht voel, alsof ik onder invloed van een of andere drug ben. Haar lach doet de dunne wanden beven van een werkelijkheid die me beetje bij beetje lijkt te ontglippen.

74

WIJ, LIGGEND BIJ ZEEZAND

Ik ben niet meer weggegaan.

De dagen vliegen. Ongrijpbaar en vluchtig als dromen. Er zijn er al zo veel verstreken dat ik ben opgehouden met tellen.

Maar wat doe ik hier nog? Geen idee. Ik heb niet eens meer de lust om het me af te vragen. Heeft Horu me hierheen geleid? Heb ik zijn boodschap verkeerd begrepen? Of is alles een misverstand en ben ik woorden gevolgd die voor iemand anders bestemd waren? En als ik al deze twijfels heb, waarom heb ik de *wa'hay* dan nog niet het water in geduwd en mijn weg vervolgd?

Ik heb de Japanse vrouw geen vragen meer gesteld. Het zou zo eenvoudig zijn. Maar ik heb haar niets gevraagd, geen bevestiging, geen uitleg.

Er ligt iets heiligs in de lucht. In de vrede die je hier ademt, woont iets bovennatuurlijks. Misschien houdt dat me tegen. Misschien maakt de angst deze vrede te verstoren me sprakeloos.

En toch zou ik niet hier moeten zijn.

Het is een jaar geleden dat we verdwenen. En nog steeds heb ik geen idee wat er gebeurd is. Ik weet alleen dat de hoop jou terug te vinden met de dag verschrompelt.

Maar ik probeer enkele verschrikkelijke gedachten te aanvaarden.

Ja, daar moet ik mee beginnen.

Als dat me lukt, zou dat misschien voldoende zijn.

De definitieve bewustwording. Het zoeken naar de onmogelijke troost.

Een gezichtspunt om je te bewenen.

Is dat het kleinood waarop Horu me laat jagen?

Maar hoe kan ik een leven verdragen dat ons niet meer toebehoort?

Al maanden schrijf ik niet meer in mijn dagboek. Ik heb er de moed niet meer voor gehad.

Hier, bij deze zin, ben ik opgehouden:

'Maar als ik je niet kan vinden...'

Deze zin, die ik nooit heb durven afmaken.
Maar spoedig zal ik het doen.
Ik laat een deel van de pagina blanco. Niet veel, slechts enkele regels.
Verder naar beneden ga ik door.

'Op een eiland in Nergensland, op een willekeurige lentedag.
Mijn leven hier is heel eenvoudig. Ik breng de dagen alleen door, met
zwemmen en vissen. 's Nachts slaap ik in het zand onder de sterren.
In zekere zin doe ik hetzelfde als wat ik bij Horu deed. Maar nu heb
ik geen plan meer. Geen doel dat ik bereiken wil in de hoop je terug te
vinden.
Zie je me nu?
Zie je wat ik doe, wat je liefde me doen laat?
Lach je me uit, zoals je dat vroeger zo graag deed?
Als je kunt, antwoord me dan alsjeblieft. Als je er werkelijk niet meer bent,
waarom ben ik dan nog hier? Ben je onze belofte vergeten?'

In de schaduw van die surrealistisch aandoende bamboehangaar lijkt
het kleine Japanse legervliegtuig over ons te waken. Mevrouw Nagai is
minstens een uur per dag bezig om het te poetsen, een heilig ritueel
waarbij ze de romp, de vleugels en de staart van het toestel met behoed-
zame, innige bewegingen van zijn zoutlaag ontdoet.

'Dit juweeltje stamt uit de Tweede Wereldoorlog,' roept ze, met haar
hoofd in de cockpit. 'Het is een Mitsubishi A6M.'

'Kan hij nog vliegen?'

'Als je er brandstof in stopt, misschien.' Ze lacht.

Mevrouw Nagai is werkelijk ongelooflijk. Soms betrap ik me erop
dat ik haar gadesla bij simpele bezigheden, het schoonmaken van vis,
vruchten plukken, of als ze haar karateoefeningen doet. Wat een harmonie en serene wijsheid stroomt er door dat oude lichaam!

Deze vrouw, die ik bij mijn aankomst voor een sneu, seniel besje hield,
komt me nu als een soort heilige voor, doordrongen van en verlicht door
de schittering die het eiland omgeeft. Haar glimlach doet me denken
aan die van Horu. Elke porie van haar doorgroefde gelaat is een micro-
kosmos op zich. Als ze lacht, lacht zelfs het kleinste bestanddeel van dit

mini-universum; als haar gezicht zich ontspant in de vredige contemplatie van de oceaan, toomt elke mogelijke werkelijkheid haar vaart om haar bij haar meditatie gezelschap te houden.

Vaak breng ik de laatste uren van de middag liggend op het strand door, met mijn gezicht naar de blauwe hemel.

'Kijk die wolken eens, Demian-*kun*. Zie hoeveel vormen ze in hun korte leven aannemen. Ze kunnen al je woorden en al je gedachten opnemen, zonder uitzondering, en toch wit en zuiver blijven. Laat dat wat je in je draagt naar die wolken opstijgen. Laat het zich in het wit verliezen en met de wolken van vorm veranderen. Een wolk verandert van vorm, maar nooit van essentie.'

Ik sluit mijn ogen en probeer te vergeten wie ik ben.

Maar de wolken die langs de hemel trekken hebben allemaal dezelfde vorm: het zijn onstuimige golven, kolkend, blinkend wit zeeschuim. In hun vluchtige vlucht werpen ze donkere schaduwen op mijn gezicht, ze schreeuwen me toe dat ik mijn verleden nog steeds niet ken.

Ben ik hier om de laatste herinnering te vinden?

Of om deze voor altijd te vergeten?

Mevrouw Nagai glimlacht.

'Dat kan alleen jij weten.'

Ik antwoord niet. Hoe kan ze mijn gedachten gelezen hebben? Maar ik wil me niet meer verbazen. Ik staar verrukt omhoog naar de duizelingwekkende diepte van het blauw boven mij.

Het moment van mijn vraag is gekomen.

'Eigenlijk, mevrouw Nagai, weet ik helemaal niet waarom ik hier ben. Ik heb u nog niets over mezelf verteld, mijn excuses daarvoor. Spoedig zult u alles weten wat u weten wilt. Maar eerst moet ik u een vraag stellen. Er is veel op dit eiland wat mij nieuwsgierig heeft gemaakt: het verbod het bos te betreden, het legervliegtuig op het strand... Maar één ding meer dan al het andere.'

'Ja? En dat is?'

'Een vreemd boekje dat in uw boekenkast is weggestopt. Een soort dagboek met een leren band, in het Engels geschreven. Ik vond het toen ik keek wat voor boeken u zoal had.'

Mevrouw Nagai knikt glimlachend, ze lijkt verbaasd noch geërgerd.

'Het is het dagboek van een goede vriend die vele jaren geleden gestorven is. Heb je het gelezen?'

'Ik hoop dat u niet boos bent: ja. Althans, ik heb het geprobeerd. Er ging van dat boekje een enorme aantrekkingskracht uit. Eerst vermande ik me en zette het op zijn plek terug. Maar in de dagen daarna kon ik het niet laten: ik ben teruggegaan en heb het opengeslagen. Maar ik heb er zo goed als niets van begrepen. Het lijkt in een soort code te zijn geschreven.'

'*Hai!* Ja!' De vrouw lacht. 'Sinds de oorlog schreef hij alles in geheimschrift. Hij wilde ten koste van alles verhinderen dat zijn studies in verkeerde handen vielen.'

'Ik weet niet of u erover wilt praten, maar ik zou het verhaal achter dat dagboek graag horen. De titel heeft me nieuwsgierig gemaakt: *Een samoerai van het luchtruim. Notities van een vrouw op zoek naar de laatste herinnering.*'

'Dat is een oud verhaal. Het gaat terug tot de naoorlogse tijd. Maar ik zal het je graag vertellen. Kom, laten we een eindje gaan wandelen.'

Ze staat op en volgt de waterlijn. Ik loop met haar mee.

'De schrijver van het dagboek heet Clive Sammington. Hij was een Amerikaans psychiater die zich had gespecialiseerd in de effecten van oorlogstrauma's op de menselijke psyche: schizofrenie, amnesie, moord- en zelfmoordneigingen, depressies. In 1946 kwam hij naar Japan om een paar ongewone gevallen te bestuderen. Ik leerde hem kennen omdat ik een van die gevallen was. Eerst was ik zijn patiënte, toen, nadat ik genezen was, werd ik zijn assistente en zijn we vrienden geworden. Hij is acht jaar in Japan gebleven. Ik maakte hem wegwijs in onze cultuur, en hij leerde me Engels en stak me aan met zijn enthousiasme voor de westerse literatuur. Toen hij vertrok, dat was in 1954, liet hij me zijn enorme bibliotheek na, die hij uit Amerika had meegebracht: alle boeken die je in het huis gezien hebt, inclusief de boekenkast, zijn een geschenk van hem.

Na zijn terugkeer naar Amerika heb ik hem twintig jaar lang niet meer gezien. Hij schreef me regelmatig lange brieven, waarin hij me op de hoogte hield van zijn studies. Natuurlijk ook gecodeerd. In de zomer van 1974 keerde hij naar Japan terug. Hij had juist een belangrijke internationale onderscheiding ontvangen: "Ik moet je bedanken," zei hij met een diepe buiging. "Dat ik de ontdekking gedaan heb waaraan ik mijn hele leven gewijd heb, is alleen aan jou en je verschrikkelijke en unieke geschiedenis te danken." Bij die gelegenheid schonk hij me het in leer gebonden boekje: het dagboek waarin hij al zijn aantekeningen en gedachten over mijn geval had vastgelegd.'

'Over uw geval? Wacht eens, dus... de vrouw op wie de titel slaat, de samoerai van het luchtruim... dat bent u, mevrouw Nagai?'

'Verrast je dat?'

'Nou en of... Die naam werd toch tijdens de Tweede Wereldoorlog voor de dapperste kamikazepiloten gebruikt?'

'Precies, Demian-*kun*.' Mevrouw Nagai glimlacht haar tandeloze glimlach. 'Dat was ik.'

'Maar u...'

'... bent een vrouw? De geschiedenis laat het onvermeld, maar in de cockpits van die trotse moordmachines gingen destijds veel vrouwen schuil. In 1945 was ik vijfentwintig jaar oud. Op advies van mijn vader koos ik welke weg ik zou gaan: dienen of scheppen. Maar het woord "scheppen" is in oorlogstijd van zin ontbloot. Het woord "samoerai" zelf betekent "zich in dienst stellen". Ik deed alsof ik een man was en in mei van datzelfde jaar werd ik samen met mijn jongere broer Takumi opgeroepen om dienst te nemen bij admiraal Takijiro Onishi. We werden bij de speciale eenheid Tokubetsu Kougekitai ingedeeld. We waren twee kamikazes geworden. Enkele officieren hadden doorzien dat ik een vrouw was. Maar wat maakte het uit? Ons lot was om in de lucht te exploderen en "op een dag als kersenbloesem in de tuin van de Yasukuni-schrijn weer geboren te worden". Heel poëtisch, die legerpropaganda!

Op de ochtend van 8 augustus zou mijn eenheid op haar laatste, definitieve missie vertrekken. We zouden ons op het escorteschip Jonnie Hutchins storten, dat juist onderweg was tussen Leyte en Okinawa. Ik herinner me nog dat het een stralende dag was, de vliegtuigen fonkelden als diamanten in het zonlicht. Traditiegetrouw werd ons voor vertrek de *hachimaki* om het voorhoofd gebonden, we kregen onze laatste sake te drinken en daarna zongen we allemaal samen, met het gezicht naar het keizerlijk paleis: *"Stort ik in zee, dan keert mijn lichaam door de golven gedragen terug. Stort ik ter aarde, dan is een grastapijt mijn lijkwade. Het leven is als een tere bloem: hoe kunnen we geloven dat zijn parfum eeuwig duurt?"*

Eén voor één stegen de vliegtuigen op. Maar toen ik aan de beurt was, verzoop de motor van mijn A6M op onverklaarbare wijze en weigerde koppig te starten. De eenheid, inclusief mijn broer, kon niet langer op mij wachten, en dus bleef ik daar staan en zag ze voor altijd achter de horizon verdwijnen.

Ik barstte wanhopig in tranen uit. Mijn kleine broer zou sterven zonder mij aan zijn zijde. Wat zou er door hem heen gaan? Zou hij bang zijn? En wat zou er van mij worden? Was ik het niet waard om mijn beklagenswaardige leven aan de Keizer te schenken? Ik greep mijn *wakizashi* en richtte de punt op mijn buik, bereid harakiri te plegen. Admiraal Onishi hield me tegen. "Halt," zei hij, "de schande komt mij toe. Ik zou twee gezinsleden de dood in hebben gestuurd. Het is de wil van de hemel dat jij blijft leven. Keer terug naar huis en meld de heldhaftige dood van je broer."

Ik kon niet geloven dat admiraal Onishi dat gezegd had: hij was een *bushi*, hij had de oorlog en trouw aan de Keizer boven de liefde gesteld, boven de bloedband, boven alles. Maar Onishi wist dingen die wij eenvoudige soldaten ons niet eens voor konden stellen: de oorlog had zijn dramatische naspel bereikt. Amper zes dagen later, op 15 augustus 1945, zou Onishi harakiri plegen.

Wonderbaarlijk genoeg wilde mijn vliegtuig de volgende dag gewoon weer starten. Ik werd met een laatste missie belast: ik moest de A6M terugvliegen naar de basis op Mishima en zou vervolgens naar huis terugkeren.'

Mevrouw Nagai zwijgt een moment en sluit haar ogen. Ze verzamelt kracht om verder te gaan.

'Diezelfde ochtend vertrok ik. Maar ik bereikte de basis op Mishima niet. Ik keerde niet naar huis terug en zou mijn familie nooit terugzien. Wat er tijdens die laatste vlucht gebeurd is, is mij acht jaar lang één groot raadsel gebleven.

Ik zat aan de stuurknuppel van mijn A6M. Maar plotseling was er geen ik meer. Ik wist niet meer wie ik was, waar ik was, waarom ik daar was. Ik herinnerde me niets meer. Tot op de dag van vandaag vraag ik me af hoe ik eigenlijk ben geland, want plotseling wist ik niet eens meer wat een vliegtuig was!

Ik begon te vallen. Midden in het blauw van de oceaan zag ik een strook groen land beneden mij groter worden. Het werd een rampzalige crashlanding: het toestel stortte te pletter in de jungle en ik overleefde als door een wonder. Zij het bekneld in de verkreukelde cockpit en zwaar gewond aan benen en hoofd. Bovendien was ik terechtgekomen op een piepklein eiland in de Pacific.'

Met een weids gebaar van beide armen duidt mevrouw Nagai op het landschap om ons heen.

'Op dit eiland. En wat je daarachter ziet' – ze wijst naar de bamboehangaar – 'is mijn A6M. Die is later gerepareerd en onder mijn hoede gebleven.

Twee eindeloos lijkende dagen later werd ik gevonden door enkele soldaten, die wisten te voorkomen dat ik doodbloedde. De oorlog was voorbij, ik werd naar Tokio getransporteerd en in een van de talrijke lazaretten van de stad ondergebracht. Mijn lichamelijke verwondingen waren spoedig genezen. Maar de geestelijke niet: ik was niet veel meer dan een menselijke pop, niet in staat te communiceren, vrijwel zonder enig ik-bewustzijn. Ik kon me mijn taal niet herinneren, geen woord, laat staan een complete gedachte formuleren. Kun je je zo'n kwelling voorstellen, Demian-*kun?*'

Ja, ik weet precies hoe dat is, mevrouw Nagai. Dat denk ik, maar ik onderbreek haar niet.

'Toen leerde ik dr. Sammington kennen. Hij interesseerde zich onmiddellijk voor mijn geval en wist me te genezen. Binnen negen maanden kreeg ik al mijn geestelijke vermogens terug en kon ik mijn identiteit en mijn verleden reconstrueren. Het was een lang en moeizaam proces. Helaas was de genezing niet volledig. Ik had mijn herinneringen allemaal terug, dat wel. Maar ik kan beter zeggen: allemaal, op één na.'

'Op één na?' vraag ik verbluft.

'Ja. De laatste uren voor de amnesie ontbraken. Hoe ik me ook inspande, ik kon me niet herinneren wat er uitgewist was. Wat er tijdens mijn laatste vlucht was voorgevallen.'

Opeens houdt ze op met praten. Verrast kijkt ze me aan.

'Kennelijk grijpt mijn vertelling je een beetje aan,' zegt ze met een ironische ondertoon. 'Hoe komt dat?'

Ik kijk weg en geef geen antwoord.

'Demian-*kun*, ik geef je mijn diepste geheimen prijs. Maar jij probeert je koppig te verstoppen. Voor ik verder vertel, wil ik iets van je weten. Iets heel eenvoudigs. Wie ben je werkelijk?'

Ik aarzel. Ik weet niet waarom, maar ik heb haar nooit iets willen toevertrouwen. Niet eens de reden waarom ik naar het eiland ben gekomen.

'Ook jij hebt je geheugen verloren, nietwaar? Dáárom interesseert dit boekje je zo.'

'Ja, zo is het,' verzucht ik.

'Je mag het me best vertellen, als je wilt. Je bent toch niet bang voor een ongevaarlijke oude vrouw?'

Mevrouw Nagai schiet in een bulderende lach.

'Misschien, Demian-*kun*, helpt het als ik je zeg dat ik het grootste deel van je verhaal al ken.'

'Eh... sorry, hoe bedoelt u?'

'Het verhaal van Mauke Nuha. Dat ben jij, toch?'

Ik schrik me een hoedje.

'Hoe kent u die naam?'

Ze antwoordt niet, kijkt me alleen geamuseerd aan.

'Kent u Horu en Aruke?'

'Je hebt heel slimme vrienden.'

'Zijn ze hier geweest? Hebben ze over mij gesproken? Ja, dat ben ik, ik ben Mauke Nuha!'

Mevrouw Nagai schudt lachend haar hoofd.

'Geef me alstublieft antwoord!'

'*Hai*, natuurlijk ken ik hen. We zijn zo goed als familie: Yukiko, Waremu's vrouw, is mijn nicht.'

'Dus de boodschap kwam van hen? Ja, natuurlijk... Ik heb me niet vergist! Maar dan... Wilde Horu dat ik u ontmoette?'

'Wie zal het zeggen. Misschien dacht hij dat ik je zou kunnen helpen. Je zult het zien, uiteindelijk heeft mijn verhaal verrassende parallellen met het jouwe. Maar ik heb veel te lang gepraat, het is al donker en we hebben nog geen avondeten gehad. Nu we ons eindelijk aan elkaar voorgesteld hebben, wordt het tijd om de inwendige mens te eren.'

Zonder dat ik er erg in had is de zon ondergegaan. We staken onze wandeling en keren terug naar het huis. Ik rooster de vis en verslind er een zonder zelfs maar te proeven, onder het gelach van mevrouw Nagai, die zoals altijd alles heel bedaard oppeuzelt. Ze vertelt pas verder nadat ze, comfortabel op de houten veranda geïnstalleerd, haar kommetje sake heeft leeggedronken.

'Zo, waar was ik gebleven? O ja. De laatste herinnering... Vanaf het opstijgen tot aan de landing op het eiland was mijn geheugen verduisterd door een ondoordringbare schaduw.'

Ik knik. Ik weet precies waar ze het over heeft.

'Maar Sammington was vastbesloten mijn geheim grondig te onderzoeken. Toen hij me niet meer als patiënte begeleiden kon, vroeg hij me zijn assistente te worden, en ik hapte meteen toe. Aanvankelijk was hij ervan overtuigd dat ik de ervaring van deze vlucht zo exact mogelijk moest herbeleven. Hij wilde dat ik hem naar het eiland begeleidde om de plek van de crash te zien. Het verbaasde hem dat ik zo ver van de geplande route was geraakt. Hij onderzocht het vliegtuig, om zeker te zijn dat ik niet door een projectiel getroffen was. Hij liet het repareren, maakte het luchtwaardig en liet me de vlucht herhalen. Maar het hielp allemaal niets: ik herinnerde me niets.

Daarna lieten we mijn geval voor wat het was en begonnen door Japan te trekken, op zoek naar vergelijkbare verhalen, die allemaal door oorlogstrauma's teweeggebracht waren. Na zeven jaar vorsen kwam dr. Sammington eindelijk de waarheid op het spoor. Zelfs in de dode hoek van mijn geheugen bracht hij licht. En zo kon hij, uitgaande van mijn geval, zijn theorie opstellen. Hij noemde het de "theorie van het mnemonische symbool".'

Ik hang aan mevrouw Nagais lippen. Maar ze zwijgt en sluit haar ogen. Na een poosje begint ze hoorbaar te snurken.

'Alstublieft, mevrouw Nagai!' Ik schud haar zachtjes aan haar schouder. 'Vertelt u me over dr. Sammingtons theorie!'

'Hè? O ja! Kort gezegd, als een trauma zo heftig is dat het het geheugen uitwist, is het onmogelijk de herinnering aan de schok die het veroorzaakte, de *laatste herinnering*, terug te halen. Om zichzelf te beschermen weigert ons geheugen ons de toegang, het gooit letterlijk de deur dicht. Maar vaak is er een sleutel om haar weer op het spoor te komen. En die sleutel noemde Sammington het "mnemonische symbool".'

Ze glimlacht plechtig.

'Nu vraag je je vast af wat dat voor een symbool is.'

Ik knik.

'Dat is niet zo makkelijk te begrijpen. Ons geheugen slaat gedachten en feiten op die de zintuigen ons aanlevert. Je ogen registreren beelden, je oren geluiden, je neus geuren. Maar we bouwen daaruit niet, zoals bij een fotoalbum, een stapel chronologisch geordende waarnemingen op. Iets onverklaarbaars doordringt onze herinneringen, en wel op het moment waarop ze ontstaan. Iets wat aan ons diepste zelf ontspringt, waarover we geen controle hebben en waarmee we meestal niet eens in contact staan. Stel het je voor: op dit moment leeft je lichaam zonder jou zelfs maar nodig te hebben; je hart klopt, dode cellen worden vervangen en jij hoeft je om niets te bekommeren. In ons bestaat een verborgen, miskend deel waarmee we echter soms via onverwachte en kronkelige paden in contact kunnen treden. Kunst, liefde, dromen, pijn, reizen, bidden zijn enkele van die wegen. Daaruit stamt de mysterieuze *prima materia* of grondstof waaruit herinneringen zijn opgebouwd.

Maar terug naar ons. Die ongrijpbare stof is ook de grondstof van de laatste herinnering. Maar de heftigheid van het trauma zorgt ervoor dat dit "iets", om niet uitgewist te worden, zich zelfs in een fysiek voorwerp kan concretiseren. Dit voorwerp wordt vervolgens de enig mogelijke sleutel waarmee we de deur van de herinnering helemaal kunnen openen. De geest wacht slechts op die prikkel, die vonk, om weer helder voor ogen te krijgen hetgeen op onverklaarbare wijze verweven was geraakt met het raadsel van de amnesie en concrete vorm had gekregen in het mnemonische symbool.'

Ze kijkt me afwachtend aan.

'Het spijt me, maar ik geloof dat ik het niet heb begrepen.'

'Zo abstract gezien is het heel gecompliceerd. Maar het wordt een stuk simpeler als je het aan den lijve meemaakt. Dus zal ik je nu vertellen hoe ik mijn laatste herinnering terugvond.'

***

VLIEGEND VAN OKINAWA NAAR MISHIMA, 9 AUGUSTUS 1945, 10:30 UUR

Soldaat Nagai! In naam van de Keizer bent u uit militaire dienst ontslagen. Breng uw vliegtuig naar zijn basis op Mishima en keer terug naar uw familie. Neem de plaats in van uw heldhaftige broer, die eervol voor Zijne Keizerlijke Majesteit Hirohito gestorven is!

De woorden van admiraal Onishi klinken nog steeds na in mijn oren, overstemd door het geronk van de motoren. Ik omklem de stuurknuppel en dwing mezelf om ondanks de sluier van tranen de vluchtroute niet uit mijn ogen te laten.

Ze zeggen dat de oorlog voorbij is, dat we ons aan de vijand overgeven. Niemand praat erover, maar ik weet dat er drie dagen geleden in Hiroshima iets zo ergs is gebeurd, dat het hele conflict met één klap is beëindigd.

Wat is er van je geworden, mijn broer? Was je offer even zinloos als dat van mijn geliefde Haruki?

Je was nog zo jong... Het is allemaal mijn schuld...

De tranen verblinden me, ik zie niets meer.

Hou op met huilen, zeg ik tegen mezelf, je bestuurt een vliegtuig!

Maar het is me om het even, laat ze me maar neerschieten! Ik moet de hele tijd aan mijn broer denken, aan mijn man denken, ik kan niet ophouden met huilen. Het schuldgevoel knaagt aan me en hoe snel ik ook vlieg, ik kan het niet van me af schudden.

Een zonnestraal breekt door het wolkendek en brengt de A6M aan het fonkelen.

Ik word bevangen door een vreemd gevoel van euforie.

Wat heeft dit te betekenen?

Ik wil het onderdrukken, maar het lukt me niet. Ik schaam me, maar het is sterker dan ik.

De wind streelt mijn huid. Hij is heel teder, als de aanraking van een geliefde.

Terwijl mijn kist door de wolken raast, steek ik mijn hand in mijn zak en haal onze tekening tevoorschijn.

***

'Op 18 februari 1953 krijgt dr. Sammington de beslissende ingeving. Ik weet nog dat we in een hotel in Kyoto logeerden. Hij kwam opgewonden als een kind mijn kamer in gestormd en begon me met vragen te bestoken, hij was vooral uit op de intiemere details van een onderwerp dat tot dan toe taboe was geweest: mijn man Haruki.'

'Uw man? U was getrouwd?'

'Ja. Er is een belangrijke detail waarover ik je nog niet heb verteld, Demian-*kun*: de reden waarom ik bij de kamikazes ben gegaan. In 1940 was ik getrouwd. Meteen daarna brak de oorlog uit, zodat ik veel te vroeg van mijn man werd gescheiden. In maart 1945 kreeg ik het verschrikkelijke nieuws: de slinkse legerpropaganda had mijn man ervan overtuigd, of beter gezegd, ertoe gedwongen, kamikaze te worden. Mijn vertwijfelde smeekbeden haalden niets uit: hij kon niet terug. Op 5 april kreeg ik zijn laatste telefoontje: "Morgen zal ik aan Operatie Kikusai deelnemen," vertelde hij me. "Rond het middaguur zal ik sterven. Als het twaalf uur slaat, smeek ik je om samen met mij naar *Kraanvogels op besneeuwde den* te kijken. Ik zal ze tot op het laatste moment voor me op de knieën hebben liggen. Wil je dat doen, samen met mij?" "Natuurlijk wil ik dat," antwoordde ik, en ik barstte in tranen uit, ook al had ik mezelf aldoor voorgehouden dat ik sterk zou blijven.

Kraanvogels op besneeuwde den is een prent van de grote Hokusai. Tijdens onze wittebroodsweken in Hokkaidō kocht Haruki een reproductie voor me. De reden daarvoor hoorde ik pas weken later, kort voor hij de oorlog in trok: de ene kraanvogel stond voor mij en de andere voor hem. "Dit kraanvogelpaar dat op het punt staat op te stijgen zijn wij tweeën," zei hij. "Kijk elke avond voor het inslapen naar dit beeld, ik zal hetzelfde doen. Dan ben je dichter bij me."

De dag daarop om twaalf uur 's middags knielde ik voor die lijst, mijn brandende ogen verloren zich in de streken en kleuren van deze vlucht, voor altijd in de dood gekristalliseerd. Diezelfde dag besloot ik om zelf kamikaze te worden. Helaas besloot mijn kleine broer Takumi mijn voorbeeld te volgen, en niemand kon hem daarvan afhouden. Ikzelf ondernam niet genoeg om zijn offer te verhinderen, en zou mezelf dat nooit vergeven. Hij was pas veertien.

Over dat alles, over het verband met Haruki en ons dramatische verhaal, had ik nooit eerder met dr. Sammington gesproken. Er was tussen ons iets, de een of ander bijzondere, onverklaarbare band, die ons steeds had verboden direct over mijn man te praten.'

Mevrouw Nagai glimlacht dromerig.

'Misschien vermoed je het al, maar in die jaren was ik verliefd geworden op dr. Sammington. Ik heb nooit geweten of het wederzijds was. Hij had een gezin in Amerika en ik was een oorlogsweduwe, gekluisterd aan de nagedachtenis van Haruki. Nooit had ik het voor mogelijk gehouden dat ik mijn man zou kunnen vergeten en in plaats daarvan...

Maar laten we terugkeren naar die ochtend in Kyoto. Sammingtons ingeving maakte korte metten met elke aarzeling. Met een rode kop

vroeg hij me of ik echt van Haruki gehouden had, of dat we een ver-
standshuwelijk hadden gehad. Openhartig vertelde ik hem van mijn
diepe genegenheid voor mijn man en hoezeer zijn dood me getroffen
had. "We hebben er nooit over gesproken," vervolgde Sammington,
"maar ik weet dat op de avond voor een zelfmoordaanslag tussen een
kamikaze en zijn familie een telefoongesprek plaatsvindt. En nu zou ik
willen dat u mij elk detail van dit telefoongesprek beschrijft." Dat deed
ik. Toen ik gewag maakte van de houtsnede van Hokusai, veerde Sammington op uit zijn stoel. Zonder een woord van uitleg sprong hij op,
pakte mijn hand en sleepte me langs alle *ukiyo-e*-winkels van Kyoto, tot
we een reproductie van die houtsnede vonden. Hij hield hem voor mijn
neus. "Ja, dat is hem," zei ik niet-begrijpend. "Concentreert u zich," zei
hij. "Dit beeld kan een grote betekenis voor u hebben, meer dan u vermoedt. U zou er de sleutel tot uw laatste herinnering aan toevertrouwd
kunnen hebben." Ik wilde iets inbrengen tegen dit absurde idee, maar ik
was niet snel genoeg. Op slag begreep ik wat Sammington bedoelde. En
was me duidelijk dat hij eindelijk gevonden had waar we al jaren zo vertwijfeld naar zochten. Mijn blik verloor zich in de lijnen en kleuren van
de kraanvogels tot hij verdronk in het kobaltblauw van hun gespreide
vleugels. En toen kwam de herinnering terug.'

***

VLIEGEND TUSSEN OKINAWA EN MISHIMA, 9 AUGUSTUS 1945, 11:02 UUR

Ik vlieg, in de ban van een zelfzuchtige, primitieve vreugde die ik niet
meer beheersen kan.
De oorlog is voorbij, ik leef!
Als eilanden in een zee van licht schieten de wolken onder en boven
mij weg. En terwijl ik in al dat blauw mijn pirouettes draai, vouw ik op
mijn knieën onze prent open. Ik heb hem altijd bij me gedragen.
Kraanvogels op besneeuwde den.
*Weet je nog, mijn lief? Deze kraanvogels waren wij. Hoe vaak heb ik
niet gedroomd dat ook wij op een dag onze vleugels zo zouden uitslaan,
samen...*
Aan de horizon duiken de contouren van mijn geliefde stad op.
Daar zijn mijn vader, mijn moeder, de weinige overlevenden van mijn

familie. Ik weet dat het hun goed gaat, ik heb hen twee dagen geleden gesproken, op de avond voor mijn zelfmoordaanslag.

Dan verliest mijn blik zich weer in de kleuren en lijnen van Hokusais houtsnede. Het is alsof de vormen tot leven zijn gekomen. De kruinen van de pijnboom wiegen in de wind, de sneeuw dwarrelt naar beneden. Klapwiekend slaan de kraanvogels hun vleugels uit, een huivering die het leven met de dood verbindt.

Wat ik nu zie is *jouw* vlucht.

Onder mij trekken de bossen van het schiereiland van Kabashima voorbij, de gebogen contouren van de Ōmura-baai.

Ons dierbare huis! Kijk hoe mooi het is, Haruki, mijn lief!

Mijn ogen verdrinken in het diepe blauw dat Hokusai voor de kraanvogelvleugels gebruikte. Alles gebeurt precies op dit moment.

De lichtbel zwelt op, hoog als een berg, en slokt de materie op.

Opkolking en ontbranding. Een adem die in een fractie van een seconde het laatste van het aardoppervlak wegblaast wat me dierbaar was.

Het licht verblindt me, de explosie wist me uit.

Kamikaze betekent goddelijke wind. Maar als Gods adem werkelijk in de wind te horen was, dan niet als het gefluister van een onbeduidend gevechtsvliegtuig.

Nee, dan zou die adem de schokgolf van een atoomexplosie zijn.

Ik weet niets meer. Ik weet niets meer. De energiestoot slaat me uit de koers en drukt de neus van mijn toestel naar het zuiden. Ik vlieg verder, maar ik ben een lege schelp. Krampachtig omklem ik de stuurknuppel en tol zonder houvast door de lucht, tot de brandstof op is en ik het blauw tegemoet stort.

***

De afworp van Fat Man boven Nagasaki veroorzaakte een achttienduizend meter hoge paddenstoelwolk. De kern van de vuurbal had een temperatuur van vijfhonderdduizend graden. De schokgolf plantte zich voort met een snelheid van honderd meter per seconde. Hoe vaak heb ik ze na de oorlog niet gehoord, deze cijfers die in mijn oren zo leeg en zinloos klonken! Is dat niet ongelooflijk? Sammington had me tientallen foto's van de atoompaddenstoel laten zien, maar om me de explosie te herinneren die mijn stad, mijn familie en mijn ziel had uitgewist, moest ik een houtsnede terugzien! Dat was de sleutel om tot de diepste kern van de amnesie door te dringen. Een andere weg was er niet. Begrijp je het nu? Dit beeld was voor mij wat Sammington later in zijn theorie het "mnemonische symbool" zou noemen. Het voorwerp dat me naar mijn laatste herinnering leidde.'

Mevrouw Nagai kruist haar armen voor haar borst en sluit haar ogen. Ze is uitgeput. Een diep medelijden snoert me de borst samen.

'Wat is er van dr. Sammington geworden? Wat is er gebeurd nadat hij in 1974 naar Japan terugkwam en u het dagboek schonk?'

'We hebben enkele dagen met elkaar doorgebracht. Toen namen we hartelijk, maar terughoudend afscheid. Ik heb hem nooit meer gezien of van hem gehoord. Tien jaar later, op 20 augustus 1984, ontving ik een telegram met het bericht van zijn overlijden. Het was vreemd: plotseling begreep ik dat de enige reden dat ik al die jaren in Tokio gebleven was, de hoop geweest was dat hij op een dag naar mij toe zou komen. Nu was dat voorbij. Dus besloot ik naar dit eiland terug te keren en sindsdien leef ik hier, met mijn vliegtuig en de boeken van dr. Sammington.'

Een diepe, slechts door de nachtelijke ademhaling van de zee vervulde stilte installeert zich tussen ons.

Het mnemonische symbool.

Diep geschokt door haar relaas blijf ik roerloos zitten. Het medelijden dat ik voor deze vrouw voel, lijkt sterk op dat voor mezelf. Ik staal me en stel haar de vraag waar we allebei op wachten.

'En u gelooft dat er voor mij... ook iets van dien aard is?'

'Ja. Onze verhalen lijken op elkaar. Waarom zouden ze niet dezelfde oplossing hebben?'

Weifelend schud ik mijn hoofd.

'Dit is het laatste wat ik me herinner: mijn vrouw en ik op een zeilboot op volle zee, op zoek naar Poy'Atewa, een geheimzinnig eiland, dat misschien helemaal niet bestaat. Hoe moet ik weten waar ik aan dacht op het moment dat ik mijn geheugen verloor?'

'Dat kun je niet weten. Eerst moet je het voorwerp vinden, het symbool. Dat zal je leiden.'

Iets waaraan ik de sleutel tot mijn laatste herinnering heb toevertrouwd.

'Misschien... het boek van Dylan Thomas?' Ik wijs naar mijn rugzak, die op de grond staat. 'Dat heeft een belangrijke rol gespeeld bij het terugvinden van mijn herinneringen. Maar ik heb geen idee hoe het met de ogenblikken voor de amnesie in verband zou kunnen staan.'

'Geen haast. Vertel me over dat boek.'

'Mijn vrouw heeft het me cadeau gedaan na een korte vakantie in Wales. Bij onze schipbreuk is het in het water gevallen en vervolgens geruïneerd. Na een storm vond ik het aangespoeld op Horu's eiland terug. Het enige gedicht dat door de oceaan onverlet is gelaten, is de zogenaamde 'Proloog'. Toen ik dat vers las keerden mijn volledige geestelijke capaciteiten terug, mijn spraak en mijn taal en het deel van het geheugen dat je onpersoonlijk zou kunnen noemen. Enkele elementen uit het gedicht leidden me naar Wales. Daar keerden mijn herinneringen stukje bij beetje terug. Bijna allemaal. Ik ben de oude vuurtoren boven een zandlopervormig strand op geklommen. Volgens zeggen heeft Dylan Thomas ruim een halve eeuw geleden op die toren enkele van zijn beste gedichten gemaakt. Ik was er al eens geweest, een jaar eerder, met mijn vrouw, maar dat herinnerde ik me toen nog niet. Daarboven vond ik het laatste intacte exemplaar van datzelfde boek. Toen werd ik overspoeld door een golf van herinneringen. Ik herinnerde me mijn naam, de naam van mijn vrouw, onze geschiedenis, ons huis, alles, behalve de dingen die rechtstreeks verband hielden met de amnesie.'

'Wat gebeurde er op die vuurtoren?'

'Niets. Ik pakte het boek, opende het lukraak en begon een gedicht te lezen. Ik weet niet eens meer welk gedicht. Toen ging er een bliksem door me heen en waren de herinneringen ineens terug.'

'Lukraak, zeg je?' Mevrouw Nagai schudt haar hoofd. 'Probeer je te concentreren. Het moment waarop je je geheugen kwijtraakte en het moment waarop je het terugkreeg, zijn met iets verbonden. Met iets specifieks. Je moet het je alleen bewust worden. Sammington was ervan overtuigd dat het symbool nooit willekeurig of abstract is, het heeft altijd een specifieke betekenis. Er moet onvermijdelijk iets zijn wat je gezien, gehoord, gedaan of gedacht hebt voordat je je geheugen kwijtraakte. En inmiddels is duidelijk dat dat "iets" met dit boek samenhangt.'

'Maar... ik heb zomaar een gedicht opengeslagen. Ik sloeg het boek open en... Of nee...'

Ik veer op.

'Nee! Nu ik erover nadenk, nee! Ik sloeg het niet zomaar open! Ik heb het als in trance doorgebladerd tot ik pagina 27 bereikte. En daar was

het... Wij, liggend bij zeezand... Maar natuurlijk!' roep ik, opspringend.
'"Wij, liggend bij zeezand"! Ik las dat gedicht, keek op van het boek... en
toen kreeg ik een visioen: er was een rozekleurig strand... daar was Karin... Ja! Dat was pas nadat de herinneringen terug waren gekeerd, een
golf die al het andere wegvaagde!'

Mevrouw Nagai glimlacht tevreden.

'Dus een gedicht. En waarom heb je uitgerekend aan dit gedicht je
laatste herinnering toevertrouwd?'

Maar ze wacht mijn antwoord niet af: ze staat op en loopt weg.

Wij, liggend bij zeezand...

Ik pijnig mijn hersenen om me het vervolg in gedachten te roepen.

Wij, liggend bij zeezand...

Uit het duister van mijn geest rijst een vloeiend, blauw landschap op.
De laatste ogenblikken die zich nog achter de amnesie verbergen nemen
langzaam voor mijn ogen vorm aan.

De wereld om me heen verdwijnt en – voor de laatste keer – herinner
ik me.

75

HET GEHEIME STRAND

EEN ZEILBOOT, MIDDEN OP DE STILLE OCEAAN, 9 APRIL 2009
– NOG MAAR ENKELE UREN TOT DE AMNESIE –

Het zeil trilt en klappert in de wind. Je staat op het voordek en controleert nerveus de strakgespannen lijnen. Nog nooit hebben we zo snel gevaren, en elk kreunen van de giek, elk knarsen van de schoten is voor jou een alarmsignaal.

Ik omklem het roer. Ik weet dat je boos wordt als ik je zo aanstaar, maar in die knalrode bikini die je vanmorgen hebt aangetrokken zie je er ongelooflijk sexy uit. Ongeacht wat je doet.

'Wat sta je te koekeloeren?' bijt je me toe. 'Check liever de koers!'

'Oké, sorry!'

Ik richt mijn blik op de eindeloze blauwe uitgestrektheid die ons omgeeft. Het is een magnifieke dag: voortreffelijk zicht, perfecte wind. Het lijkt bijna alsof we vliegen en het water dat onder ons wegschiet amper beroeren. Alles is in azuurblauw licht gedompeld, lucht en water spiegelen elkaar over en weer.

'Op open zee zeilen is wel even wat anders!' roep ik je toe. 'Vind je ook niet?'

Je antwoordt niet, of doet alsof je me niet hoort.

Tuurlijk. Heel wat anders. Heerlijk, maar tegelijk ook heel verontrustend.

Ik heb een gevoel van naderend onheil. Ik ben gespannen en jij hebt het al lang gemerkt. In sommige opzichten ben je een echte speurhond.

Maar laten we wel wezen, het is beter om je te ontspannen en van het hier en nu te genieten. Van eilanden, geheim of niet, is geen spoor te bekennen, en over een paar uur is het motto: rechtsomkeert, terug naar Kanku-Shi en zijn vredige, veilige lagunes.

En omdat je sowieso al tamelijk nerveus bent, verzwijg ik ook dat we sinds pakweg tien minuten officieel verdwaald zijn. Ik slik moeizaam.

Misschien is 'verdwaald' een beetje een groot woord. Laten we zeggen dat ik de koers die ik had berekend aan de hand van de beschrijvingen van de inboorlingen niet langer volg. Ik werp regelmatig sluikse blikken op de kaarten en de navigatie-instrumenten. Er is zo het een en ander wat me niet duidelijk is.

'Oké, ik geef het op!' probeer ik het fluiten van de wind te overstemmen. 'We keren om!'

'Echt?'

Met een katachtige sprong val je me om de nek en je legt je kin op mijn schouder.

'Maar natuurlijk, wat geeft het,' fluister je in mijn oor, me troostend alsof ik een kind ben dat een slecht cijfer heeft gekregen. 'Je wist het al, toch? Poy'Atewa bestaat niet. De bewoners van de Pacific lachen zich krom achter onze rug. Ze pakken ons in met hun legendes en die domme toeristen en dromers trappen er bij bosjes in.'

'Ach ja? En wat zijn wij dan?'

'Ik ben een dromer. En jij natuurlijk een toerist!'

'Haha, heel leuk.'

We keren terug naar Kanku-Shi. Dat hoop ik althans. Langzaam begin ik me zorgen te maken dat ik de smalle strookjes land van de archipel zou kunnen mislopen. Hoe verder we varen, hoe kleiner de zekerheden, dus de spanning stijgt. Het idee ook maar één nacht op open zee door te brengen, verontrust me. Het vooruitzicht het je te moeten zeggen brengt me in paniek. *Wat een gesodemieter!* roep ik inwendig. *En dat allemaal omdat we op een stomme legende zijn afgegaan!*

Misschien komt het doordat we verkeerd gevaren zijn.

Ja. Daar is het. Ik weet het meteen.

Poy'Atewa duikt voor ons op.

Ik draai me naar je om. Je gelooft je ogen niet.

Het geheime strand... Heb je het gezien, het bestaat echt! wil ik je zeggen, maar ik ben met stomheid geslagen.

Terwijl het eiland dichterbij komt, heb ik het gevoel dat ik met open ogen droom. Een oeroude droom, gedroomd door mensen die er niet meer zijn, een voorgeboortelijke, onmiddellijk vergeten droom.

Alles is gebogen om de kromming van de wereld te volgen: de rafelige wolken die langs de hemel trekken, de horizon, ruimte, tijd. Er zijn alleen het verblindende licht en de kleurvlekken. Kleuren die alle zintuigen bedwelmen.

Het roze van het zand. Het blauw van de hemel, dat in het turkoois van de zee vervloeit. De witstralende, in een kring geordende rotsen, uitgehold door de wind en in sprookjesachtige bogen getransformeerd. Overal dansen bolletjes licht, zonlicht gebroken door zoutbeparelde wimpers.

'Wat mooi...'

Je stem heeft een eigenaardige nagalm, die zich vermenigvuldigt en wegsterft. De duistere demonen die ons volgden vluchten in een woeste dans, verjaagd door alle schoonheid.

We strekken ons uit op het roze zand, dat oneindig veel tinten heeft. Een weldadige warmte doordringt mijn lichaam.

Ik draai me op mijn zij en kijk je aan, languit in het zand, hier, naast me. Stralend van vreugde ben jij de bron van al dit licht. De reden waarom ik hier ben, op dit moment, waarom ik zo'n zuiver, kinderlijk, ongebreideld geluk ervaar.

Je hebt je armen ontspannen langs je lijf gelegd, je lange benen zijn licht gebogen, je stralende gezicht is naar de hemel gewend, met gesloten, in het zonlicht trillende oogleden. Ik ervaar een mateloos verlangen je aan te raken, maar je bent door een wonderbaarlijke magie omgeven, die ik niet wil verstoren.

Je draait je op je zij en knippert met je ogen.

'Dit alles hier... herinnert je dat niet aan dat vreemde strand in Wales?' vraag je me glimlachend. 'Dat strand met die grappige zandlopervorm?'

'Jazeker, het strand van Dylan Thomas,' antwoord ik.

'Ah, ja!' verzucht je, en je slaat je tegen je voorhoofd. 'Wat heb jij lopen zeuren dat je daar naartoe wilde. Maar weet je wat? Dit strand is duizendmaal mooier!' Je lacht gelukkig. 'En natuurlijk was het mijn idee. Maar goed dat ik er ben om je naar plekken te brengen die werkelijk de moeite waard zijn!'

'Wat?!' roep ik ongelovig. 'Hoe haal je het in je hoofd je daarop te beroemen?'

Je houdt je buik vast van het lachen.

'Maar je hebt gelijk, over Wales. Dat strand vinden was ook lastig. Daar deed ook iedereen heel geheimzinnig en wilde niets loslaten.'

'En toen hebben we het ook stomtoevallig gevonden!'

Je draait je weer naar de zon.

Het loont de moeite om uitsluitend naar geheime plekken te reizen, fluister ik inwendig naar de hemel.

'Ja, inmiddels zijn we heuse explorateurs,' roep je vrolijk. 'Ontdekkers van met sagen omsponnen, geheime oorden! We zouden kunnen overschakelen naar archeologie, wat vind jij?'

'Daar kom je een beetje laat mee...'

'Hoe bedoel je?'

'Zeg maar Jones, schat. Indiana Jones.'

'Ach, hou toch op! Altijd de clown uithangen.'

Je schopt me.

'Au!'

Ik geef je een schallende pets op je billen.

'Wat permitteer je je!'

'En of ik me wat permitteer.'

Ik stort me op je en na een korte strijd, waarbij we amper lucht krijgen van het lachen, beroeren onze lippen elkaar eindelijk – om elkaar niet meer los te laten. Je lichaam is een roze schaduw, omfloerst door het vluchtige rode opflitsen van je bikini, die je spoedig niet meer aanhebt.

We beminnen elkaar eindeloos lang. Het genot dat ik ervaar en dat ik in je voel, is zo extatisch dat het bijna niet te verdragen is.

Misschien weten onze lichamen al dat dit de laatste keer is.

Onze bezwete, hijgende lichamen op het zand.

'De zon gaat onder,' fluister je in mijn oor, en je wijst naar de horizon. 'Kijk, hoe snel hij zakt.'

'Ja. Straks is het donker en zijn wij nog steeds hier. Ik heb mijn belofte niet gehouden. Het spijt me.'

'Hoezo? Dat betekent gewoon dat we vannacht hier slapen.'

'Ben je niet bang?'

'Nee, ik ben niet bang. En zeg nu niets meer en kijk gewoon. Het wordt een prachtige zonsondergang.'

De zon stort in de oceaan en vervloeit als een gestolde druppel bloed. De druppel breidt zich uit, een paar keer knipperen en hij is al veranderd in een rode rivier die helemaal naar ons reikt. De grenzen ervan vervloeien, het rood versmelt tot een naar violet neigend donkerroze, totdat er aan de loodkleurige, van lila strepen doortrokken hemel niets meer van de zon over is. Het water heeft alle kleuren van de zonsondergang opgezogen en houdt ze onder zijn roerloze, ultraviolette oppervlak verborgen.

Ik draai me naar je om en zie tranen van ontroering in je ogen.

'Ik had nooit gedacht dat er zo veel schoonheid op de wereld kon bestaan,' fluister je, terwijl je je voorhoofd in mijn hals nestelt.

Liefhebben is nooit zo makkelijk geweest. Mijn ziel prent deze ogenblikken onuitwisbaar in mijn geheugen. Opeens komen alle mooiste momenten van onze geschiedenis weer in me op, allemaal tegelijk, alsof ze uit dit paradijselijke visioen opborrelen. Ze overweldigen me.

Wat hebben we samen veel prachtige dingen beleefd.

Zal dat alles op een dag voor altijd verloren zijn? Kan God al deze liefde uit de wereldgeschiedenis willen wissen?

Onze schaduwen zijn intussen zo lang dat ze met de horizon versmelten.

'Gaan we terug naar de boot?' vraag je.

'Wacht. Eén ding wil ik nog doen.'

Ik haal het boek van Dylan Thomas tevoorschijn.

'Heb je dat boek hier mee naartoe gesleept? Het mag dan een cadeau van mij zijn, maar...'

'Ssst! Stil.'

Langzaam sla ik de bladzijden om en luister naar het ritselen van het papier. Een onwerkelijk geluid, mijlen verwijderd van deze onbedorven wereld, en toch deel van haar oorsprong, zoals het ruisen van zand en water.

'Wat is dat? Een van die macabere gedichten van je vriend Dylan Thomas?'

'Wind je nou niet op, luister gewoon.'

'Aye aye, kapitein.'

Ik blader verder en bereik bladzijde 27. Ik leg het boek op mijn knieën en begin voor te lezen.

Wij, liggend bij zeezand, starend naar geel
en de bange zee, geven smalend af op het honen
van hen die de rode rivieren volgen, holle
alkoof van woorden uit cicadeschaduw,
want in dit gele graf van zand en zee
klinkt een roep om kleur op de wind
die bang en blij is als graf en zee
slapend ter rechter- en linkerhand.

De maandoodse stiltes, het kalme getij
dat de stille kanalen likt, de droge tijmeester,
geribd tussen woestijn en watergeweld,
zij moeten onze waterkwalen genezen
met een monochrome sereniteit;
de hemelse muziek boven het zand
zingt met de ijlende korrels
die de gouden bergen en buitens
van het bange, blije kustland verbergen.

Gebonden in een vorstelijke strook liggen wij,
geel ziend, te wensen dat de wind
de kustlagen wegblaast en rode rots verdrinkt;
maar wensen verrichten de daad niet, noch
kunnen wij de komst van rots afweren,
dus staren we in het geel tot het gouden weer
breekt, o, bloed van mijn hart, zoals een hart, een heuvel.

Als ik ophoud met lezen, klinkt er een woest getrommel. Dan besef ik dat het je hartslag is. Hoe kan het dat ik het zo hard hoor? Dat moet een van de hallucinaties zijn waarvan de inboorlingen me verteld hebben, de macht van Poy'atewa. Jij hebt niets in de gaten.

Ik stop het boek terug in zijn twee plastic tassen en knoop ze zorgvuldig dicht. Een voorzorgsmaatregel voor het geval onze bagage in het water terechtkomt.

'Voor een *poète maudit* ben je erg pietluttig!'

'Ja ja, lach jij maar. Ik wil je wel eens horen als het nat wordt!' Ik aap je jammerende piepstem na, je haat het als ik dat doe: 'M'n cadeau! M'n cadeau! Je hebt het geruïneerd! Doen mijn cadeaus je zo weinig?'

We weten geen van beiden dat dit laatste gebaar, deze twee witte, strak om het boek gebonden plastic tassen, mijn leven zullen redden.

Maar wij kennen de toekomst niet, alles is licht en schoonheid. Het leven lijkt te bestaan uit onverhoopte geschenken die je toevallen als je er het meest aan toe bent.

Ik ga met mijn tong langs mijn lippen en proef de heerlijke smaak van het zout, het verstand op nul.

Het enige wat ik op dit moment wens, is dat ik de tijd stil kan zetten. Hier te kunnen blijven, met jou, tot het eind van de wereld.

Tot het eind van de wereld.

Jacques had gelijk. Nu ik op het punt sta de waarheid in het gezicht te zien, ontbreekt me de moed. Een laatste maal verman ik me. Nog één keer zal ik datgene doorleven wat ons gescheiden heeft. Nog één keer zal ik het einde van het begin af aan doormaken.

Er ontbreekt nog één ogenblik.

Het komt op ons af. Iets verschrikkelijks, donkers haalt ons in. Dadelijk is het bij ons, vaagt ons weg.

Spoedig zal ik me niets meer herinneren.

76

HET STRAND VAN DE HERINNERINGEN

Ik loop over een eindeloos strand.

De schaduwkegel die mijn herinnering verduisterde is als sneeuw voor de zon opgelost.

Nu herinner ik me alles.

Mijn blik zwerft in het grenzeloze. De amnesie met haar lauwe vergetelheid beschermt me niet langer. Ik heb niets meer om me aan vast te houden.

Ik sta oog in oog met de waarheid.

Nu weet ik wat er met je is gebeurd.

Een eindje voor me uit wandelt mevrouw Nagai met haar over haar kuiten opgestroopte broek door mijn herinneringen, de handen gevouwen achter haar gebogen rug. Haar voeten waden door de donkere, schuimende golven. Naast haar ligt mijn *wa'hay* op het zand.

'Nee, je wordt niet krankzinnig, Demian-*kun*,' roept ze boven het kabaal van de zee uit. 'Ook al is er niets wat je nu liever zou willen. Ik begrijp je, ik heb hetzelfde doorgemaakt...

... En zo heeft de theorie van dr. Sammington nog een leven gered,' voegt ze eraan toe. 'Of misschien wel voor altijd verdoemd. Vergeten kan een waardevolle bescherming zijn. Maar je wist al waarop je je moest voorbereiden, nietwaar, mijn jongen?'

Ze aait me over mijn wang. Mijn blik is een stomme smeekbede.

'Waarom? Waarom zo?'

'Kwel jezelf niet. Het is jouw schuld niet.'

'Hoe kunt u dat zeggen?' roep ik. 'Wat weet u ervan?'

Ze knikt treurig.

'Je bent op zoek gegaan naar je geheim en bent erop stukgelopen. Net als ik zestig jaar geleden. Maar wie de liefde leeft, heeft zich al op de geheimzinnigste reis begeven die er op de wereld bestaat. Heb je gezien waar het je gebracht heeft? Op een pad van ongelooflijke en onverklaarbare, zij het onvrijwillige avonturen. Begrijp je wat ik bedoel, Demian-*kun*?'

'Nee.' Ik kijk in haar ogen. 'En ik begrijp ook niet hoe u híér kunt zijn. Deze plek is er niet... Hij is in mij, hij is louter een projectie van mijn bewustzijn.'

'Ik heb geen idee!' Ze opent haar armen in een weids gebaar. 'Ik moet in slaap gevallen zijn. Ik droomde iets moois en opeens stond ik voor je kano!'

We zwijgen een lange tijd terwijl mevrouw Nagai het landschap in zich opneemt. Een regelrecht ondraaglijk gevoel van onwerkelijkheid bekruipt me.

'Daarom heeft Horu me naar u toe geleid. Hij vermoedde dat ik hier mijn laatste herinnering zou vinden. Maar hij wist niet wat dat zou inhouden.'

'Nee, je vergist je, Demian-*kun*. Het terugkrijgen van je herinnering was slechts een interessant, maar onverwacht neveneffect. Dat is niet de reden waarom Horu ons bij elkaar wilde brengen.'

Ik schud mijn hoofd.

'Dat heeft nu geen zin meer.'

'Maar als je je een beetje zou inspannen, zou je erop komen.'

'Best mogelijk, maar waar is het goed voor?'

'Probeer het. Wat heb je te verliezen?'

Een schuimende golf omspoelt ons tot aan de knieën.

'Vooruit dan maar,' brom ik met opeengeklemde tanden. En ik zoek in mijn hoofd de laatste ontbrekende schakel. 'Voordat ik naar Wales vertrok, vroeg Horu me met enige aandrang of ik mee wilde gaan naar een vrouwelijke goeroe aan wie hij genezende krachten toeschreef en die zich op een of ander eiland van Okinawa schuilhield. Nu is me duidelijk dat Horu haar gevonden heeft en alles georkestreerd heeft met de bedoeling dat ook ik haar ontmoet.'

'Heel goed!' Mevrouw Nagai klapt glimlachend in haar handen. 'Zo is het precies: je bent op het eiland van de bodhisattva van Okinawa.'

'Maar waarom, verdomme nog aan toe?' barst ik woedend uit. 'Wat verwachtte Horu? Wat moet ik nu met zijn zen-gelijkmoedigheid? Jacques had gelijk: het was beter geweest om het geval te laten rusten en in de sluiers van de vergetelheid te laten!'

'Je kunt niet meer terug, Demian-*kun*. Maar nu je je alles herinnert en met een onverteerbare waarheid zit opgescheept, kan de macht van de bodhisattva je misschien helpen.'

Ik barst in een bitter hoongelach uit.

'Neem me niet kwalijk, hoor, mevrouw Nagai, maar dat geloof ik toch echt niet.'

'Waarom zou ik je dat kwalijk nemen?'

'Houd toch op met die poppenkast! Omdat ik aan uw krachten twijfel!'

'O nee!' De oude vrouw lacht smakelijk. 'Je vergist je deerlijk. Ik ben de bodhisattva niet!'

'Maar wie dan wel? En waar is ze?'

'Hier, op dit eiland,' antwoordt ze opgewekt, alsof het de gewoonste zaak van de wereld is.

'Wat?' roep ik ongelovig. 'Ik zit al ik weet niet hoe lang op dit vervloekte eiland, hoor nu pas dat ik hier gekomen ben om een vrouwelijke goeroe te ontmoeten, en u blijft nog steeds de geheimzinnige uithangen? Waar wacht u op om me naar haar toe te brengen? Wat wilt u verdomme nog van me?'

'Demian-*kun*! Rustig! De bodhisattva kan wachten. Eerst moet je begrijpen *wie je werkelijk bent*.'

'Bespaar me uw zenfilosofie, Nagai-*san*.'

'Het is geen filosofie. Je hebt je leven om háár heen gebouwd. En nu ze er niet meer is, komt je bestaan je zinloos voor. Zie je de vergissing niet die in dat alles schuilt? Snap je niet dat het een dwaling is om je hart onherroepelijk aan vergankelijke zaken te verpanden?'

'U weet niet waarover u praat.'

'Dat weet ik heel goed.'

'Nou, oké. En wat is volgens u dan juist?'

'Datgene lief te hebben wat eeuwig en onveranderlijk is.'

'En wie zegt u dat het dat niet is?'

Ze glimlacht treurig en schudt haar hoofd, zonder te antwoorden.

'Hebt u het over God? Bedoelt u dat ik een kluizenaar moet worden, zoals u? Nee, mevrouw Nagai! Zelfs als ik de rest van mijn leven naar de golven en de wolken zou staren, Karins liefde heeft me reeds alle antwoorden gegeven!'

Hete tranen prikken in mijn ogen.

'Ja, dat is uw weg, Nagai-*san*. Maar de mijne is een andere. En Karins liefde is mijn verbinding tot dat wat u "eeuwig en onveranderlijk" noemt. En het interesseert me niet of er een hemel of een hel is, of dat ik Gods aangezicht zal aanschouwen. Ik wil niet in een ander leven reïncarneren. Ik wil alleen haar terugzien. Ook als ik daarvoor op de dood zou moeten wachten. Ik ben bereid het tegen God en het hele universum op te nemen. Maar de zin van elk van mijn ademtochten, de diepste betekenis van mijn bestaan, het lot dat in mijn naam schuilgaat... dat is al allemaal hier.'

'Ook als het slechts een illusie zou zijn?'

'Dat zal het niet zijn. Ik kan niet geloven dat de liefde zo ophoudt, dat ze slechts duurt "tot de dood ons scheidt".'

'*Hai*, Demian-*kun*. Dan is nu het moment gekomen. Hier is je kano. Ik zal je ergens heen brengen, maar eerst moet je dít opdrinken.'

Mevrouw Nagai zakt een beetje door haar knieën en houdt haar handen als een kommetje in een troebele golf. Ongelovig en wantrouwend staar ik haar aan.

'Drink, wees niet bang.'

'Zeewater? En waarom?'

'Je zult slapen.'

'Ik wil niet slapen!'

'Vertrouw me. Voor de liefde van deze vrouw ben je een lange weg gegaan, maar het laatste stuk kun je alleen zo afleggen.'

Verward en sprakeloos sta ik daar: mevrouw Nagai heeft nu een sonore, diepe, mannelijke stem. Balths stem.

'Het moment is gekomen voor je ontmoeting met de bodhisattva.'

Ik buig me naar haar rimpelige handen en drink het water gulzig op.

Het smaakt weerzinwekkend en ik moet een braakneiging onderdrukken.

Na enkele seconden wordt mijn hoofd zwaar, mijn blik troebel, alles wordt wazig.

Opnieuw hoor ik Balths stem.

'*Er zijn speciale plekken, uniek op de hele wereld, waar we de mensen kunnen terugzien van wie we in ons leven het meest hebben gehouden...*'

Het zijn dezelfde woorden die Balth op het zandloperstrand uitgesprak, toen hij de botjes van zijn zoon Llywelyn in zijn armen hield.

Mijn laatste, verwarde gedachte geldt zijn verloren gegane brief. *Wie weet waar die terechtgekomen is...*

Dan val ik in slaap op mevrouw Nagais schouder.

77

BALTHS BRIEF

Laugharne, Wales
10 november 2009

Beste Sebastian,
Of beter, beste Demian (vergeef me als ik deze vergissing nog va-
ker maak, maar mijn geheugen is niet zo best meer en in mijn
gedachten draag je nog steeds de naam die je gebruikte toen ik je
leerde kennen!), intussen zijn er tien dagen verstreken sinds je je
geheugen terugvond en naar huis vertrok. Ik was van plan je op
te bellen, maar van de andere kant wilde ik je ook niet storen. Ik
heb geen idee wat je bij je terugkeer wachtte, en het feit dat je je
niet meer bij me gemeld hebt, geeft me een onbehaaglijk gevoel.
Ik weet dat ik op een van je vragen niet geantwoord heb.
Ik wilde het niet meteen doen, en daarna was er geen tijd meer.
Maar nu zal ik het doen, in alle rust, en nadat ik in mijn hoofd
een beetje orde heb geschapen.
Hoe kon ik weten dat je op de ochtend van 26 oktober daarbene-
den in die spleet zat?
Ik zal bij het begin beginnen. Over de verdwijning van mijn zoon
heb ik je al verteld. Maar ik heb je niet verteld dat ik een paar
dagen lang de dwaze, maar zoete hoop heb gekoesterd dat jij die
verloren zoon zou kunnen zijn. Ik geloofde dat Aeronwy, die en-
kele maanden geleden gestorven is, me vanuit de hemel dit grote
cadeau had gegeven. Ik was er zo van overtuigd, dat ik in de
nacht van 25 oktober je kamer in ben gelopen met het vaste voor-
nemen je alles te vertellen. Toen ik zag dat je ervandoor was,
dacht ik dat ik het bestierf. Ik had je nogmaals verloren, mis-
schien wel voor altijd. 'Dwaze oude man!' zei ik tegen mezelf.
'Waarom heb je hem niet meteen alles verteld? Waar wachtte je
op? Nu is het te laat!'
Zodoende heb ik me, zoals al veel vaker, 's nachts in mijn werk-

kamer opgesloten en mijn pijn in de whisky verdronken. Ja, ik geef het toe: wat ik je nu ga vertellen, is gebeurd terwijl ik zwaar beschonken was. Eerst dacht ik dat het hallucinaties van het delirium tremens waren, zoals Dylan Thomas ze voor zijn dood had. Maar toen ik jou in het ochtendgrijs met Lywelyns botjes in je armen in dat gat vond, begreep ik dat alles wat ik had gezien waar moest zijn, hoe ongelooflijk het ook was.

Ik zat dus in mijn kantoortje, dronken en gekweld, toen een tedere stem naar me riep en steeds opnieuw dat woord zei waarmee sinds dertig jaar niemand mij meer had aangesproken: papa. Ik ben meteen opgesprongen, zodat de stoel omviel, en ben achter de stem aan de trap af gehold en de keuken in gelopen. De tafel was gedekt, een mooie vaas bloemen stond in het midden, en het rook heerlijk naar versgebakken laverbread. *Aeronwy trok net het bakblik uit de oven, draaide zich om en glimlachte naar me. Ze zag er prachtig en leeftijdloos uit. Ze was geen geest, het was zijzelf, in vlees en bloed, dat zweer ik. Na veertig jaar huwelijk weet ik waarover ik praat!*

'Aan tafel alsjeblieft, alles is klaar,' zei ze.

De tuindeur stond open. Op de drempel zag ik mijn kleine Llywelyn. Hij rende op me af en sloeg zijn armpjes om mijn nek.

'Llywelyn! Mijn jongen,' riep ik, en de tranen liepen me over het gezicht. Het is maar een droom, zei ik keer op keer tegen mezelf, het is maar een droom. Maar mijn hart barstte van een vreugde zoals ik in meer dan dertig jaar niet meer gevoeld had.

'Papa!' zei hij met een ernstige blik zoals alleen kinderen die kunnen opzetten. 'Kom me halen!'

'Hoe bedoel je dat?' vroeg ik hem, terwijl ik hem over zijn bol aaide. 'Je bent toch hier? Waar moet ik dan naartoe?'

'Naar Demian!'

'Demian? Ik ken niemand die zo heet.'

'Genoeg gepraat,' kwam Aeronwy tussenbeide. 'Nu gaan we eten, straks kunnen we verder praten.'

'Nee, papa, je moet meteen meekomen!'

Ik had ineens het gevoel dat dit tot dan toe zo reële visioen elk moment in rook kon opgaan. Dus omhelsde ik mijn zoon en mijn vrouw en drukte hen heel stevig tegen me aan, tot ik voelde hoe

hun lichamen onder mijn handen vergingen. Ik dacht dat ik het
bestierf... De droom was voorbij. De keuken was weer leeg en
kaal als altijd.

Toen ik was uitgehuild, ben ik op weg gegaan. Ik ben het strand
van Laugharne af gerend. Ik voelde Llywelyns aanwezigheid nog
steeds aan mijn zijde. Ik kon hem niet zien, maar ik voelde dat
hij mijn hand vasthield. Hij leidde me en ik volgde hem.

Toen sprak hij met me. Hij zei vreemde dingen, al te wijze en
diepzinnige zinnen voor zijn tere kinderstem. Maar ik heb zorg-
vuldig naar hem geluisterd.

'Demian brengt ons weer samen. Hij drukt zijn voetspoor op de
grens, op de strook zand die het strand des levens van de zee des
doods scheidt. Hij kan...

Hier brak de brief af.

Balthasar was over zijn schrijftafel in elkaar gezakt. Zijn hart had zich een laatste keer samengetrokken.

Hij was zacht gestorven. Zonder de brief af te maken en zonder verder lijden.

78

DE BODHISATTVA

Mijn tong is gezwollen, ik heb de bittere smaak van gal in mijn mond. Het licht doet mijn gesloten oogleden rood opgloeien. Zodra mijn lichaam weer iets voelt, bespeur ik iets zachts en koels onder mijn rug, misschien is het gras. In de verte klinken vogelkreten. Of zijn het apen? Ik open mijn ogen een heel klein beetje en een verblindend licht verslindt me, doorboort mijn slapen en maakt dat ik het uitkreun van de pijn. Ik zie donkergroene vlekken, bespikkeld met witte puntjes, die wiegen in de wind.

Ben ik in de jungle?

Ja. En dadelijk zal ik achter het geheim komen. Als ik eindelijk aan de schittering gewend ben geraakt, weet ik een moment lang niet hoe ik het heb.

Een tuin van een onuitsprekelijke schoonheid gaat schuil in het hart van de wilde vegetatie. De donkere kathedralen van knoestige bomen en reuzenvarens, de gewelven van takken en lianen, alles wat duisternis en chaos is houdt er halt en staat toe dat het zonlicht op een keurig onderhouden gazon, met lichtblauwe en gele bloesems bezaaide struiken, wilde orchideeën en bloeiende perziken schijnt. Er hangt een bedwelmende geur in de lucht, overal dansen zwermen vlinders, onverwacht en stil. Een licht briesje beweegt stengels en bladeren, af en toe maakt een bloesemblaadje zich los en dwarrelt tussen de fladderende vlinders naar de grond.

De fragiele, onwerkelijke harmonie van deze tuin is zo overweldigend dat het me een steek in het hart geeft. Een déjà vu overvalt me, het gevoel alsof ik al eens over deze plek heb gedroomd... door jouw ogen. Maar nu is het geen droom: de ervaring is te intens, ik weet zeker dat ik klaarwakker ben.

Achter de bloesemtakken zie ik het oppervlak van een klein meer en ik hoor het ruisen van water. Ik sta op en zet een paar wankele stappen in die richting, over een wit kiezelpad dat zich zigzaggend tussen de planten door slingert. Ik loop om een haag van bloedrode bloemen heen en sta voor een sprankelende fontein die in de rotsen is uitgehakt. Op de rand, met de rug naar mij toe, zit een vrouw. Ze draagt een witte kimono, bijeengehouden door een goudglanzende zijden sjerp, haar hoofd hangt naar voren, haar gezicht gaat schuil achter lang bruin haar, dat zo glad is dat het er eveneens als zijde uitziet.

Dat is ze. De bodhisattva van Okinawa.

Met kloppend hart kom ik dichterbij. Wat kan deze vrouw nu voor mij doen?

***

IN DE TREIN TUSSEN COTTAGE GROVE EN SAN FRANCISCO, 15 MEI 1995
(DEMIAN IS ACHTTIEN, KARIN ZESTIEN)

'Waar denk je aan?'

'Aan wat ik allemaal heb aangeraakt in de Mustang. Ik hoop dat ik alle vingerafdrukken goed heb uitgewist. Ik heb geen zin om vanuit de trein meteen in een politieauto over te stappen.'

Je onderdrukt een lach.

'Wat valt er te giechelen? Je bent medeplichtig aan autodiefstal!'

'Wat? Ik heb met jou idioterie niets te maken!'

'O nee?'

'Nee!' Je spert je prachtige bruine ogen open. 'Maar ik moet toegeven...'

Je aarzelt een moment en wikkelt een lok haar om je vinger.

'Dat...?'

'... dat het geweldig was om wakker te worden en jou voor me te zien. Dat was het ongelooflijkste moment van mijn leven.'

'Voor mij ook. Maar ik was als de dood dat je zou gaan gillen.'

Je schudt je hoofd.

'Je hebt me niet aan het schrikken gemaakt. Ook al... was het alsof... alsof ik je voor de eerste keer zag.'

Je wendt je blik af en hult je in een afwezig stilzwijgen.

Merkwaardig: buiten het raam zie ik geen landschap meer, alleen nog stralend blauw. Alsof de trein door de hemel rijdt of onder water. Plotseling druk je je tegen me aan, zo strak dat ik amper adem kan halen. Je gezicht is heel dicht bij het mijne, je lange wimpers kietelen mijn wang.

488

'Dem...' fluister je, 'herinner je je wanneer je me voor de eerste keer zag?'

'Uh-huh, ja, natuurlijk. Waarom vraag je dat?'

'Herinner je je het of niet?'

'Natuurlijk. In het park.'

'Fout. In het park was de eerste keer dat we met elkaar praatten, maar van zien kenden we elkaar al. Ik bedoel iets anders: het exacte moment waarop je me voor de eerste keer zag. De eerste keer dat mijn gezicht je opviel en bijbleef. Het moment waarop ik deel begon uit te maken van het oneindig aantal dingen die je in je leven gezien had.'

Ik aarzel een moment, je vraag brengt me in verlegenheid. De indruk onder water te rijden wordt steeds sterker, zelfs de ritmische cadans van de trein op de rails is niet meer te horen.

'Natuurlijk herinner ik me dat. Dat was op school. Aan het begin van het derde jaar, in het sportuur.'

'En dacht je iets, toen je me zag? Weet je dat nog?'

'Dingen die ik nu niet herhalen kan,' zeg ik grijnzend. 'We zijn in een openbare ruimte.'

'Zak. De eerste keer dat ik jou zag, dacht ik meteen dat ik je onsympathiek vond. Zal ik je eens wat zeggen? Wat zou het niet mooi zijn als twee mensen die elkaar voor de eerste keer zien, meteen een idee zouden krijgen van wat het lot voor hen in petto heeft. Dat zou een ongelooflijke ervaring zijn.'

'Je bedoelt liefde op het eerste gezicht?'

'Nee. Dat is wat anders. Ik bedoel een voorgevoel van de toekomst.'

'Hmmm... weet je zeker dat je gisteren niet ook iets gerookt hebt?'

'Ik meen het serieus.'

'Oké, oké... Ik weet het niet. Misschien ja, maar is het niet beter dat dag voor dag te ontdekken? Anders zouden er toch geen verrassingen meer zijn!'

Je tilt je hoofd op en kijkt me doodernstig aan.

'Vanmorgen, toen ik wakker werd, is mij dat overkomen.'

'Echt?' Ik glimlach half ongelovig, half verontrust.

Je knikt plechtig.

'En wat zag je dan?'

'Niet iets specifieks. Het waren meer een soort flitsen. Wij tweeën, sinds een eeuwigheid samen, misschien al jaren. Maar vraag me niet waarom, het is net alsof we elkaar voor het eerst ontmoeten, alsof we ons gezamenlijke verleden compleet zijn vergeten. Onze blikken ontmoeten elkaar toevallig en *boem*, plotseling is alles weer terug. Een ongelooflijk intens gevoel, alsof de hele oceaan zich uitstort in het strandemmertje van een kind.'

Ik zwijg, want ik besef dat ik de betekenis van je woorden niet helemaal vat. Ik voel de cadans van de trein niet meer. Roerloos zweven we in een eindeloos nu en nemen alle tijd in ons op die er nooit geweest is. Het is een ongelooflijk gevoel en het maakt een diepe indruk op me.

'Fijn, zo'n innige omhelzing,' fluister je.

'Ja.'

'Ik voel dat je me beschermt. Dat je me voor altijd beschermen zult.'

'"Voor altijd" is een groot woord.' Ik streel je hals met mijn lippen. 'Maar ik zal zien wat ik kan doen.'

'Doe wat moeite.' Een rilling van genot loopt over je rug, je krijgt kippenvel in je nek. Ik wil maar één enkel ding op de wereld: dat deze omhelzing je voor elk gevaar, voor elke pijn behoedt die op ons pad zou kunnen komen.

***

Terwijl ik de bodhisattva nader, opent de aarde zich onder me.

Op de rand van de fontein.

De trillingen die ruimte en licht samenhouden raken licht ontregeld.

Gehuld in zijde.

Mijn voeten hebben geen grond onder zich.

Zit jij.

Karin!

Als een schreeuw galmt mijn gedachte door de stilte van de tuin.

Ik storm op je af. Ademloos spartel ik in de lucht.

Een herinnering als een indruk die in het vlees is gebrand.

Ik sterf van dorst, midden op de oceaan.

Ik kom aan land.

Waremu komt op me af, hij heeft een pollepel in zijn hand. Er zit water in.

Ik drink het. Als een feniks verrijs ik uit mijn eigen as.

Het sterkste gevoel dat een mens in het leven kan ervaren.
Ik heb me vergist.
Je leeft! Je...

Je kijkt op.
Je blik ontmoet de mijne.
Een magnetische kracht overmant me. Ik rem mijn beweging en blijf
uiteindelijk stilstaan.
Je ogen...
Verwijde pupillen, lege irissen.
Je herkent me niet.

Ik val op mijn knieën voor je neer. Grijp je hand.
Je kijkt me met een flauwe glimlach aan.
Ik ben het, Karin, liefste! Ik ben het, Demian!
Maar ik krijg niets over mijn lippen. Ik wil je tegen me aan drukken,
je gezicht strelen, maar ik moet me beheersen, ik ben bang je aan het
schrikken te maken.

Je bent katatonisch. Je kijkt me aan, kijkt om je heen, maar je blik bevindt zich in een domein dat ik niet ken, je ziel dwaalt door een woestijn
waarin ik je niet bereiken kan.

Wat is er met je gebeurd, mijn lief? Je bent zo fragiel, hangt aan een
flinterdunne draad, een koorddanseres zonder net. Ik kan niet huilen, ik
kan niet eens ademen. Ik voel een hand op mijn schouder.

'Kom nu mee,' mompelt mevrouw Nagai. 'Ze moet uitrusten.'

Weerloos, in shock, laat ik me door haar wegvoeren. Ze leidt me de
tuin uit en een duizelingwekkend steile rotstrap af, die zich in het jung-
legroen verliest. Halverwege de trap blijft ze staan, laat me plaatsnemen
op de bemoste treden en komt naast me zitten. Dan wrijft ze met haar
handen over haar gezicht en begint te vertellen wat ze tot nu toe voor me
verborgen heeft gehouden.

'Op 12 april van dit jaar werd door de uitkijk van de trawler *Nejima-
kidori* tweehonderd mijl ten zuidoosten van Tsuken een lichaam ontdekt dat op een wrakstuk dobberde. Onder de bezorgde blikken van de
hele bemanning roeiden twee zeelui er in de bijboot naartoe. "Het is een
vrouw!" riep een van hen. Toen voelde hij haar pols. "Ze leeft!"

Het nieuws werd met gejuich ontvangen. Maar in de algemene opwinding ging er plotseling een harpoen af. Hij vloog in de richting van de bijboot en trof een van de twee zeelui in de zij. Met een pijnkreet rukte de man het staal uit zijn vlees, verloor het bewustzijn en baadde in bloed. De onbeweeglijke lichamen van de vrouw en de gewonde zeeman werden op het vangschip gehesen en naast elkaar op het dek gelegd. De schipbreukelinge was volkomen uitgedroogd, haar adem amper waarneembaar, maar ze kon het redden. De man daarentegen was ten dode opgeschreven en zou binnen een uur aan bloedverlies overlijden.

Toen gebeurde er iets eigenaardigs en onverklaarbaars. De vissers vertelden het later in heel Okinawa rond en schiepen zo de legende van de bodhisattva. Terwijl die twee lichamen daar lagen, beroerde de roerloze hand van de vrouw de gewonde zijde van de zeeman. Daar waar haar hand hem aangeraakt had, begon de wond zich te sluiten en was in enkele seconden spoorloos verdwenen. De matroos kon meteen opstaan en zijn werk weer hervatten, alsof er niets was gebeurd.

De zeelui waren perplex en geloofden aan een wonder. Ze vereerden haar als een godin en brachten haar naar de Tempel van Kudaka, waar ze enige tijd bleef. In de loop der weken herstelde de vrouw zich lichamelijk, maar ze bleef katatonisch: ze sprak niet en reageerde niet op prikkels van buitenaf. Haar vermeende, door de zeelui bevestigde vermogens manifesteerden zich niet opnieuw. Toch verspreidde de legende van de wonderdoende bodhisattva zich in de volgende maanden als een lopend vuurtje over heel Okinawa. Het schijnt dat zelfs enkele bijgelovige yakuzabazen zich voor haar interesseerden. En dus besloten de monniken haar op dit eiland te verbergen en haar onder mijn hoede te stellen.

Vervolgens kwam ik in de gelegenheid om alles aan mijn nicht Yukiko te vertellen. Zij vertelde het weer aan Waremu, waarna de boodschap van vorm en inhoud veranderde en Horu's eiland bereikte. Vervolgens zijn jullie meteen vertrokken, in de hoop dat de vermogens van de geheimzinnige bodhisattva Same van haar ziekte zouden kunnen genezen.'

Mevrouw Nagai slaakt een diepe zucht.

'Maar zoals je weet, heeft Same Okinawa niet gehaald. Desondanks wilde Horu zoals oorspronkelijk gepland op bedevaart naar de bodhisattva en had jou wat graag meegenomen. Maar jij had haast om je bestemming te volgen en naar Wales te vertrekken.'

Mevrouw Nagai leest de ontsteltenis in mijn blik.

'Ja, Demian-*kun*. Op dat moment was je ongelooflijk dicht bij je vrouw. Je had haar kunnen ontmoeten. Maar trek geen overhaaste conclusies. Misschien moest het zo zijn, misschien was je nog niet klaar. Er moet inderdaad iets wonderbaarlijks op die trawler gebeurd zijn als je nu hier bent: de onverklaarbare genezing, of die nu waar is of niet, heeft ertoe geleid dat jullie elkaar nu weerzien.

Maar dat is nog niet alles. Nadat jij naar Wales was vertrokken, kwam Horu hierheen en ontmoette de bodhisattva. Tegen zijn verwachtingen in stond Horu tegenover een jonge vrouw. Ik vertelde hem hoe zij enkele maanden tevoren uit de oceaan was opgevist, en hij herkende de parallellen met jouw verhaal. Onmiddellijk vermoedde hij de waarheid. Hij sprak met Aruke en belastte hem met een missie: hij moest een manier vinden om je naar dit eiland te leiden, tot elke prijs. Aruke wist het niet, maar het zou de laatste wens van zijn vader zijn. Horu was naar de bodhisattva gekomen in de hoop dat zijn pijn om Same verzachting zou vinden. In zekere zin lukte dat ook. Hij ging precies hier zitten, op deze trede. Ik was bij hem. Een windvlaag liet een wolk van lichtblauwe bloesemblaadjes op ons neerregenen. Hij sloot zijn ogen – om ze niet meer te openen.

'Horu is...?' stamel ik.

'Ja. De pijn van Aruke en de kleine Iruie was hartverscheurend. Binnen enkele dagen hadden ze zowel moeder als vader verloren. Horu had de dood als een geschenk ontvangen en had zijn zonen zijn laatste wens toevertrouwd: jou te redden. Wat was deze man ongelooflijk genereus.'

Hete tranen dringen naar mijn ogen. Het nieuws van Horu's dood is een dreun die me met een klap terughaalt naar de realiteit. Ik barst in een geluidloos, gekweld snikken uit.

Mevrouw Nagai wacht geduldig tot ik mijn emotie de vrije loop gelaten heb, dan vertelt ze verder.

'Aruke raapte al zijn kracht bij elkaar: hij had een missie te vervullen. Maar hoe moest hij contact met je opnemen? Hier komt je vader in het spel, Demian-*kun*. Toen ze naar Tokashiki terugkeerden, zagen ze Horu's intuïtie bevestigd. Een van de opsporingsbiljetten van je vader was bij Yukiko terechtgekomen. Je kunt je niet voorstellen hoe verbluft ze waren toen ze jouw gezicht naast dat van de bodhisattva van Okinawa zagen: jouw vrouw, Demian-*kun*. Wekenlang belden ze naar het telefoonnummer dat op het biljet stond vermeld, maar dat was niet bereikbaar.'

'Ja,' mompel ik. 'Mijn vader heeft in Tokashiki een hartinfarct gekregen en raakte daarbij zijn telefoon kwijt.'

'Maar je vrienden gaven het niet op en bedachten een plan: een boodschap die zich zo ver mogelijk over de wereld verspreidt, maar die alleen jij zou begrijpen. De belofte van de Warama'ay'mitwy was perfect. Aanvankelijk overwogen ze je naar Tokashiki te dirigeren, zodat Waremu je hierheen kon brengen. Maar er kwam weer iets tussen: Waremu en Yukiko werden van hun strand verdreven en besloten met Aruke mee te gaan. Zo kwamen ze op het idee van de gestileerde *re'wellib*. Aanvankelijk was ik ertegen, omdat ik vreesde dat het nieuwsgierigen en avonturiers zou aantrekken, maar Aruke verzekerde me dat je de enige op de wereld was die de boodschap juist zou kunnen duiden. En hij had gelijk. Voor zijn terugkeer naar huis liet hij het opsporingsbiljet met je foto bij me achter, zodat ik je herkennen zou.'

'Maar dan... Als u alles al wist, waarom hebt u dan zo lang gewacht met me naar mijn vrouw te brengen?'

De vrouw schudt haar hoofd.

'Het was niet zo eenvoudig. Je hebt haar zelf gezien: ze is volledig veranderd. Ze is niet meer de persoon die jij kende. Ze kan niet...'

'Wat bazelt u nou, verdomme?' brul ik, terwijl ik in blinde woede haar hals omklem. Ze sluit haar ogen en maakt zich bedaard los uit mijn greep. Dan legt ze een hand op mijn voorhoofd. Dat gloeit.

Huilend verberg ik mijn gezicht in haar hals.

Karin is hier. Hier bij me.

'Ik wil haar zien! Nu!' Onstuimig spring ik op en veeg de tranen uit mijn ogen. Mevrouw Nagai maakt een treurig gebaar van instemming.

We bestijgen de treden opnieuw, doorkruisen het donkere labyrint van paden die tussen de reuzenvarens door lopen, tot het bos zich ten slotte opent en de stralende zen-tuin voor ons ligt. We komen onder aan een kleine grasheuvel uit, waar een kleine tempel staat met witgelakte pagodedaken en met zwarte karakters beschilderde wanden. In de bonte, verschillend gevormde vazen voor de ingang staan prachtige bloemenboeketten. Iets zegt me dat jij die zo fraai hebt geschikt, en bij het idee dat je al die maanden in deze gouden kooi hebt doorgebracht, krimpt mijn hart ineen.

Behoedzaam open ik de kleine houten deur en stap met een zonnestraal naar binnen. In het midden van de kale, schemerige ruimte ben jij. Je ligt op een kleine, witte futon en slaapt een diepe, geluidloze slaap. Voorzichtig sluip ik dichterbij. Uit angst je te wekken houd ik zelfs mijn adem in.

Je gezicht heeft een peinzende uitdrukking, alsof je iets heel ernstigs droomt. Je ziet eruit zoals altijd, jij bent het, ondanks alles. Ik moet me inhouden om niet nogmaals in snikken uit te barsten.

Je armen liggen ontspannen langs je lichaam. Mijn blik volgt hun contouren. Dan zie ik je linkerhand. Pas nu valt het me op.

De pink, de ringvinger, de middelvinger.

O mijn god, Karin... je hand!

Maar ik wist het al. Het is het onvermijdelijke gevolg van hetgeen de laatste herinnering me onthuld heeft. Net als het litteken op mijn rug is deze verminking, die je hand ontsiert, deze drie keurig geamputeerde vingers, het gruwelijke zichtbare teken van je liefde voor mij. Het is jouw gebaar van liefde dat mij naar je teruggebracht heeft, daarom hebben we elkaar hier teruggevonden.

Ik kniel naast je, breng mijn lippen naar je mooie gezicht en fluister je ons verhaal toe.

Ik zou willen dat je het nogmaals beleeft, zodat je hier naar mij terugkomt.

Luister naar me, Karin, waar je ook mag zijn.

Kun je me horen, liefste?

79

HET IS EEN STRAND,
OF MISSCHIEN EEN WOESTIJN (3)

Is daar iemand?

Plotseling bespeur ik een nieuwe aanwezigheid. Alsof er achter de fijne sluier van lucht een gezicht schuilgaat.

'Nu is het genoeg!' brul ik.

Afgelopen met de illusies.

Dit hier is louter een woestijn. Verstoken van leven. Eindeloos en onafzienbaar. Het wordt nooit een strand, achter de duinen zal ik geen water vinden. Dat was slechts een droom. Of beter, een waan.

Opnieuw voert de wind een stem aan. Het is slechts een gefluister dat zich vermengt met het eeuwige zingen van het zand.

'Alsjeblieft, hou op!' roep ik. Ik stop mijn oren dicht. 'Laat me met rust!'

Maar de stem wordt sterker, steeds sterker, sterk als nooit tevoren. Alsof er achter de opake hemel werkelijk iemand woorden fluistert.

Dat ben jij. Dat is jouw stem.

Kan ik dit gordijn met mijn handen opzijschuiven en je gezicht terugzien?

Vergeefs grijp ik naar lucht, vechtend tegen het niets dat me omgeeft. Nee, het gaat niet.

Maar je praat en vertelt onvermoeibaar verder. Ik kan je niet verstaan, maar ik merk uit welke richting je stem komt.

Ik begin tegen de wind in te rennen. Je stem wordt sterker, duidelijker.

Struikelend beklim ik een immens duin, het hoogste dat ik ooit gezien heb. Ik roetsj terug, kom ten val, krabbel op. Ik hijg, mijn hart staat op springen, het zand dringt in mijn mond en neus, ik hoest, krijg geen adem, wil in het onmogelijke berusten... maar uiteindelijk bereik ik de top.

En van daarboven opent zich aan mijn blik een nieuwe wereld.

Het laatste duin.

Voorbij de top glooit het duin zacht omlaag en gaat over in een reusachtig strand. De immense zwarte zee neemt de hele horizon in beslag, bulderend rollen de golven naar de oever en laten een wit dons van schuim achter, de bries waait naar me op en hult me in een vochtige zilte geur.

Ik stort me naar beneden en doe stofwolken opwervelen. Ik ren zo snel als ik kan, achtervolgd door de angst dat dit alles slechts een fata morgana zou kunnen zijn. Ik blijf pas staan als een ijzige golf aan mijn voeten likt en ik tot aan mijn enkels in het natte zand wegzak.

Ondertussen ben je niet opgehouden met me te praten. Tegen de achtergrond van het ruisen van de zee is je stem nog slechts een zachte fluistering.

Maar ik kan je verstaan.

Je praat over mij, over ons beiden.

Je heet Karin.

Ik?

Ja. Karin Weiland. De mooiste naam die de wereld ooit heeft gehoord. De enige vrouw van wie ik ooit heb gehouden.

Je stem prent mijn herinneringen in het zand. De lijnen worden dichter. Ze worden namen, beelden, verhalen.

Demian...

Demian! Dat ben jij, toch? Zo heet je!

Ja! Precies!

Ja, ik begin het me te herinneren... Maar... Waar ben ik? Waarom ben ik hier? Ik ben zo bang geweest, Dem... Ik ben nog steeds zo bang!

Dat hoeft niet meer.

Eindelijk heb ik je gevonden. Nu ben ik hier, bij jou.

Ik houd je hand vast.

Maar waarom kan ik je niet zien?

Wacht. Je ogen zijn nog gesloten. Laat me je eerst ons verhaal vertellen. Dat is het enige wat me hier toegestaan is.

Terwijl ik over het strand loop, vertelt je stem me ons verleden. Je woorden komen tot leven, het speelt zich voor mijn ogen af. Ik beleef nogmaals alles wat de woestijn wilde verslinden en voor altijd in stof veranderen. Ik lach, huil en ervaar gevoelens waarvan ik niet eens wist dat ze bestonden.

Dan zwijg je.

Een moment lang overvalt me het panische gevoel dat je er niet meer bent.

Waarom praat je niet meer met me?

Het spijt me, maar... wat nu komt... valt me heel zwaar om te vertellen.

Doe het, alsjeblieft.

Alles begon op het geheime strand. Daar zijn we opgehouden ons te herinneren. In zekere zin is op het geheime strand álles opgehouden.

Nu kan ik je niet meer volgen. Wat betekent: 'álles opgehouden'?

Wacht. Heb nog even geduld. Er is nog iets wat je weten moet.

Ik begrijp het. Nu ga je me onze laatste herinnering vertellen.

Ja.

En zal die me bang maken?

Ik vrees van wel, ja.

Dan explodeert de zon.
De hemel wordt zwart en rijt in tweeën.

Alle vogels aan de hemel krijsen
en de vissen in zee.

De wolken en de sterren storten neer
en worden schaduwen. Worden water.

Niets ademt meer.
Niets is meer.

80

DE LAATSTE HERINNERING

HET GEHEIME STRAND, 9 APRIL 2009
– NOG MAAR ENKELE OGENBLIKKEN TOT DE AMNESIE –

In het begin is het weinig meer dan een subsoon geluid.
Een gedempt, amper waarneembaar brommen, weinig meer dan een vibratie. In de schaduw van de avondschemer komt het op ons af.

Wij zijn ons van niets bewust.
Onze blikken zijn vervuld van de ultraviolette gloed van de zonsondergang. Dylan Thomas' gedicht galmt nog in ons na. Hand in hand lopen we terug naar de zeilboot, zonder een woord te zeggen, onze voeten glijden door het parelmoeren water.
Dan een verontrustend gorgelen.
Als aangezogen door een immense pomp trekt het water zich rondom terug.
'O god!' hoor ik je gillen. Maar ik kan niet in je panische ogen kijken.
Onze aangemeerde boot wordt samen met het water weggezogen. De terugstroom volgt zo snel dat de boot niet meekomt: na een paar meter zit hij op de droge zandbank die zich rond het eiland heeft gevormd. Een eindeloos ogenblik lijkt de boot volkomen stil te staan, hij balanceert op zijn kiel, die eruitziet als de vin van een reusachtige, gestrande vis. Dan kapseist hij met een oorverdovende klap in het slik.
Een onmogelijk landschap omgeeft ons. Het water heeft zich honderden meters ver teruggetrokken en de zeebodem blootgelegd, modderige kraters, rotsachtige ondiepten, naar lucht happende vissen, fosforescerend plankton, dat oplicht in het donker.
We zijn verlamd van afgrijzen. Niettemin drijft een onbewust instinct ons ertoe om zij aan zij, hand in hand, achteruit te lopen naar het midden van het eiland, tot we in het middelpunt staan van de kring van rotsbogen, die ons geen enkele bescherming kunnen bieden.

Het geluid zwelt aan.

In het schemerdonker zie ik het zwarte silhouet op ons afkomen. Het lot dat ons in de vorm van een monsterlijke wand van water bedreigt. *Hoog hoog is hij? Vijf meter? Tien meter?* Dat is de laatste gedachte die door mijn koortsige hoofd gaat.

De golf raakt de zeilboot met zo'n kracht dat hij als een stuk speelgoed de lucht in wordt geslingerd.

Dan is hij bij ons: het grommen van een eindeloze donder, het gigantische front dat alles overspoelt en verzwelgt.

Het laatste wat ik meekrijg is een daverende knal, de boot die tegen de rotsbogen wordt verbrijzeld.

Het laatste wat ik zie is die immense zwarte muur, en ervoor, als een witte ruiter in de voorhoede van een aanstormend leger, de afgebroken voorsteven die op ons af raast.

Alles voltrekt zich in een fractie van een seconde.

Een primitieve overlevingsdrang werpt me op de grond, met mijn armen boven mijn hoofd. Maar eerst zorgt, ondanks alles, een ander, wellicht tegengesteld instinct ervoor dat mijn handen jou zoeken. Ik grijp je schouders en trek je naar de grond, werp me over je heen, bescherm je met mijn lichaam, houd je hoofd onder mijn armen, in foetushouding.

Maar ik weet – en jij ook – dat het allemaal tevergeefs is: het brokstuk zal ons verpletteren, de golf zal ons doden.

Ik sluit mijn ogen.

Ik zweef in de stille lucht, vlieg boven het eiland.

Van boven zie ik de witte, kringvormig gerangschikte rotsen, het golffront dat zich boven ons verheft, de brokstukken van de zeilboot die in de lucht hangen.

Alles is roerloos, bevroren tot een perfect stilstaand beeld.

En in het centrum van alles, wij beiden.

Wat ik nu zie is slechts een nietig, zinloos, prachtig gebaar van liefde.

Niemand op de wereld zal ervan horen.

Je legt je armen om mijn lichaam, dat op je ligt. Met je rechterhand bedek je mijn hoofd. Met de andere omvat je mijn rug. Ondanks de angst die je verlamt is je laatste gedachte mij te beschermen.

In deze omhelzing zullen we sterven.

Terwijl ik van boven op ons neerkijk, vult mijn hart zich met een on-uitsprekelijke tederheid. Ik voel een jubelen en zwellen in mijn borst.

Zelfs de dood kan deze omhelzing niet aantasten.

Maar mijn opluchting is van korte duur.

Langzaam zet de tijd zich weer in beweging, beeld voor beeld, met millimetrische precisie registreren mijn ogen de botsing.

De gebroken voorsteven nadert onze weerloze, tot een eenheid ver-smolten lichamen. Het sissen dat de lucht doorsnijdt, lijkt uren te duren, maar het zijn slechts seconden. In slow motion gezien is het punt van impact jouw hand op mijn rug, precies daar waar je mij beschermen wilde. De klap komt zo hard aan dat hij zowel de pink, de ringvinger als de middelvinger van je linkerhand afrukt.

Een felle pijn vaart door je heen, je spert je ogen open, staart me aan. Maar niet de pijn is je sterkste gewaarwording op dit moment, maar de angst. Niet angst voor de dood, maar angst dat dit *de laatste keer* zou kunnen zijn. De angst mij te verliezen en nooit meer terug te zien.

In de volgende milliseconde raakt het scherpe wrakstuk de gespannen huid van mijn rug en rijt die van schouderblad tot heiligbeen open. Een groteske grimas gaapt in mijn vlees.

Onze omhelzing lost op.

Maar eerst draait de hele wereld één kort moment slechts om ons. Wij zijn het middelpunt van het universum. Als een in het oneindige gepro-jecteerde kolk van licht wist onze omhelzing ruimte en tijd uit.

Je verminkte hand strijkt over mijn gewonde rug. Het bloed houdt op te stromen, het stolt tot zwevende druppels.

Het is de laatste keer dat onze lichamen elkaar aanraken.

Een felle flits maakt zich los uit het centrum van de kolk, het licht breidt zich sneller uit dan je ijselijke kreet en is krachtiger dan de golf die op ons neerstort. De flits omhult alles, verslindt ons, maakt ons blind.

Dan sleurt de golf ons mee.

81

HET GESCHENK

Er is een smal strand dat het leven van de dood scheidt. Warme wieg van zand, onder de golven verborgen graf.

Mijn voetstappen zinken weg op deze ongedurige grens, grillige schepping van de getijden. Lang heb ik er rondgedwaald, zonder het te weten. De ene stap na de andere, *op zoek naar jou.*

Er is een speciale plek waar we de mensen terug kunnen zien van wie we in ons leven het meest gehouden hebben.

Die plek is hier, verborgen op deze grens.

En precies hier heb ik je gezocht.

Maar ik heb me vergist: je bent niet hier. Je bestaat nog uit zachte aarde, uit leven.

Toch had ik je hier moeten ontmoeten.

Ik draai me om.

Het onstuimige water bloesemt wit op rond mijn voetsporen, maar kan ze niet uitwissen. Er zijn nog andere sporen, voetstappen, die mijn pad hebben gekruist, aan mijn zijde gegaan zijn.

Ik herken ze stuk voor stuk. Het zijn jullie voetafdrukken.

Zonder het te weten, volkomen nietsvermoedend, zijn ook jullie hierheen gekomen.

(CHRIS)

Mijn naam is Chris McKean.

Ik ben die grote, met het schouderlange blonde haar à la Kurt Cobain, het zwarte Bleach-T-shirt en de legerbroek die ik heb opgestroopt over mijn kuiten, om te voorkomen dat hij nat wordt.

Naast me loopt mijn beste vriend.

We zinken weg in het grijze zand van een eindeloos strand. De hemel boven ons ziet eruit als rook, het zeewater is olieachtig zwart. De golven die onze sporen achter ons wegvagen, zijn stralend wit, schitterend van het schuim.

'Is dit een droom, Dem?'

Hij geeft geen antwoord. Vreemd: zijn gezicht ziet er jonger uit dan ik het me herinnerde. Bleek, een half gedoofde sigaret tussen de blauwige lippen, gescheurde spijkerbroek, een Sonic Youth-t-shirt vol gaten. Ik ken deze kleren: de laatste keer dat hij ze droeg was in Seattle. We waren achttien.

Ik voel aan mijn wangen. Er is daar een lange, ruwe, wollige baard. Na die ene nacht heb ik er nooit meer een laten staan.

Ik slaak een zucht. Dan, als was het de natuurlijkste zaak van de wereld, begin ik hem over de dood van mijn ouders te vertellen.

'Je weet het al, Dem. Je kent de woorden die ik mijn ouders naar het hoofd heb geslingerd, voordat wij 'm naar Seattle smeerden. Ik heb hun gezegd dat ik hen haatte. Dat ik hen nooit meer wilde zien. Mijn laatste woorden, voordat ze stierven.'

Hij luistert zonder iets te zeggen.

'Ik heb twaalf jaar nodig gehad om eroverheen te komen. Het waren gewoon de "ondoordachte woorden van een opstandige tiener", volgens de therapeut. Ja, ik ben eroverheen, maar alleen om op andere woorden te stuiten die me nog meer pijn doen: woorden die ik hun graag gezegd had, woorden die ik graag gehoord had en die er nooit meer zullen komen.'

Demian wijst naar iets in de verte. Iets schittert op het zand. Ik knijp mijn ogen tot spleetjes: het ziet eruit als een autowrak. We reppen ons erheen, tot mijn benen me van ongeloof en emotie in de steek laten.

Het is onze oude, rode Ford Tempo. Ietwat scheef staat hij erbij, met z'n banden in het natte zand weggezakt. De auto uit mijn tienertijd die in jullie dodelijke val veranderde.

Ik strijk over de met zout bekorste kofferbak, laat mijn vingers over het portier glijden, omvat de klink aan de bestuurderskant. Ik durf het portier niet te openen, tuur alleen door het beslagen raam. Op de stoelen liggen kleren, schoon en keurig opgevouwen.

Ik herken ze. Hoe zou ik ze ooit kunnen vergeten.

Ik heb ze van bloed doordrenkt zien kleven aan jullie lichamen, die als geplette vogelkuikens in het gekreukte blik bekneld waren geraakt, terwijl de blauwe lichten van de politie genadeloos in mijn ogen knipperden, ik niet kon geloven wat ik zag en alles versmolt in het floers van mijn tranen.

De auto begint te bewegen. Ik probeer hem tegen te houden en klem me vast aan het portier, maar het enorme gewicht sleurt me naar de grond. Hij glijdt in zee en zinkt met een dof geborrel weg in de golven.
    Dan zie ik jullie ineens uit die golven opduiken.
    Jullie zwemmen weg, zeewaarts, zwaaien naar me, misschien treurig, maar misschien ook vol liefde.
    'Kom terug!' roep ik. 'Ik moet jullie zeggen... dat ik van jullie houd.'
    En waarom? Dat weten ze al.
    Demians stem galmt als muziek in mijn hoofd.

> *Aan het eind van het leven ligt er muziek in alle dingen*
> *stap voor stap stijgen we ten hemel.*

Ga nu, loop weg, zegt hij me. Ver weg van deze golven.

> *misschien worden we weer kinderen*
> *en herinneren we ons alleen de liefde*

Maar ik kan het niet. Ik kan niet naar hem luisteren.

> *al het andere vergeten we*
> *het zal zo gemakkelijk zijn als ophouden met ademen*
> *zwemmen, louter hopen je terug te kunnen vinden*

Ik stort me in het water en zwem naar jullie toe, verdwijn in de donkere deining.

***

Het is een strand zo immens dat het een woestijn lijkt.
    Bij de waterlijn wacht een man. Opgewonden en ongeduldig wipt hij van het ene been op het andere, zijn bleke voeten verschijnen en verdwijnen in het ritme van het ijzige getij.

Hij wacht op me. Hij weet dat het een kwestie van seconden is.
Deze man ben jij. Je heet Demian.

Het is een strand zo immens dat het een woestijn lijkt.
Zonder te knipperen houd ik mijn blik strak op de duinen gericht en negeer de wind die me koppig in de ogen prikt.
Zonder reden hebben wij ons hierheen gesleept, mijn beste, volkomen doelloos. Zonder identiteit, zonder herinneringen. Lege omhulsels, holle schelpen.
Maar daarginds, boven de verst verwijderde duinen, duikt een vrouw op.
Daar ben je. Je heet Karin.

De bloemengeur drijft de kleine tempel binnen en wordt in het schemerige licht nog intenser. Door een spleet in een plafondbalk dringt een zonne-straal. Het felle licht valt op je slapende gezicht, omlijst door een waterval van haar.
Ik reik naar je wang. Hoe graag zou ik je aanraken, maar ik roep mezelf tot de orde. Je bent moe, tot op het ondraaglijke uitgeput. Ragfijne lijntjes vertakken zich rond je mond en je ogen.
Mijn god, wat ben je mooi...
Net als de laatste keer toen ik je zag, liggend op het roze zand van Poy'Atewa.
Ik kan niet ophouden naar je te kijken, ik staar en staar, zonder te knip-peren, tot tranen toe.

Een wit, warm schijnsel omhult me. Het gevoel van een aanwezigheid naast me. Het visioen van een wereld die zich weer voor mijn zintuigen opent.
Het licht laat niet af en ik kan mijn ogen niet openen.
Maar ik ben bang om te ontwaken, ik had zo'n mooie droom...

Het trillen van je wimpers. Een moment van verwarring, lang als een dip in een hartslag.
Kun je me nu zien? Herinner je je wie ik ben?

Dan was het niet alleen maar een droom...

Ik heb alles in je gegoten wat ik in me droeg. Ik heb je je naam teruggegeven. Zoals jij het lang geleden bij mij hebt gedaan.

... je bent echt hier.

Ja. Jij en ik. De beide helften van het geheim. Zee en strand, golf en zand.

'Demian...'
  '*Karin!*'

Ik ben te overweldigd om iets anders te zeggen. Ik streel je. Druk je tegen me aan.

Mijn lichaam beeft zo heftig dat ik ervan moet snikken. Ik verlies me in je omhelzing. We storten ons in elkaar, een concentrische afgrond, spiegel in spiegel.
  Het is fantastisch, Dem. Je geur. Je huid. Dat is het water waarnaar ik snakte. Het verlangen dat me voor de waanzin heeft behoed.

'*Karin, mijn liefste... het spijt me als ik je heb laten schrikken.*'
  'Laten schrikken? Nee, Dem. Ik... ik heb op je gewacht. Of beter: ik heb je gezocht.'
  '*Ik weet het. En je hebt me gevonden.*'

Een kus. *Dan nog een.* En nog een.
  Jouw lippen op de mijne. *Jouw lippen op de mijne.* Een afduiken in de diepste afgrond. *Seconden, minuten, misschien uren,* zonder ons van elkaar te kunnen losmaken.

'Het was zo zwaar, Dem.' *Je stem is een fluistering terwijl we kussen.* 'Maar ik ben tot op het laatst blijven hopen. Ik heb gebeden dat dit zou gebeuren.'
  '*Gebeden?*' proest ik vrolijk in je hals. '*Maar goed dat ik het initiatief genomen heb!*'
  'Je bent nog even onuitstaanbaar als altijd.'
  Je drukt me zo strak tegen je aan dat ik geen adem krijg.

'Die woorden... herinner je je? Het zijn dezelfde die we jaren geleden in Cottage Grove tegen elkaar zeiden.'

Die nacht toen we een stel werden. Het lijkt alsof we ernaartoe zijn teruggekeerd.

Mijn ogen opendoen en jou zien, dat was als onze hele liefde in een enkel ogenblik nogmaals beleven. Nu weet ik wat ik voelde toen we vijftien jaar geleden naar huis reden in die trein die door de hemel leek te rijden. Ik weet niet hoe het kan, maar het was dit moment.

***

(GIGI)

Onder een zon die in het zenit staat zakken mijn schaduwloze schreden weg in heet, mul zand. Mijn voeten verdwijnen en duiken weer op, begraven zich in de zandkorrels, werpen kleine stofwolkjes op.

Een geheimzinnige kracht drukt mijn hoofd omlaag.

Er loopt iemand naast me. Ik kan slechts een stukje van zijn schaduw zien, maar ik weet dat het Demian is. Zwijgend vergezelt hij me.

Op een gegeven moment blijft hij staan, legt twee vingers onder mijn kin en dwingt me op te kijken.

Voor ons verheft zich een massief houten deur, eenzaam en surrealistisch te midden van de duinen, als een schilderij van Edgar Ende. Ik loop eropaf. Deze deur heeft iets vertrouwds. En als ik mijn naam op een messing bordje lees, krimpt mijn hart in mijn borst.

Ik roep: 'Opa! Opa!' en hamer met mijn vuisten tegen die eenzame deur op het strand tot hij opengaat. Op de drempel van zand verschijnt een schim.

'*Salut, ma petite*! Maar wat is er met jou aan de hand?'

Het is allemaal zo vreemd. Achter de deur kan ik uw woonkamer onderscheiden, de pendule, het galjoen, uw gitaar op de sofa. Maar er zijn wanden noch vloeren. Alles staat op zand, de wind waait door de kamer, de blauwe hemel is het plafond, de heldere horizon en de duinen zijn de wanden.

'Opa!' piep ik ontsteld. 'Wat doet u op deze rare plek?'

'Wat zeg je daar? Dit is mijn huis! Je trekt een gezicht alsof je het voor de eerste keer ziet!'

Hij doet een stap opzij en laat me binnen. De golven vloeien zachtjes uit over de vloer van zand. Een van de gitaren, die later mijn gitaar wordt, is gevallen en schommelt zacht gewiegd door de branding heen en weer.

Het duizelt me. Plotseling voel ik me vreemd, anders, alsof een andere ik mijn plaats heeft ingenomen.

Een lichtblauwe flits aan de ringvinger van mijn rechterhand: een plastic ring. Ik breng mijn hand naar mijn ogen. *Deze kinderring...* ik herinner me hem goed, ik heb hem weggegooid toen ik mijn zwervende bestaan begon.

Ik bekijk de kleine dagkalender op uw secretaire: vandaag is het 9 oktober 2003.

Dan begrijp ik het eindelijk.

Ik ben zeventien. En dit is de laatste keer dat ik u kan zien. Dit is het laatste afscheid, dat het leven ons ontzegd heeft. Vandaag is de dag van uw dood.

Een steek beneemt me de adem. Ik sla mijn armen om uw nek en druk me aan uw borst, druk mijn hoofd aan uw hart, dat u al spoedig in de steek zal laten.

Opa! Ik ga dit weekend niet weg. Ik blijf hier bij u! Dan komt het goed met u, u zult het zien!

Ik wil deze woorden uitschreeuwen, maar geen zuchtje adem ontsnapt aan mijn longen.

'Je weet dat dat niet kan,' fluistert u me kalm in het oor.

Uw hand streelt mijn gezicht. Is dit een droom? De warmte die ik op mijn wang voel, is ongelooflijk duidelijk en reëel.

'Oefen je ijverig met je gitaar?' vraagt u.

Ik haal snikkend mijn schouders op.

'Jawel, dat weet ik immers! En je bent heel goed geworden. Herinner je je het "Chanson pour l'Auvergnat"?'

Knikkend sluit ik mijn ogen en leg mijn hand op de uwe.

'Dan wens ik iets,' fluistert u. 'Zing dat lied zo nu en dan. En denk aan mij terwijl je het doet. En als je het af en toe aan mij opdraagt, zou je me daar heel gelukkig mee maken.'

Ik til mijn hoofd op om u aan te kijken, maar het licht verblindt me. Ik kan alleen met gesloten ogen knikken.

Ja, ik zal het voor u zingen.

'En nu genoeg gehuild. Laat horen hoe je speelt!'

Een golf spoelt de gitaar voor onze voeten. U raapt hem op en steekt hem me druipend en wel toe.

Elle est à toi, cette chanson...

Het laatste wat ik hoor als ik wakker word: uw diepe stem terwijl u zingt, de stem van mijn kindertijd, mijn blauwe ring, de gitaar die u me cadeau hebt gedaan... Onze stemmen, samen, voor de laatste keer in mijn leven. De wondere hoop dat u me nog kunt horen.

***

Ik probeer je handen in de mijne te nemen. Maar je wilt niet, trekt ze terug.

'Nee, laat me! Mijn hand...'

'Wat is er?'

'Het is verschrikkelijk. Ik voel me een monster.'

'Praat geen onzin!'

Je blik is zo zoet, ik kan niet anders dan toelaten dat je vingers zich verstrengelen met wat er van de mijne nog over is: de duim, de wijsvinger en drie afschuwelijke stompjes.

'Maakt het je echt niets uit?'

'*Geen sikkepit! Je bent prachtig. En nu hoef ik je in de toekomst geen ring te geven.*'

'Gekkie... Ik heb mijn rechterhand toch nog!'

'*Hé, je kunt erom lachen, dat is goed!*'

'En dat alleen dankzij jou.'

Het is wonderbaarlijk. Alsof we aldoor bij elkaar zijn geweest. Alsof er geen dag voorbij is gegaan dat we elkaar niet gezien hebben.

En zo lopen we hand in hand de kleine tempel uit. Zonder dat ik het wist is deze plek al die maanden mijn thuis geweest. We doorkruisen de tuin en dalen de rotstrap af. Het licht prikt door het gebladerte en bestrooit ons met warrelende vlekken. De jungle opent zich geleidelijk en we hebben uitzicht op de oceaan. Enkele tientallen meters onder ons het ademende water dat de zwarte rotsen met wit schuim galonneert.

We bereiken het strand en passeren het huis van mevrouw Nagai, ik kijk naar binnen en roep naar haar, maar ze is nergens te bekennen.
Dan kijk ik naar de bamboehangaar: ook haar kleine legervliegtuig is verdwenen!

Ik hoor een ver gebrom, het geronk van een motor. Ik kijk omhoog. Hoog aan de hemel vliegt een klein vliegtuig voorbij.
'Kijk eens, daarboven! Hé! We zijn hier! We zijn híér!' Als een bezetene zwaai ik met mijn armen. Jij daarentegen staat er roerloos bij, met open mond, in de ban van deze vlucht. 'Hé, Dem, doe ook eens wat!'
'En wat dan wel? Dat is een eenzitter, hij kan geen passagiers vervoeren.'
Ik zwaai naar de hemel en wens mevrouw Nagai een goede reis.
Haar laatste vlucht.
'Nu is ze weg! Wat een gek vliegtuig. Zo een heb ik nog nooit gezien, het zag er oeroud uit!'
'Een Mitsubishi a6m. Een Japans gevechtsvliegtuig. Daarmee hebben aan het eind van de Tweede Wereldoorlog veel kamikazes gevlogen.'
'En hoe weet je dat?'
'Ik ken de pilote: Riyoko Nagai. Een buitengewone vrouw. Zij heeft zich al deze maanden om je bekommerd.'

Ik knik bedachtzaam. Ja, het klopt: dat was een oude Japanse vrouw. Nu je het zegt, herinner ik me vaag een zachte glimlach, ik hoor de echo van een zorgzame stem. Ik kijk op naar de hemel en prevel een bedankje, maar van haar vliegtuig is niets meer te zien. Dan draai ik me om naar de golven.

Mijn wa'hay ligt daar voor ons op het zand.

'En met zo'n soort kano ben je hierheen gekomen?'
'Ja.'
Nieuwsgierig loop je eropaf, je strijkt met je hand over de romp van de

boot, veegt de zoutlaag eraf. Dan ga je op een van de uitleggers zitten. Met
de punt van je voet teken je fijne sporen in het zand.

'Varen we hiermee naar huis?'

Ik schud mijn hoofd, niet in staat je te antwoorden.

'Maak je geen zorgen. De oceaan boezemt me ondanks alles geen angst
in. Ik hoop alleen dat ik spoedig weer thuis ben. Wat er met papa is...
Gaat het goed met hem?'
    'Ja, het gaat goed, al heeft hij verschrikkelijk geleden. Er is iets wat je
weten moet, als je weer in San Francisco bent. Kijk...' Ik heb moeite om de
juiste woorden te vinden. 'Kijk, kort gezegd... het zou kunnen dat we geen
huis meer hebben.'
    Ik vertel je over de brief aan Chris.
    'Wat?! Bedoel je dat we niets meer bezitten?' Het is verschrikkelijk,
maar ik moet lachen. Hoe langer ik je sprakeloze gezicht zie, hoe meer
ik moet lachen. 'Ik heb me het vuur uit de sloffen gewerkt om je bij zinnen te brengen en amper ben ik even weg, of je wordt prompt weer een
zwervende hippie!'
    'Zo, ben ik even blij dat je het zo sportief opvat.'
    'Als ik naga wat ons overkomen is... en toch zijn we weer samen en
alles is zo perfect! Ik moet lachen bij de gedachte! Ik weet het, het is
absurd, maar hoe meer ik erover nadenk...'
    Intussen heb je een regelrechte lachkramp. Deze lachbui is als zuurstof
en steekt me aan. We kunnen niet meer op onze benen staan en vallen op
het zand, slaan dubbel van het lachen, tot we hijgend en uitgeput op onze
rug blijven liggen.
    'Je zult me voor gek verklaren, maar ik heb zin om het geheime strand
terug te zien. Er samen met jou naar terug te keren.'
    'Maar...'
    'Ik weet het. Daar is alles begonnen. Maar desondanks is het het mooi-
ste wat ik ooit in mijn leven gezien heb. En dat heb ik aan jou te danken.'
    'Ben je niet boos om wat er gebeurd is?'
    'Nee, helemaal niet! Je hoeft je niet schuldig te voelen.'
    'Ik wist niet hoe ik het je moest zeggen, maar ik voel het ook zo. Ook
al maakt het me een beetje bang, ik zou Poy'Atewa best graag terugzien.'

'Wie weet of het na die verschrikkelijke tsunami nog wel bestaat.'
'*Ik denk het wel.*'
'Dat lijkt me haast onmogelijk. Zo'n klein, kwetsbaar oord, blootgesteld aan zulke vernietigende krachten, maar van een schoonheid waar de tijd geen vat op heeft.'
'*Doet dat alles je niet ergens aan denken?*'

***

(JACQUES)

Een eindeloos strand. Er is geen horizon, de grens tussen land en water is vloeiend geworden, in de balans van duizeligheid of waanzin. De harde wind dooft mijn sigaret, rukt hem uit mijn mond, blaast hem naar de brullende golven.
'*Merde!*' vloek ik, en ik graaf in mijn zakken naar het pakje Gitanes.
Een schaduw legt zich over de mijne.
'Demian!' roep ik terwijl ik me omdraai. '*Mon ami*, ik wist dat jij achter dit alles stak! *C'est un rêve, n'est-ce pas?*'
Maar hij komt er niet toe me te antwoorden. Een oorverdovende dreun verscheurt de lucht.

De schokgolf slaat ons tegen de grond. De Boeing 747 scheert rakelings over onze hoofden, als de schaduw van een Chinese draak, één lange staart van vuur en rook, en crasht op het strand. De neus boort zich in het zand, de staart van het toestel begeeft het onder zijn eigen gewicht. De explosie is zo heftig dat ze de werkelijkheid afremt. In zwarte, opkringelende walmen verschrompelen de vleugels alsof ze van piepschuim zijn gemaakt.
Het opengereten vliegtuigwrak lijkt zich te krommen als een reusachtige stervende vogel. In het inwendige is alles met gloeiende magma bekleed. Een misselijkmakende stank van verbrand vlees beneemt ons de adem.
Uit deze vlammenhel hoor ik de stervenskreet van de twee stemmen die me het liefst op de wereld zijn.
Papa! Jacques!
Ik sluit mijn ogen, verberg mijn hoofd in mijn armen.

Je hebt ons niet kunnen beschermen, papa. Het is je niet gelukt ons uit de vlammen te redden.

'Ophouden!' brul ik. 'Laat me met rust!'

Ik dacht dat ik me ervan had bevrijd. Het is Demians schuld, zijn verhaal heeft me beïnvloed, zijn nachtmerrie heeft de mijne tot leven gewekt.

'Deze jongen, *qu'il soit maudit!'* vloek ik. Ik bal mijn vuisten en stort me in het inferno.

Ook ik zal de waarheid tegemoet treden. Net als hij.

Ik verwacht de hittestoot, maar die blijft uit. Als ik mijn ogen weer open, is het boosaardige schijnsel verdwenen. In plaats daarvan alleen pure troosteloosheid. De vlammen zijn gedoofd. In het verwoeste vliegtuig, tussen verkoolde koffers en stoelen en als kaarsvet geronnen plastic, is niemand meer.

Ik draai me om naar Demian. Hij kijkt me zwijgend aan, er brandt een vreemd licht in zijn ogen.

En dan zie ik je.

Languit op de golven, je blik ten hemel gericht.

Amélie.

Je bent zo mooi dat het pijn doet. Je glimlacht naar me.

'Waarom zoek je ons daar binnen, *mon amour*?' vraag je me met bange tederheid. 'We zijn hier buiten! Je hebt wel erg lang nodig gehad om dat te merken!'

Ik kan niet antwoorden. Roerloos sta ik tussen de verkoolde rijen vliegtuigstoelen.

'Hup, kom uit dat wrak vandaan! Zullen we een eindje gaan zwemmen?'

Je staat op en de schoonheid van je naakte lichaam beneemt me de adem. Met open mond sta ik daar en je moet lachen. Dan wijs je met een hoofdbeweging naast je.

Inkijkend tegen het warme licht van de zomermiddag zie ik onze kleine André. Vrolijk juichend bespat hij je met zeewater.

'Je kunt niet lang hier blijven, weet je?' fluister je me toe.

'Het zal vast wel genoeg zijn,' lieg ik.

***

Ik raap je rugzak op. Leg hem op mijn knieën en trek de versleten ritssluiting open. Met één hand tast ik er voorzichtig in rond en haal een ruw, opgezwollen boek tevoorschijn.

'En dit is...?' vraag ik je nieuwsgierig.

'Herinner je je de dichtbundel die je me voor onze trouwdag cadeau hebt gedaan?'

'Maar natuurlijk. Ik heb er tweeduizend mijl voor gereisd en er een oude, seniele Welshe man rijk mee gemaakt!'

'Precies, dat boek bedoel ik. Je hebt het nu in je hand. Het is met ons ten onder gegaan en geruïneerd.'

Ik blader het bedachtzaam door.

'Maar... mijn mooie cadeau!' jammer ik. 'Kijk nou wat je ermee gedaan hebt! Hoe kon je? Laten mijn cadeaus je zo onverschillig?'

Ongelovig en met een beledigd kindergezicht staar je me aan.

'Hé, het was maar een grapje!'

En bovendien is niet alles erin verloren gegaan. Bij aandachtig doorbladeren stuit ik op enkele pagina's die met jouw handschrift beschreven zijn. Als me duidelijk wordt dat je het tot je reisjournaal hebt gemaakt, loopt er een rilling over mijn rug.

***

(ARUKE)

Het avondlicht valt op een eindeloos strand, de immense woning van Tayga'ha.

Naast me zijn mijn beide broers: links de kleine Iruie, rechts Mauke Nuha. Aan de zinderende einder nadert een *wa'hay*, omgeven door een schittering die amper helderder is dan de hemel.

Dat zijn jullie. *Moeder, vader.*

'Tane! Twahine!' roep ik jullie tegemoet.

Jullie zwaaien uitbundig.

Je bent heel ver weg, Horu-*tane*, maar ik hoor je stem als een fluistering in mijn oor. Je hand legt zich op mijn hoofd.

Niet huilen, Aruke. Je bent nu een man. Je zult een geweldige hoofdman van ons volk zijn.

Nu moet je hier weg. Dat ben jij, moeder, die dat zegt. *Rep je naar huis, mijn kleinkind wacht op je! Weet je al hoe je hem noemen wilt?*

'Ja, moeder! Zoals zijn *t'wana*, zijn oom, mijn grote broer Mauke Nuha.'

Het licht wordt verblindend fel, dan zie ik jullie niet meer. Maar ik weet dat jullie glimlachen.

Op de bodem van de schommelende *wa'hay* word ik wakker, in een innige omhelzing met Iruie, mijn ogen vol tranen. Ik mis jullie zo. Morgen wordt de laatste reisdag. Ik denk aan mijn zoon, die thuis op me wacht en die jullie niet zullen zien. Ik leg mijn hand op het water. De golven blijven voortijlen.

***

De eerste bladzijden van het dagboek heb je in oktober geschreven, in Wales, toen je nog niet wist wie je was. Je was verloren en werd door één kwellend verlangen verteerd: weten wie ik was.

Toen, in november, toen je naar huis terugkeerde en moest vaststellen dat ik daar niet was om je te ontvangen, heb je al je pijn op deze bladzijden uitgestort.

En er alle gedichten en liedteksten uit onze tienertijd in overgeschreven.

En je hebt ook een nieuw gedicht geschreven. Terwijl ik het lees, ervaar ik een onverklaarbare vertrouwdheid, alsof ik het al ken. Of beter gezegd, *alsof ik het geschreven heb.*

Volslagen onverwacht dringt de volledige betekenis van de diepe banden die ons verenigd hebben tot me door. Een schokkend inzicht dat de tranen naar mijn ogen brengt.

Ik droog mijn gezicht en sla het boek in het midden open. Dan vraag ik je om het potlood.

Nu zal ik ook iets voor jou schrijven.

Maar je moet nog wachten om het te lezen.

***

Wat een prachtig cadeau heb je me gegeven, Demian-*kun!* Op mijn leeftijd op een plek als deze rond te wandelen, met beide voeten nog in het leven en de blik al op de dood gericht, dat is een waar privilege.

Het is diepe nacht op dit eindeloze strand. Vanaf de horizon nadert een roeiboot. Slag voor slag komt hij op de oever toe, dwars door het gouden pad van maanlicht. Als ik de man aan het roer herken, zucht ik als een bakvis: het is niemand anders dan dr. Clive Sammington!

Kwiek spring je uit de boot en rent op me toe. Niet slecht, mijn beste. Voor iemand die al dertig jaar dood is, heb je nog een puike conditie!

'Riyoko-*san!*' roep je schuchter als een schooljongen.

'Dr. Sammington! Vindt u niet dat u een beetje laat bent?'

'Ja, en ik vraag u om vergeving. Maar als het mogelijk was, zou ik mijn fout graag weer goed maken. Zou u met mij mee willen komen?'

'Clive-*chan...* vind je niet dat we elkaar op z'n minst kunnen tutoyeren nu we dood zijn? En als ik hier dan weg moet, dan fatsoenlijk, en niet met die onnozele notendop.'

Je van inspanning roodaangelopen gezicht wordt nog donkerder van teleurstelling.

'Begrijp me niet verkeerd, Clive-*chan.* Natuurlijk wil ik met je mee, maar dan op mijn manier! Akkoord?'

Ik knik in de richting van de A6M achter mij en geef je een knipoog. Jij protesteert.

'Maar je vliegtuig is niet groot genoeg voor ons beiden!'

'Ach wat, het wordt gewoon een beetje inschikken! En wees nu een gentleman en help me erin, dr. Sammington. We gaan!'

We persen ons in de cockpit en ik start de motor. Midden op zee dient de Dood zich aan. En ik bedenk dat dit alles misschien louter zíjn invitatie is, zijn truc: de illusie dat de onmogelijke liefde tussen een Amerikaanse arts en een Japanse kamikaze waarheid zou kunnen worden.

Maar dat dondert niet.

Moeiteloos stijgen we op in het maanlicht en ik voel me zo kinderlijk gelukkig terwijl ik in de golven stort. De dood verzwelgt ons als een bodemloze draaikolk.

***

We liggen op het strand en kijken elkaar in de ogen, onhandig als twee tieners op hun eerste afspraakje. Je bloost, kijkt weg. Speelt met de pagina's van het boek dat op je bleke benen ligt.

Plotseling betrekt je gezicht.

Ik heb het boek tot het einde toe doorgebladerd. Op de laatste pagina bovenaan heb ik een datum ontdekt.

De datum van vandaag, heb je me in het oor gefluisterd.

Meteen eronder een gedicht. Het laatste dat je geschreven hebt.

Aan het eind van ons leven ligt er muziek in alle dingen
 stap voor stap stijgen we ten hemel.
 misschien worden we weer kinderen
 en herinneren we ons alleen de liefde
 al het andere vergeten we
 het zal zo gemakkelijk zijn als ophouden met ademen
 zwemmen, louter hopen je terug te kunnen vinden

Wat betekent dat? Waarom deze woorden?

Terwijl we de liefde bedrijven, terwijl ik hijgend op je dijen rijd, met mijn handen om je rug geslagen, voel ik je litteken onder mijn vingers. Het gebogen reliëf van de contouren, de gladde, strakke huid in het midden. Het is slechts een van de talloze dingen die ik voel in het contact met je lichaam, maar dit ene gevoel wordt groter tot het sterker is dan alle andere.

Dan welt er een warme stroom tussen mijn vingers op.

Het litteken is opengegaan.

Ik druk het uit alle macht dicht, probeer het rode borrelen te stelpen. Maar het heeft geen nut, onder ons is al alles vol bloed, er vormen zich donkere klompen, als de groteske kantelen van een zandkasteel.

Dem, wat is er?! Ik wil schreeuwen, maar je lijkt niets te merken, stoot verder in me, dwingt me ondanks mijzelf van genot te kreunen, wilt niet ophouden, alsof het de laatste keer is en jij dat weet.

Er moet een reden zijn dat we elkaar op deze grens ontmoet hebben.

En stel dat dit alleen nog een kleine toegift aan leven was die je me ge-

schonken hebt, en ik het alleen maar tot nu toe heb volgehouden om jou
terug te vinden, om je nog een laatste keer te zien?

'Ik smeek je, Dem... Je maakt me bang.'
Ik sidder, terwijl we elkaar blijven kussen, en ik met mijn handen je
bloed probeer op te vangen.
'Dem, je bent alleen maar moe, maar nu heb je alle tijd van de wereld
om je te herstellen! Van ons tweeën ben jij altijd de sterke en ik de zwakke geweest, weet je nog? Je zei ooit dat mijn zwakte mijn ware kracht
was, omdat ze grenzen stelt aan ons beiden!'

Maar nu weet ik dat dat niet zo is.
Een jaar geleden, toen ik je aan een dodelijk gevaar blootstelde, heb ik
je niet kunnen beschermen. Ik kan je ook nu niet beschermen. Ik kan je al
deze pijn, al dit verdriet niet besparen.

'Dat is niet waar! Je was altijd aan mijn zijde, toen evengoed als nu. En
dat is het enige wat telt, Dem, je hebt me teruggevonden, blijf nu gewoon
bij me! Iets anders wens ik niet!'

Mijn hele leven heb ik alleen geprobeerd je gelukkig te maken. Maar nu
wordt me duidelijk dat ik daar niet de kracht voor heb. Niemand kan die
hebben. Het was een vergissing ons leven daarop te baseren. Deze reis kan
een mens niet zonder kleerscheuren doorstaan. Ik kan je niet redden. Ik
kan je niet liefhebben zoals God.

'Waarom zeg je dat?'

Karin, luister naar me. Je hebt me alles gegeven wat me het dierbaarst is.
Je hebt me alles geleerd waarvoor het de moeite waard is te leven. Nu...
wil ik je alleen bedanken.

Een brok snoert mijn keel dicht, maar ik moet hem met kracht wegslikken.
'Dem...' Ik aarzel een laatste keer. 'Aan het eind van de laatste herinnering is rondom ons een golf van licht geëxplodeerd. Een die zo intens
was dat hij alles doordrong en ons blind sloeg.'
Ik laat me naar de waarheid toe vallen.

'Je weet wat daarin schuilging, toch?'

Ja.

Op dat moment, toen de kracht van de tsunami ons wegrukte, straalde je liefde als een ster, als een bliksem die het hele universum verlichtte.

Een dergelijke liefde is de essentie van de materie, ze is de kracht die ruimte en tijd bijeenhoudt, die de loop der geschiedenis kan veranderen, die de regels van de kosmos buigt. Een dergelijke liefde kan wonderen verrichten.

Begrijp je? Het was jouw omhelzing, jouw beschermende gebaar dat ons beiden gered heeft. Op dat moment, probeer het je voor te stellen, heb je God om een geschenk gebeden: dat ik het zou overleven, om jou terug te vinden.

Dat geschenk heeft ons bij elkaar gebracht. Maar hetgeen ons heeft samengebracht, neemt mij nu met zich mee.

Het is al hier. Het komt me halen.

Maar we mogen niet treurig zijn. Ik heb je teruggevonden, jij hebt mij teruggevonden.

Ook al was het maar voor een paar korte momenten.

Niets anders doet er nog toe.

(DEMIAN)

Ik ben je roepstem door de wereld gevolgd.

Stap voor stap, dwalend door het fijne zand dat leven van dood scheidt.

Ben elk moment bang geweest voor waar ik op zou kunnen stuiten.

Dat je ergens zou zijn waar ik je niet kan volgen.

Zul je je aan onze belofte houden, heb ik me afgevraagd.

Pick a song and sing
a yellow nectarine

Nu weet ik dat je het niet vergeten bent. De woorden van deze belofte zijn het laatste wat je voor mij in het boek hebt neergepend.

Take a bath, I'll drink
the water that you leave

Maar je leeft, en deze woorden hebben geen betekenis meer.

Begrijp je waarom we hand in hand op deze grens dwalen? Kijk dan ook in de golf van licht: alles zal je duidelijk worden. Onvermijdelijk.

Een jaar lang heb ik hier rondgezworven, onvermoeibaar, met een hart vol angst je niet meer te kunnen bereiken.

Om op het eind te moeten inzien dat *jij mij niet meer kunt bereiken*.

Mijn angst was gegrond. Maar ik ben degene die zich heeft vergist, ik ben degene die jij niet volgen kunt.

If you should die before me
ask if you can bring a friend

Als ik eindelijk begrijp waarom mijn litteken is opengesprongen en dat deze odyssee er alleen maar is geweest om je een laatste keer terug te zien,

en dat ik deze golf niet had kunnen overleven, dat ik dit dode lichaam ben dat op volle zee drijft, pas dan duw ik de *wa'hay* het water in. Nu ik je teruggevonden heb en weet dat je het goed maakt en naar huis zult terugkeren, kan ik rustig gaan.

Pick a flower, hold your breath
and drift away...

'Herinner je je onze belofte niet meer?' vraag je me, en je barst in tranen uit.

Je legt me het opengeslagen boek in de hand, de pagina waarop je deze woorden geschreven hebt.

'Is dat je helemaal niets waard?'

'Je begrijpt het niet, liefste. Onze belofte kan niet gehouden worden. Het was slechts het spel van twee verliefde kinderen, hun domme, pathetische, zinloze strijd tegen de dood. Ik wil dat je verder leeft. Ik heb zo lang gereisd om je te vinden, je een laatste keer te zien. Om je naar huis te brengen.'

'Ik wil niet naar huis!'

Je probeert me tegen te houden, maar dat is hier niet toegestaan.

Rest alleen nog een laatste kus.

***

Nu lig ik roerloos op de bodem van de *wa'hay*.

De hemel is een felblauwe paddenstoel die boven mij wegdraait, luchtige wolken zijn z'n witte sporen, in mijn hoofd schrijft zich het laatste gedicht.

Een eenvoudig gebed waarin ik bid dat je altijd gelukkig mag zijn.

Dylan Thomas' gedichten hebben geen zin meer, mijn liedteksten geen betekenis. Het is waar, aan het eind blijft alleen de liefde, de glimlach van mijn ouders trekt aan me voorbij, die van Chris, die van mijn zus met haar kleine meid op de arm, tere bloem kruidenthee op de lippen – maar niet om de dorst te lessen, op de Singel bij de tulpenmarkt, verjaardag in de Keukenhof, in de Strøget in de ban van de kleine zeemeermin, in de blauwe hemel van Seattle, Layne op zoek naar Demri, aan de grond genageld, wijd open ogen, verkrampte handen, de foto's van Zion Park, onder Anne Franks bed, indigoblauwe koffers in de kast, werkelijk omarmen wie je liefhebt, niet alleen de herinnering, het laveren door de chaos, de plek waar ik jou bewaar zuiver houden, en er valt niets meer uit te leggen, jouw liefde is de weg waarop ik mijn ogen sluit en de reis eindigt.

Met een oorverdovend brullen stort de oceaan zich over de horizon, een wrede waterval die me met zich mee sleurt.

De poorten van mijn hemel gaan open,
geur van de onbekende dood.

Nu ben ik werkelijk bang.

9 APRIL 2009
IN DE GOLF VAN LICHT DIE JOUW DOOD VOOR MIJ VERBORG
– HET LAATSTE MOMENT VOOR DE AMNESIE –

Het is slechts een heel klein, zinloos, prachtig gebaar van liefde.

Niemand op de wereld zal ervan horen.

Ondanks de verlammende angst sla ik mijn armen om je lichaam, dat op me ligt. Met mijn rechterhand pak ik je nek, bedek je hoofd, met de andere omvat ik je rug.

Het ruikt naar angst en dood. We zullen in deze laatste omhelzing ten onder gaan.

Dan rolt de golf over ons heen, een intense pijn, je gezicht, misschien voor de laatste keer, het licht breekt in duizenden concentrische stralen.

Mijn laatste wens. Dat deze golf ons niet zal scheiden.

(DEMIAN)

Horen jullie ook die golf de afgrond in daveren?

Wat wordt er van mij, waar ga ik heen?

Zal ik mezelf blijven? Zal ik bewust zijn of los ik op?

Word ik tot licht? Zal ik God zien?

Ik moet je hebben, maar tegelijk wil ik het niet.

Mag ik me op z'n minst voorstellen dat je hier aan mijn zijde bent?

***

Ik heb gedaan wat je me gevraagd hebt, Dem. Ik heb in het licht gekeken dat de dood voor ons verbergt.

En heb mijn wens waarheid zien worden.

Kun je me nog horen? In één ding heb je je vergist.

Je hebt het godsgeschenk waarom ik voor ons beiden heb gebeden, niet volledig bevat.

Ja, je hebt mij gevonden. Maar niet om me te redden. Niet om me een laatste keer te zien. Het geschenk waar ik om gebeden heb, was niet die golf te overleven, maar

dat deze golf ons niet zal scheiden.

Ongeacht wat dat inhoudt.

En zo is het ook gebeurd: we hebben elkaar verloren, maar je bent me komen halen om mijn laatste wens in vervulling te laten gaan.

***

Waarom ben je hier?

Op de bodem van de *wa'hay*, aan mijn zijde?

Je kijkt me aan met je stralende glimlach, je handen verstrengeld achter je hoofd.

Wil je me nogmaals verrassen, tot op het laatst, de enige mens op de wereld wie dat altijd heel vanzelfsprekend gelukt is?

Maar ik wil je hier niet. Waarom wil je niet naar me luisteren, tot op het laatst? *Ik wil je hier niet!*

En bovendien... ben je niet bang?

***

Nee, Dem, ik ben niet bang.

Waarom zou ik bang zijn?

Het is gewoon een nieuwe reis.

Ik heb ertoe besloten. Ik heb het gewild.

En elke reis bergt een geheim in zich dat het ontdekken waard is, als jij bij me bent.

***

Elk ogenblik bergt een geheim, als ik het met je delen kan. Elk moment betekent een geheim, ons bestaan, het man-en-vrouw-zijn te doorlopen.
Niet eens de dood kan deze omhelzing verbreken.

Je bent tot het eind toe koppig, wilt je tot elke prijs aan de puberale be-

523

lofte van twee tieners houden, en ik kan je er niet meer van afbrengen, er is geen tijd meer, hier, waar de tijd in een eeuwige waterval eindigt.

De oceaan buigt naar voren, wordt steeds sneller, de *wa'hay* zinkt en stort omlaag.

> je huid wordt doorschijnend onder al mijn kussen
> en nu los ook ik op in het licht
> het kabaal is oorverdovend
> wat dom was je, om alleen voor de liefde te leven
> *... jij ook, net als ik.*

We laten ons gaan, storten omlaag, glimlachend sluiten we onze ogen, voor de laatste maal in dit leven.

Het is slechts een nieuwe reis, pak mijn hand.

DANKWOORD

Ik dank Chiara, omdat zij dit verhaal in mij geschreven heeft.

Ik dank mijn hele familie. Ik dank mijn vrienden voor hun steun. En al degenen die me in deze maanden gelezen, bemoedigd en vergezeld hebben. Demian en Karin danken jullie ook...